Franz Nuscheler (Hrsg.)
Entwicklung und Frieden
im Zeichen der Globalisierung

Schriftenreihe Band 367

Franz Nuscheler (Hrsg.)

Entwicklung und Frieden im Zeichen der Globalisierung

Bundeszentrale
für politische Bildung

Bonn 2000

Dieses Buch ist eine auf ausgewählten Beiträgen beruhende Lizenzausgabe des Sonderbandes der »Reihe EINE Welt – Text der Stiftung Entwicklung und Frieden«, der Anfang 2000 unter der Herausgeberschaft von Franz Nuscheler und unter dem Titel »Entwicklung und Frieden im 21. Jahrhundert. Zur Wirkungsgeschichte des Brandt-Berichts« im © Verlag J. H. W. Dietz Nachf. GmbH, Bonn, erschienen ist.

Satzherstellung: Medienhaus Froitzheim AG, Bonn, Berlin
Druck: Bercker, Kevelaer

ISBN 3-89311-395-8 ISSN 0435-7604

Inhalt

Bundespräsident Johannes Rau

Vorwort: Entwicklung und Frieden heute

I.

Politik als Vision – noch immer verbinden viele Menschen mit dieser Vorstellung den Namen und das Wirken von Willy Brandt. Eine politische Vision war für Willy Brandt keine weltferne Utopie, sondern politische Fantasie, die über den Tag hinaus weist.

Der Name Willy Brandts bleibt mit bestimmten politischen Einsichten und Veränderungen verbunden. Die Ostpolitik, für die er 1971 in Oslo mit dem Friedensnobelpreis ausgezeichnet wurde, legte einen wichtigen Grundstein für die Überwindung der Spaltung Europas und der Teilung Deutschlands. Unter seiner Leitung wurde die *Sozialistische Internationale* zu einer Organisation mit politischem Gewicht. Als Vorsitzender der *Unabhängigen Kommission für Internationale Entwicklungsfragen* (Nord-Süd-Kommission) veränderte er die Sichtweise des Nordens und des Westens gegenüber den Ländern des Südens und den Staaten des Ostens und leitete ein neues Verständnis von Entwicklung ein: Entwicklungspolitik als vorsorgende Friedenspolitik. Der *»Brandt-Report«* mit dem Titel »Das Überleben sichern« ist auch heute noch ein Kompendium für verantwortungsbewusstes globales Denken.

Anlass für das vorliegende Buch der *Stiftung Entwicklung und Frieden* ist der zwanzigste Jahrestag der Übergabe des Berichtes der *Nord-Süd-Kommission* durch Willy Brandt an den Generalsekretär der Vereinten Nationen am 12. Februar 1980. Bei der Fülle an Literatur über Willy Brandt verstehe ich das Buch nicht lediglich als einen weiteren Versuch, an sein Lebenswerk zu erinnern. Es geht vor allem darum, in die Zukunft zu schauen, auf die großen Herausforderungen der Politik. Willy Brandts Fähigkeit zu politischem Weitblick war mit einem wachen Sinn für strategisches Denken verknüpft. Er wusste, dass es in der Politik keine ewigen Wahrheiten gibt, dass klare Grundsätze aber umso wichtiger sind. Kurz vor seinem Tod 1992 hat er seine Erfahrungen in den Worten zusammengefasst: »Unsere Zeit steckt, wie kaum eine andere zuvor, voller Möglichkeiten – zum Guten und zum Bösen. Nichts kommt von selbst. Und wenig ist von Dauer. Darum – besinnt Euch auf Eure Kraft und darauf, dass jede Zeit eigene Antworten will.«

II.

Willy Brandt fühlte sich nie am Ende seiner politischen Arbeit. Wenn er etwas angeregt hatte, gab er weitere Impulse. Zwei davon möchte ich im Zusammenhang dieses Buches besonders hervorheben: Die *Commission on Global Governance* und die *Stiftung Entwicklung und Frieden.*

Die *Stiftung Entwicklung und Frieden* wurde 1986 auf Initiative von Willy Brandt gegründet. Nach der Veröffentlichung des Berichtes der *Nord-Süd-Kommission* war ihm immer deutlicher geworden, dass das Wissen über globale Zusammenhänge viel stärker gewachsen war als die Bereitschaft, daraus politische, ökonomische und ökologische Konsequenzen zu ziehen. Mit der überparteilichen *Stiftung Entwicklung und Frieden* wollte er ein Forum für die deutsche und internationale Diskussion über Zukunftsprobleme der zusammenwachsenden Weltgesellschaft schaffen. Besonderen Wert legte er auf interdisziplinäre wissenschaftliche Forschung, auf die Praxistauglichkeit der Arbeit und darauf, die wechselseitige Beeinflussung globaler Trends zu beachten.

Eine noch umfassender angelegte Initiative hatte Willy Brandt 1989 nach dem Ende der Ost-West-Konfrontation 1989 gestartet. 1990 lud er Mitglieder der Weltkommissionen der 80er-Jahre nach Königswinter ein, um mit ihnen über die Konsequenzen für die Weltpolitik zu beraten. Immer wieder von Willy Brandt ermutigt, entstand daraus zunächst 1991 die *»Stockholm-Initiative zu globaler Sicherheit und Weltordnung«* und ein Jahr später unter Leitung des damaligen schwedischen Ministerpräsidenten Ingvar Carlsson und des ehemaligen Generalsekretärs des Commonwealth, Sir Shridath Ramphal, die *Commission on Global Governance*. Als Ergebnis von Willy Brandts beharrlichem Bemühen befasste sich der 1995 vorgelegte Bericht der Kommission »Nachbarn in einer Welt/Our Global Neighbourhood« mit nichts weniger als einer neuen Weltordnung im Zeichen der Globalisierung. Die geistigen Spuren Willy Brandts werden in dem Vorwort der beiden Vorsitzenden deutlich, wenn sie Politik als ständige Aufgabe zur Gestaltung einer humanen, gerechten und friedlichen Welt beschreiben: »Die Entwicklung einer Weltordnungspolitik ist Teil der Evolution menschlichen Bemühens, das Leben auf diesem Planeten zu organisieren. Es ist ein nie endender Prozess.«

III.

Willy Brandt hatte die neuen Dimensionen internationaler Politik schon zur Zeit der *Nord-Süd-Kommission* 1980 aus unbewältigten Problemen der Entwicklungsländer, aus globalen Umweltschäden und aus sinnlosen Rüstungsausgaben abgeleitet. Bei seiner Initiative für die *Commission on Global Governance* nach 1989 verschaffte er zusätzlich der Erkenntnis Geltung, dass in einer nicht mehr durch ideologische und militärische Blöcke geteilten Welt die historisch einmalige Chance besteht, den Frieden in der Welt dauerhaft zu sichern und den immer größer gewordenen Gegensatz zwischen Arm und Reich zu überwinden. Das setzte er gegen das von manchen verkündete »Ende der Geschichte«.

Bisher ist es nicht gelungen, Frieden und Gerechtigkeit weltweit zu verwirklichen. Die Fragen Willy Brandts und der *Nord-Süd-Kommission* sind bisher noch ohne schlüssige Antwort geblieben: Wie können wir Lösungen für die Herausforderungen und Probleme unserer Zeit finden, die für unser Überleben und für die Zukunft unserer Kinder und Enkel bestimmend sind?

Wir brauchen ein Bewusstsein dafür und müssen den Boden dafür bereiten, dass Politik nicht nur für die Rahmenbedingungen und für die Funktionsfähigkeit von Märkten zu sorgen hat. Es geht um viel mehr: um die Rückgewinnung der politischen Dimension im Prozess der Globalisierung. An die Stelle von Ratlosigkeit treten erste Konturen neuer Gestaltungsaufgaben. Die globale Realität ist vielschichtig, und jeder Prozess mit einer Fülle anderer Abläufe verbunden. Die veränderte Qualität der internationalen Verflechtungen lässt viele Modelle und Optionen zu. Neue Ideen werden unter Begriffen wie »globale Strukturpolitik«, »geteilte Souveränität«, »konsensuale Problembearbeitung« oder »Partizipation der Zivilgesellschaft« diskutiert. In unserem Denken und Handeln muss die Verantwortung dafür sichtbar werden, dass alles, was wir heute tun oder unterlassen, Folgen für die Wirklichkeit von morgen, für die Lebenschancen der nächsten Generation haben wird.

IV.

Das Verbindungsstück zwischen der politischen Einsicht von heute und der Realität von morgen ist die politische Vision. Nach fast vierzig Jahren Erfahrungen mit Entwicklungszusammenarbeit sollten wir allerdings auch bei der global wirksamen Politik das Maß unserer Fähigkeit nicht überschätzen, gesellschaftliche und politische Entwicklungen vorhersehen oder vorwegnehmen zu können. Daher bedürfen unsere Entscheidungen der verantwortungsbewussten Abwägung. Ich nehme die Stimmen derer ernst, die davor warnen, unsere Erwartungen an eine Globalpolitik so hoch zu schrauben, dass das Ergebnis wieder nur Frustration sein kann. Maßstab kann nicht die Schlüssigkeit des theoretischen Modells sein, sondern der reale und überschaubare Fortschritt vor Ort, gemessen an mehr Entwicklungschancen, an mehr Sicherheit und Frieden und an mehr Toleranz und Verständigung.

Ich halte es für sinnvoll, dass wir uns – vor allen Gedanken über Details einer Globalpolitik – zunächst darauf besinnen, was wir in einer globalisierten Welt an Werten und Maßstäben erhalten sehen wollen und was wir aufbauen wollen.

Wir befinden uns erst am Anfang eines langen Weges zu einer friedlicheren Welt. Der wichtigste Schritt ist, dass wir große Anstrengungen unternehmen, damit der Dialog zwischen den Kulturen stärker in Gang kommt. Neben allen Unterschieden, die wir kennen lernen und achten sollten, müssen wir uns über Werte klar werden, die allen Menschen auf Erden gemeinsam sind oder gemeinsam werden können.

Die Achtung der Menschenwürde ist kein Privileg des Abendlandes. Unverkennbar existieren in verschiedenen Kulturkreisen unterschiedliche Vorstellungen über die Menschenwürde. Wir müssen die verschiedenen Ethiken des Denkens und Handelns mit Blick auf die Menschenwürde verstehen, wenn wir der politischen Diskussion über Sinn und Inhalt der Menschenrechte Orientierung geben wollen. Das heutige Verständnis der Menschenrechte wurde durch Wertvorstellungen verschiedener Kulturen und Zivilisationen beeinflusst. Auch in anderen als den westlichen Traditionen gibt es Vorstellungen, die als Wegbereiter der heutigen Menschenrechtsauffassung gelten können.

Von fundamentaler Bedeutung dafür ist nach wie vor die gemeinsame Erklärung zum Weltethos des »Parlaments der Weltreligionen« aus dem Jahre 1993, die die uralte Regel bekräftigt hat, dass man andere so behandeln soll, wie man selbst behandelt werden möchte. Zu den gemeinsamen Überzeugungen aller Weltreligionen gehören eine Kultur der Gewaltlosigkeit, die Verpflichtung zur Solidarität und Toleranz und die Partnerschaft von Mann und Frau.

Es ist ein natürlicher Wunsch aller Menschen, ihre Identität durch Integration in einem vertrauten Umfeld gewahrt zu sehen. Die Kräfte der Modernisierung haben überall zu schmerzlichen Verlusten an Geborgenheit und zur Isolation vieler Einzelner geführt. Die Antwort darauf können weder religiöser Fundamentalismus sein noch eine von Kommerzialisierung gesteuerte Massenkultur. Vielmehr müssen wir in interkulturellen Dialogen gegenseitigen Respekt üben, Bewährtes bewahren und Neues integrieren.

V.

Der Globalisierungsprozess hat grenzüberschreitendes Handeln in zahllosen Bereichen selbstverständlich werden lassen, die alle Gesellschaften, Institutionen und Handlungsgruppen in ein komplexes System wechselseitiger Abhängigkeiten bringen. Darum sehe ich wichtige Gründe, die auf eine Neugestaltung von Außen- und Sicherheitspolitik im Zeitalter der Globalisierung drängen:

Die Handlungsspielräume von Nationalstaaten und das herkömmliche Verständnis von Souveränität haben sich nachhaltig verändert. Alle Beteiligten, von den Akteuren der Zivilgesellschaft über lokale und regionale Kräfte bis zu multilateralen Zusammenschlüssen, stehen mit den Nationalstaaten unter großem Reformdruck. Da die Nationalstaaten immer noch die mächtigsten Institutionen in diesem Netzwerk sind, wird ihr Reformwille entscheidend dafür sein, ob es gelingen wird, der Globalisierung einen weltweit gültigen Rahmen zu setzen.

Außen- und Sicherheitspolitik sind mit anderen Politikbereichen zu Teilen einer globalen Strukturpolitik geworden. Über die traditionelle Außen- und Sicherheitspolitik hinaus geht es um eine neue Friedenspolitik, deren Ziel die globale Zukunftssicherung ist. Dadurch werden auch Fragen der Entwicklungs- und Umweltpolitik und der Menschenrechte zu »harten« Themen künftiger Außenpolitik.

VI.

Der Prozess der Globalisierung hat auch die klassische Entwicklungspolitik unter erheblichen Legimitationsdruck gebracht. Wenn Entwicklungspolitik als eigenständiges Politikfeld auf Dauer Bestand haben will, wird sie nicht umhinkommen, sich mit der Frage auseinander zu setzen, weshalb die ersten vierzig Jahre von Entwicklungszusammenarbeit nicht verhindern konnten, dass die Lebensbedingungen und die Lebenschancen sich weltweit weiter auseinander entwickelt haben. Bei allen Fortschritten in Teilbereichen, wie bei der Alphabetisierung und im Gesundheitswesen, können wir nicht darüber hinwegsehen, dass Unterentwicklung und Marginalisierung sich verfestigt haben.

Das Ziel nachholender Entwicklung des westlichen Wirtschaftsmodells hat viele Länder des Südens überfordert und in eine falsche Richtung gelockt, aus der sie nicht mehr herausfinden oder sogar als »gescheiterte Staaten« zu Gefahren für den Weltfrieden geworden sind. Die Weltbank hat von ihrer lange gepflegten Vorstellung Abstand genommen, dass Entwicklung mit Wirtschaftswachstum gleichzusetzen und dass der herausragende Maßstab für eine gute Entwicklung die Konkurrenzfähigkeit auf dem Weltmarkt sei. Mit diesem fast irrationalen Ziel ist in den vergangenen dreißig bis vierzig Jahren immens viel Geld in den Ländern des Südens ausgegeben worden.

Wir müssen neu fragen, was denn eigentlich das Ziel von »Entwicklung« ist. Die bisherigen Vorstellungen von Entwicklungspolitik sind durch die Globalisierung vollends überholt. Vielleicht müssen wir zu wesentlich bescheideneren Zielvorstellungen kommen. Die seit dem Gipfel von Kopenhagen propagierte Armutsbekämpfung ist ein ganz wichtiges Ziel, vor allem die Voraussetzung dafür, ein noch weiteres Auseinanderdriften zwischen armen und reichen Ländern zu verhindern. Vielleicht wäre es sinnvoll, den abstrakten Begriff »Entwicklung« ganz aufzugeben und für jeden Staat oder für bestimmte Regionen Kriterien zu definieren, die den jeweiligen kulturellen, historischen und sozialen Verhältnissen und Möglichkeiten entsprechen. Nur so kann man feststellen, ob sich die Lebensverhältnisse der Menschen zum Besseren verändern.

Viel stärker als bisher sollte der Frage nachgegangen werden, ob nicht vor dem Ruf nach Eingliederung von noch wenig entwickelten Volkswirtschaften in den Weltmarkt zunächst die regionalen Kräfte intensiver zur Zusammenarbeit veranlasst werden können. Den ärmsten Ländern der Welt hilft es wenig, wenn ideale Muster für wirtschaftlich, sozial und politisch blühende Staatswesen entworfen werden.

Das bisher ungelöste Hauptproblem der Entwicklungszusammenarbeit besteht darin, dass viele Staaten es eben nicht fertig gebracht haben, auch nur einige der Voraussetzungen für ein geordnetes und gedeihendes Staatswesen zu schaffen. Es wäre schon viel gewonnen, wenn die an diesem Prozess verantwortlich Beteiligten zu der Einsicht kämen, dass Entwicklung weder exportiert noch importiert werden kann. Bei aller gut gemeinten Unterstützung von außen bleibt entscheidend, ob der Wille zu einer vernünftigen Entwicklung des eigenen Landes in der jeweiligen Staatsführung vorhanden ist und ob die, die in der Gesellschaft besondere Verantwortung tragen, bereit und in der Lage sind, im Interesse aller das Notwendige zu tun.

Die abgestimmte Zusammenarbeit der Entwicklungspolitik mit anderen Politikbereichen ist ebenso wichtig wie eine bessere Koordinierung zwischen den unterschiedlichen nationalen und internationalen Akteuren der Entwicklungszusammenarbeit.

Acht Jahre nach der Konferenz von Rio 1992 sollten wir Überlegungen zu einer Reform des UN-Entwicklungsprogramms (UNDP) und des Umweltprogramms (UNEP) mit der Frage verbinden, was eine abgestimmte Entwicklungs- und Umweltpolitik im Zeichen der Globalisierung bedeuten könnte.

VII.

Das wichtigste Element einer zukunftsweisenden Globalpolitik wird sein, ob wir endlich die Fähigkeit entwickeln, die Willy Brandt so oft gefordert und gefördert hat: die Fähigkeit zur Zivilisierung von Konflikten und zum friedlichen Austragen von Konflikten. Wir müssen die Einsicht, dass Krieg der größte Feind jeder gedeihlichen Entwicklung ist, mit der Erkenntnis verbinden, dass es einen unauflösbaren Zusammenhang zwischen gerechter Entwicklung und gesichertem Frieden auf der Welt gibt. Wir müssen den Ursachen für Spannungen und Konflikten zu Leibe rükken, bevor daraus Kriege und Bürgerkriege entstehen.

Die ersten praktischen Schritte zum Aufbau ziviler Friedensdienste, einer angemessenen Infrastruktur und zur Ausbildung von Vermittlern für die konstruktive Bearbeitung von Konflikten sind getan. Die schwierigste Aufgabe wird aber darin bestehen, Regierungen, Konfliktparteien und Bürger in Konfliktregionen für die gewaltfreie Lösung von Konflikten zu gewinnen. Oft fehlt der politische Wille vor Ort, lange aufgestaute Gegensätze friedlich lösen zu wollen. Nationalismus, Fundamentalismus und ein neuer Moralismus finden ihren Nährboden auch in einer ungezügelten Ökonomisierung aller Lebensbereiche, die keine Rücksicht nimmt auf kulturelle und religiöse Traditionen.

Darum kann eine globale Friedenspolitik nur dann Erfolg haben, wenn sie für die Weltwirtschaft einen Handlungsrahmen mit Regeln schafft, die verhindern, dass sich die Produktivkräfte zu Destruktivkräften wandeln.

Die zivilisierte und gewaltfreie Lösung von Konflikten ist ein Gebot der Vernunft. Die nächste Generation wird uns daran messen, wie weit wir der wichtigsten Aufgabe gerecht geworden sind: Weltweit eine Kultur des Friedens und der Gerechtigkeit zu schaffen.

Einleitung

Franz Nuscheler

»Ohne Frieden ist alles nichts!«

Den Anlass für diesen Sammelband von 17 Beiträgen bildet ein Jahrestag: Im Januar 1980 legte Willy Brandt den Bericht der von ihm geleiteten *Unabhängigen Kommission für Internationale Entwicklungsfragen* vor. Diese Kommission wurde besser bekannt als *Nord-Süd-Kommission* und ihr Bericht als *Brandt-Bericht.* Die von ihm gegründete *Stiftung Entwicklung und Frieden (SEF)* und die *Bundeskanzler Willy-Brandt-Stiftung* erinnerten am 12. Februar 2000 mit einer gemeinsamen internationalen Konferenz an das Erscheinen des *Brandt-Berichts* vor 20 Jahren. Bundespräsident Johannes Rau nahm an ihr teil und schrieb das Vorwort für diesen Band auch deshalb, weil er als Ministerpräsident von NRW den Vorsitz der SEF übernommen hatte.

Die SEF hat diesen Erinnerungsband nicht nur in Auftrag gegeben, um ihrem Gründer eine posthume Reverenz zu erweisen. Der Grund liegt vielmehr in der bleibenden Bedeutung und Nachwirkung des *Brandt-Berichts*, der wie kein anderer Bericht einer internationalen Kommission die internationale Diskussion über das Nord-Süd-Problem beeinflusst hat. Dies lag sicherlich auch an der politischen Prominenz des Kommissionsvorsitzenden, der 1971 mit dem Friedensnobelpreis ausgezeichnet worden war, und an der hochkarätigen Zusammensetzung der Kommission, aber auch an ihren Analysen und Empfehlungen. Sie ließen damals aufhorchen und regen heute zum Nachdenken an, wie eine zum Beginn eines neuen Jahrhunderts vorgelegte Neuauflage wohl aussehen würde.

Dieser Sammelband veranstaltet kein Requiem, aber auch keine unkritische Hommage. Fast alle Beiträge behandeln auch die Frage, was am *Brandt-Bericht* nach zwei Jahrzehnten noch erinnerungswürdig bleibt. Im Mittelpunkt stehen jedoch Fragestellungen, die Willy Brandt schon in seiner Einleitung zum Bericht unter dem Stichwort »Weltinnenpolitik« aufgeworfen hatte und später in der von ihm angeregten »*Stockholmer Initiative zu globaler Sicherheit und Weltordnung*« von 1991 eingehender behandelte. Der frühere schwedische Ministerpräsident Ingvar Carlsson erinnert daran, welche stimulierende Rolle Brandt auch bei der Einrichtung der von Carlsson und Shridath Ramphal geleiteten *Commission on Global Governance* spielte, die das Paradigma von *Global Governance* in die internationale Diskussion einführte.

Zustimmung und Kritik

Die Beiträge in Teil I dieses Sammelbandes behandeln die Rezeption und Wirkungsgeschichte des *Brandt-Berichts.* Der *Bericht* hat weltweit viel Zustimmung gefunden, aber auch Kritik provoziert und Kontroversen ausgelöst, die in einzelnen

Beiträgen dieses Bandes nachklingen. Die Kritik kam damals vor allem aus politischen und akademischen Kreisen, die seinem Vertrauen auf die Problemlösungsfähigkeit von globalen Institutionen und multilateralen Entwicklungsfonds, seinem Glauben an »gemeinsame Interessen« und seiner Parteinahme für die Belange des Südens wenig abgewinnen mochten.

Prominente akademische Kritiker waren Ralf Dahrendorf und Robert W. Tucker, die vor allem die Annahme »gemeinsamer Interessen« zwischen Norden und Süden in das Reich der gutgemeinten Illusion rückten (vgl. FES 1983). Hier setzt auch die Kritik von Ingomar Hauchler an. Seine Skepsis gegenüber der Wirkungsmacht der politischen Vernunft schlägt schließlich in eine Fundamentalkritik an den Mechanismen und Unzulänglichkeiten von Politik, an den Schwächen der Demokratie und an den Verhaltensweisen von politischen Akteuren um. Seine Kritik am *Brandt-Bericht* bezieht sich auch auf die in Teil III dieses Sammelbandes zusammengefassten Versuche, die von Willy Brandt angedachte »Weltinnenpolitik« für das 21. Jahrhundert weiterzudenken.

Große Zustimmung fand der Bericht unter den in der Kommission stark vertretenen Eliten des Südens, wenn man einmal von der Kritik der Konflikt- und Dependenztheoretiker à la André Gunder Frank oder Samir Amin an seiner angeblichen Harmoniesüchtigkeit absieht (vgl. FES 1983). Zustimmung fand er auch bei den sozialdemokratischen Parteien und in der internationalen Entwicklungslobby, aber deutliche Ablehnung bei den Regierungen in London und Washington, die nicht nur seinen Forderungen nach einer Neuen Weltwirtschaftsordnung eine Absage erteilten, sondern auch in dem auf stürmischen Weltkonferenzen ausgetragenen Nord-Süd-Schlagabtausch eine härtere Gangart einschlugen.

Was hat der Brandt-Bericht bewirkt?

Alle Beiträge bescheinigen dem Bericht, einen epochalen Beitrag zur entwicklungspolitischen Bewusstseinsbildung geleistet zu haben. Aber die Meinungen über die Wirkungen, die er auf die Gestaltung der Nord-Süd-Beziehungen hatte, sind geteilt. Heute wissen wir, dass viele seiner Forderungen und Empfehlungen folgenlos blieben. Der Herausgeber zieht im ersten Teil des Bandes eine ziemlich deprimierende Bilanz.

Brandt selbst war sich bewusst, dass die vom Bericht vorgeschlagenen Rezepte nach der Verschärfung der Ost-West-Konfrontation zu Beginn der achtziger Jahre und in der Morgenröte des Neoliberalismus, der auf andere Rezepte setzte, wenig Wirkung erzielen würden. In Washington und London verschwand der Bericht im ordnungspolitischen Giftschrank. Der von ihm angeregte Nord-Süd-Gipfel fand zwar im mexikanischen Cancun statt, aber er war die hohen Reisekosten nicht wert. Die in der *Nord-Süd-Kommission* versammelte Elite setzte auf die politische Vernunft von Eliten, unterschätzte aber ihre von Partikularinteressen geleitete Engstirnigkeit. Willy Brandt bewertete später den Nord-Süd-Dialog als »Dialog zwischen Gehörlosen« und machte beide Seiten, vor allem aber den Norden, für diese Gehörlosigkeit verantwortlich.

Nachhaltiger war die Wirkung des Berichts in der entwicklungspolitischen Diskussion. Die entwicklungstheoretische Diskussion der folgenden zwei Jahrzehnte ist zwar differenzierter, aber nicht viel klüger geworden. Sie wurde allerdings dort aus Erfahrung klüger, wo der Bericht allzu sehr auf die Problemlösungsfähigkeit internationaler Bürokratien und vermehrter Finanztransfers aus dem Norden in den Süden setzte. Die Idee von Zwangsabgaben auf allerlei internationale Geschäfte zur Finanzierung von Entwicklungsfonds wurde zu Zeiten, in denen die weltwirtschaftlichen Führungsmächte die Deregulierung und Liberalisierung des Welthandels predigten, als Schnapsidee abgetan.

Neue Herausforderungen für die Friedens- und Entwicklungspolitik

Dieser Erinnerungsband sollte nicht nur auf die Wirkungsgeschichte des Berichts zurückblicken. Die Mehrheit der Beiträge beschäftigt sich vielmehr mit der Frage, welche neuen Herausforderungen für Frieden und Entwicklung sich am Beginn des 21. Jahrhunderts abzeichnen. Werden ihnen die Problemlösungen, die der Bericht vorgeschlagen hatte, noch gerecht? Was bedeuten Weltinnenpolitik, *Global Governance*, »neue Weltordnung« und Weltordnungspolitik, also Begriffe, über die Willy Brandt in den letzten Lebensjahren häufig sprach?

Ein Leitsatz von Willy Brandt lautete: »Entwicklungspolitik von heute ist Friedenspolitik von morgen.« Hinter ihm verbirgt sich ein Verständnis von Frieden, das auf die Überwindung von strukturellen Ursachen von Friedlosigkeit abzielt. Immer wieder – schon in seiner Einleitung zum Bericht und dann ausführlicher in seinem Buch von 1985 über den »organisierten Wahnsinn« – stellte er einen Zusammenhang zwischen Hunger und Krieg, Entwicklung und Frieden her. Deshalb setzte er sich nach dem Ende des Wettrüstens zwischen Ost und West für das Umschmieden »der Schwerter zu Pflugscharen« in Gestalt einer Friedensdividende ein.

Der Beitrag von Herbert Wulf zeigt, dass zwar weltweit die Rüstungsausgaben zurückgeschraubt wurden. Aber die Einsparungen in den Rüstungsetats wurden nicht zur Aufstockung der Entwicklungsetats genutzt. Vielmehr entfernten sich diese – mit wenigen Ausnahmen – immer weiter von der internationalen Zielvorgabe von 0,7 Prozent des Bruttosozialprodukts, an der sich auch der Brandt-Bericht orientiert hatte.

Der friedenspolitische Auftrag, den Brandt der Entwicklungspolitik gab, zielt auf »morgen« ab. Aber es brennt schon heute an vielen Orten. Die Mittel, die heute als Wiederaufbauhilfe im Kosovo eingesetzt werden, fehlen – zumal bei schrumpfenden Entwicklungsetats – in Armuts- und Konfliktregionen Afrikas. Die internationale Entwicklungspolitik zielt angesichts der Ausweitung von Sphären der Anarchie und Barbarei auf die Krisen- und Konfliktprävention. »Entwicklungsministerin« Heidemarie Wieczorek-Zeul aktualisiert den von Brandt hergestellten Zusammenhang zwischen Entwicklung und Frieden, Entwicklungs- und Friedenspolitik. Ihr Beitrag belegt, daß es nicht an Einsichten und guten Absichten mangelt. Was folgerichtig und vernünftig erscheint, wird jedoch zu einer kaum lösbaren Herkulesaufgabe, vor allem dann, wenn die Entwicklungspolitik noch weiter in das politische Abseits abgedrängt werden sollte.

Notwendig ist nicht nur eine bessere Abstimmung zwischen Außen-, Sicherheits-, Entwicklungs- und Menschenrechtspolitik auf nationaler Ebene, sondern auch eine bessere Koordination friedenserhaltender Maßnahmen auf europäischer und globaler Ebene, weil nationale Alleingänge nicht mehr viel bewirken können. Gefordert sind vor allem die *Gemeinsame Außen- und Sicherheitspolitik* (GASP) und die Europäische Entwicklungspolitik, nicht nur auf dem Balkan, sondern auch in Afrika und Asien. Wenn die Entwicklungspolitik zur Friedenspolitik von morgen werden soll, müssen beide in multilaterale Sicherheits- und Friedensstrukturen integriert werden. Wie sie aussehen könnten, beschreibt Tobias Debiel in Anlehnung an friedenspolitische Konzepte, die in der *Agenda für den Frieden* und im *Global Governance*-Konzept der *Commission on Global Governance* entwickelt wurden.

Neue Wege in der Entwicklungspolitik

Weil die Entwicklungsetats fast aller OECD-Staaten abgeschmolzen werden, setzen Entwicklungspolitiker verstärkt auf »*public-private partnership*« (PPP) in der Entwicklungsfinanzierung. Inge Kaul vom *Office of Development Studies* des UNDP (UN-Entwicklungsprogramm) sucht neue Wege in der Geldbeschaffung, die sich deutlich von den Forderungen des *Brandt-Berichts* nach höheren staatlichen Finanztransfers unterscheiden. Sie setzt darauf, dass die Sicherung »globaler öffentlicher Güter« (wie Frieden, Umwelt, Stabilität der Märkte, globale Rechtsstaatlichkeit) nicht nur im gemeinsamen Interesse von Industrie- und Entwicklungsländern, sondern auch von Staaten und Privatwirtschaft liege. Deshalb schlug UN-Generalsekretär Kofi Annan auch einen Pakt zwischen Vereinten Nationen und Privatwirtschaft zur globalen Sicherung von Umwelt- und Sozialstandards durch freiwillige Verhaltenskodices vor. Sie haben in der Tat in der Bekämpfung der ausbeutenden Kinderarbeit mehr bewirkt als die völkerrechtlich verbindliche *Kinderkonvention*.

Aufschlussreich sind die unterschiedlichen Anforderungen, die der weltweit als »Pionier der Entwicklung« anerkannte Paul Streeten, der in vielen entwicklungspolitischen Leitungs- und Beratungsfunktionen tätig war, und der wesentlich jüngere Dirk Messner an die Entwicklungszusammenarbeit unter den Bedingungen der Globalisierung stellen. Paul Streeten begnügt sich mit einigen operativen Kurskorrekturen in ihren Programmen und Vergabebedingungen und argumentiert weithin wie ein Mitglied der *Nord-Süd-Kommission*, das viel Verständnis für die Probleme und Interessen der Entwicklungsländer aufbringt und sich ironisch mit Denk- und Verhaltensmustern der US-amerikanischen Öffentlichkeit auseinandersetzt. Dagegen gibt Dirk Messner der Entwicklungspolitik nur dann eine sinnvolle Zukunft, wenn sie sich als globale Strukturpolitik begreift, von der herkömmlichen »Projektitis« verabschiedet und auf die Herstellung globaler Ordnungsstrukturen abzielt, die auch den Industrieländern Strukturanpassungen abverlangt.

Von der »Interdependenz der Interdependenzen« zur Interdependenz der Weltordnungen

Teil III des Bandes greift einen Kernsatz von Willy Brandt auf, den er formulierte, als die Globalisierung noch kein Schlagwort in der politischen Alltagssprache war: Wenn sich die Probleme globalisieren, muss sich auch die Politik durch die Herausbildung von globalen Ordnungsstrukturen globalisieren. Was er im *Brandt-Bericht* noch in der Forderung nach einer »Globalisierung der Politik« verdichtete, brachte dann die »*Stockholmer Initiative*« auf den Begriff der *Global Governance*.

Wie *Global Governance* organisiert und in zentralen Problemfeldern gestaltet werden müsste, behandeln sechs Beiträge. Es gibt eine »Interdependenz der Ordnungen«, die der Herausgeber im abschließenden Beitrag herzustellen versucht, aber die Vorstellungen, wie eine internationale Finanz-, Handels-, Sozial-, Umwelt- und Friedensordnung aussehen könnten und welche Realisierungschancen sie haben, sind noch sehr unterschiedlich.

Wieviel und welche Art von Regulation ist notwendig und auf globaler Ebene möglich, um die Globalisierung politisch zu gestalten und Auswege aus der »Globalisierungsfalle« zu eröffnen? Die »*Gruppe von Lissabon*« forderte ein »System kooperativer globaler Steuerung«, um die soziale und ökologische Rücksichtslosigkeit des sich entgrenzenden »Raubtier-Kapitalismus« (Helmut Schmidt) bändigen zu können. Auch unter *Laissez faire*-Propheten ist kaum umstritten, dass Märkte eines Ordnungsrahmens bedürfen, um ihre produktiven Energien entfalten und destruktiven Kräfte eindämmen zu können.

In diesem Band überwiegt die Skepsis gegenüber einem Übermaß an globaler Regulation, die sich ohnehin nur schwer gegen die ordnungspolitische Dominanz des Neoliberalismus, der auf Deregulierung setzt, durchsetzen kann. So wendet sich Reimut Jochimsen, der verstorbene Präsident der Landeszentralbank von NRW, entschieden gegen einen »Neubau der internationalen Finanzarchitektur«, den der Kölner G7-Gipfel zum Programm erhob, um die weltwirtschaftlichen Risiken des spekulativen »Casino-Kapitalismus« unter politische Kontrolle zu bringen. Margareta E. Kulessa setzt den Forderungen von einigen Staaten und vielen NGOs nach einer ökologischen Nachbesserung des WTO-Handelsregimes nicht nur ordnungspolitische Bedenken, sondern auch die These entgegen, dass die Handelspolitik nicht die globalen Umweltprobleme verschärfe. Auch Hermann Sautter konstruiert kein ambitiöses Modell für eine neue internationale Sozialordnung, sondern drängt auf die Verwirklichung der bereits im Völkerrecht kodifizierten sozialen Menschenrechte und Normen der ILO (*International Labour Organization*).

Für eine wirklich »große Lösung« plädiert nur Udo Ernst Simonis, der nicht nur einen verbindlichen Ordnungsrahmen für die globale Umweltpolitik schaffen, sondern in einer *Weltorganisation für Umwelt und Entwicklung* auch zusammenführen will, was im Paradigma der »nachhaltigen Entwicklung« zusammengehört, bisher aber auf organisatorischer Ebene auf eine Vielzahl von UN-Organisationen verteilt ist. Der Vorschlag mag bei der derzeitigen Krise des Multilateralismus, der verbreiteten Abneigung gegen neue UN-Bürokratien und der Angst vieler Entwicklungsländer vor einem ökologischen Interventionismus und »Öko-Protektionismus« noch ziemlich utopisch erscheinen, aber Wissenschaft muss auf der Suche nach Problemlösungen über das derzeit Mögliche hinausdenken.

Ein häufig zitiertes Motto von Willy Brandt, das die Plastizität seiner Sprache zum Ausdruck bringt, lautete: »Frieden ist nicht alles, aber ohne Frieden ist alles nichts!« Weltordnungsmodelle müssen deshalb in eine Weltfriedensordnung eingebettet werden. Die Welt ist nach dem Ende des Kalten Krieges nicht friedlicher, sondern turbulenter geworden. Wie Frieden erhalten oder, wie in vielen lokalen Konflikten notwendig, Frieden schaffen? Wurden die Vereinten Nationen, die eigentlich den Kristallisationspunkt einer Weltfriedensordnung bilden sollten, friedenspolitisch nicht weitgehend marginalisiert?

Tobias Debiel kommt nach Abwägung verschiedener friedenspolitischer Ordnungsvorstellungen zum Schluss, dass die in der »*Stockholmer Initiative*«, in der vom früheren Generalsekretär Boutros Boutros-Ghali vorgelegten »*Agenda für den Frieden*« und im Bericht der *Commission on Global Governance* begründete »kooperative Weltfriedensordnung« am ehesten die Chance für eine wirksame Konfliktbearbeitung eröffne. Er gibt einem solchen friedenspolitischen Multilateralismus, der auf Vorbeugung und Überwindung von Konfliktursachen und nur im Notfall auf Intervention setzt, den Vorzug vor einer Weltinnenpolitik, die zur Verhinderung schwerster Menschenrechtsverletzungen interventionsbereiter ist.

Voraussetzung für das Funktionieren einer kooperativen Friedensordnung ist allerdings, dass auch die Supermacht USA von ihren hegemonialen Ordnungsvorstellungen abrückt, die zentrale Rolle der Vereinten Nationen in einer Weltfriedensordnung akzeptiert und sich mit »geteilten Souveränitäten« in einer solchen multilateralen Friedensordnung abfindet. Hegemoniale Ambitionen, die Widerstände provozieren, sind Gift für die internationale Kooperation.

Global Governance: Vision oder Illusion?

Das Funktionieren von *Global Governance* setzt voraus, was schon Immanuel Kant zur Vorbedingung seines *Ewigen Friedens* gemacht hatte: die Herausbildung einer globalen Rechtsstaatlichkeit, die Durchsetzung eines verbindlichen Völkerrechts und die Globalisierung von »Weltbürgerrechten«, die heute zumindest normativ in den Katalogen universeller Menschenrechte schon weit entwickelt sind. Hans Küng, der Präsident der *Stiftung Weltethos*, bringt dieses Erfordernis eines Mindestmaßes an gemeinsamen Werken und Zielen in der Weltgesellschaft auf den Begriff der »Weltethik«, aus der er auch sein Plädoyer für eine globale Verantwortungsethik ableitet. Es ist ihm zuzustimmen, dass dem interkulturellen Dialog angesichts der von Samuel Huntington horrifizierten Kulturkonflikte heute eine ähnliche friedensbewahrende Bedeutung zukommt wie früher der Rüstungskontrolle.

Dem *Global Governance*-Projekt wurde vorgeworfen, angesichts der realen Machtverhältnisse, Mechanismen und Verhaltensweisen in der Weltpolitik und Weltwirtschaft Illusionen über die Chancen multilateraler Ordnungspolitik zu nähren. Die in diesem Band versammelten Plädoyers für *Global Governance* halten dem Schwelgen in Ohnmachtslarmoyanzen und Katastrophenszenarien entgegen: Wenn die Staaten die Weltprobleme mit den herkömmlichen Methoden der Macht- und Interessenpolitik nicht mehr bewältigen können, wird der Problemdruck sie zum Lernen und kooperativen Handeln zwingen. Die Welt ist im 21. Jahrhundert nicht mehr so regierbar wie im abgelaufenen Jahrhundert.

Willy Brandt dachte in langfristigen Perspektiven und hatte Visionen, aber er war zu sehr Realist und Pragmatiker, um sich Illusionen hinzugeben – sei es in der Ost-West-Politik oder in der Nord-Süd-Politik. *Global Governance* gehörte zu seinen aus dem Handlungsbedarf globaler Politik abgeleiteten Visionen. Sie können langfristig realistischer sein als das kurzfristige Status-quo-Denken, das die Augen vor den Herausforderungen der Zukunft verschließt. Kurt Biedenkopf, der zwar als Querdenker, aber nicht als weltfremder Träumer gilt, betonte im Vorwort der von der SEF besorgten deutschen Ausgabe des Berichts der *Commission on Global Governance*, deren Mitglied er war: Dieses Projekt bedeute den Versuch, »das Leben auf unserem Planeten zu organisieren und ihm eine Ordnung zu geben, die es uns erlaubt, uns zu regieren«. Dies ist keine Illusion, sondern vorausschauender Realismus.

Warum der Brandt-Bericht noch nicht in das Antiquariat gehört

Zehn Thesen sollen begründen, wo der Brandt-Bericht noch erinnerungswürdige Antworten auf Weltprobleme der Gegenwart liefert und wo wir nach neuen Lösungen suchen müssen:

1. Willy Brandt hat visionär vorausgedacht, was wir heute Global Governance oder Weltordnungspolitik nennen.

»Die Globalisierung von Gefahren und Herausforderungen – Krieg, Chaos, Selbstzerstörung – erfordert eine Art ›Weltinnenpolitik‹, die über den Horizont von Kirchtürmen, aber auch über nationale Grenzen weit hinausgeht.« Diese Sätze wurden Ende 1979 geschrieben, also unter den Bedingungen des Kalten Krieges und der bipolaren Zweiteilung der Welt. Damals musste die Idee einer Weltinnenpolitik noch als völlig utopisch erscheinen. Dies schien sich nach der weltpolitischen Zeitenwende von 1989/90 schlagartig zu ändern. Aber die *Commission on Global Governance* war schon wieder mit den turbulenten Erscheinungen einer »neuen Welt-Unordnung« und der Chaotisierung in einigen Weltregionen konfrontiert. Millennium-Prognosen sagten geradezu furchterregende Horrorszenarien von Kriegen, Verelendung und Umweltzerstörung voraus. Und wie reagiert die Politik darauf?

2. Heute haben wir mit Global Governance zwar einen neuen Begriff, aber wir haben erst in Ansätzen eine neue Politik.

Wir erkennen, dass die Staaten nicht mehr fähig sind, die globalen Probleme der Gegenwart und Zukunft mit herkömmlichen Methoden und Instrumenten der nationalstaatlichen Macht- und Interessenpolitik zu bewältigen. Der israelische Politologe Yehezkel Dror (1994) verneinte in einem Bericht an den *Club of Rome* die Frage »*Ist die Erde noch regierbar?*« Er begründete seine Skepsis mit der Unfähigkeit der Staatenwelt, die Herausforderungen der »globalen Risikogesellschaft« zu bewältigen.

Wir erleben zum Beginn des schon so genannten »Jahrhunderts des Globalismus« eine Krise des Multilateralismus. Als der Brandt-Bericht erschien, blockierte die Verschärfung des Kalten Kriegs nach der Intervention der Sowjetunion in Afghanistan seine Vorschläge zur Reform der internationalen Organisationen und blockierte die Morgenröte des Neoliberalismus in Gestalt des Reaganismus und Thatcherismus seine Vorschläge zur Reform der internationalen Handels- und Finanzordnung. Heute blockiert der unilateralistische Hegemonieanspruch einer Supermacht Fortschritte auf dem Wege zu *Global Governance*. Sie verhindert, dass die Vereinten Nationen die zentrale Rolle in der Weltpolitik spielen können, die ihnen vor 20 Jahren der *Brandt-Bericht*, 1992 die vom damaligen UN-Generalsekretär Boutros Boutros-Ghali vorgelegte *Agenda für den Frieden* und 1995 der Bericht der *Commission on Global Governance* zuwiesen. Ohne eine Kultur der internationalen Kooperation kann aber weder der in vielen Regionen brüchige Frieden bewahrt noch das globale Entwicklungs- und Umweltproblem bewältigt werden.

3. Global Governance ist eine Notwendigkeit, um das vom Brandt-Bericht beschworene »gemeinsame Überleben« zu ermöglichen.

Die Zweifel sind groß, dass *Global Governance* die Verheißungen erfüllen kann, die ihre Architekten in das Projekt hineinprojizieren. Der Vorwurf der realitätsfernen Utopie ist schnell zur Hand. So hielt beispielsweise der Politologe Peter Opitz (1997) den Hoffnungen auf *Global Governance* entgegen: »Je lauter der Ruf nach ›global governance‹ wird, umso weniger geschieht; und je eindringlicher ›globale Verantwortung‹ angemahnt wird, umso erbitterter wird der globale Kampf aller gegen alle.«

Warum sollte die Politik unter dem Leidensdruck drohender Katastrophen nicht doch lernfähig sein? Trotz vieler Blockaden und Rückschläge gibt es zu Beginn des 21. Jahrhunderts bessere Chancen für eine neue Weltordnung als zur Gründungszeit der Vereinten Nationen, als sich schon der Kalte Krieg abzeichnete. Der Problemdruck wird Schritte zu mehr internationaler Kooperation erzwingen. Es mag sein, dass nicht vorausschauende politische Vernunft oder gar eine globale Verantwortungsethik, sondern Angst vor Unheil, das sich in den Krisenregionen der Welt zusammenbraut, die Bereitschaft zu *Global Governance* verstärken wird.

4. Wir erleben in den internationalen Beziehungen eine »stille Revolution«: das politische Mitmischen der Zivilgesellschaft.

Global Governance zielt nicht nur auf die Verrechtlichung der internationalen Beziehungen, auf die Verdichtung der internationalen Zusammenarbeit und auf eine Stärkung der Vereinten Nationen als Angelpunkt einer Weltfriedensordnung ab; sie setzt auch auf eine stärkere Einbeziehung von zivilgesellschaftlichen Akteuren in die Suche nach Problemlösungen ab. Die zunehmend transnational organisierten Nichtregierungsorganisationen gehören längst zur Dramaturgie von Weltkonferenzen, auf denen sie nicht nur protestieren, sondern auch an den Beratungen beteiligt werden. Sie erkämpften sich in der Umwelt-, Entwicklungs- und Menschenrechtspolitik neben der konsultativen und korrektiven auch eine mitgestaltende Funktion. UN-Generalsekretär Kofi Annan sprach deshalb schon von einer »stillen Revolution« hinter den Kulissen der Staatenwelt. Diese kann nicht mehr wie auf dem Wiener Kongress in diplomatischer Exklusivität schalten und walten. Und dies ist gut so, weil die Zivilgesellschaft mehr kann als protestieren und Bürokraten nicht allwissend sind.

Die Nationalstaaten bleiben zwar die Hauptakteure der internationalen Politik, weil sie weiterhin allein autoritative Entscheidungen treffen können. Aber sie sind gar nicht mehr fähig, für alle Weltprobleme erfolgversprechende Lösungen zu finden. Sie brauchen die Kooperation mit gesellschaftlichen Gruppen, die Problemnähe und lokales Wissen in die Problembearbeitung einbringen. »*Public-private partnership*« ist das Gegenprogramm zu einem überforderten Etatismus.

Eine Entwicklungs- und Umweltpolitik, die nicht auf Partizipation setzt – sei es hierzulande, um Akzeptanz zu finden, sei es dort, um die Menschen am Entwicklungsprozess zu beteiligen –, hat keine Zukunft. Dezentralisierung steht überall auf der Welt ganz oben auf der politischen Reformagenda. Der in der *Lokalen Agenda 21* der Rio-Konferenz verankerte Leitsatz »Global denken – lokal handeln« macht auch die bürgernahen Kommunen zu einer wichtigen Lern- und Handlungsebene. Hier muss das »globale Lernen« beginnen.

5. Global Governance und eine internationale Kooperationskultur sind nur durch eine Stärkung globaler Rechtstaatlichkeit möglich.

Rechtstaatlichkeit bedeutet *Good Governance* im Inneren (d. h. Verantwortlichkeit der Regierenden, Unabhängigkeit der Justiz, Achtung der grundlegenden Menschenrechte); und sie bedeutet Herrschaft des Völkerrechts in den internationalen Beziehungen. Verbindliche Regelwerke bilden die Voraussetzung für jedwede Ordnung, sei es auf nationaler oder internationaler Ebene. Die Herausbildung einer internationalen Kooperationskultur setzt neben allgemein akzeptierten Regelwerken und Verfahrensregeln ein Fundament an gemeinsamen Werten und Zielen voraus.

Wir haben die von Kant anvisierte »weltbürgerliche Verfassung« bereits in den universellen Menschenrechten. Sie werden zwar nicht universell anerkannt, liefern aber der Außen- und Entwicklungspolitik nicht nur die Legitimation, sondern auch die Pflicht, sich weltweit für die Achtung grundlegender Menschenrechte einzusetzen. *Global Governance* ist einer »Kultur legitimer Intervention« verpflichtet, weil schwere Menschenrechtsverletzungen den Frieden gefährden.

6. Diese These greift eine Feststellung in Willy Brandts Einleitung zum Brandt-Bericht auf: »Es gilt, von der ständigen Verwechslung zwischen Wachstum und Entwicklung loszukommen, und wir unterstreichen mit Nachdruck, dass das eigentliche Ziel der Entwicklung eines Landes in dessen Selbsterfüllung und schöpferischer Partnerschaft liegt.«

Die Weltbank hat lange gebraucht, um von dieser »Verwechslung von Wachstum und Entwicklung« loszukommen. Und wo sind die »Selbsterfüllung und schöpferische Partnerschaft« geblieben, die er zum »eigentlichen Ziel von Entwicklung« erhob? Sie wurden systematisch durch eine Strukturanpassungspolitik verschüttet, deren Ziel es war, der ganzen Dritten Welt ein makro-ökonomisches Modell aufzuzwingen, das kaum Spielräume für eigenständiges Handeln ließ, das inzwischen »*ownership*« genannt wird. Willy Brandt sprach damals von einer »zweiten Phase der Entkolonialisierung«. Ihr folgte jedoch eine Rekolonisierung.

Wenn man den Entwicklungsländern mehr Selbstverantwortung abverlangt, muss man ihnen auch mehr Mitwirkung in den Entscheidungsgremien der internationalen Organisationen einräumen, die über ihr Wohl und Wehe entscheiden. Es war eine Kernforderung des Brandt-Berichts, nicht nur den Wohlstand in der Weltgesellschaft, sondern auch die Macht in der Weltwirtschaft und Weltpolitik umzuverteilen. Zwei Drittel der Menschheit können nicht auf Dauer politisch entmündigt werden.

7. Das Armutsproblem ist das entwicklungs- und friedenspolitische Schlüsselproblem.

Willy Brandt stellte immer wieder einen Zusammenhang zwischen Entwicklung und Frieden her. Viel zitiert wurde dieser Satz: »Die Geschichte hat uns gelehrt, dass Kriege Hunger nach sich ziehen, aber weniger bewusst ist uns, dass Massenarmut ihrerseits zu Kriegen führen oder in Chaos enden kann. Wo Hunger herrscht, kann Friede nicht Bestand haben.«

Die Chaotisierung und Rückentwicklung ganzer Regionen unterstreichen sein politisches Credo: »Ohne Frieden ist alles nichts.« Heute wissen wir, dass das sich verschärfende Armutsproblem an der Wurzel vieler globaler Risiken und Friedensgefährdungen liegt. Willy Brandt wies der internationalen Entwicklungspolitik die gewaltige Aufgabe zu, durch die Überwindung von Armut und struktureller Gewalt die Voraussetzungen für ein friedliches inner- und zwischenstaatliches Zusammenleben zu schaffen. Er ließ den naheliegenden Einwand, sie mit dieser Herkulesaufgabe zu überfordern, nicht gelten. Er stellte vielmehr fest: »Noch nie hat die Menschheit über so vielfältige technische und finanzielle Ressourcen verfügt, um mit Hunger und Armut fertig zu werden. Die gewaltige Aufgabe lässt sich meistern, wenn der notwendige gemeinsame Wille mobilisiert wird.«

8. Es geht in der Tat nicht um das Wissen und Können, sondern um das politische Wollen.

Die Staaten und Gesellschaften – und zwar im Norden und Süden – könnten die Welt verändern, wenn sie in Handeln umsetzen würden, was sie in völkerrechtlichen Verträgen und unzähligen Deklarationen und Aktionsprogrammen unterschrieben haben. Mit weniger Geld, das z. B. die deutsche Bundesregierung für die Entwicklungspolitik bereitzustellen gewillt ist, kann aber dieses Ziel nicht erreicht werden. Sie vergibt eine Chance, ihre globale Verantwortung unter Beweis zu stellen – und liefert gleichzeitig anderen ein Alibi, sich den kollektiven Selbstverpflichtungen zu entziehen. So kann der vom Kopenhagener *Weltsozialgipfel* (1995) erklärte »Krieg gegen die Armut« nicht gewonnen werden.

9. Die Entwicklungspolitik hat nur dann eine Zukunft, wenn sie Lösungen für das trianguläre Syndrom von Armut, Umweltzerstörung und Unfrieden sucht und findet.

Sie muss von der »Projektitis« Abschied nehmen und sich mit anderen Politikbereichen – der Außen- und Menschenrechtspolitik, der Handels- und Finanzpolitik, der Umwelt- und Agrarpolitik – in das Projekt einer globalen Strukturpolitik einfügen. Es geht nicht primär um mehr Geld für die traditionelle Entwicklungshilfe, sondern um den Aufbau von neuen globalen Ordnungsstrukturen, die den Herausforderungen der Globalisierung und der globalen Risiken gewachsen sind:

1. Die unbändige Dynamik der Globalisierung muss durch soziale und ökologische Leitplanken gebändigt werden. Deshalb steht eine soziale und ökologische Reform des Regelwerkes der WTO an.

2. Wir brauchen eine neue *internationale Finanzarchitektur*, die dem spekulativen und potenziell ruinösen »Casino-Kapitalismus« Zügel anlegt. Die Absichtserklärung des Kölner G7-Gipfels muss in Taten umgesetzt werden.
3. Wir brauchen eine *internationale Sozialordnung*, die verwirklicht, was schon Art. 28 der Allgemeinen Erklärung der Menschenrechte von 1948 und der völkerrechtlich verbindliche »Sozialpakt« von 1966 forderten: nämlich allen die Chance auf ein menschenwürdiges Leben zu geben.
4. Wir brauchen eine *Weltumweltordnung*, die in einer *Weltorganisation für Umwelt und Entwicklung*, wie sie Udo Ernst Simonis vorgeschlagen hat, Kompetenzen bündelt, die noch auf viele Organisationen und Programme verstreut sind.
5. Wir brauchen eine *Weltfriedensordnung*, die den Vereinten Nationen die friedenspolitische Rolle zurückgibt, die ihnen die UN-Charta zugewiesen hat. In dieser Friedensordnung kommt der Entwicklungspolitik die wichtige Aufgabe der Überwindung von strukturellen Konfliktursachen zu, die Massenarmut erzeugt.

10. Entwicklung muss als globaler Prozess und Entwicklungspolitik als globale Strukturpolitik verstanden werden.

Willy Brandt hat Entwicklung vor 20 Jahren so definiert: Sie trage »in sich nicht nur die Idee des materiellen Wohlstands, sondern auch die von mehr menschlicher Würde, der Sicherheit, Gerechtigkeit und Gleichheit«. Es wurde zwar seit 1980 viel über den Entwicklungsbegriff nachgedacht und geschrieben, aber viel klüger sind wir nicht geworden. Wenn wir etwas dazu gelernt haben, dann war es die Botschaft des *Brundtland-Berichts von 1986*: Entwicklung ist nicht nur eine Aufgabe des Südens, sondern fordert auch und sogar im Besonderen dem Norden Veränderungen der verschwenderischen Produktions- und Lebensweise ab.

Das Leitbild der »globalen Nachbarschaft«, das der Bericht der *Commission on Global Governance* in einer Art Neuauflage des *Brandt-Berichts* für das 21. Jahrhundert entwarf, verlangt auch den Wohlstandsgesellschaften tiefgreifende Struktur- und Verhaltensänderungen ab, zu denen die Politik unter dem Druck mächtiger Interessengruppen und indifferenter Wählerschaften noch nicht den nötigen Mut hat. Hier muss die Zivilgesellschaft Gegendruck mobilisieren und sich als Sauerteig globalen Denkens und lokalen Handelns bewähren. Im »Zeitalter des Globalismus« wird Kants Vision einer »Weltbürgergesellschaft« zu einer konkreten Utopie.

Literatur

Bericht der Nord-Süd-Kommission (1980): Das Überleben sichern. Gemeinsame Interessen der Industrie- und Entwicklungsländer, Köln.

Brandt, Willy (Hrsg.) (1983): Hilfe in der Weltkrise, Reinbek.

Brandt, Willy (1985): Der organisierte Wahnsinn. Wettrüsten und Welthunger, Köln.

Commission on Global Governance/Stiftung Entwicklung und Frieden (1995): Nachbarn in Einer Welt, Bonn.

Debiel, Tobias/Fischer, Martina/Matthies, Volker/Ropers, Norbert (1999): Effektive Krisenprävention, Policy Paper 12 der SEF, Bonn.

Dror, Yehezkel (1994): Ist die Erde noch regierbar?, München.

(FES) Friedrich Ebert-Stiftung (1983): Unfähig zum Überleben? Reaktionen auf den Brandt-Report, Bonn/Frankfurt/M.
Messner, Dirk/Nuscheler, Franz (1996): Global Governance. Policy Paper 2 der SEF, Bonn.
Opitz, Peter J. (Hrsg.) (1997): Der globale Marsch, München.
(SEF) Stiftung Entwicklung und Frieden/Bonn
- (1990): A New Global Financial Order.
- (1991): Gemeinsame Verantwortung in den 90-er Jahren. Die Stockholmer Initiative zu globaler Sicherheit und Weltordnung.
- (1992): Die Agenda für den Frieden.
- (1991 ff.): Globale Trends. Fakten – Analysen – Prognosen (zweijährig).
- (1995): Nachbarn in Einer Welt. Der Bericht der Kommission für Weltordnungspolitik.

Erster Teil

Bestandsaufnahme seit dem Brandt-Bericht von 1980

FRANZ NUSCHELER

Empfehlungen des Brandt-Berichts: Was ist daraus geworden?

Bekämpfung der Weltarmut

»Den Bedürfnissen der ärmsten Länder und Regionen muss Vorrang eingeräumt werden. Wir fordern eine umfassende Initiative zugunsten der Armutsgürtel Afrikas und Asiens.«
»Noch nie hat die Menschheit über so vielfältige technische und finanzielle Ressourcen verfügt, um mit Hunger und Armut fertig zu werden. Die gewaltige Aufgabe lässt sich meistern, wenn der notwendige gemeinsame Wille mobilisiert wird.«

Die Zahl der »absolut Armen« ist auf über 1,3 Milliarden angewachsen. Die »umfassende Initiative« für die Armutsregionen blieb aus. Zwar erklärte der Kopenhagener Weltsozialgipfel von 1995 den »Krieg gegen die Armut« und verpflichteten sich die OECD-Länder 1996 in einer Entwicklungsstrategie für das beginnende 21. Jahrhundert dazu, gezielter in die Armutsbekämpfung zu investieren. Auch der IWF und die Weltbank machten sich das OECD-Ziel zu Eigen, die Zahl der Armen bis zum Jahr 2015 zu halbieren. Aber das Erreichen dieser Zielvorgabe wird durch schrumpfende Entwicklungsetats fast aller OECD-Länder und durch die unzureichende Konzentration der verknappenden Mittel auf eine armutsorientierte Entwicklungspolitik erschwert.

Beseitigung des Hungers

»Die Welt muss danach trachten, bis zum Ende des Jahrhunderts Hunger und Unterernährung durch Beseitigung der absoluten Armut abzuschaffen.«
»Die internationale Nahrungssicherung sollte durch den baldigen Abschluss eines internationalen Getreideabkommens, durch größere internationale Notreserven

Die absolute Armut wurde nicht beseitigt (s.o.) und die Zahl der Hungernden wurde Ende 1999 auf über 800 Millionen geschätzt.
Alle diese Empfehlungen blieben folgenlos. Die Forderung nach einer Erhöhung der Nahrungsmittelhilfe wurde mit der Erfahrung konfrontiert, dass

und durch die Einrichtung einer Fazilität zur Finanzierung von Nahrungsmittelhilfe gewährleistet werden. Die Nahrungsmittelhilfe sollte erhöht ... werden, ohne die Anreize für die Nahrungsmittelproduktion zu schwächen.«

sie, wenn sie nicht nur zur Überwindung einer akuten Hungerkrise geleistet wird, tatsächlich Anreize für die Ernährungssicherung aus eigener Kraft schwächt. Auch die Forderung nach Agrarreformen blieb weitgehend unerfüllt.

Aufgaben des Südens

»Bei jedem Angriff auf die internationale Armut müssen soziale und wirtschaftliche Reformen innerhalb der Entwicklungsländer die entscheidende Rolle ergänzen, die das internationale Entwicklungsumfeld spielt ...
Besseres wirtschaftliches Management und die verstärkte Mobilisierung heimischer Ressourcen sind für die Förderung der Entwicklung wesentlich ...
Die Mitwirkung breiter Schichten am Entwicklungsprozess sollte gefördert werden; hinzu können Maßnahmen wie Dezentralisierung staatlicher Verwaltungsstellen und Unterstützung für gesellschaftliche Organisationen gehören ...
Die Entwicklungsländer sollten sich überlegen, welche Organisationsformen des gegenseitigen Beistands ihnen helfen könnten, wirksamer an Verhandlungen und an der Arbeit internationaler Organisationen teilzunehmen und die wirtschaftliche Zusammenarbeit untereinander zu fördern.«

Heute hat sich die Erkenntnis durchgesetzt, dass nicht mehr Hilfe von außen, sondern wirtschaftliche, soziale und politische Reformen die entscheidende Voraussetzung für Entwicklung bilden. Die in den 80er-Jahren verschärfte Schuldenkrise gab den westlichen Ländern die Chance, mittels der von IWF und Weltbank exekutierten Strukturanpassungspolitik marktwirtschaftliche Strukturreformen (Deregulierung, Liberalisierung und Privatisierung) zu erzwingen. Nach dem Ende des Ost-West-Konflikts setzten sie bei der Vergabe von Entwicklungshilfe verstärkt das Instrument der politischen Konditionalität ein, um auf Good Governance, Demokratisierung und Achtung der grundlegenden Menschenrechte zu drängen. Es gab zwar die »dritte Welle der Demokratisierung«, aber es mangelt in den meisten Entwicklungsländern noch an durchgreifenden politischen und sozialen Strukturreformen und an der »Entwicklungsorientierung« der Eliten. Ohne sie kann aber auch mehr externe Hilfe das Armutsproblem nicht überwinden.
Die Forderung nach »kollektiver self-reliance«, die zehn Jahre später der Bericht der von Julius Nyerere geleiteten Süd-Kommission wieder betonte, wurde zwar ansatzweise in verschiedenen regionalen Kooperationsprojekten verwirklicht, konnte aber nicht verhindern, dass die Verhandlungsmacht der »Grup-

pe der 77« und der Blockfreienbewegung auch durch Interessendifferenzen zwischen verschiedenen Ländergruppen geschwächt wurde.

Entwicklungsfinanzierung

»Die von uns definierten Ziele werden ... einen Kapitaltransfer von recht beträchtlichem Umfang erforderlich machen ...
Die reichen Länder müssen sich auf einen Zeitplan zur Erreichung des Entwicklungshilfeziels von 0,7 Prozent verpflichten, der 1980 mit einer Steigerung beginnt und 1985 erreicht wird ...
Wir sind ferner der Meinung, dass mehr Mittel durch ›automatische‹ Quellen aufgebracht werden sollten ..., darunter Abgaben auf internationalen Handel, Militärausgaben oder Waffenexporte und Einkünfte aus dem Gemeinbesitz der Menschheit, vor allem Rohstoffen auf dem Meeresboden ...
Die Schaffung einer neuen internationalen Finanzierungseinrichtung – eines Weltentwicklungsfonds – mit universaler Mitgliedschaft ... sollte zur Ergänzung vorhandener Institutionen und zur Diversifizierung der Kreditpolitik und -praxis in Erwägung gezogen werden.«

Es gab nicht mehr, sondern immer weniger Entwicklungshilfe. Statt der geforderten 0,7 Prozent des Bruttoszialprodukts fiel die durchschnittliche Leistung der OECD-Länder bis Ende der 90er-Jahre auf 0,2 Prozent. Zwar stiegen die Privatinvestitionen beträchtlich an, aber sie konzentrierten sich größtenteils auf die Schwellenländer in Fernost und Lateinamerika.
Der Vorschlag eines aus »automatischen« Abgaben gespeisten Weltentwicklungsfonds erntete mehr Hohn als Zustimmung. Der Interventionismus des Brandt-Berichts vertrug sich nicht mit dem regulationsfeindlichen Neoliberalismus, der beim Erscheinen des Berichts seine Morgenröte erlebte. Die Reagan-Administration blockierte alle Forderungen nach mehr Multilateralismus und nach einer Reform von IWF und Weltbank (z. B. nach einer größeren Beteiligung der Schuldnerländer am Entscheidungsprozess über die Kreditvergabe). Auch der Vorschlag des Nobelpreisträgers James Tobin, aus dem Ertrag einer Steuer auf spekulative Devisentransaktionen multilaterale Entwicklungsfonds zu speisen, bekam keine Realisierungschance.

Welthandel und Entwicklung

»Protektionismus gefährdet die Zukunft der Weltwirtschaft und schädigt die langfristigen Interessen der Entwicklungsländer wie der Industrieländer gleichermaßen. Der Protektionismus der Indus-

Zwar beschränkte das WTO-Vertragswerk den tarifären und nicht-tarifären Protektionismus der Industrieländer, beließ aber dem Agrarprotektionismus der EU lange Anpassungsfristen.

trieländer gegenüber Exporten aus Entwicklungsländern sollte abgebaut werden...
Maßnahmen zur Stabilisierung von Rohstoffpreisen auf einträglichem Niveau sollten mit höchster Dringlichkeit in Angriff genommen werden...
Die internationalen Rohstoffabkommen zwischen Erzeugern und Verbrauchern sollten mehr Unterstützung erhalten...
Kompensatorische Finanzierungsfazilitäten sollten erweitert und verbessert werden, um preisbereinigten Erlösausfällen bei Rohstoffausfuhren angemessener begegnen zu können.«

Die von Befürwortern einer »neuen Weltwirtschaftsordnung« geforderten Maßnahmen zur Stabilisierung der Rohstoffpreise liefen ebenso der neoliberalen Deregulierungsstrategie zuwider wie die Forderung nach internationalen Rohstoffabkommen. Derzeit gibt es nur noch das Abkommen für Naturkautschuk mit einer preisstabilisierenden Zielsetzung. Die anderen Abkommen enthalten keine markt- und preisregulierenden Bestimmungen. Die kompensatorische Finanzierungsfazilität des IWF konnte den teilweise dramatischen Preisverfall bei Rohstoffen nur abmildern. Von der Liberalisierung des Welthandels im Rahmen der WTO konnten die Rohstoffländer am wenigsten profitieren.

Reformen des Weltwährungssystems

»Die Unordnung im internationalen Währungssystem ist eines der Schlüsselprobleme der Weltwirtschaft. Wir brauchen ein System, das stabilere Wechselkurse, Symmetrie im Anpassungszwang an Zahlungsbilanzdefizite und -überschüsse sowie eine geordnete Expansion der internationalen Liquidität möglich macht. Sonderziehungsrechte als zentrales Reservemedium müssen zu einem Schlüsselelement internationaler Maßnahmen zur Erhöhung der Währungsstabilität gemacht werden.«

Die neoliberale Option für Deregulierung verhinderte eine Reform des Weltwährungssystems und beließ es bei einem ad hoc-Krisenmanagement durch den IWF. Erst die Turbulenzen im Gefolge der Mexiko- und Asienkrise und das unregulierte Anwachsen des spekulativen »Casino-Kapitalismus« beförderten das Nachdenken über eine »neue internationale Finanzarchitektur«, die der Kölner G 8-Gipfel vom Sommer 1999 auf die internationale Agenda setzte.

Multinationale Unternehmen

»Es sind internationale Verhaltensregeln nötig, die einen Rahmen für die Aktivitäten transnationaler Konzerne liefern.«

Obwohl transnationale Unternehmen zum Motor der Globalisierung wurden, gibt es bisher keine völkerrechtlich verbindliche Verhaltensregeln. Der Versuch einzelner Staaten und vieler Kampagnen von Nichtregierungsorganisationen, das

WTO-Regelwerk durch Sozial- und Umweltklauseln nachzubessern, stieß auch in den Entwicklungsländern, die um den Verlust ihrer komparativen Kostenvorteile fürchten, auf Widerstände.
Während in den 70er-Jahren die »Multis« als Inbegriff des Wirtschaftsimperialismus dämonisiert wurden, werden sie heute auch von den Entwicklungsländern umworben. Es gilt inzwischen als schlimmer, von den »Multis« nicht ausgebeutet zu werden.

Abrüstung und Entwicklung

»Die Welt braucht ein umfassenderes Sicherheitsverständnis, das sich weniger auf rein militärische Aspekte beschränkt . . .
Verstärkte Bemühungen sollten der Erreichung von Abkommen über die Offenlegung des Exports von Waffen und Waffenproduktionsanlagen gelten. Die internationale Gemeinschaft sollte sich ernsthafter mit den Konsequenzen der Lieferung von Waffen oder entsprechenden Produktionsanlagen in die Dritte Welt befassen und sich darüber einigen, Lieferungen in Konfliktbereiche einzuschränken.«

Das Ende des Kalten Krieges hat zwar dem Konzept der »erweiterten Sicherheit« bzw. der »human security« zum Durchbruch verholfen und eine Verringerung der weltweiten Rüstungsausgaben ermöglicht, aber nicht zum Umschmieden von »Schwertern zu Pflugscharen« in Gestalt einer Friedens- und Entwicklungsdividende geführt.
Die Konkurrenz zwischen den Waffenproduzenten verhinderte ein internationales Abkommen über Waffenexporte und unterlief nationale Versuche, Waffenexporte in Krisenregionen zu beschränken oder gar zu unterbinden. Auch viele arme Entwicklungsländer geben noch immer für Rüstung mehr aus als für die Armutsbekämpfung.

Umwelt und Entwicklung

»Die weltweite Umweltbelastung entsteht hauptsächlich aus dem Wachstum der Industriewirtschaften, aber auch durch die Zunahme der Weltbevölkerung. Sie bedroht das Leben und die Entwicklungsmöglichkeiten künftiger Generationen. Alle Nationen müssen nachdrücklicher zusammenarbeiten in der internationa-

Der Brandt-Bericht hat bereits angedeutet, was dann der Brundtland-Bericht von 1987 und die Rio-Konferenz von 1992 in umfassende Handlungskonzepte (»Agenda 21«) umsetzten. Im Umweltbereich erzielten multilaterale Lösungsansätze die größten, aber noch nicht problemlösenden Fortschritte. Wichtig war *len Verwaltung der Atmosphäre und anderer weltweiter Gemeinbesitze und bei der Verhinderung nicht wieder gutzumachender Umweltschäden.«*

die Einsicht, dass die Industrieländer die Hauptverursacher der globalen Umweltbelastungen sind und es Umweltzerstörungen gibt, die aus dem Wachstum der Weltbevölkerung und Weltarmut resultieren.

UN-Reform und Global Governance

»Politiken, Vereinbarungen und Institutionen in den Bereichen wirtschaftlicher, finanzieller und Währungszusammenarbeit sollten vom Prinzip der Universalität geleitet werden.
Das UN-System, das vor stets größer werdenden Aufgaben steht, muss gestärkt und wirksamer gemacht werden. Dies erfordert mehr Koordination der einzelnen Haushalte, Programme sowie der Personalpolitik, um Doppelarbeit und unnütze Überschneidungen zu vermeiden.
Die gelegentliche Einberufung von zahlenmäßig begrenzten Gipfeltreffen sollte zur Förderung einvernehmlicher Vereinbarungen und zur Herbeiführung eines Wandels in Erwägung gezogen werden.«

Der Brandt-Bericht setzte zur Bewältigung der Weltprobleme auf mehr Multilateralismus, vor allem auf eine Stärkung des UN-Systems. Der hegemoniale Unilateralismus der USA und die Verweigerung der Pflichtbeiträge lähmten das UN-System, dessen notwendige Reformierung in Ansätzen stecken blieb. Es gibt gerade im Entwicklungsbereich nach wie vor einen Wildwuchs an Organisationen, die teure Apparate unterhalten, aber wenig Effizienz beweisen. Das 21. Jahrhundert beginnt mit einer tiefen Krise des Multilateralismus.
Das Gipfeltreffen im mexikanischen Cancún (Oktober 1981) war die hohen Reisekosten nicht wert. Der Vorschlag von »zahlenmäßig begrenzten Gipfeltreffen« wurde von Weltkonferenzen abgelöst, die sich zu zahlenmäßigen Mammutkonferenzen auswuchsen, weil Tausende der zunehmend transnational organisierten NGOs daran teilnahmen. Das »Elitenkonzept« des Brandt-Berichts hat sich überholt, weil Global Governance das Zusammenwirken von staatlichen und nichtstaatlichen Akteuren bedeutet.

HERBERT WULF

Wo ist die Friedensdividende geblieben?

Das Problem besteht darin, die Nachfrage nach Waffen so zu reduzieren, dass Mittel für Entwicklung freigestellt werden können.
(Bericht der Nord-Süd-Kommission 1980, S. 156)

Das prekäre Rüstungsgleichgewicht der Supermächte, die nukleare Bedrohung und die zunehmende Instabilität und entwicklungshemmende Wirkung der Aufrüstung in weiten Teilen der Dritten Welt sah die Brandt-Kommission als ernste Bedrohung der Menschheit an (Nord-Süd-Kommission 1980, S. 149). Aber nicht nur Instabilität durch Rüstung und Verschwendung von knappen Ressourcen für militärische Zwecke wurden als Gefahr angesehen. Ebenso beschrieb Willy Brandt, als er versuchte, die Wirkungen des Brandt-Berichtes zu analysieren, Unterentwicklung und Armut als kausale Ursache für die Gefährdung des Friedens: »Wo Massenhunger herrscht, kann von Frieden nicht die Rede sein. Wer den Krieg ächten will, muss auch das Massenelend bannen« (Brandt 1985, S. 14). Die Nutzung bislang militärisch genutzter Ressourcen zur Beseitigung der Unterentwicklung ist der Kern dessen, was später als Friedensdividende bezeichnet wurde. Denn: »Würde nur ein Bruchteil des derzeitigen Aufwands an Geld, Arbeitskraft und Forschung für militärische Zwecke den Entwicklungsländern zugute kommen, so sähen die Zukunftsaussichten der Dritten Welt völlig anders aus« (Nord-Süd-Kommission 1980, S. 149). Das Ziel ist die Reallokation von Ressourcen, um sowohl den Frieden als auch Entwicklung zu sichern.

Mit dieser Forderung standen Brandt und die Nord-Süd-Kommission nicht alleine da. Die Themen Abrüstung und Friedensdividende (wenn auch mit anderer Terminologie) finden sich in vielfältigen Variationen seit einigen Jahrzehnten auf der Agenda der internationalen Politik. Sowohl der Völkerbund als auch die Vereinten Nationen thematisierten die »finanzielle Aufrüstung« und »Verschwendung« von knappen Mitteln, die für andere Zwecke dringend benötigt werden[1].

Bis zum Ende des Kalten Krieges blieben diese Forderungen und Appelle von Nichtregierungsorganisationen und prominenten Persönlichkeiten, die Konsensberichte in den Vereinten Nationen wie auch Selbstverpflichtungen einzelner Länder weitgehend auf dem Papier. Weder die im Brandt-Bericht geforderte Besteuerung der Rüstungsausgaben noch der schon 1955 von Frankreich geforderte (und mehrmals später erneut ins Gespräch gebrachte) Abrüstungsfonds, keiner dieser Vorschläge wurde in die Praxis umgesetzt. Erst mit dem Ende des Ost-West-Gegensatzes senkten zahlreiche Regierungen dieser Welt die Ausgaben für ihre Streitkräfte. Mit dem Ende des Kalten Krieges setzte dann auch eine intensive Diskussion über die Möglichkeiten einer Friedensdividende und deren Verwendung ein.

Tabelle 1: Weltweite Militärausgaben

Region	1985	1986	1987	1988	1989	1990	1991	1992	1993	1994	1995	1996	1997
						– in Milliarden US-Dollar, Preise von 1993 –							
Welt	**1001,1**	**1012,4**	**1030,2**	**1014,9**	**997,7**	**974,6**	**906,5**	**799,3**	**747,5**	**713,4**	**691,2**	**682,7**	**680,5**
Entwicklungsländer	185,9	177,2	164,5	152,3	155,2	181,1	190,0	185,2	161,0	153,4	155,6	159,9	163,7
Industrieländer	815,2	835,2	865,8	862,6	842,5	793,5	716,4	614,0	586,5	560,0	535,6	522,8	516,7
Ozeanien	8,2	8,6	8,3	8,2	8,1	8,1	8,1	8,6	9,0	9,1	8,6	8,4	8,5
Afrika	20,6	20,0	20,0	19,7	18,9	18,4	16,5	16,1	15,7	14,5	14,1	14,2	13,6
Amerika	365,0	385,8	403,3	395,2	390,7	374,3	327,5	347,3	332,0	315,2	301,9	288,2	283,4
Asien	179,5	172,5	160,6	150,2	156,0	184,0	196,3	193,6	168,3	161,1	163,2	167,9	171,9
Europa	427,8	425,5	438,0	441,6	424,1	389,8	358,1	233,7	222,5	213,5	203,4	204,0	203,0
EU	186,5	186,2	192,8	194,2	196,7	195,9	191,4	181,8	175,6	170,3	163,1	163,3	162,2
OECD	602,6	625,8	651,8	647,0	647,1	631,2	579,7	592,9	571,3	549,1	526,9	514,9	509,7
OSCE	775,8	794,0	823,1	818,4	797,0	746,5	668,2	564,4	536,1	510,3	485,5	472,4	466,0
NATO	530,8	551,1	575,2	568,7	566,9	550,7	499,7	510,9	487,8	465,7	443,2	430,1	423,6
OPEC	72,5	66,3	57,9	48,1	43,8	67,4	79,7	72,5	41,0	36,4	33,6	33,4	34,2
ASEAN	11,4	11,9	11,1	10,5	10,7	9,7	11,1	11,4	12,6	13,2	13,5	13,8	13,5
UdSSR/GUS	188,6	190,5	194,6	197,2	179,3	165,6	142,0	28,4	24,1	20,4	17,7	18,2	18,4

Quelle: BICC 1996-1998.

Wie hoch ist die Friedensdividende – für welchen Zweck wird sie genutzt?

Als die Nord-Süd-Kommission 1980 ihren Bericht vorlegte, betrugen die weltweiten Militärausgaben (zu damaligen Preisen und Wechselkursen) über 600 Mrd. US-Dollar. Dieser Aufwand, von Brandt pointiert als »organisierter Wahnsinn« bezeichnet, erhielt bis Mitte der achtziger Jahre einen weiteren Schub, vor allem durch die harte Gangart der Reagan-Regierung gegenüber der Sowjetunion. Erst nach mehr als drei Jahrzehnten ununterbrochener Steigerung gingen die globalen Militärausgaben 1988 erstmals zurück. Sie hatten 1987 einen Höchststand von über 1000 Mrd. US-Dollar erreicht[2]. Seither fielen die Militärausgaben in jedem Jahr. Ende der achtziger und Anfang der neunziger Jahre sanken die weltweiten Militärausgaben zunächst rasch, mit jährlichen (realen) Raten von bis zu 7 Prozent. Bei knapp 700 Mrd. US-Dollar pro Jahr und nur noch geringem Rückgang scheint jetzt ein Plateau erreicht zu sein. In den letzten Jahren verlangsamte sich der Abrüstungstrend, und eine Umkehr (mit wieder steigenden Militärausgaben) scheint nicht ausgeschlossen *(siehe Tabelle 1)*.

Eine der prominentesten Darstellungen der finanziellen Größenordnung der Friedensdividende – neben vielen anderen Berechnungen von der Deutschen Bank (1991) über die Weltbank (1990) bis zur Stockholmer Initiative (1991) – findet sich im *Human Development Report 1994*, in dem auch das Titelblatt eine grafische Darstellung der Friedensdividende enthält (UNDP 1994)[3]. Der Bericht zeigt den Rückgang der Militärausgaben *(siehe Tabelle 2)* und die im Zeitraum 1987 bis 1994 akkumulierten Einsparungen in Höhe von 935 Mrd. US-Dollar. Ferner schätzt der Bericht die Einsparungen von 1995 bis 2000 mit jährlichen Reduzierungen von 3 Prozent auf weitere 460 Mrd. US-Dollar und fordert dann, auf dem 1995 stattfindenden Weltsozialgipfel über die Verwendung der Friedensdividende zu beraten. Der Bericht schlägt vor, die Aufwendungen für das Militär an einem Konzept für menschliche Sicherheit (»human security«) zu orientieren. Menschliche Sicherheit beinhaltet nicht nur die Abwehr von Aggressionen und die Verhinderung von Krieg, sondern stellt nachhaltige Entwicklung für »Menschen überall, in reichen wie in armen Ländern« in den Mittelpunkt (UNDP 1994, S. 3). Damit entwickelt UNDP eine Forderung des

Tabelle 2: Die Friedensdividende nach UNDP (Mrd. US-Dollar)

	1987	1988	1989	1990	1991	1992	1993	1994
Tatsächliche Militärausgaben	995	970	945	890	855	815	790	767
Tatsächliche kumulierte Friedensdividende	0	25	50	105	140	180	205	228
	1995	**1996**	**1997**	**1998**	**1999**	**2000**		
Projektierte Militärausgaben	744	722	700	679	659	639		
Potenzielle kumulierte Friedensdividende	23	45	67	88	108	128		

Quelle: UNDP 1994, S. 48.

Brandt-Berichtes weiter und knüpft mit dem Vorschlag eines Demilitarisierungsfonds ebenfalls an frühere Forderungen aus den Vereinten Nationen an.

Die Prognose von UNDP für die weiteren Kürzungen der Militärausgaben auf 700 Mrd. US-Dollar im Jahr 1997 und das Potenzial für eine Friedensdividende war relativ präzise. Doch die geforderte Umschichtung der Militärausgaben für Entwicklung ist nicht erkennbar, und der als zwingend angesehene Demilitarisierungsfonds ebenso wie der auf dem Weltsozialgipfel 1995 im Detail präsentierte 20 : 20 Kontrakt für menschliche Entwicklung wurden zwar intensiv diskutiert, doch nicht in die Tat umgesetzt[4].

Falsche Erwartungen – frustrierende Ergebnisse

Auf Schulden gibt es keine Dividende

Den Erwartungen auf eine hohe Friedensdividende von vor einem Jahrzehnt folgte eine gewisse Ernüchterung, wenn nicht gar Niedergeschlagenheit. Denn, so wird gefragt, wo ist die Friedensdividende von einigen hundert Mrd. US-Dollar geblieben? Zwei Gründe für den Stimmungsumschwung sind leicht zu benennen:

Erstens wird fälschlicherweise angenommen, dass es keine Friedensdividende gibt oder dass die Umorientierung von zivilen auf militärische Aktivitäten überhaupt nicht geklappt hat. Die beschriebene Enttäuschung über die angeblich verlorene Friedensdividende beruht auf einer Fehlwahrnehmung. Oftmals werden die Misserfolge (Entlassungen in der Rüstungsindustrie, demobilisierte Soldaten ohne Reintegrationsperspektive, Export von abgerüsteten Waffen in Konfliktgebiete, nicht nutzbare und zudem ökologisch geschädigte militärische Liegenschaften usw.) in den Medien geradezu zelebriert. Die Erfolge werden dagegen häufig nur vor Ort wahrgenommen. Tatsächlich aber sind in vielen Einzelprojekten und Programmen Umorientierungen erfolgt, die in der Summe als erfolgreiche Konversion bezeichnet werden können (siehe hierzu weiter unten).

Zweitens waren manche Erwartungen am Ende des Kalten Krieges überhöht; die Ergebnisse konnten, wenn ein zu hoher Maßstab angelegt wurde, nur frustrierend sein. Die Erwartungen waren auch deshalb zumindest fehlgeleitet, weil die Kosten für die »Aufräumarbeiten« des jahrzehntelangen Wettrüstens unterschätzt oder gar nicht berücksichtigt worden sind. In zugespitzter Form hat Peter Lock (1992) dies auf die Formel gebracht: Der Rüstungswettlauf war keine Investition, sondern muss als Schuldenmachen bezeichnet werden – Schulden, die heute abgetragen werden müssen. Und auf Schulden gibt es keine Dividende. Um es – wie das Wort Dividende nahe legt – bilanztechnisch auszudrücken: Bei den Streitkräften gibt es nicht nur Anlage- oder Umlaufvermögen, sondern auch Verbindlichkeiten, die zurückgezahlt werden müssen.

Kosten der Abrüstung

Über die Höhe der Abrüstungskosten (besser der Transformationskosten, um eine zivile Nutzung vormals militärisch genutzter Ressourcen zu ermöglichen) gibt es bis heute kein genaues Bild. Das BICC hat in seinem Jahrbuch geschätzt, dass in 10 bis 20 Jahren zwischen 90 und 185 Mrd. US-Dollar für die Abrüstung der Nuklearwaffen, die Vernichtung der chemischen Waffen und die Verschrottung von Munition sowie konventionellen Waffen und das Minenräumen anfallen werden. Darin eingeschlossen sind längst nicht alle Kosten: Weder für die Beseitigung der ökologischen Schäden auf militärischen Liegenschaften noch für die Endlagerung des waffenfähigen Nuklearmaterials sind die erforderlichen Mittel in diese Schätzung einkalkuliert (BICC 1996, S. 250). Dennoch muss betont werden, dass die geschätzten Kosten der Entsorgung für den Gesamtzeitraum weit unter dem liegen, was nach wie vor jährlich für das Militär aufgebracht wird.

Durch die praktische Erfahrung (z. B. bei der Verschrottung von Waffen in Ost- und Westeuropa im Rahmen des KSE-Vertrages) zeigte sich einerseits, dass die Kosten geringer waren als ursprünglich vermutet – die Lernkostenkurve wurde deutlich flacher. Andererseits entstanden immer wieder neue Hindernisse und Barrieren (vor allem politische, technische und finanzielle Probleme) bei der Entsorgung des Erbes des Kalten Krieges. Zur Illustration dieser Aussage seien die Schwierigkeiten zur Einhaltung der in der Chemiewaffenkonvention fest vereinbarten Vernichtung sämtlicher Chemiewaffen in 10 bzw. in Ausnahmefällen 15 Jahren angeführt. In den beiden Ländern mit den größten Chemiewaffenbeständen, USA und Russland, existiert in den Parlamenten erheblicher politischer Widerstand gegen eine Ratifizierung bzw. Implementierung des Abkommens. Darüber hinaus sind längst nicht alle technischen Fragen gelöst und in Russland ist nicht abzusehen, aus welcher Quelle die erforderlichen finanziellen Mittel kommen sollen.

Kurzum, ein Teil der Friedensdividende, der von Optimisten für unterschiedliche Projekte ziviler Art reklamiert wurde, stand und steht nach wie vor nicht zur Verfügung. Dennoch, so der positive Teil einer ansonsten für manche enttäuschenden Entwicklung: Es ist zukunftsträchtiger, Mittel für Abrüstung und Entsorgung der Waffen aufzuwenden als weiter im gleichen Tempo wie in den fünfziger bis achtziger Jahren aufzurüsten.

Weitere Rüstung

Eine weitere Erwartung muss als unrealistisch bezeichnet werden: Der Ost-West-Antagonismus – und genereller die sicherheitspolitische Rationalität – ist nicht und war nie der alleinige Grund für militärische Anstrengungen und die Höhe der Militärausgaben. Deshalb ist es unrealistisch zu erwarten, das Ende des Kalten Krieges und die völlig veränderten politischen Rahmenbedingungen würden automatisch zu Reduktionen der Verteidigungshaushalte führen. Wenn es richtig ist, dass ökonomische und andere Interessen, wie Arbeitsplätze, Geschäftsinteresse der Rüstungsproduzenten, regionale Einkommenseffekte einer Militärpräsenz, Deviseneinnahmen durch Rüstungsexporte usw. eine wichtige Funktion bei der Entscheidung über die Höhe der Militärhaushalte haben, dann gilt diese Annahme auch noch nach dem Ende des Kalten Krieges, auch wenn sich die Legitimierung der Militärausgaben veränderte. Die Militärausgaben reagieren nicht entsprechend den Veränderungen des sicherheitspolitischen Umfeldes (Chan 1995, S. 60). Kürzungen der Militärausgaben, die aufgrund eines verbesserten sicherheitspolitischen Umfeldes möglich gewesen wären, sind nicht überall durchgesetzt worden.

Mangelnde Information

Ferner ist bedeutsam, dass weder die genaue Höhe der Militäraufwendungen bekannt ist noch die Einsparungen, die man als Friedensdividende bezeichnet. Es geht dabei nicht nur um die unzureichenden Statistiken und das in vielen Ländern systematische, geradezu chronische Verstecken von Mitteln für den militärischen Sektor in anderen Haushalten. Darüber hinaus mag folgendes Beispiel die Schwierigkeiten der Messung illustrieren. In Mosambik wurde ein großer Teil des Bürgerkrieges durch die Gesellschaft finanziert. Viele Kombattanten lebten von dem, was sie sich von der Bevölkerung als Tribut nahmen (oder stahlen). Deshalb profitieren viele Menschen auf dem Lande unmittelbar von der Demobilisierung der Armee und Guerilla, obwohl diese nun zur Verfügung stehenden Mittel nie in einem Militärbudget aufgeführt waren und jetzt auch nicht als Friedensdividende auf Heller und Pfennig messbar sind (Kingma 1999, Kapitel 9).

Komplexer Vorgang

Die genaue Messung der Friedensdividende ist nicht einfach; die durch Abrüstung ausgelösten Effekte sind äußerst komplex. So wie der Zusammenhang von Militärausgaben und wirtschaftlichem Wachstum in der Fachliteratur nicht eindeutig geklärt ist, gilt dies auch für die Folgenabschätzung der Reduzierung von Militärausgaben[5]. Deshalb verwundert es nicht, dass zur Beurteilung der wirtschaftlichen und sonstigen Wirkungen des Abrüstungsprozesses sehr unterschiedliche Ergebnisse vorgelegt werden[6]. Sie schwanken von der Behauptung negativer Wirkungen (Rezession, Arbeitslosigkeit, technologischer Stillstand) bis zum genauen Gegenteil.

Es ist unbestritten, dass der Anteil der globalen Militärausgaben am Weltsozialprodukt deutlich zurückgegangen ist. Diese Bürde reduzierte sich von über 5,0 Prozent im Jahr 1989 auf 2,3 Prozent im Jahr 1996 (IMF 1997, S. 147). Immer weniger Mittel wurden also für das Militär aufgewendet und ein immer größerer Anteil des deutlich gestiegenen Weltsozialproduktes stand für zivile Zwecke zur Verfügung. Trotz dieser eindeutigen Statistik können diese global aggregierten Zahlen zu Fehlschlüssen verleiten, denn gegenläufige Trends werden verdeckt. Fast die Hälfte aller Länder, für die Statistiken der Militärausgaben vorliegen, haben ihre Militärausgaben im letzten Jahrzehnt erhöht (BICC 1998, S. 290–293). Von einer Friedensdividende kann in diesen Ländern kaum die Rede sein.

Außerdem sind die positiven Wirkungen der Abrüstung ungleichmäßig verteilt. Die Friedensdividende ist weder im globalen Maßstab noch innerhalb einer Gesellschaft mit einem gleichmäßig steigenden Wasserstand (mehr finanzielle Mittel) gleichzusetzen, der alle Boote (gesellschaftliche Gruppen) gleichzeitig und gleichmäßig anhebt. Im Gegenteil: Es ist zu fragen, wer die Kosten trägt und wer die Dividende erhält? Eine Umschichtung von Haushaltsmitteln aufgrund sinkender Militärausgaben kann Soldaten den Arbeitsplatz kosten, aber kinderreichen Familien über eine Erhöhung des Kindergeldes zusätzliches Einkommen bescheren. Die Schließung einer Militärbasis kann die Strukturschwächen einer Region verstärken und gleichzeitig Mittel für Hochtechnologiefirmen freimachen. Je nachdem, welche Kategorien im Verteidigungshaushalt (Personalausgaben, Beschaffungen, laufender Betrieb) gekürzt werden, fallen die Lasten und damit die Bürde des Anpassungsprozesses für die verschiedenen Gruppen unterschiedlich aus.

Darüber hinaus verkompliziert sich die genaue Analyse der Effekte der Friedensdividende durch zeitliche Verzögerungen der Wirkungen von Ausgabenkürzungen. Die Streichung eines geplanten Beschaffungsprogramms beispielsweise führt unmittelbar zu einer Umsatzeinbuße in Rüstungsunternehmen und möglicherweise zu Entlassungen von Beschäftigten. Was aber sind die Effekte dieser Einsparung für andere Bereiche? Steht der eingesparte Betrag sofort, später oder gar nicht zur Verfügung? Die Wirkungen sind in der Regel jedenfalls komplex und nicht leicht messbar.

Zeitliche Verzögerungen entstehen unter anderem durch physische und durch Managementprobleme, Ressourcen für zivile Zwecke zu transformieren und institutionelle Reformen durchzusetzen. Am leichtesten ist die Umschichtung finanzieller Mittel, weil die Haushaltsmittel fungibel sind. Nicht jede Munitionsfabrik aber kann für zivile Zwecke verwendet werden, und für Waffen gibt es in der Regel kaum zivile Verwendungen. Hindernisse auf dem Arbeitsmarkt lassen einen raschen Wechsel von der Rüstungsindustrie auf einen zivilen Arbeitsplatz nicht immer zu, und die Firmenkultur in Rüstungsbetrieben behindert Konversion (Grundmann/Matthies/Potthoff 1995).

Wo wurde die Dividende ausgeschüttet?

Die bisherigen Ausführungen haben deutlich gemacht, dass das Bild der Friedensdividende, die möglicherweise in großen Summen zur Verfügung steht oder gar ausgeschüttet werden kann, eine falsche Vorstellung von der Realität der Abrüstung ist. Konzeptionell und auch praktisch für das letzte Jahrzehnt lassen sich verschiedene Methoden der Verwendung bzw. des Verbleibs der Friedensdividende unterscheiden. Es entstehen entweder direkte Effekte durch veränderte Haushaltprioritäten (das heißt Umschichtung vom Verteidigungshaushalt in einen anderen Haushalt, z. B. Erhöhung der Sozialausgaben) oder indirekte Effekte, die über den Markt vermittelt werden.

Veränderung der Prioritäten zu Lasten der Militärhaushalte

Umschichtungen im Haushalt wurden in zahlreichen Ländern vorgenommen. Nicht immer explizit gehen die Befürworter einer solchen Politik von einer sogenannten »tradeoff« oder Substitutionshypothese aus (Chan 1995, S. 69 f.), nach der Militärausgaben andere Ausgaben verdrängen bzw. sich zu Lasten anderer Haushalte durchsetzen. Umgekehrt wird damit auch erwartet, dass eine Senkung der Militärausgaben anderen Haushalten zugute kommt. Doch die empirische Evidenz dieser Hypothese ist nicht eindeutig. Es muss als Ausnahmefall betrachtet werden, dass ein Budget konstant bleibt, dass Umschichtungen innerhalb eines Haushaltes keinen Einfluss auf dessen Gesamthöhe haben. Haushaltspolitik ist kein Nullsummenspiel. In Deutschland beispielsweise sank der Anteil des Verteidigungsetats am Bundeshaushalt im letzten Jahrzehnt deutlich. Ein unvergleichlich größerer Betrag wurde in der gleichen Zeit in die neuen Bundesländer transferiert.

In einer breit angelegten Untersuchung der Vereinten Nationen *(siehe Übersicht 1)* werden Zahlen für 52 Länder und deren Haushaltsprioritäten vorgelegt. Die

Übersicht 1: Trends in den Militär- und Sozialausgaben
(Prozentuale Veränderung der Ausgaben der Zentralregierungen: 1985 im Vergleich zum jeweils letzten verfügbaren Jahr)

		Militärausgaben - Reduzierung	**Militärausgaben** + Erhöhung
Sozialausgaben	+ Erhöhung	1. Australien Barbados Canada Costa Rica Dänemark Finnland Großbritannien Indien Indonesien Iran Israel Lesotho Luxemburg Malta Marokko Niederlande Österreich Rumänien Schweden Südkorea Ungarn USA Uruguay Zypern	2. Bahrain Italien Kuwait Norwegen Myanmar Panama Paraguay Portugal Simbabwe Sri Lanka Türkei
Sozialausgaben	- Reduzierung	3. Ägypten Belgien Chile Deutschland Dominikanische Republik Frankreich Irland Liberia Kamerun Mexiko Nepal Singapur Spanien Syrien Thailand Tunesien	4. Mauritius

Quelle: United Nations 1995, S. 205.

größte Gruppe, aber weniger als die Hälfte (24), entspricht dem Modell der »Friedensdividende«. Die Regierungen reduzierten die Militärausgaben und erhöhten gleichzeitig die Sozialausgaben, während weitere 16 Länder zwar auch die Militärausgaben senkten, aber gleichzeitig die Sozialausgaben kürzten. Elf Länder verfolgten die umgekehrte Politik. Sie erhöhten sowohl die Sozialausgaben als auch die Militärausgaben. Nur ein Land erhöhte die Militärausgaben und verminderte die Sozialausgaben. Über die Gründe für diese Prioritäten ist mit diesen Korrelationen natürlich nichts ausgesagt.

Indirekte Effekte der Friedensdividende

Neben der direkten Umschichtung im Haushalt kann zwischen zwei weiteren Politikkonzepten unterschieden werden, die auf indirekte Wirkungen setzen, nämlich die Rückgabe der frei werdenden Ressourcen an den privaten Sektor entweder durch die Reduzierung von Haushaltsdefiziten oder die Weitergabe der Friedensdividende über die Senkung von Steuern. In beiden Fällen geht die Politik vom sogenannten »trickle-down«-Effekt aus. Sowohl die angebotsorientierte Politik der Defizitreduzierung als auch die Senkung der Steuern soll die Wirtschaft ankurbeln und so indirekt zu einer Einkommenserhöhung und Wachstumsförderung führen. In solchen Fällen ist der empirische Nachweis über den Verbleib der Friedensdividende nur mit komplexen ökonometrischen Modellen bzw. nur annäherungsweise möglich (Gleditsch u. a. 1996). In den USA, dem am detailliertesten analysierten Fall, hat sich im Wesentlichen die Defizitreduzierung als Methode durchgesetzt. In einer Untersuchung für die USA wird geschätzt, dass rund 60 Prozent der frei gewordenen Mittel zur Defizitreduzierung verwendet wurden und dass die Kürzung der Militärausgaben im vergangenen Jahrzehnt zusätzlich entscheidend dazu beigetragen hat, andere Haushaltstitel vor weiteren Kürzungen zu bewahren und eine expansive (nicht-inflationäre) Haushaltspolitik ermöglicht zu haben (Gold 1999).

Das Ausbleiben der Friedensdividende

Es ist ein weiterer Fall zu beachten, nämlich das Ausbleiben der Friedensdividende aufgrund der allgemeinen wirtschaftlichen Entwicklung. Das eindeutigste, aber nicht alleinige Beispiel ist Russland. Die Militärausgaben sind so drastisch wie in fast keinem anderen Land in den letzten Jahren geschrumpft. Gleichzeitig aber standen diese Mittel aufgrund der gesamtwirtschaftlichen Entwicklung nicht zur Verfügung. In anderen Worten, wenn das BSP schrumpft, gibt es auch keine Dividende zu verteilen. Im Falle Russlands fehlen sogar in beträchtlichem Umfange Mittel, um den Abrüstungsprozess sinnvoll und konstruktiv zu begleiten oder zu steuern. Die Konsequenzen der Abrüstung, ob für die Beschäftigten in der Rüstungsindustrie und Waffenlabors, ob für die Soldaten in den Streitkräften oder für die Waffendepots und Nuklearanlagen, schlagen sich in erheblichen sozialen und wirtschaftlichen Verwerfungen sowie umweltschädlichen Entwicklungen nieder.

Zusammenfassend kann festgehalten werden, dass für die Nutzung oder die »Ausschüttung« der Friedensdividende die Rahmenbedingungen entscheidend sind. Die Existenz oder die Höhe der zu verteilenden Friedensdividende hängt nicht alleine von den Kürzungen im Militärhaushalt ab, sondern von alternativen öffentlichen Programmen, von Steuerpolitik, dem Defizit des Haushaltes, der volkswirtschaftlichen Lage etc.

Drei Kategorien der Friedensdividende

Die Tatsache, dass nicht in jedem einzelnen Fall ein »großer Haushaltstopf« mit den eingesparten Mitteln sichtbar ist, heißt nicht automatisch, dass die Friedensdividende verloren ging. Durch Abrüstung können »Gewinne« entstehen, dennoch muss die Dividende nicht unbedingt »ausgeschüttet« werden. Vielmehr ist im Regelfalle nicht zu erwarten, dass die eingesparten Mittel (also beispielsweise die im *Human Development Report* errechnete Friedensdividende von fast 1,5 Billionen US-Dollar) zur freien Verfügung oder zur Verteilung steht. In einer systematischen Literaturstudie unterscheidet Chan (1995) zwischen einer monetären oder Ressourcen-, einer Produkt- und einer Wohlfahrtsdividende.

Monetäre Friedensdividende

In den frühen Untersuchungen zur Friedensdividende Ende der achtziger Jahre wie auch in der öffentlichen Diskussion war implizit immer diese monetäre Dividende im Blickwinkel der Betrachtung. Die potenziell für andere Aufgaben zur Verfügung stehenden Finanzen haben die Fantasie mancher Betrachter angeregt, und wenn man die vorgeschlagenen alternativen Verwendungszwecke von der Erhöhung der Sozialausgaben oder der Entwicklungshilfe bis zur Investition in Medizintechnologie, Verkehrswesen oder Infrastruktur addiert, hätte ein Mehrfaches der Friedensdividende ausgegeben werden können. Per definitionem führen Kürzungen von Ausgaben zu Einsparungen. Entscheidend ist nicht nur, ob, sondern – wie oben argumentiert – unter welchen Bedingungen gekürzt wird und welche Verwendung die Friedensdividende findet.

Produktdividende

Das Konzept der Friedensdividende wird nur teilweise erfasst, wenn es auf die monetären Einsparungen beschränkt bleibt. Eine Produkt-Friedensdividende entsteht durch die alternative Verwendung der frei werdenden Ressourcen. Dieser Prozess der Reallokation ist nicht einfach, wie oben ausgeführt wurde, und hängt von zahlreichen Faktoren ab. Ob und wie sich diese Dividende in höherer Produktivität oder höherer ziviler Produktion niederschlägt, ist entscheidend von den Rahmenbedingungen abhängig. Die bisherige Praxis hat gezeigt, dass bei günstigen Bedingungen (rationales Zusammenspiel der beteiligten Akteure, Unterstützungsprogramme, eine generell günstige wirtschaftliche Situation usw.) die Produktdividende tatsächlich realisierbar ist. Gelingen die Reorientierung von Waffenlabors, die Konversion von Produktionskapazitäten, die Demobilisierung und Reintegration von Soldaten in die zivile Gesellschaft und die Nutzung ehemaliger militärischer Liegenschaften für zivile Zwecke, kann man von einer Produkt-Friedensdividende sprechen. Entscheidend für die Realisierung der Produkt-Friedensdividende sind die real durchgeführten Projekte, die unter Beibehaltung des früheren Ausgabenniveaus der Militärhaushalte nicht in Angriff genommen worden wären.

Wohlfahrtsdividende

Die verschiedenen Wirkungsmechanismen haben Einfluss auf die gesellschaftliche Wohlfahrt. Ob die Reallokation durch die Umschichtung (z. B. Erhöhung der Sozialausgaben) oder durch den indirekten Weg über den »trickle-down«-Effekt geschieht, hat Konsequenzen für Einkommen, Steuern, Beschäftigung und damit für die gesellschaftliche Wohlfahrt. Ob die Wirkungen direkt oder indirekt sind, ist für die Beurteilung der Existenz oder Nichtexistenz einer Wohlfahrtsdividende nicht maßgebend. Das wichtigste Kriterium ist, ob durch die Reallokationspolitik die Wohlfahrt erhöht wird. Plausibilitätsüberlegungen legen nahe, dass die Umschichtung von Ressourcen positiv zur Wohlfahrt beiträgt. Allerdings geschieht dies nicht automatisch, und es sind die oben angesprochenen Transformationskosten zu berücksichtigen.

Gewinne und Verluste: eine positive Bilanz

Die angesprochenen Transformationskosten bzw. die Tatsache, dass nicht alle frei werdenden Ressourcen sofort eine zivile Verwendung finden, haben die Autoren einer Studie des Abrüstungsinstitutes der Vereinten Nationen zu der Schlussfolgerung geführt, dass die Umstellung als Investitionsprozess angesehen werden muss (UNIDIR 1993). Bevor die Friedensdividende genutzt werden kann, sind Investitionen für die Umschulung von Personal, für Nutzungskonzepte für Liegenschaften, für ziviles Marketing in Rüstungsfirmen, für zivile Anwendung militärischer Forschungs- und Entwicklungsergebnisse usw. erforderlich. Anders ausgedrückt: »Short-term pain, long-term gain«[7]. Die unmittelbaren sozialen und wirtschaftlichen Folgen der Abrüstung können schmerzhaft sein; Abrüstung und Konversion versprechen aber langfristig positive Effekte.

Wie sieht die Bilanz bzw. die Gewinn- und Verlustrechnung (um in der betriebswirtschaftlichen Sprache der Friedensdividende zu bleiben) nach mehr als einem Jahrzehnt Abrüstung aus?[8] Zusammenfassend können in den verschiedenen Bereichen der Abrüstung und Konversion, die in *Übersicht 2* aggregierten Erfolge bzw. Hindernisse und Misserfolge benannt werden.

Insgesamt betrachtet, so die Schlussfolgerung bei Brzoska (1999), ist die Abrüstungs- und Konversionsbilanz seit dem Ende des Kalten Krieges positiv. Sicherlich sollte der Begriff der Friedensdividende nicht allzu wörtlich nur in der Sprache des Wertpapiergeschäftes (Frieden als ertragreiche Kapitalanlage) gesehen werden. Dennoch: Wenn auch einzelne der oben benannten Bereiche (wie z. B. das Problem der überschüssigen Waffen oder der nach wie vor überdimensionierte Rüstungskomplex in Russland) als problematisch anzusehen sind und vermutlich auch im

Übersicht 2: Bilanz der Friedensdividende

Bereich	Erfolge/Gewinne	Hindernisse/Misserfolge/Verluste
Militär-ausgaben	Begrenzte Umschichtung finanzieller Ressourcen in Ländern mit guter gesamtwirtschaftlicher Lage; Defizitreduzierung, Steuersenkung	Sinkendes Einkommen für Soldaten und Beschäftigte der Rüstungsindustrie; Finanzimplosion in Osteuropa
Militärische Forschung und Entwicklung	»Dual-use«-Technologien, vor allem in USA und Westeuropa	Überkapazitäten vor allem in Russland; weiterhin weit gehende Separierung militärischer und ziviler F&E
Rüstungs-industrie	Partielle Konversion bzw. Diversifizierung besonders in nicht rein rüstungswirtschaftlich orientierten Firmen	Unterschiedliche Unternehmenskulturen im zivilen und militärischen Sektor; große Arbeitsplatzverluste; Überkapazitäten vor allem in Russland, ebenso Überkapazitäten in Westeuropa
Demobilisierung und Reintegration von Soldaten	Zahlreiche Beispiele gelungener Reintegration in Industrie- und Entwicklungsländern	Fehlgeschlagene Demobilisierungen (z. B. in Angola); Schwierigkeiten der Integration in die zivile Gesellschaft
Liegenschaften	Beeindruckende zivile Nutzung in den USA, Westdeutschland, Philippinen, Südafrika	Hohe Anfangsinvestitionen; Umweltschäden; geringe zivile Nutzung in Ländern mit rückläufiger Wirtschaftsentwicklung
Waffen	Geringfügige Einnahmen aus Verschrottung; begrenzter nicht-militärischer Nutzen von Waffensystemen	Hohe Verschrottungs- und Sicherungskosten besonders für Nuklear- und Chemiewaffen; Transfer konventioneller Waffen in Konfliktregionen

Quelle: Angelehnt an Laurance und Wulf (1995) und Brzoska (1999)

nächsten Jahrzehnt erhebliche finanzielle und politische Kosten verursachen werden, so überwiegen doch die Erfolge in den übrigen Bereichen – auch wenn diese Bilanz nicht in exakten monetären Größen quantifizierbar ist.

Über den unmittelbaren Nutzen der Ressourcenreallokation hinaus kann jedoch von einer allgemeinen gesellschaftlichen Friedensdividende ausgegangen werden, die dem Konzept der Wohlfahrtsdividende entspricht. Es ist eine Binsenweisheit, dass Frieden generell die Voraussetzung für eine nachhaltige wirtschaftliche Entwicklung ist. In allen Ländern, in denen Kriege stattfinden, ist die wirtschaftliche Entwicklung rückläufig, von nachhaltiger Entwicklung kann erst recht keine Rede sein. Positiven Beispielen (wie in El Salvador, Guatemala, Kambodscha, Mosambik) stehen allerdings auch Negativerfahrungen (Afghanistan, Angola, Sierra Leone) gegenüber.

Diese Erkenntnis hat sich inzwischen bei internationalen Entwicklungshilfeorganisationen durchgesetzt. Die Weltbank setzt sich beispielsweise konkret mit ihren Rehabilitationsprogrammen der »Post-conflict unit« damit auseinander, dass ohne Konfliktprävention und Kriegsbeendigung Entwicklungszusammenarbeit als wenig nützlich bzw. nicht durchführbar angesehen wird (World Bank 1998). Ebenso sind im Rahmen der OECD 1998 abgestimmte Richtlinien zur Entwicklungszusammenarbeit diesem Thema gewidmet. Im Detail explizieren diese Richtlinien, welche Kriterien der Entwicklungszusammenarbeit vor dem Ausbruch eines Konfliktes, in einer fragilen, transitorischen Situation und nach einem Konflikt anzuwenden sind (OECD 1998).

Verlangsamte Abrüstung – neue Prioritäten zugunsten des Militärs?

Wenn sich auch die großen Erwartungen auf eine monetäre Friedensdividende nicht in dem Maße erfüllt haben, wie Optimisten dies am Ende des Kalten Krieges gehofft hatten, so kann dennoch von einem großen Abrüstungsschub in den neunziger Jahren gesprochen werden, der erhebliche Ressourcen für eine zivile Verwendung frei gemacht hat. Und es wird weiter abgerüstet (BICC 1998) – allerdings hat sich dieser Prozess deutlich verlangsamt, und positiven Abrüstungstrends stehen Aufrüstungstrends entgegen.

Die weit reichenden Erwartungen hinsichtlich der Rolle der Vereinten Nationen als Friedensstifter haben sich durch die Erfahrungen in Somalia, in Bosnien und in Angola nicht erfüllt. Der Ruf nach militärischen Interventionen erklingt rascher. Erfolg versprechenden Friedensabkommen wie in Nordirland und Zentralamerika stehen der nicht gelöste Konflikt mit dem Irak oder die Kriege in Afrika gegenüber.

Die Mehrheit der Länder in dieser Welt reduziert weiter die Militärausgaben, doch kräftige Erhöhungen sind in den USA angekündigt und auch in Westeuropa scheint sich eine Kehrtwende anzubahnen. Wenn die für die nächsten fünf Jahre in den USA zusätzlich eingeplanten Erhöhungen von rund 110 Mrd. US-Dollar tatsächlich im Haushalt verfügbar gemacht werden, bedeutet dies eine eindeutige Trendwende, die sich vermutlich auch in erhöhten Militärausgaben im globalen Rahmen niederschlagen wird. Nach einem Jahrzehnt der kontinuierlichen Kürzungen muss jetzt wieder von einem Wachstum der Militärausgaben ausgegangen werden. Dies könnte auch – global betrachtet – ein Ende der Friedensdividende bedeuten.

Andere Ereignisse sind der empirische Beleg für die Beobachtung, dass der Trend nicht mehr eindeutig in Richtung Abrüstung zeigt: Ist es Zufall, dass das herausragende Abrüstungsereignis im Jahr 1997 der Vertrag über das Verbot von Landminen war, während 1998 die Nukleartests in Indien und Pakistan eine völlig neue Situation für den Atomwaffensperrvertrag schufen? Dennoch: Obwohl bei den Rüstungskontrollverhandlungen über die Atomwaffen Stillstand zu beobachten ist, reduzieren sowohl die USA als auch Russland ihr Nuklearwaffenarsenal einseitig. Bei den Verhandlungen über konventionelle Abrüstung in Europa konnte man sich mit bürokratischer Erbsenzählerei lange Zeit nicht über Höchstgrenzen für Waffen und Soldaten einigen, dennoch waren in den Streitkräften diese Schwellen aufgrund knapper Finanzen längst unterschritten.

Wirksame Abrüstung und die Einsparung von Ressourcen ist aber mehr als rein quantitativer Abbau. Während quantitativ weiter abgerüstet wird, entstehen neue, moderne, noch effektivere Waffensysteme. Vor allem die USA wenden erhebliche Mittel für die Entwicklung neuer Waffensysteme auf. Andere Länder fürchten eine noch ausgeprägtere militärtechnische Dominanz der USA und reagieren ebenfalls mit einer Verstärkung der Mittel für militärische Forschung und Entwicklung. Ist damit das Ende der Friedensdividende nach einem Jahrzehnt der Abrüstung und Konversion besiegelt?

Anmerkungen

1 Die Literatur zu diesem Thema ist ausgesprochen umfangreich. Siehe Zusammenfassungen hierzu in Debiel, Tobias/Ingo Zander (1992); Leitenberg (1988); und Wulf (1988).

2 In diesem Beitrag verzichte ich auf die Problematisierung dieser Schätzungen. Je nach Quelle, Wechselkursen und Definition dessen, was in den Haushalten enthalten ist, schwanken die Ergebnisse.

3 Bereits in den Jahren zuvor hatte das Entwicklungsprogramm der Vereinten Nationen im jährlichen *Human Development Report* Schätzungen zur Friedensdividende veröffentlicht. Siehe hierzu auch das Hintergrundpapier für UNDP von Wulf (1993).

4 Der »20:20«-Kontrakt (20:20 Compact on Human Development) sieht vor, dass 20 Prozent des Budgets der Entwicklungsländer und 20 Prozent der Entwicklungsbudgets der Industrieländer für Ausgaben »menschlicher Priorität« bereit gestellt werden. Die Friedensdividende wird als eine Quelle zur Speisung dieser Ausgaben angesehen.

5 Eine Übersicht über die ökonomischen Argumente in der Literatur in BICC (1996, S. 65–69).

6 Steve Chan (1995) hat in einer umfassenden Literaturdurchsicht wichtige Divergenzen in der Literatur aufgezeigt.

7 Laurance, Edward J. und Herbert Wulf (1995, S. 28) verwenden diesen Begriff. Steven Chan (1995, S. 71) spricht von »no pain, no gain«.

8 Laurance, Edward J. und Herbert Wulf (1995, S. 28–31) unternahmen den Versuch, »cost and benefits« gegenüber zu stellen. Michael Brzoska (1999) stellte eine aktuelle Bewertung vor, die er als »Balance Sheet« der Konversion bezeichnet.

Literatur

BICC (Bonn International Center for Conversion) (1996): Conversion Survey 1996. Global Disarmament, Demilitarization and Demobilization, Oxford.

BICC (1998): Conversion Survey 1998. Global Disarmament, Defense Industry Consolidation and Conversion, Oxford.

BICC (1999): Conversion Survey 1999. Global Disarmament, Demilitarization and Demobilization, Baden-Baden.

Brandt, Willy (1985): Der organisierte Wahnsinn. Wettrüsten und Welthunger, Köln.

Brzoska, Michael (1999): Military Conversion: The Balance Sheet, in: Journal of Peace Research, Heft 2, März.

Chan, Steve (1995): Grasping the Peace Dividend: Some Propositions on the Conversion of Swords into Plowshares, in: Mershon International Studies Review, Vol. 39, S. 53–95.

Debiel, Tobias/Ingo Zander (1992): Die Friedensdividende der 90er Jahre. Interdependenz, Heft 11 (Bonn: Stiftung Entwicklung und Frieden).

Gleditsch, Nils Petter/Olav Bjerkholt/Adne Cappelen/Ron Smith/J. Paul Dunne (Hrsg.) (1996): The Peace Dividend. Contributions to Economic Analysis 235, Amsterdam.

Deutsche Bank (1991): Wohin geht die Friedensdividende? Frankfurt/Main.

Gold, David (1999): Whatever Happened to the Peace Dividend: The Economic Consequences of the Post-Cold War Decline in Military Expenditures in the United States, in: Jörn Brömmelhörster (Hrsg.), The Peace Dividend, Baden-Baden.
Grundmann, Martin/Margitta Matthies/Klaus Potthoff (1995): Rüstungskonversion: Erfolg durch Wandel der Unternehmenskultur, Münster.
IMF (International Monetary Fund) (1997): World Economic Outlook, Washington, D.C.
Kingma, Kees (Hrsg.) (1999): The Impact of Demobilization in Sub-Sahara Africa, Basingstoke.
Laurance, Edward J./Herbert Wulf (with the assistance of Joseph DiChiaro III) (1995): Conversion and the Integration of Economic and Security Dimensions, Bonn (BICC).
Leitenberg, Milton (1988): Rüstung und Sicherheitspolitik, Baden-Baden.
Lock, Peter (1992): Auf Schulden gibt es keine Dividende. Friedensdividende: einst notwendige Utopie, heute tragische Illusion, in: Der Überblick, Heft 2, S. 67–70.
Nord-Süd-Kommission (1980): Das Überleben sichern, Köln.
OECD (Organisation for Economic Co-operation and Development) (1998): Conflict, Peace and Development Co-operation on the Threshold of the 21st Century, Paris.
Stockholmer Initiative (1991): Gemeinsame Verantwortung in den 90er Jahren, Bonn (Stiftung Entwicklung und Frieden).
The World Bank (1998): Conflict Prevention & Post-Conflict Reconstruction: Perspectives and Prospects, Washington, D.C.
UNDP (United Natitons Development Programme) (1994): Human Development Report, New York/Oxford.
UNIDIR (United Nations Institute for Disarmament Research) (1993): Disarmament as an Investment Process, Genf.
United Nations (1995): World Economic and Social Survey 1995. Current Trends and Policies in the World Economy, New York.
Weltbank (1990): Weltentwicklungsbericht 1990, Washington, D.C.
Wulf, Herbert (Hrsg.) (1983): Abrüstung und Unterentwicklung. Aus den Berichten der Vereinten Nationen, Reinbek.
Wulf, Herbert (1993): »Peace Dividend«. Background Paper for Human Development Report 1994. UNPD, New York.

Ingomar Hauchler

Gemeinsames Interesse in einer interdependenten Welt? Folgerungen aus dem Brandt-Bericht

Vor fast 20 Jahren bemerkte Immanuel Wallerstein, globale Verhandlungen würden in den kommenden 20 Jahren wohl »weder bedeutsamer noch ergebnisreicher sein« als in den 20 Jahren davor. Hat Wallerstein Recht behalten? Oder gibt es doch eine Erfolgsbilanz des Brandt-Reports, der hohe Erwartungen gerade in konstruktive globale Verhandlungen zwischen dem Norden und Süden gesetzt hat?

Die 1977 ins Leben gerufene *Unabhängige Kommission für internationale Entwicklungsfragen*, deren Vorsitz Willy Brandt übernahm, veröffentlichte 1980 Vorschläge, die dazu beitragen sollten, einen Ausweg aus der »Sackgasse« (McNamara) zu finden, in der sich aus ihrer Sicht die Weltwirtschaft insgesamt, die Länder des Südens und die Nord-Süd-Beziehungen befanden. Die Kommission hatte zwei Motive: Eine humanitäre Verpflichtung zur Solidarität des Nordens mit dem Süden und das »gemeinsame Interesse« von Nord und Süd am »Überleben der Menschheit« (W. Brandt), das sie durch Wettrüsten und Umweltzerstörung, verbunden mit weltweiter Wirtschaftskrise, bedroht sah.

Die Vorschläge zielten auf eine Belebung des weltwirtschaftlichen Wachstums und eine – damit verknüpfte – durchgreifende wirtschaftliche Entwicklung des Südens. Sie gingen davon aus, dass dadurch Hunger und Armut im Süden besiegt und das Wohlstandsgefälle zwischen dem Süden und dem Norden beseitigt oder zumindest eingeebnet werden könne. Und sie rechneten damit, dass so gleichzeitig der Weltfrieden und die wirtschaftliche Stagnation auch im Norden überwunden werden könne.

Die Kommission entwickelte ein detailliertes Instrumentarium, mit dem diese Ziele erreicht werden sollten. Es fokussierte dabei aber im Wesentlichen auf zwei Hebel: Auf einen massiven Transfer von Kapital vom Norden zum Süden und auf einen globalen Verhandlungsprozess, der zu einer engen Kooperation zwischen dem Norden und dem Süden führen sollte. In dessen Verlauf müsse – so Willy Brandt – »das internationale Wirtschafts- und Finanzsystem neu überprüft und neu geordnet« werden.

Der Brandt-Report hatte ein weltweites Echo. Noch in der Zeit der Spannung und des Wettrüstens zwischen Ost und West formuliert, wurde der Blick verstärkt auf die Nord-Süd-Problematik und auf das globale System insgesamt gerichtet. Nach vierzigjähriger Verengung internationaler Politik auf die Systemauseinandersetzung zwischen Ost und West wurde der Blick geöffnet auf wirklich globale Zusammenhänge. Der Weit- und Weltblick des Brandt-Reports war ein Durchbruch im Verständnis globaler Zusammenhänge und Herausforderungen. Das macht die eigentliche Erfolgsgeschichte des Brandt-Reports aus.

Heute, zwanzig Jahre danach, muss aber auch gefragt werden, ob der Bericht die Welt tatsächlich verändert hat und inwieweit die Ziele, die er anvisierte, erreicht wurden. Meine Antwort darauf lautet: Keines seiner Ziele wurde erreicht und die von ihm vorgeschlagenen zentralen Instrumente wurden nicht oder ohne Konsequenz eingesetzt.

Im Folgenden werde ich zunächst auf die Ziele des Brandt-Reports und die von ihm vorgeschlagenen Instrumente eingehen. Sodann werde ich fragen, warum die Ziele der *Nord-Süd-Kommission* nicht erreicht wurden – und warum sie mit dem vorgeschlagenen Instrumentarium auch nicht erreicht werden konnten.

Die Ziele wurden nicht erreicht

Die Lage im Süden hat sich in den achtziger und neunziger Jahren in mehrfacher Hinsicht verbessert. So stiegen etwa die durchschnittliche Lebenserwartung und die Alphabetisierungsrate an. In einigen Ländern, insbesondere in Asien und Lateinamerika, wurden beachtliche wirtschaftliche Wachstumsraten und Produktivitätsfortschritte erreicht; es bildeten sich ein Mittelstand, unternehmerische Initiativen und eine höhere fachliche Qualifikation aus. Diese sogenannten Schwellenländer sind dabei, sich in den Weltmarkt zu integrieren und zu Standorten des internationalen Kapitals zu werden.

Die meisten Länder des Südens und in ihnen die weit überwiegende Zahl der Menschheit leiden aber nach wie vor unter extremer Arbeitslosigkeit, einem Rückstand in Bildung, fachlicher Qualifikation und Technik, vor allem auch an einem Mangel an Kapital. Dazu kommt eine ungebändigte Landflucht und eine zunehmend verheerte Umwelt. Und viele Länder sind noch geprägt von einer autoritären Gesellschaftsstruktur, welche die Durchsetzung von Demokratie und Menschenrechten, von rechts- und sozialstaatlichen Bedingungen erschwert. Ihre Infrastruktur und Technologie, ihre Märkte, Produktionsstrukturen und Produkte haben sich nicht so entwickelt, dass daraus eine international wettbewerbsfähige Position in einem zunehmend integrierten Weltmarkt erwachsen konnte.

Der Süden hat sich gespalten in eine kleine Anzahl von in den Weltmarkt integrierten Schwellenländern, die tendenziell prosperieren (jetzt aber in einer wirtschaftlichen und sozialen Krise stecken) und einer Mehrheit von abgekoppelten armen Ländern, die seit 20 Jahren praktisch keinen Schritt zur Überwindung wirtschaftlicher und sozialer Stagnation gemacht haben.

Auch der Norden hat – entgegen der Rhetorik in den etablierten Etagen des großen Kapitals, der Politik und der neoliberalen Priester des geltenden Wirtschaftssystems – seit zwanzig Jahren die Erwartung an ein stärkeres und stetiges Wachstum enttäuscht. Seine Gesellschaften haben sich sozial weiter gespalten. Wenige Einzelne sind reicher, viele Menschen sind ärmer und immer mehr sind arbeitslos geworden. Die Börse erreichte immer neue Rekordmarken, die Investitionsraten aber sind gefallen. Die öffentliche Verschuldung wurde endemisch. Deregulierung und Liberalisierung und der Abbau staatlicher und sozialer Leistungen haben die Abkopplung von Wachstum und Arbeitslosigkeit nur dort – nämlich in den USA – verhindert, wo nicht soziale Sicherheit und Einkommensgerechtigkeit, sondern Arbeit um jeden Preis und die Maximierung des abstrakten gesamtwirtschaftlichen Wachstums die erste Priorität bilden. Staatsverschuldung plus Massenarbeitslosigkeit haben die finanziellen Spielräume der Staaten immer mehr eingeengt, so dass die Politik immer weniger Impulse für stärkeres Wachstum, für die Erhaltung der Umwelt und für soziale Sicherheit geben kann.

Die Ziele des Brandt-Reports wurden weder für den Süden noch für den Norden erreicht. Das Wachstum ist in den achtziger und neunziger Jahren hinter jenem der sechziger und siebziger Jahre zurückgeblieben. Gerade auf ein stärkeres und stetigeres Wachstum hatte aber die *Nord-Süd-Kommission* in ihren Empfehlungen gebaut, um Hunger und Armut in der Welt zu besiegen und die Kluft zwischen dem Süden und dem Norden zu schließen. Die Welt ist nach zwanzig Jahren aber zerklüfteter denn je. Dies gilt für das Wohlstandsgefälle zwischen den Staaten und Regionen als auch das Gefälle innerhalb der Staaten.

Wir konstatieren eine widersprüchliche Parallelität von weltwirtschaftlicher Integration und sozialer Desintegration. Diese Entwicklung vollzog sich allerdings nicht quasi urwüchsig aus Wirtschaft und Gesellschaft heraus. Sie war politisch gewollt und im neoliberalen Programm dieser Zeit angelegt, das ja in stärkerem Wettbewerb und größerer gesellschaftlicher Differenzierung und Privatisierung die zentralen Triebkräfte technischer und ökonomischer Dynamik sieht.

Die Instrumente haben nicht gegriffen

Der Brandt-Report enthält ein umfangreiches und detailliertes Paket einzelner Instrumente, mit deren Hilfe seine Ziele erreicht werden sollten. Sie zielten, wie gesagt, im Kern auf zwei zentrale politische Initiativen: (1) auf einen massiven Kapitaltransfer vom Norden in den Süden, verbunden mit der Schaffung zusätzlicher internationaler Liquidität, und (2) auf »globale Verhandlungen«, um eine Neujustierung des internationalen Wirtschafts- und Finanz*systems* (!) zu erreichen. Beides sollte sowohl das weltwirtschaftliche Wachstum als auch den globalen Ausgleich befördern.

(1) Der Kapitaltransfer

Ein massiver Kapitaltransfer vom Norden zum Süden kam nicht zustande. Die Industrieländer waren weder bereit, im beabsichtigten Ausmaß zusätzliche internationale Liquidität zu schaffen, noch zusätzliche eigene öffentliche Finanzmittel in den Süden zu transferieren. Die Schaffung zusätzlicher Liquidität wurde in erster Linie mit der Begründung zurückgewiesen, sie fördere die Inflation und *»moral hazard«*, also eine laxe Kredit- und Ausgabenpraxis aufseiten der Entwicklungsländer.

Der öffentliche Transfer von Kapital stieg nicht an, sondern fiel in den letzten 20 Jahren sogar Stufe um Stufe. Die Mittel für Entwicklungszusammenarbeit erreichen heute ein Niveau, das weit unter jenem zu Anfang der achtziger Jahre liegt. Berücksichtigt man, dass in dieser Zeit die *Terms of Trade* sich zuungunsten der Entwicklungsländer veränderten und die Entwicklungsländer massive Schuldendienstleistungen zu erbringen hatten, so kam es in der Summe sogar zu einem inversen realen Kapitaltransfer: Der Süden zahlte mehr an den Norden, als der Norden aus öffentlichen Mitteln an den Süden.

Es ist richtig, dass ab Anfang der neunziger Jahre der Transfer von privatem Kapital in den Süden massiv anstieg. Diese – meist sehr kurzfristigen und volatilen – Finanzmittel flossen aber nur in wenige Schwellenländer Asiens und Lateinamerikas (und ihr Zufluss stockte dann abrupt im Zuge der sogenannten Asienkrise und wurde sogar rückläufig). Die weit überwiegende Zahl der Entwicklungsländer aber konnte den negativen Nettotransfer von Kapital weder durch den Zufluss von privaten Krediten noch von Direktinvestitionen kompensieren. Warum verringerte sich der Kapitaltransfer vom Norden zum Süden während der vergangenen 20 Jahre – in gänzlicher Umkehrung der Empfehlungen der *Nord-Süd-Kommission?*

Erstens wuchs in dieser Zeit im Westen generell die Skepsis, ob Kapitaltransfers von sich aus tragfähige Entwicklungsprozesse anstoßen können, wenn *vorher* nicht reale Strukturmaßnahmen durchgeführt werden. Kapitaltransfers wurden zunehmend von Reformen neoliberalen Zuschnitts abhängig gemacht. Diese aber »griffen« in vielen Ländern nicht oder nicht schnell genug. Also stockte auch der Zufluss neuer Finanzmittel.

Zweitens wurden die öffentlichen Haushalte wichtiger Industrieländer – vor allem Deutschlands – durch massive Transfers in die neuen Transformationsländer, vor allem nach Russland, massiv beansprucht.

Drittens: Nach dem Zusammenbruch des Sowjetkommunismus wurde die machtpolitische Position des Südens generell geschwächt. Ein früher wichtiges Motiv für westliche Kapitaltransfers in den Süden, die ost-westliche Systemkonkurrenz, entfiel.

Viertens: Die progressive eigene Verschuldung und strukturelle Finanznot im Westen – geschürt durch einen verbundenen Komplex von Arbeitslosigkeit, lahmendem Wachstum und wachsenden Kosten zur Sicherung des Standorts verengte massiv den Spielraum für Transfers in den Süden. Die in den 80er-Jahren viel beschworene »Friedensdividende«, welche die Abrüstung von West und Ost erbringen und dem Süden zugute kommen sollte, wurde im Westen zur Lösung eigener Probleme reinvestiert.

(2) Globale Verhandlungen

Auch die zweite zentrale Empfehlung der *Nord-Süd-Kommission,* eine große politische Initiative für globale Verhandlungen, wurde nicht umgesetzt. Zwar fand 1981 in Cancun der von der Kommission geforderte Nord-Süd-Gipfel statt. Er verlief aber ohne jedes Ergebnis, nicht zuletzt, weil er nicht konstruktiv vorbereitet war und – wie auf vielen internationalen Gipfeln – von einem unproduktiven Marathon unverbindlicher Fensterreden und einem Ballast bürokratischen und massenmedialen Dekors geprägt war. Es wurde nicht mit Willen zum Erfolg wirklich verhandelt. Dieser erste Nord-Süd-Gipfel sollte dann auch der letzte gewesen sein.

In den achtziger Jahren und zunehmend noch in den neunziger Jahren, nach dem Ende des Ost-West-Konflikts, wurden die Autorität und Handlungsfähigkeit der Vereinten Nationen entscheidend geschwächt. Nicht ernsthafte Initiativen zur Lösung globaler Probleme standen im Mittelpunkt der Diskussion, sondern die Frage, wie die Weltorganisation sparsamer und zugleich effizienter arbeiten könne. Die

USA scheuten sich nicht, ihre Zahlungen einzustellen und mit konkreten Auflagen zu verknüpfen. Die Vereinten Nationen verloren ihre Rolle als zentrales Forum für Verhandlungen über Grundlinien globaler Entwicklung.

Die Initiative zur Regelung globaler Fragen ging einseitig auf die beiden Bretton Woods-Institutionen über, den Internationalen Währungsfonds und die Weltbank. Sie wurden (übrigens durchaus satzungsgemäß) von ihren Großaktionären, den Industrieländern – und unter ihnen vor allem von den USA – dominiert. Die beiden Bretton Woods-Institutionen konzentrierten sich auf das Management der internationalen Schuldenkrise. Vorrangiges Ziel war es, das internationale Finanzsystem zu stabilisieren und den Entwicklungsländern innere Reformen zur Strukturanpassung zu verordnen. Diese sollten dadurch befähigt werden, ihren Schuldendienst zu leisten und sich in die Weltwirtschaft zu integrieren.

Auch die nach der Uruguay-Runde des GATT neu gebildete Welthandelsorganisation (WTO) konzentrierte sich einseitig auf wirtschaftliche Fragen, vor allem die Liberalisierung des internationalen Handels. Auch diese Organisation wird von den Industriestaaten dominiert. Ihr Regelwerk bringt ihnen und einigen aufstrebenden Schwellenländern Vorteile, vernachlässigt aber Schutzinteressen armer und rohstoffabhängiger Entwicklungsländer, die, auf einem erheblich niedrigeren wirtschaftlichen Entwicklungsstand, ohne gleichen Zugang zu Informationen und ohne Verhandlungsmacht, keinen Nutzen aus der globalen Integration ziehen können, ja sogar in ihrer Position geschwächt wurden.

Wurden die Autorität und Handlungsfähigkeit der Vereinten Nationen zur Gestaltung globaler Entwicklung und vor allem auch weltwirtschaftlicher Probleme in den achtziger und neunziger Jahren geschwächt, so fanden unter ihrem Dach in dieser Zeit gleichwohl wichtige Weltkonferenzen statt: in Rio de Janeiro zu Umwelt und Entwicklung, in Kairo zu Bevölkerungsfragen, in Wien zu Menschenrechten, in Peking zur Gleichberechtigung der Frau, in Kopenhagen zu sozialen Fragen. Dazu kamen internationale Verhandlungen vor allem zu einzelnen wichtigen Umweltproblemen: darunter zu Klima, Biodiversität, Wasser, Wäldern, Wüsten. Den dabei verabschiedeten eindrucksvollen Resolutionen, Abkommen und Aktionsprogrammen haftet aber die Schwäche an, dass sie, weil nicht sanktionsbewehrt, nur schleppend oder gar nicht umgesetzt werden und dass sie sich vornehmlich auf die Lösung sektoraler Probleme beschränken. Deren Verknüpfung mit den ökonomischen und machtpolitischen Bedingungen blieben meistens außer Acht. Diese Konferenzen haben wesentlich dazu beigetragen, dass sich in allen Weltregionen das Bewusstsein vor allem für globale Umweltfragen geschärft hat. Auf einigen Gebieten wurden auch konkrete Fortschritte erzielt. Sie blieben aber Papier, sobald vitale Interessen in Industrie- und Entwicklungsländern und das internationale Wirtschafts- und Finanzsystem tangiert wurden.

Was der Brandt-Report im Kern für notwendig erachtete, kam in den vergangenen 20 Jahren nicht in Gang. Es kam zu keinen globalen Verhandlungen, an denen Nord und Süd – repräsentativ vertreten – gleichberechtigt an einem Tisch saßen und konstruktiv gemeinsame Lösungen für gemeinsame Interessen suchten. Dies gilt insbesondere für das Herzstück der Agenda des Brandt-Reports: Die Überprüfung und Neuordnung des internationalen Wirtschafts- und Finanz*systems* mit dem Ziel, eine Wiederbelebung des weltwirtschaftlichen Wachstums einzuleiten, die Lage des Südens strukturell zu heben und die Kluft zwischen dem Norden und dem Süden zu schließen oder wenigstens entscheidend zu verringern.

Statt eines integralen globalen Ansatzes, der auf der Überzeugung beruht, dass die Räume und die Probleme der Welt von immer stärkerer Interdependenz geprägt sind und alle in einem Boot sitzen, wurde die internationale Politik der achtziger und neunziger Jahre weiterhin geprägt von der strukturellen Dominanz des Westens insgesamt, vom hegemonialen Anspruch der in den neunziger Jahren einzig verbliebenen Supermacht, vom Vorrang nationalstaatlicher Sichtweisen und oft sehr kurzfristiger und kontraproduktiver nationaler Egoismen sowie vom Vorrang und globalen Ausgreifen der kapitalistischen Wirtschaftsweise.

Blockaden für globale Verhandlungen

Worin sind die Ursachen zu suchen, dass die hohen Erwartungen, welche die *Nord-Süd-Kommission* in globale Verhandlungen gesetzt hatte, sich nicht erfüllten, ja dass sogar ein Rückschritt im Nord-Süd-Dialog zu verzeichnen war? Ist es vor allem, wie Willy Brandt in der Einleitung zum zweiten Bericht der Kommission vermerkte, der politische Wille und der Geist der Solidarität, der den Verantwortlichen gefehlt hat und fehlt? Dies ist sicher einer der Gründe: In den achtziger und neunziger Jahren verschwanden bei den Spitzen der Politik das Nord-Süd-Thema und die Frage einer grundlegenden Reform oder gar Neuordnung des internationalen Wirtschaftssystems in der Versenkung. Gestalten mit Weltsicht und Weitsicht wie Willy Brandt, McNamara, Nyerere, Olof Palme oder Senghor wurden abgelöst von politischen Pragmatikern und Technokraten, die auf kurzfristiges Krisenmanagement fixiert waren. – Diese Antwort ist aber nicht hinreichend. Es gibt eine Reihe anderer, tiefer liegender Gründe:

Erstens: Im Zuge der globalen Vernetzung von Finanzen und Produktionsstandorten scheint der Primat der Politik, wie sie heute noch – nämlich unter dem Vorrang nationaler Souveränität – verfasst ist, endgültig gebrochen. Die Politik vermag noch weniger als früher zu »führen«. Sie wird vielmehr ihrerseits geführt. Sie ist mehr und mehr zum reinen Dienstleister des global agierenden Großkapitals geworden. Ihr Spielraum für langfristige Entwürfe und Strategien tendiert gegen null.

Zweitens: Im Zeichen der Massenmedien werden Wahlen nicht durch Aufklärung, idealistische Visionen (Brandts »Demokratie wagen«!) oder durchdachte politische Konzepte gewonnen, sondern durch schauspielerisches Geschick, das Pochen auf persönliche Ausstrahlung, Cleverness und Stärke; durch Bestätigung sich vielfach überkreuzender kurzfristiger Sonderinteressen von Zielgruppen und eine Verharmlosung und Vernebelung der Wirklichkeit.

Drittens: Die Globalisierung der Ökonomie und die damit verbundene Standortkonkurrenz der Staaten hat nicht zum Aufbau wirksamer transnationaler politischer Institutionen geführt. Vielmehr wurde das marktwirtschaftliche Credo des wirtschaftlichen Wettbewerbs auf die Ebene der Staaten transponiert. Statt ihre Kooperation substanziell auszubauen, schärften die Staaten – während die Konzentration und internationale Vernetzung der privaten Wirtschaft schnell voranschritt – nationale Strategien, um im Kampf um die bevorzugten Investitionsstandorte an der Spitze zu liegen. Nicht konstruktive Koordination, wie auf den Weltwirtschaftsgipfeln vollmundig beschworen, sondern nationaler Wettstreit und *Beggar-my-neighbour* wurde Trumpf in den internationalen Beziehungen.

Viertens: Die Dominanz der von der Supermacht USA geführten westlichen Industrieländer hat sich nach dem Ende des Ost-West-Konflikts ausgeweitet. Entgegen den Annahmen der *Nord-Süd-Kommission* zeigte sich, dass der Westen nicht davon überzeugt war, dass er den Süden (und übrigens auch Russland) »braucht«, um zu prosperieren. Der Westen hatte nur zwei strategische Interessen: (1) zu verhindern, dass die Verschuldungskrise des Südens in eine internationale Gläubigerkrise umschlug, und (2) den Zugang zu wichtigen geostrategischen Zonen und Rohstoffen zu sichern. Ansonsten hegten die etablierten wirtschaftlichen und politischen Sonderinteressen in den Industriestaaten die Auffassung, dass sie durch substanzielle Konzessionen an den Süden, durch eine »Neuordnung« der Weltwirtschaft und durch ein globales politisches Regelwerk nur verlieren können.

Fünftens: Der Süden vermag dem Westen und insbesondere seiner Finanz- und Militärstärke keine gleichwertige Verhandlungsmacht entgegenzusetzen. Zudem sind die Staaten des Südens zersplittert und die meisten seiner politischen und wirtschaftlichen »Eliten« an die Interessen des Nordens angekoppelt. Eine gesellschaftliche Opposition konnte sich im Süden nur schwer oder gar nicht artikulieren oder gar die politische Macht erobern.

Sechstens: Die Wissenschaft – in immer differenziertere und isoliertere Disziplinen zersplittert – liefert der Gesellschaft und der Politik nur sektorale Kenntnisse, Lösungsmodelle und Techniken. Sie hat und sie vermittelt kein Verständnis globaler Interdependenz. Auf den Tod der Philosophie folgte das Absterben gesamtgesellschaftlichen und globalen Bewusstseins. Trumpf wurde das *Piecemeal-Engeneering* eines Karl Popper, also der Verzicht auf Thesen und Theorien zur Erklärung gesamtgesellschaftlicher komplexer Entwicklungen. Die Wissenschaft bestellt einen immer kleineren Acker, produziert immer speziellere Erkenntnisse, entwirft immer begrenztere Konzepte und überlässt es dem Publikum und der Politik, sich je ein eigenes Puzzle zusammenzusetzen. Kann daraus globales Wissen und Handeln, globale Verständigung erwachsen?

Wir stellen also fest: Die Erwartungen der *Nord-Süd-Kommission* haben sich nicht erfüllt. Ihre Ziele wurden nicht erreicht. Ihre zentralen Instrumente, nämlich Kapitaltransfer und globale Verhandlungen, wurden nicht eingesetzt. Warum nicht?

Prämissen globaler Politik

Die Politik – so stehen heute die Zeichen – regrediert zu einer scheindemokratischen, von den Massenmedien bestimmten Veranstaltung, die am Gängelband der transnationalen Ökonomie geführt wird. Sie fällt – obwohl sie national weitgehend die Kontrolle verloren hat – auf nationale Sonderinteressen zurück. Die nationalen »Hausaufgaben« (H. Kohl) stehen im Vordergrund, auch wenn man mit einer Flut sich überkreuzender internationaler Kontakte und Konferenzen den Schein zu wahren sucht, die internationale Kooperation käme voran. Tatsächlich ist *Global Governance* nicht in Sicht. Einige Hoffnung wecken nur verstärkte Bemühungen um regionale Kooperation, auch wenn sie nur schleppend vorankommt und vorerst nur in Europa ein solides Momentum hat. So wie Politik heute verfasst ist und agiert, ist sie unfähig, die *globalen* Herausforderungen zu bestehen. Bis jetzt fehlen die zentralen Voraussetzungen, um im gemeinsamen Interesse aller Weltregionen die Zukunft zu gestalten. Dazu gehören:

- transnationale Institutionen, die auf Gebieten, die nur noch global gesteuert werden können, globale sanktionsbewehrte Souveränität an die Stelle nationaler Souveränität setzen können;
  ein Konsens zwischen den Weltregionen und Weltkulturen über universal gültige Grundwerte und – in deren Rahmen – über eine gegenseitige Toleranz gegenüber regionalen Ausprägungen demokratischer und wirtschaftlicher Ordnungen;
- eine Wissenschaft und ein Bildungssystem, die zu einer interdisziplinär erarbeiteten Sicht der globalen Zusammenhänge, ihrer Chancen, Risiken und Handlungsmöglichkeiten fortschreiten;
- demokratisch kontrollierte Massenmedien, die entkommerzialisiert werden müssen, wenn sie gegen die Prinzipien von *inhaltlicher* Vielfalt, gesellschaftlich freiem Zugang, Aufklärung und Toleranz verstoßen;
- eine Ökonomie, die ihre Effizienz unter der Prämisse entfaltet, dass diese den Bedürfnissen und Möglichkeiten aller Menschen entspricht, einen Ausgleich zwischen den Weltregionen ermöglicht und die von der Natur gesetzten Grenzen respektiert.

Diese Voraussetzungen wären nur zu schaffen, wenn es gelänge, auch auf globaler Ebene einen politischen Rahmen zu etablieren, welcher der Definitions- und Steuerungsmacht der globalisierten Ökonomie und *ihrer* Medien demokratisch kontrollierte Grenzen setzt.

Der Brandt-Report hat zu diesen Voraussetzungen globaler Politik wenig gesagt und – wo er, wie beim Hinweis auf ein neues Wirtschafts- und Finanzsystem, Andeutungen gemacht hat – keine klare Stellung bezogen. Er hat die Lage der Welt, ihrer gesellschaftlichen, wirtschaftlichen und politischen Strukturen und Prozesse nicht tief genug analysiert. Dies gilt vor allem für zwei Prämissen, die der Brandt-Report zur Gestaltung globaler Politik gesetzt hat: die Vorstellung gemeinsamer Interessen und die Neuordnung des internationalen Wirtschaftssystems. Dies vor allem – und nicht nur fehlender Wille und mangelnde Solidarität – führte zu Empfehlungen, die in der politischen Praxis nicht eingelöst wurden und zum größten Teil auch nicht eingelöst werden konnten.

Gemeinsames Interesse in einer interdependenten Welt?

Die *Nord-Süd-Kommission* postuliert ein gemeinsames Interesse aller Weltregionen und Staaten in einer zunehmend interdependenten Welt, in der alle in einem Boot sitzen.

Es ist richtig, dass *langfristig* alle Menschen in ihren Lebensverhältnissen, ja in ihrer Existenz betroffen sind, wenn sich die natürlichen Ressourcen erschöpfen, die globale Umweltzerstörung die existenziellen Lebensbedingungen unterminiert, wenn Atombomben fallen und Atommeiler explodieren. Tendenziell richtig ist auch, dass sich die Welt zunehmend vernetzt und die Lebensweisen sich weltweit angleichen. Dies gilt vor allem für Geld und Güter, Wissen, Kommunikation und Konsum. Daraus jedoch zu folgern, diese langfristigen Trends müssten aus vernünftiger Erwägung in absehbarer Zeit zur engen Kooperation der Weltregionen führen, ist nicht zwingend. Von der Interdependenz sind auf absehbare Zeit nicht alle und nicht alle in gleichem Maße betroffen.

Der Norden ist viel weniger, teilweise eben gar nicht davon betroffen, was im Süden geschieht. Er ist aufgrund der eigenen Stagnationstendenzen an den wachsenden Märkten des Südens interessiert, er kann aber auch ohne sie überleben und aus eigener Kraft immer noch gut – und viel besser als der Süden – leben. Im Zweifel können sich die Industrieländer auf ihre Triade zurückziehen, ohne ihren Wohlstand auf absehbare Zeit entscheidend einschränken zu müssen. Warum also heute große Opfer für einen künftigen, nicht abschätzbaren Nutzen bringen oder freiwillig die dominante Weltstellung aufgeben? Der Westen ist nicht bereit, heute im Süden massiv zu investieren, um morgen ungewisse Früchte zu ernten.

Der Süden ist wesentlich stärker von globaler Interdependenz betroffen und einseitig vom Norden abhängig (Kapital und Technologie, Ressourcen- und Umweltverbrauch des Nordens). Warum sollte der Süden aber heute etwa seinen Ressourcen- und Umweltverbrauch reduzieren – angesichts eines im Vergleich zum Norden viel niedrigeren Stadiums der Industrialisierung und Kapitalakkumulation und angesichts des vergleichsweise viel höheren Umweltverbrauchs im Norden? Die Entwicklungsländer wollen – und zwar ganz nach dem Modell des Westens und seinen Empfehlungen – fast um jeden Preis »aufholen«. Ein alternatives Modell zur Theorie und Praxis des kapitalistischen Westens, um dies zu erreichen, liegt nicht vor. Und eine nennenswerte Gegenleistung des Westens wird nicht angeboten.

Systemische Interdependenz

Dennoch: Globale Interdependenzen sind nicht zu leugnen. Dies gilt für Wechselwirkungen zwischen den geographischen Räumen. Dies gilt aber auch für die wichtigsten Wirkungsfelder der Entwicklung: die Wirtschaft, die Technologie, die Politik und die geistig-kulturellen Erklärungs- und Verhaltensmuster. Das Problem ist, dass diese Interdependenz zwar besteht, bis jetzt aber analytisch nicht ausreichend geklärt ist und also politisch auch nicht beherrscht werden kann.

Weisen die zentralen Wirkungsfelder oder Teilsysteme, wie Niklas Luhmann annimmt, eine je spezifische Eigendynamik und Eigenlogik auf, die sich nicht einer gesamtgesellschaftlichen Rationalität fügt? Bringen die Teilsysteme aus sich, in relativ chaotischer Verkopplung, eine selbstläufige Evolution hervor, die sich nicht bewusst und planvoll gesellschaftlich steuern, sondern nur politisch nachvollziehen lässt? Oder unterliegen Wirtschaft, Politik, Technik und Gesellschaft mit ihren Leitbildern und Verhaltensmustern übergeordneten Triebkräften, die diesen eine gleich gerichtete Logik und Dynamik verleiht? Welche übergreifenden Faktoren der Evolution wären dies? Was ist noch gültig unter den großen historischen Erklärungsmustern der Entwicklung: Der eine christliche Gott, das Naturrecht der Aufklärung, der absolute Weltgeist Hegels, die Produktivkräfte des historischen Materialismus – oder die aufgeklärte Vernunft und emanzipative Fähigkeit des Individuums, wie sie der Liberalismus und die Sozialdemokratie in gleicher Weise postulierten?

Im Bericht der *Nord-Süd-Kommission* wird die Interdependenz des globalen Systems in den Vordergrund gerückt, ohne ihre vielfältigen inneren Bezüge in den Blick zu nehmen oder gar an ihr zentrales Nervensystem zu rühren. Die Kommission konnte deshalb zu keiner kritischen Analyse des geltenden politischen und wirtschaftlichen Systems vorstoßen.

Zeitliche Interdependenz

Zu sprechen ist aber nicht nur von räumlicher und sektoral-systemischer Interdependenz. Genauso wichtig ist die – im Report ebenfalls nicht näher analysierte – zeitliche Interdependenz. Was heute geschieht und was wir heute tun und unterlassen, hat unabweisbare Folgen für die Zukunft. Die Entwicklung der Welt ruht wie eh und je immer auf den Schultern ihrer Geschichte.

Auch hinsichtlich der zeitlichen Interdependenz fehlen die analytischen Instrumente, um diese schärfer zu erkennen und sie in die wirtschaftliche, politische und gesellschaftliche Praxis im Sinne vorsorglichen Handelns hereinzuholen. Die zentralen Mechanismen jedes – ob konservativ oder sozialliberal gefärbten – demokratischen Marktsystems, nämlich Wahlen und Preismechanismus, sind unfähig, langfristige Interessen und Gefahren, künftige gesellschaftliche Kosten und Nutzen gegenwärtigen Handelns abzuschätzen oder gar zu quantifizieren. Die exakte (wenn auch abstrakte und oft erschwindelte) Rechenbarkeit des Jetzt lässt sich von vagen Abwägungen künftiger Kosten und künftigen Nutzens nicht erschüttern. Der politische Zeithorizont der Demokratien beträgt vier oder allenfalls acht Jahre. Der wirtschaftliche Zeithorizont in einer kapitalistischen Marktwirtschaft geht darüber nicht hinaus, wo Unternehmen mit einer Kapitalrendite von mindestens 12 bis 15 Prozent rechnen und zunehmend unter dem Druck des Shareholder-Value stehen. Solange die Politik nicht fähig und willens ist, diese im westlichen System strukturell eingebaute Zukunftsschwäche demokratischer und kapitalistischer Entscheidungen zu korrigieren, bleibt die globale Zukunft buchstäblich offen. Sie kann nicht gestaltet werden. Die Politik vollzieht dann einfach das, was selbstläufig geschieht.

Der Brandt-Report setzt sich, da er gemeinsame globale Interessen in einer interdependenten Welt nicht als Ergebnis kritischer Analyse ausweist, sondern lediglich als Axiom postuliert und daraus die Erwartung ableitet, dass ein gemeinsames globales Handeln möglich sei, in einem idealistischen und voluntaristischen Sprung über die Wirklichkeit hinweg.

Ein neues Wirtschafts- und Finanzsystem?

Die *Nord-Süd-Kommission* spricht von einer Überprüfung und Neuordnung *des* internationalen Wirtschafts- und Finanz*systems*. In Wirklichkeit macht sie jedoch nur Vorschläge für einzelne Korrekturen *innerhalb* des geltenden kapitalistischen Systems – reformistische Korrekturen, die, wären sie tatsächlich erfolgt, eher zu seiner Stabilisierung hätten dienen können als zu einer wirklichen *Neuordnung* der internationalen Wirtschaftsbeziehungen. Was schlug der Brandt-Report vor?

Erstens: Das wirtschaftliche Handeln sollte in Zukunft stärker sozial und ökologisch flankiert werden. An keiner Stelle wird erörtert, ob die kapitalistische Marktwirtschaft auch unter globalisierten Bedingungen langfristig das effizienteste und sozial und ökologisch verträglichste Wirtschaftssystem sein kann und gesellschaftlich zu kontrollieren ist.

Zweitens: Wo das geltende System nicht (mehr) für ein ausreichendes weltwirtschaftliches Wachstum sorgt, sollte der Staat entsprechende Impulse setzen – allerdings nicht durch Verbesserung der Angebotsbedingungen (davon ist nirgends die Rede), sondern (Keynes im Hintergrund) durch die Schaffung zusätzlicher Nachfrage. Vor allem auch über kreditfinanzierte Transfers in den Süden sollte das weltwirtschaftliche Wachstum insgesamt angeregt werden.

Drittens: Die Kommission erklärt ein starkes weltwirtschaftliches Wachstum zum Schlüsselfaktor für Entwicklung und für den Ausgleich zwischen dem Norden und dem Süden. Gleichzeitig betont sie, dass die Gefährdung von Ressourcen und Umwelt eine der globalen Herausforderungen der Zukunft sein wird. Sie thematisiert nicht, ob und welche Widersprüche zwischen der kurzfristig fixierten Produktionsweise einer kapitalistischen Marktwirtschaft und einer langfristigen Vorsorge zur Erhaltung der natürlichen Lebensgrundlagen bestehen. Dahinter steckt unausgesprochen der alte *Glaube*, dass der technische Fortschritt und eine »vernünftige« reformerische Politik dieses Problem auch ohne harte Eingriffe in das geltende System lösen werden.

Viertens: Die *Nord-Süd-Kommission* ging davon aus, dass der von ihr vorgeschlagene massive Kapitaltransfer in die Länder des Südens zu einer wesentlichen Verbesserung der Einkommen der breiten Bevölkerung im Süden führen werde und sich hinsichtlich der Lebensbedingungen die Kluft zwischen dem Norden und Süden schließen ließe. Sie unterstellte damit, dass ein Ausgleich zwischen Industrie- und Entwicklungsländern, also eine egalitärere Verteilung zwischen reichen und armen Ländern, auch zu einer egalitäreren Verteilung innerhalb der armen Länder führen werde.

Fünftens: Mit dem Aufholen der Entwicklungsländer und einem Ausgleich zwischen dem Norden und Süden verbindet die Kommission die Vorstellung, dass durch diesen Prozess auch das Wachstum und der Wohlstand des Nordens befördert werde. In dieser Erwartung steckt eine der wichtigsten Begründungen dafür, dass ein »gemeinsames Interesse« des Nordens und Südens an Transfer und globalen Verhandlungen besteht.

Keine der Empfehlungen der *Nord-Süd-Kommission* wurde im Laufe der achtziger und neunziger Jahre verwirklicht. Sie trafen auf den frontalen Widerspruch des Neoliberalismus, der sich in dieser Zeit als bestimmende Idee der Wirtschaftspolitik durchsetzte. Unabhängig davon erwiesen sich die Vorstellungen des Brandt-Reports aber auch in der Sache nicht als überzeugende Alternative. Eine soziale und ökologische Flankierung des kapitalistischen Systems erfolgte nicht. Im Gegenteil: Soziale und ökologische Belange traten angesichts permanenter Finanzkrisen, schwachen Wachstums und zunehmender Massenarbeitslosigkeit mehr und mehr in den Hintergrund. Der Brandt-Report geht nicht darauf ein, welche Voraussetzungen geschaffen werden müssten, um die soziale und ökologische Verträglichkeit des kapitalistischen Wirtschaftsprozesses zu gewährleisten.

Keynesianische Vorstellungen hinsichtlich einer stärkeren Rolle des Staates zum Ausgleich von konjunkturellen Schwankungen und von schwachem Wachstum wurden durch eine Wirtschaftsphilosophie beiseite geschoben, die konsequent die

Angebots- und Strukturpolitik sowie Privatisierung und Deregulierung in den Mittelpunkt rückte. Der Report setzt sich nicht mit der Frage auseinander, ob und inwieweit auch in offenen Volkswirtschaften und angesichts einer endemischen Staatsverschuldung eine internationale Version öffentlich gestützter, kreditfinanzierter Stärkung der Nachfrage wirksam sein kann.

Das wirtschaftliche Wachstum erwies sich nicht als Schlüsselfaktor für die Lösung der sozialen und ökologischen Probleme und zur Überbrückung der Kluft zwischen dem Norden und dem Süden. Es zeigte sich, dass Wachstum und Beschäftigung sich angesichts fortlaufender Innovationen und Produktivitätsfortschritte entkoppeln können und Wachstum keineswegs ohne weiteres bessere Bedingungen für ökologische Vorsorge und Umweltschutz schafft, sondern oft nur auf deren Kosten realisiert wird. Der öffentliche, wenn auch rückläufige, Transfer von Nord nach Süd in die armen Länder und der verstärkte private Transfer in einige Schwellenländer hat nicht zu egalitäreren Verhältnissen innerhalb der Länder des Südens geführt, sondern – in Verbindung mit neoliberal konzipierten Strukturauflagen aus dem Norden – oft zu noch stärkerer sozialer Spaltung.

Die positive Rückkopplung von stärkerem Wachstum im Süden auf das Wachstum im Norden war marginal. Die großen Kapitalinteressen hegten zwar große Erwartungen in die Märkte des Südens. Die diesbezüglichen – und in den neunziger Jahren mit steigenden privaten Direktinvestitionen unterlegten – Hoffnungen zerstoben zum großen Teil aber schnell wieder in den Finanz- und Wirtschaftskrisen, die in den neunziger Jahren nacheinander Russland, Asien und Lateinamerika erfassten und erhebliche negative Rückwirkungen auf die Märkte des Nordens hatten.

Globale Entwicklung im Widerstreit von Vernunft und Interessen

Der Brandt-Report steht in der Tradition der Aufklärung und des Liberalismus. Ihre Utopie war, dass aufgrund der von Natur aus im Menschen verankerten Vernunft das »größte Glück der größten Zahl« (J. Bentham) durch stetige Verbesserungen (Reformen) in Theorie und Praxis erreichbar sei. Dieses Denken steht hinter dem Konzept des klassischen Wirtschaftsliberalismus. Adam Smith postulierte, dass eine *»invisible hand«* hinter dem Rücken widerstreitender Interessen zu einem gesamtwirtschaftlichen Optimum und allgemeinem Wohlstand führe. Dieses Denken liegt auch dem reformerischen Sozialismus zugrunde, der – entgegen der Auffassung eines Karl Marx – annimmt, dass eine in allen Individuen angelegte Vernunft und emanzipative Kraft in einem demokratischen Prozess zum friedlichen Ausgleich von Interessen führen würde und es ermöglichte, sich durch faire Kompromisse auf vorrangige gemeinsame Interessen zu einigen.

Ganz in dieser Tradition vertraut der Brandt-Report auf die Kraft der Vernunft, in die er auch humanitäres und solidarisches Handeln einbezieht. Er baut darauf, dass Verträge eine tragfähige und handlungsfähige Basis globaler Kooperation sein können – auch ohne ein mit Sanktionen bewehrtes Völkerrecht und transnational konstituierte globale Institutionen. Von *»Global Governance«* oder gar *»Global Government«* ist noch nicht die Rede. Der Report insistiert darauf, dass der politische Wille, das Gefühl für Humanität und Solidarität und das Engagement herausragender Gestalten in Politik und Wirtschaft entscheidend sind, um gemeinsame Einsichten in vernünftige politische Praxis umzusetzen. Er setzt auf stetigen Fortschritt in Wissenschaft und Technik als zentralen gesellschaftlichen Instrumenten der Vernunft. Und er vertraut darauf, dass über einen vernünftigen Diskurs auch auf globaler Ebene widerstreitende Interessen begrenzt und ein globales gemeinsames Interesse durchgesetzt werden kann.

Die reale Entwicklung hat diese Annahmen nicht bestätigt – weder in den vergangenen zwanzig Jahren, noch in den zwei Jahrhunderten zuvor. Kriege und Bürgerkriege haben – entgegen jeder Vernunft und gemeinsamer Interessen an Frieden und Wohlfahrt – die Welt verheert. – Der Kapitalismus hatte immer ohne Rücksicht auf das »größte Glück der größten Zahl« und ohne Vorsorge für die künftigen natürlichen Lebensgrundlagen das vorrangige Ziel, volkswirtschaftlich-national den abstrakten Wert der Produktion, das Sozialprodukt, und einzelwirtschaftlich den abstrakten Wertausdruck des unternehmerischen Erfolgs, die *Kapital*rentabilität, zu maximieren. Er hat auf diesem Weg große Teile des Südens mit kolonialistischen und imperialistischen Praktiken unterworfen, die Natur rücksichtslos ausgebeutet und soziale und gesellschaftliche Fragen als sekundär behandelt. Je nach politischer Richtung sollten die Verteilungsfragen entweder (wirtschaftsliberal) durch den Markt selbst über die Grenzproduktivität der Produktionsfaktoren oder (sozialliberal bis sozialistisch) durch den Staat quasi nachsorgend gelöst werden. Wissenschaft und Technik haben die Rationalität und Effizienz von einzelnen Prozessen und Systemen ständig erhöht, jedoch das Ziel aufgegeben, die Entwicklung des Ganzen rational zu erklären. Die aufgeklärte Vernunft, die neben Fortschritt auch auf Ausgleich und Maß sinnt, verdampfte zu kalter Rationalität, die in der Maximierung des gegenwärtigen und eigenen Nutzens ihren obersten Maßstab hat.

Auch in den vergangenen Jahrzehnten wurde die Entwicklung nicht von einem vernünftigen Diskurs über gemeinsame Interessen angesichts wachsender globaler Herausforderungen und Interdependenz geleitet. Es kam nicht zu einem herrschaftsfreien Diskurs zwischen Nord und Süd, zwischen dominanten und abhängigen Staaten, zwischen wirtschaftlichen und sozialen Interessen und zwischen unterschiedlichen Kulturen. Wie bisher in der Geschichte haben sich wirtschaftliche und militärische Stärke und daraus erwachsende politische Macht durchgesetzt. Die Position der Herrschenden und Besitzenden unter den Staaten und innerhalb der Staaten wurde gestärkt.

Die *Nord-Süd-Kommission* hat sich in einem idealistischen Sprung über die Barriere hinweggesetzt, die machtvolle Sonderinteressen dem Wirken aufgeklärter und ausgleichender Vernunft in den Weg stellen. Sie hat die Hoffnung gehegt, dass ihre weit reichenden Ziele und Visionen durch ein rein reformistisches Projekt verwirklicht werden könnte. Sie hat in dieser Hinsicht keine Lehren aus der Geschichte gezogen. Diese zeigt, dass wirkliche gesellschaftliche und politische Innovationen zwar immer ideell vorgedacht und sozial vorbereitet wurden, real aber immer nur durch harte gesellschaftliche Kämpfe und Revolutionen durchgesetzt wurden. Die Reformation setzte sich endgültig erst nach langen Glaubenskriegen durch. Der Parlamentarismus in England bedurfte der *Glorious Revolution*. Der Demokratie in den Vereinigten Staaten ging der Aufstand und Krieg gegen den englischen Kolonialherrn voraus. Zur Verwirklichung der Utopien der europäischen Aufklärung bedurfte es der Französischen Revolution. Und auch die Weimarer Republik – wie damals und später andere republikanische und demokratische Durchbrüche – setzte grundlegende gesellschaftliche Umwälzungen voraus. Sie fanden immer nur dann statt, wenn sich breite Schichten der Bevölkerung in ihren vitalen Interessen und Gefühlen verletzt sahen und gleichzeitig die ökonomische Leistungsfähigkeit des geltenden System nicht mehr ausreichte, um ihre Bedürfnisse zu befriedigen.

Die *Nord-Süd-Kommission* hoffte dagegen auf einen von ausgleichender Vernunft geleiteten Wandel von oben. Deshalb appelliert sie immer wieder an die Einsicht der Regierungen und Staats»männer«. Kritiker haben diese Haltung deshalb nicht zu Unrecht als »unpolitisch« und als Ausdruck von »Wunschdenken« bezeichnet. Dies ist allerdings erstaunlich, denn die meisten Mitglieder der Kommission hatten hohe Funktionen in der Politik bekleidet.

Schritte zu »Global Governance« – ein reformistisches Projekt

Der Brandt-Report hat die Welt nicht verändert. Dennoch hat er der Welt einen wichtigen Dienst geleistet. Er hat das Bewusstsein für globale Interdependenz, Herausforderungen und Verantwortung gestärkt. Er motivierte viele Menschen zu persönlichem Engagement und bewahrte die Hoffnung auf eine »bessere Welt«. In seinem Gefolge entstanden viele zivilgesellschaftliche Gruppen, die – über die Friedenspolitik im engeren Sinne hinaus – sich globalen Aufgaben einer ökologisch verantwortlichen Entwicklung und internationaler Solidarität verschrieben. Dies bleibt als Gewinn und ein bleibendes Verdienst von Willy Brandt und seiner Kommission.

Auf was es nun ankommt, um globale Herausforderungen zu bestehen und reale Veränderungen für *»Global Governance«* zu erreichen, sind nicht so sehr immer neue Visionen und idealistische Entwürfe. Diese sind vorhanden. Um was es geht, ist eine schonungslose ökonomische und gesellschaftlich-kulturelle Analyse der Wirklichkeit und ihrer evolutionären Kräfte sowie die Organisation von gesellschaftlicher und politischer Macht, um die Vision einer freiheitlichen, gerechten und zukunftsfähigen Welt umzusetzen. Eine solche Analyse wird nicht befördert, wenn in der Politikwissenschaft ein Streit zwischen »Realisten« und »Idealisten« geführt wird, in dem die einen meist ohne ideellen Impuls bei der oft oberflächlichen und sektoral aufgesplitteten Beschreibung der Wirklichkeit stehen bleiben und die andern ohne nüchternen Blick auf das Tatsächliche und Mögliche immer neue ideale Konstruktionen einer besseren Welt entwerfen.

Wer die Welt verändern will, muss sie zunächst erkennen. Welche gesellschaftlichen und ökonomischen Prozesse und Strukturen treiben die heutige Entwicklung? Welche Interessen befördern sie und profitieren von ihnen? Wie sind die Interessen und Ressourcen der großen Ökonomie und Politik, der Wissenschaft und Medien verknüpft? Wie leistungsfähig sind sie zur Lösung von zentralen Problemen? Welches sind die Zentren der Entwicklung in den internationalen Beziehungen – wie verteilt sich hier die Macht zur Gestaltung oder zur Verhinderung globaler Kooperation? Welches Bewusstsein und welche demokratische Gestaltungskraft haben die Menschen und die gesellschaftlichen und politischen Institutionen?

Wer die Welt verändern will, muss gleichzeitig auch Macht organisieren. Die im einzelnen lobenswerten Anstrengungen vieler zivilgesellschaftlicher Gruppen, durch sogenannte Lobby-Arbeit und fachliche Expertisen bei Regierungen und internationalen Institutionen einzelne Beschlüsse zu einzelnen Themen graduell zu beeinflussen, reichen dazu nicht aus. So wichtig solches reformerische Piecemeal-engeneering ist – es kann den großen Gang der Dinge nicht verändern. Die Visionen, die diese gesellschaftlichen Gruppen haben, lassen sich mit den Instrumenten, die sie bisher nutzen, nicht verwirklichen. Eine breite gesellschaftliche Bewegung für globalen Wandel setzt eine neue Ära der Aufklärung in globaler Perspektive voraus. Sie kann nicht allein von einzelnen zivilgesellschaftlichen Gruppen getragen werden, sondern muss sich breit in Erziehung und Schule, in Forschung und Lehre, im Umgang mit Menschen aus anderen Ländern in Betrieb und Kommune, im persönlichen Konsum von Waren und Medien verankern. Nur so ließe sich der nötige gesellschaftliche Druck erzeugen, damit Parteien und Medien solche Frauen und Männer in Parlamente, Regierungen und internationale Institutionen bringen, die Weitsicht und Weltsicht besitzen und den Mut haben, herrschende Strukturen zu verändern.

Auch eine realistische Analyse globaler Entwicklung und eine breite gesellschaftliche Bewegung bietet allerdings noch nicht die Gewähr, eine zukunftsfähige Politik in globaler Verantwortung zu gestalten. Sie sind dafür notwendig, aber noch nicht hinreichend. Sie werden wohl – so leidvoll das sein wird – nur in einer tiefen gesellschaftlichen Krise wirksam werden, also dann, wenn die Leistungsfähigkeit des geltenden ökonomischen und politischen Systems versagt und gleichzeitig verschärfte soziale Not und ökologische Gefährdungen vitale Existenzbedingungen unterminieren. Vieles spricht dafür, dass es im 21. Jahrhundert früher oder später dazu kommen wird. Ob dann bereits die gesellschaftliche Erkenntnis so weit fortgeschritten und die gesellschaftliche Bewegung so breit organisiert ist, um ein zukunftsfähiges Modell guten Lebens, verantwortlichen Wirtschaftens und sozialen Ausgleichs nicht nur zu denken, sondern konstruktiv politisch umzusetzen, ist offen. Es bleibt die Möglichkeit, dass die Welt in einen chaotischen Zustand fällt, aus dem heraus sich machtvolle Sonderinteressen in neuen Diktaturen organisieren und den Weltfrieden bedrohen. Dass dies nicht geschieht, rechtfertigt unser aller verstärktes Engagement für effektive und demokratische Formen von *Global Governance*.

Inge Kaul*

Die Debatte über die Entwicklungsfinanzierung: damals und heute

Einführung

Dieser Beitrag vergleicht die Debatte über die Entwicklungsfinanzierung im Jahre 1980, also vor zwei Jahrzehnten, mit der heutigen Debatte. Grundlage für das Jahr 1980 ist der Bericht der *Unabhängigen Kommission zu Internationalen Entwicklungsfragen* unter dem Vorsitz von Willy Brandt. Der Kürze halber werde ich diesen Bericht als Bericht der *Brandt-Kommission* (abgekürzt BCR) bezeichnen. Bezugsrahmen für die heutige Debatte ist die Diskussion, die in einer Arbeitsgruppe der UN-Vollversammlung während des letzten Jahres in Vorbereitung für eine auf höchster Ebene angesetzte Konsultation zum Thema Entwicklungsfinanzierung im Jahre 2001 stattfand (siehe United Nations 1999a und 1999b)[1].

Der Vergleich zwischen diesen beiden Debatten weist weit reichende Unterschiede auf. Am bemerkenswertesten sind die unterschiedlichen Problemansätze von damals und heute, insbesondere:

- die Verlagerung der Zielrichtung von der »Schließung von Finanzierungslücken« hin zur »Verbesserung der Möglichkeiten aller wirtschaftlichen Akteure«, einschließlich der Ärmsten, an den Finanzmärkten aktiv teilzunehmen;
- die Verlagerung des Schwerpunktes von der Ausarbeitung »öffentlicher Transfermechanismen« hin zur Verbesserung der finanziellen »Markteffizienz«;
- die Verlagerung der Ausrichtung vom »administrativen Kostenkalkül« und dem »Bezahlen von Entwicklung« hin zur geschickten Nutzung »marktgerechter Preismechanismen« und anderer Anreizinstrumente.

Ich werde darlegen, dass diese Veränderungen nicht nur auf einer veränderten politischen Einstellung gegenüber der Privatisierung und Liberalisierung beruhen. Sie werden vielmehr hervorgerufen durch eine Vielzahl von Faktoren, darunter technologische Fortschritte, das weltweite Ansteigen von Einkommen und Wohlstand, demographische Veränderungen und nicht zuletzt die enormen Fortschritte im Bereich der menschlichen Entwicklung, die trotz fortdauernder Armut erzielt worden sind. Diese Veränderungen sind dauerhaft. Deshalb müssen neue Wege der Organisation und des Managements der Entwicklungsfinanzierung gefunden werden. Daher überrascht es nicht, wenn wir uns zwanzig Jahre nach dem Erscheinen des BCR wieder mit demselben Thema befassen müssen.

Während aus gegenwärtiger Sichtweise einige der konkreten politischen Vorschläge des BCR heute etwas angestaubt wirken, ist seine zentrale These heute wahrscheinlich von größerer Relevanz denn je zuvor: Dass in einer interdependenten Welt internationale Zusammenarbeit *unabdingbar* ist und in allseitigem Interesse liegt und darüber hinaus erfolgreiche internationale Zusammenarbeit gerechte Resultate für alle erbringt. Nimmt man diese Prämisse des BCR als Ausgangspunkt, so scheint in der Tat die derzeitige Debatte über die Entwicklungsfinanzierung, trotz ihrer Ausrichtung auf eine Reihe ganz anderer Themen, wirklich in die richtige Richtung zu weisen, nämlich in Richtung verstärkter internationaler Zusammenarbeit und größerer Gerechtigkeit.

Ich werde diese Aussagen in drei Schritten erläutern: zunächst in einem Überblick über die Empfehlungen des BCR zur Entwicklungsfinanzierung, dann in einem Überblick über die Schlüsselthemen der derzeitigen Debatte über die Entwicklungsfinanzierung. Der abschließende Abschnitt wird die Hauptunterschiede und (wenn vorhanden) Gemeinsamkeiten zwischen der damaligen und heutigen Debatte herausarbeiten und einige politische Maßnahmen für die Zukunft vorschlagen[2].

Die Empfehlungen der Brandt-Kommission

Die zentrale Botschaft des BCR zum Thema Entwicklungsfinanzierung war unmissverständlich. Sie besagte, dass ein großangelegter Transfer von Mitteln von Nord nach Süd erforderlich sei. Die logische Begründung für diese Empfehlung lautete, dass der Norden im Hinblick auf seine eigene Entwicklung vom Süden abhängig sei, dass der Süden, um sein Wachstums- und Entwicklungspotenzial auszuschöpfen, einen enormen Investitionsbedarf zu bewältigen habe und daher der Vorschlag eines Nord-Süd-Transfers von Ressourcen für alle gewinnbringend sei. Zur Veranschaulichung führte der Bericht beispielsweise Folgendes aus:

»Hätten die nicht zur OPEC gehörenden Entwicklungsländer ihre Importe von Industrieerzeugnissen beschnitten, um sich den gestiegenen Ölpreisen von 1973–1974 anzupassen, so hätte es in den OPEC-Ländern 3 Millionen Arbeitslose mehr gegeben. Tatsächlich haben jedoch die Industrieländer (nach Schätzungen der OECD), allein durch die Aufrechterhaltung ihres Handels mit Industriegütern mit den Schwellenländern, durchschnittlich je 900 000 Arbeitsplätze im Zeitraum von 1973–1977 hinzugewonnen. Dies zeigt wie kritisch die Abhängigkeit des Nordens von den Märkten des Südens geworden ist.

Das Ergebnis erhöhter Kreditaufnahmen in den siebziger Jahren war ein rasches Anwachsen der Verschuldung in den Entwicklungsländern. Ihre gemeinsamen Schulden stiegen von 70 Milliarden Dollar Ende 1970 auf geschätzte 300 Milliarden Dollar Ende 1979. Viel konzentriert sich auf eine relativ geringe Zahl von Ländern mit mittlerem Einkommen. Die größere Rolle, die privatwirtschaftliche Kredite dabei spielen, zeigte sich in einem wachsenden Anteil von kurzfristigen Schulden zu Zinssätzen, die seit kurzem steil angestiegen sind. Wenn die ölimportierenden Länder in den achtziger Jahren nicht ihr Wachstum und ihre Importe einschränken wollen, werden ihre Schulden mit Sicherheit weiter steigen. Zwischen 1980 und 1985 werden möglicherweise 300–500 Milliarden zusätzlicher Schulden bei Entwicklungsländern entstehen, um deren finanziellen Bedarf zu decken – vorausgesetzt, dass die Mittel gefunden werden können« (S. 238–9).

Es war deshalb ein Hauptanliegen der Kommission, Mittel und Wege zur Ermöglichung eines solch massiven Transfers von Ressourcen zu finden. Unter anderem empfahl sie:

- die Höhe der Unterstützung bis zum Jahr 2000 auf den international vereinbarten Satz von 0,7 % des BSP der Geberländer anzuheben und darüber hinaus 1 % als Ziel anzusteuern;
- weniger Gewicht auf die Projekthilfe und mehr Gewicht auf die Programmhilfe zu legen;
- die Laufzeiten von Darlehen zu verlängern, das Zuschusselement dieser Kredite zu vergrößern und weniger Bedingungen an die Mittelvergabe zu knüpfen;
- bei Weltbank und regionalen Entwicklungsbanken das Kreditvolumen und den Anteil konzessionärer (marktabweichender) Kredite zu erhöhen;
- die SZR-Zuweisungen (Sonderziehungsrechte) an Entwicklungsländer zu erhöhen,
- Gold aus dem Bestand des IWF zu verkaufen und die Zinsen, die aus den Einnahmen dieser Verkäufe anfallen, zur Subvention der Darlehenszinsen für die Entwicklungsländer zu verwenden;
- die Durchführbarkeit verschiedener neuer und innovativer Maßnahmen zu testen, wie etwa ein System von universellen Steuern auf der Grundlage einer Gleitskala, die sich nach dem nationalen Einkommen richtet, und internationale Steuern wie Abgaben auf den internationalen Handel, die Waffenproduktion und -exporte, internationale Reisen oder globale Gemeinschaftsgüter, insbesondere Meeresbodenmineralien;
- die Schaffung eines *Weltentwicklungsfonds*, der das Einkommen, das durch die oben genannten Maßnahmen geschaffen wird, verteilt;
- den Ländern, die Kredite aufnehmen, eine stärkere Mitsprache beim Entscheidungsprozess und im Management einzuräumen.

Eher am Rande und sehr knapp erwähnt der Brandt-Bericht auch »andere Wege des Ressourcentransfers«. Hier finden sich beispielsweise Vorschläge wie ein erleichterter Zugang der Entwicklungsländer zu den Wertpapiermärkten des Nordens oder geringere gesetzliche Auflagen für Auslandsinvestitionen institutioneller Anleger des Nordens wie Versicherungsgesellschaften oder Rentenkassen.

Die Empfehlungen des Brandt-Berichts tragen deutlich den Stempel seiner Zeit. Sie kennzeichnen eine Ära, in der Entwicklung immer noch als ein weitgehend staatsgebundener Prozess aufgefasst wurde. Die meisten Empfehlungen der Kommission beziehen sich daher auf den öffentlichen Sektor, national wie international, und sagen wenig darüber aus, wie man privat die Finanzierung für Entwicklungsarbeit nutzen könnte. Dies ist nicht erstaunlich, da die gegenwärtige Phase der finanziellen Liberalisierung erst in den späten siebziger und frühen achtziger Jahren ihren Anfang nahm. Bezugnehmend auf statistische Daten der *Bank für Internationalen Zahlungsausgleich* (BIZ) bemerkt Eatwell (1997: S. 4), dass bis zum Jahre 1980 »der Börsenhandel täglich durchschnittlich 80 Milliarden US-Dollar erreichte und das Verhältnis von Börsenhandel zu Welthandel etwa 10 : 1 betrug. Im Jahre 1992 belief sich der durchschnittliche Handel auf 880 Mrd. US-Dollar, ein Verhältnis von 50 : 1 zum Welthandel.« Der Trend hält seitdem an. Heute beläuft sich der tägliche Handel an der Börse auf über 1,3 Billionen US-Dollar (BIZ 1998).

Die Empfehlungen der Kommission gingen auch von der Annahme aus, dass Entwicklung in erster Linie eine Aufgabe des Südens sei. In der Zwischenzeit ist jedoch deutlich geworden, dass es Entwicklungsprobleme wie Armut, Krankheit oder Umweltzerstörung sowohl im Süden als auch im Norden gibt. Sie lassen sich nicht einfach mit wirtschaftlichem Rückstand erklären. Oft reflektieren sie die politische Ausrichtung eines Landes. Daher garantieren Wirtschaftswachstum und höhere Einkommen allein nicht automatisch Entwicklung[3]. In ähnlicher Weise betrachtete der BCR Interdependenz hauptsächlich als ein Problem grenzüberschreitender Folgewirkungen oder negativer externer Effekte, die *zwischen Ländern* hin- und hergehen. Heute ist uns bewusst, dass Interdependenz von Ländern auch aus *globalen systemischen Problemen* resultiert, z. B. aus der inhärenten Instabilität der Finanzmärkte oder aus einer unwiderruflichen Umweltveränderung, wie dem Risiko der globalen Erderwärmung[4].

Während der Brandt-Bericht sein Hauptaugenmerk auf externe Ressourcen richtete und sogar eine freizügigere Verwendung externer Gelder befürwortete, um die wiederkehrenden Ausgaben der Länder abzudecken, haben uns die diversen Schuldenkrisen der Vergangenheit eindringlich vor Augen geführt, dass Binnenressourcen die finanzielle »Hauptstütze« einer Wirtschaft sind. Ausländische Investitionen, insbesondere Portfolio-Kapitalflüsse, können nur eine ergänzende Finanzquelle sein, wenn das Risiko von Überschuldung und finanzieller Instabilität vermieden werden soll. Offenkundig ist die Frage der Entwicklungsfinanzierung heute komplexer als im Jahre 1980. Es ist daher interessant zu sehen, welche politischen Optionen derzeit diskutiert werden und inwieweit sich die gegenwärtige Debatte von der des Brandt-Berichts unterscheidet.

Zuvor sollten wir jedoch zwei bleibende Leistungen des BCR für die Entwicklungsdebatte hervorheben:

Erstens führte die *Brandt-Kommission* eine klare und wirtschaftlich logische Begründung für internationale Entwicklungszusammenarbeit ein. Es wäre wahrscheinlich richtiger zu sagen, dass er eine solche Begründung reaktivierte. Der Marshall-Plan, mit dem die Vereinigten Staaten den Wiederaufbau der vom Krieg verwüsteten Länder Europas nach dem Zweiten Weltkrieg unterstützten, beruhte gleichfalls auf der Prämisse, dass Wirtschaftswachstum und Sicherheit im Ausland eine gute und sogar notwendige Investition in Wohlstand und Frieden des eigenen Landes darstellen. So half der BCR, die Begründung für internationale Entwicklungszusammenarbeit dahingehend zu erweitern, dass neben Entwicklungshilfe (definiert als Unterstützung für ärmere Länder, *weil sie arm sind*) auch Unterstützung, die *globale Absichten* im Interesse aller verfolgt, inbegriffen war. Interdependenz und Globalisierung sind seit 1980 wesentlich intensiver geworden, und die Notwendigkeit zur Zusammenarbeit wird immer offensichtlicher und drängender, obwohl diese Tatsache immer noch nicht überall anerkannt wird[5].

Die zweite Leistung des Brandt-Berichts besteht in der Erkenntnis, dass internationale Zusammenarbeit, will sie erfolgreich sein, faire und wichtige Ergebnisse für alle bringen muss. Um aus Willy Brandts Einleitung zum Bericht zu zitieren: »Die ernsten Konfliktpunkte, die reiche und arme Länder trennen, werden sicher nicht durch Vorurteile gelöst, auch nicht durch Wunschdenken. Sie müssen angegangen werden in dem Willen, gefährliche Spannungen zu überwinden und bedeutende, nützliche Ergebnisse herbeizuführen für Staaten und Regionen und vor allen Dingen für die Menschen in allen Teilen der Welt. Die ermüdende Wiederholung von Leerformeln führt zu nichts. Damit wird Zeit nicht gewonnen, sondern verschwendet« (S. 14).

Auch für diese Erkenntnis gibt es immer mehr Belege[6]. Deshalb sollten wir im Schlussteil, wenn wir die damalige Debatte über die Entwicklungsfinanzierung mit der heutigen vergleichen, sowohl nach möglichen Unterschieden in Ansatz und Methode als auch nach Gemeinsamkeiten suchen. Eine Schlüsselfrage ist, inwieweit die heutige Debatte weiterhin die Schwerpunktsetzung des BCR auf internationale Zusammenarbeit, Fairness und Gerechtigkeit für alle reflektiert.

Die gegenwärtige Debatte zur Entwicklungsfinanzierung

Die derzeitige Debatte über die Finanzthemen ist weitreichend und vielseitig. Um nicht selbst eine Themenauswahl treffen zu müssen, erschien es praktisch, die Liste der Themen zu verwenden, die eine Arbeitsgruppe der UN-Vollversammlung zum Thema Entwicklungsfinanzierung vorlegte (UN 1999a und 1999b). Nach dieser Liste zu urteilen, enthält die heutige Agenda immer noch eine Reihe von Themen, die auch von der *Brandt-Kommission* diskutiert wurden. Ein Beispiel ist das Thema Kohärenz, d. h. die Aufgabe, eine größere Übereinstimmung zwischen internationalem Handel, Finanzen, Schulden und Entwicklungshilfe zu gewährleisten, damit die Linke nicht nimmt, was die Rechte gibt. Ein weiteres Dauerthema ist die Anhebung der Entwicklungshilfe auf das schon lang vorgegebene Ziel von 0,7 Prozent des BSP, das weiterhin sowohl von Entwicklungsländern als auch von einigen Geberländern befürwortet wird. Das Gleiche gilt für eine gerechtere Zuteilung der SZR an Entwicklungsländer[7]. Insgesamt stellen jedoch die Punkte auf der immer länger werdenden Agenda zur Entwicklungsfinanzierung heute neue Anliegen dar, die ein Spiegel der veränderten Entwicklungswirklichkeit sind, mit der es die internationale Gemeinschaft zu tun hat.

Die folgende Diskussion wird sich auf fünf Themen konzentrieren: Die neue Finanzarchitektur, Privatfinanzierung für nachhaltige menschliche Entwicklung (abgekürzt SHD für *sustainable human development*), SHD-orientierte Budgeterstellung, Bereitstellung globaler öffentlicher Güter und verbesserte Effizienz der Entwicklungszusammenarbeit. Ich werde versuchen, zu jedem dieser Themen kurz die derzeit diskutierten Reformvorschläge zu beschreiben, vornehmlich die, die innerhalb des UN-Systems formuliert werden oder anderweitig besondere politische Aufmerksamkeit fanden.

a) Aufbau einer neuen Finanzarchitektur

Es gibt heute eine lebendige Debatte über eine »neue internationale Finanzarchitektur«. Dennoch präsentieren, wenn überhaupt, nur einige wenige der zu diesem Thema eingehenden Vorschläge ein völlig neues Architekturdesign. Die meisten bieten lediglich korrigierende Zusätze zum derzeitigen System an, z. B. eine systematischere Marktüberwachung oder andere Maßnahmen, um Finanzkrisen besser vorzubeugen und um sie zu meistern. Eine informative Übersicht über die verschiedenen Vorschläge findet sich bei Barry Eichengreen (1999)[8].

Aus unserer Perspektive interessant sind vor allem zwei Aspekte dieser Diskussion. Ein Aspekt ist der sich abzeichnende Konsens, dass die Kosten von Finanzkrisen gerechter zwischen Schuldnern und Gläubigern aufgeteilt werden müssen. Deshalb schlagen einige Analytiker vor, Kreditvereinbarungen sollten eine »ordentliche Regelungsklausel« für eventuelle Krisensituationen enthalten. Der andere Aspekt ist die Forderung, dass die Kosten finanzieller Krisen nicht die Sozialausgaben verdrängen dürfen. Im Gegenteil sollten Maßnahmen für soziale Absicherung ein integraler Bestandteil aller finanziellen Rettungspakete sein, um das soziale Elend, das Turbulenzen auf dem Finanzmarkt unvermeidlich mit sich bringen, etwas abzumildern. Anscheinend gibt es einen immer stärkeren politischen Willen, im Bereich des Managements von Finanzkrisen neue Prinzipien zu akzeptieren, die in Krisenländern weniger Umbrüche auslösen und der betroffenen Bevölkerung weniger Leid zufügen würden. Wenn sie akzeptiert würden, wären diese Maßnahmen ein wichtiger Schritt auf dem Weg zu einem internationalen Finanzsystem, das stärker der Entwicklung dient.

Vorbeugung und Kontrolle von Finanzkrisen tragen zu einer verbesserten finanziellen Stabilität bei. Aber sie können die Ursachen für exzessive Labilitäten nicht überwinden. Um dieses Ziel zu erreichen, müssen auf nationaler Ebene Änderungen im politischen Denken eintreten. In mancherlei Hinsicht gibt es sogar einen starken Konsens zu diesem Punkt, wie man zum Beispiel daran sehen kann, wie viel Wert auf Maßnahmen wie verbesserte Finanzregulierung und -überwachung gelegt wird. In den meisten Fällen scheint politische Veränderung jedoch lediglich als Übernahme neuer Vorschriften und Standards verstanden zu werden. Doch politische Maßnahmen müssen, um sinnvoll und realistisch zu sein, in effizienter und effektiver Weise umgesetzt werden. Dies erfordert die Schaffung nationaler Kapazitäten, eine Notwendigkeit, die nur sehr zögerlich eingesehen wird. Aber die ersten Vorschläge tauchten bereits auf.

Charles Wyplosz (1999) macht zum Beispiel einen Vorschlag, den man als »*Umkehrlogik der Finanzliberalisierung*« bezeichnen könnte. Er schlägt vor, von vorneherein das System von Konditionen festzulegen. Länder sollten die Bedingungen kennen, die sie erfüllen müssen, um als zuverlässige Partner auf dem internationalen Finanzmarkt zu gelten. So wie sie sich für den Eintritt in die Welthandelsorganisation (WTO) oder die *Organisation für Wirtschaftliche Zusammenarbeit und Entwicklung* (OECD) fitmachen, könnten sie sich auch auf die Finanzliberalisierung vorbereiten. Der Wegfall von Kapitalkontrollen würde der Schaffung nationaler Kapazitäten nicht vorangehen, sondern ihr vielmehr folgen. Es könnte auch, wie Wyplosz ausführt, nützlich und wirkungsvoll sein, die finanzielle Zusammenarbeit auf regionaler Ebene stärker zu unterstützen. Hierunter fiele etwa die Schaffung regionaler »IWFs«, die durch verstärkten Pluralismus in den politischen Ansätzen sowie durch größere Kontextspezifizierung politischer Analysen und Richtungsvorgaben den globalen IWF ergänzen und unterstützen könnten.

Internationale Investoren sind sehr an der Portfolio-Diversifizierung und, trotz aller damit verbundenen Risiken, an Investitionen in *emerging* und *as-yet-to emerge markets* interessiert. Man kann daher annehmen, dass sie die Bereitstellung zielgerichteter Entwicklungshilfe zur Stärkung nationaler Kapazitäten und zur Erfüllung der für Finanzregulierung und -überwachung geforderten Bedingungen unterstützen würden. Zum gegenwärtigen Zeitpunkt sind Hilfsprogramme zur Stärkung nationaler Finanzkapazitäten und zur Funktionsverbesserung von Finanzmärkten im Interesse aller jedoch Mangelware und sollten daher ein Hauptanliegen künftiger internationaler Zusammenarbeit sein.

Es gibt andere Elemente in der gegenwärtigen Debatte zu einer neuen Finanzarchitektur, die derzeit getrennt diskutiert werden, aber eigentlich einen integralen Bestandteil der Debatte bilden sollten. Als Beleg möge beispielsweise das Thema der Zusammensetzung von Kapitalflüssen dienen, insbesondere die Frage, wie man längerfristige Investitionen, von denen Entwicklungsinitiativen häufig abhängen, anlocken kann (Griffith-Jones/Cailloux 1999). Ebenso sollte die Frage, wie man den steuerlichen Wettbewerb von Regierungen untereinander abbauen kann, einen Teil der Diskussion bilden, wenn die neue Architektur über die bloße Krisenprävention und Krisenbewältigung hinaus der Finanzierung von Entwicklung dienen soll[9].

b) Geld als »Massenprodukt«

Viele Projekte, die noch vor ein paar Jahren eindeutig als Domäne öffentlicher Finanzen betrachtet worden wären, werden immer stärker mit dem privaten Finanzbereich assoziiert. Beispiele dafür sind Kredit- und Sparprogramme für Arme und für Kleinunternehmen, die Bildungs- und Wohnfinanzierung sowie die Finanzierung von Umweltaktionen.

Die Verwendung privater Gelder durch diese Gruppen und zu diesen Zwecken entstand oft aus Verzweiflung. Da sie vom Staat im Stich gelassen wurden, haben die Armen selbst neue Wege gefunden, um das Marktversagen zu bekämpfen. Indem sie sich beispielsweise zu rotierenden Spar- und Kreditgesellschaften (englisch: ROSCAs) zusammenschlossen, konnten sie einander mit Geldern für Gewinn bringende Investitionen ausstatten. Die Armen haben auch bewiesen, dass eine Sicherheit nicht zwingend aus traditionellen Vermögenswerten wie Sparguthaben, Land oder Immobilien bestehen muss, sondern auch aus dem Nachweis von Qualität und Fleiß bei der Arbeit sowie von termingerechten Rückzahlungen. Viele Frauen können diese Art von Sicherheit anbieten; daher gelten sogar arme Frauen mittlerweile als »gute Kreditrisiken«.

Einige der ausgereifteren Mikrofinanzinstitutionen haben bereits die Grenze ihrer internen Geldschöpfung erreicht und drängen jetzt auf die formellen Kapitalmärkte. Boliviens *Bancosol* ist eine dieser Mikrobanken, die damit experimentiert, Kleinkredite in Wertpapieren zu bündeln, die auf den formellen Finanzmärkten gehandelt werden können[10]. In gleicher Weise hat die *asset-backed securitization* für eine höhere Verfügbarkeit von Krediten gesorgt, und zwar für Wohn-, Transport- und Infrastrukturprojekte, die auch den ärmeren Bevölkerungsschichten zugute kommen.

Sicherlich erfordern diese Projekte häufig – zumindest anfangs – öffentliche Unterstützung. Erfahrungsgemäß kann dies ohne *moral hazard* geschehen. In Chile beispielsweise nutzt die Regierung ihren privilegierten Zugang zu langfristigen Krediten von ausländischen Regierungen und multilateralen Institutionen. Diese Gelder werden dann Banken, Leasingunternehmen, Kreditversicherungsunternehmen und Risikokapitalfonds zur Verfügung gestellt, die sie ihrerseits an Kleinunternehmen zu wesentlich längeren Laufzeiten als anders möglich weiterverleihen (Roman 1999).

Ein weiterer wichtiger Anreiz, den der Staat liefern kann, ist die Festsetzung von Normen und Standards. Dies hat sich im Umweltbereich, speziell bei der Kontrolle der Umweltverschmutzung, gezeigt. Aber Standards können auch von Konsumenten bestimmt werden. Die steigende Nachfrage nach »gesunden« oder »umweltfreundlichen« Produkten und Dienstleistungen wird immer deutlicher. Und in dem Maß, in dem diese Nachfrage steigt, stellen wir auch auf Unternehmerseite eine zunehmende Bereitschaft fest, sozial verträgliche oder umweltfreundliche Praktiken zu übernehmen.

Viele dieser Fragen betreffen sowohl inländische als auch externe private Finanzenquellen. Sie sollten zuerst angezapft werden, bevor man öffentliche Gelder verwendet. Bei dem Überfluss an privaten Geldmitteln in der heutigen Welt ist es von Bedeutung, die eigenen politischen Prioritäten für diese Geldgeber schmackhaft zu machen. Wenn dies nicht gelingt, sollten wir uns darauf besinnen, genau das zu tun, was die Armen getan haben, nämlich das Versagen des Marktes durch neue und innovative – private – Wege, den Markt wieder funktionstüchtig zu machen, zu korrigieren. Wenn es diesen Ausweg nicht gibt, ist eine öffentliche Intervention berechtigt. Wir würden den Bedarf an öffentlicher Entwicklungsfinanzierung überschätzen, wenn wir uns dieser Sichtweise von Finanzsubsidiarität nicht anschlössen, und wir würden wichtige Chancen zur Entwicklung verpassen, wenn private Finanzen ignoriert würden.

Der beste Weg zur Entwicklungsfinanzierung ist der, der sicherstellt, dass alle Investitionen ihren Teil zu einer verbesserten nachhaltigen menschlichen Entwicklung (SHD) beitragen. Private Finanzierung sollte nicht unseren Entwicklungszielen zuwiderlaufen, sondern den Fortschritt beschleunigen helfen, im Norden und im Süden. Abgesehen von finanzieller Innovation und den richtigen Anreizen erfordert dies in erster Linie verbesserte Informationen für Investoren, um Investitionsmöglichkeiten besser einschätzen zu können, und bessere Informationen für Konsumenten, damit sie ihre Auswahlmöglichkeiten und die mit diesen verknüpften Implikationen für das eigene Wohlergehen kennen. Wie die Anti-Raucher-Kampagnen gezeigt haben, kann dies sehr erfolgreich geschehen.

c) Entwicklungsorientierte Budgeterstellung

Die allerersten Strukturanpassungsprogramme (SAPs) der achtziger Jahre kamen vorwiegend deswegen in Verruf, weil sie versuchten, die Staatshaushalte der Entwicklungsländer ins Gleichgewicht zu bringen, indem sie das Leben der Menschen aus dem Gleichgewicht warfen, d. h. indem sie die ohnehin geringeren Sozialausgaben noch weiter kürzten. Die Antwort darauf war ein Versuch, »SAPs mit einem menschlichen Gesicht« zu erstellen und zumindest die Ausgaben für die grundlegenden sozialen Leistungen unangetastet zu lassen.

Um diese grundlegenden sozialen Ausgaben zu erhalten, hat die internationale Gemeinschaft eine Initiative mit dem Titel »20/20« gestartet, der zufolge Regierungen von Entwicklungsländern untersuchen sollen, ob sie genügend Mittel für grundlegende soziale Dienstleistungen zugewiesen haben, d. h. ob sie etwa 20 % ihrer Haushalte für entsprechende Zwecke ausgeben, und wenn nicht, warum nicht. Oder, falls sie mehr ausgeben, warum dies so ist und ob es Möglichkeiten gibt, die Effizienz der fraglichen Programme zu verbessern. Geberländer sollen das Gleiche für ihre Entwicklungsprogramme tun, wobei sie eine Zuteilung von 20 % ihrer Geldmittel zur Bekämpfung der Armut anstreben sollten (siehe UNDP u. a. 1998).

Ähnliche Budgetüberprüfungen können auch für andere Entwicklungszwecke vorgenommen werden. Dies geschieht auch. In der Tat werden Nichtregierungsorganisationen (NROs) immer stärker in die Revisionen öffentlicher Ausgaben involviert. Frauenorganisationen stehen in manchen Ländern an der Spitze solcher Bemühungen[11]. Verschiedene »Wächter«, wie etwa *Social Watch* (1998), haben auch ein Auge darauf, wie groß die Übereinstimmung zwischen den proklamierten politischen Prioritäten und den Ausgabeprioritäten der Regierungen und zwischenstaatlichen Organisationen ist.

d) Bereitstellung globaler öffentlicher Güter

Viele öffentliche Güter[12] sind heute global und können nicht länger durch politisches Handeln auf ausschließlich nationaler Ebene gewährleistet werden. Man denke nur an das öffentliche Gut Finanzstabilität und das Risiko einer Kettenreaktion, an Gesundheit und leicht übertragbare Krankheiten, die sich als Folge von stärkerer Handels- und Reisetätigkeit ausbreiten können, oder an saubere Luft, die durch Umweltzerstörungen anderswo verschmutzt werden kann. Die Beschäftigungssituation ist ein weiteres Beispiel. In vielen Ländern reagiert sie empfindlich auf das Weltwirtschaftswachstum und auf politische Maßnahmen wie die Veränderung von Zinssätzen, die von anderen Staaten durchgeführt werden. Öffentliche Güter werden immer mehr zu globalen öffentlichen Gütern und sind existenziell abhängig von internationaler Zusammenarbeit.

Die veränderten Herausforderungen, mit denen die Politiker heute konfrontiert sind, haben zwei wichtige Auswirkungen auf die Entwicklungsfinanzierung:

Erstens erfordern globale öffentliche Güter Zusammenarbeit, z. B. eine Vereinbarung, dass alle Länder etwa Malaria ausrotten oder bestimmte grenzüberschreitende Schadstoffe reduzieren wollen. Aber die Umsetzung dieser Vereinbarungen muss häufig auf nationaler Ebene geschehen. Dies gilt insbesondere, wenn die Bereitstellung eines bestimmten globalen öffentlichen Guts Ergebnis einer so genannten Summierungsstrategie ist, die die Mitarbeit aller Hauptbeteiligten bedingt. Die Reduzierung von FCKWs (Fluorchlorkohlenwasserstoffe) zum Schutz der Ozonschicht ist so ein Fall. Die dezentralisierte Bereitstellung nationaler Beiträge zu globalen öffentlichen Gütern ermöglicht es natürlich, die damit verknüpften finanziellen Erfordernisse aus vorhandenen Binnenressourcen zu bestreiten. In der Tat wird die Bereitstellung globaler öffentlicher Güter (wie Finanzstabilität) häufig das Auftreten entsprechender globaler öffentlicher »Übel« wie exzessive finanzielle Unbeständigkeit vereiteln. Da vorbeugende politische Maßnahmen oft weniger Kosten verursachen als behebende, können Länder möglicherweise mit ihrer Unterstützung für die Bereitstellung globaler öffentlicher Güter sogar Geld einsparen, statt sich für Nichtkooperation zu entscheiden und anschließend mit einer steigenden Zahl verheerender globaler Krisen konfrontiert zu sein.

Wie schon unter Punkt a) angedeutet wurde, kann es sich für Länder durchaus lohnen, andere in ihren nationalen Beiträgen zu einem globalen öffentlichen Gut (wie etwa Gesundheit) zu unterstützen. Wiederum lautet das Argument, dass das Eindämmen der Verbreitung einer Krankheit wie HIV/AIDS eventuell weniger kostet als die Behandlung einer steigenden Zahl von Infizierten. Daher könnte man sich vorstellen, dass in der heutigen Globalisierung Regierungen künftig eher ein bewusst zweigleisiges Modell für die Erstellung nationaler Budgets anwenden wollen. Ziel wäre es, bei den Mittelzuweisungen für nationale Prioritäten deutlicher zu unterscheiden zwischen solchen, die im Inland eingesetzt werden, und solchen, die ans Ausland gezahlt werden, um anderen Ländern bei der Eindämmung grenzüberschreitender negativer Effekte zu helfen[13]. Die letztgenannten Zahlungen stellen keine Entwicklungshilfe im traditionellen Sinn dar, d. h. sie sind keine Transfers an arme Länder, weil diese arm sind. Sie sind vielmehr unterstützende Zahlungen zum »globalen Haushalt« oder für gegenseitige Interessen. Sie entsprechen tatsächlich dem, was der Brandt-Bericht im Sinn hatte, nämlich einer Finanzierung zur Unterstützung des Interdependenzmanagements.

Der Unterschied zwischen der vorgeschlagenen Perspektive der globalen öffentlichen Güter und der Argumentationsreihe des BCR ist, dass die Kommission die internationalen externen Effekte durch die Nord-Süd-Brille bzw. die Brille der Entwicklungshilfe betrachtete. Aber das ist nur eine Seite der Medaille. Der Süden ist auch von externen Effekten, die vom Norden ausgehen, betroffen, und beide, Norden wie Süden, sind von systemischen Risiken wie dem der globalen Erderwärmung gefährdet. Daher kann der Süden auch Forderungen an den Nordenstellen, eine Tatsache, die uns zum Thema »Handel mit globalen öffentlichen Gütern« führt.

So weit die Welt neue Engpässe bewältigen muss, gibt es die Möglichkeit, neue Eigentumsrechte einzuführen, wie beispielsweise das Recht auf eine gewisse Menge an Umweltverschmutzung innerhalb global verträglicher Grenzen, und neue Märkte zum Tauschhandel dieser Eigentumsrechte zu schaffen. Da die Bereitstellung solcher Güter (wie sauberer Luft) Veränderung auf Seiten einer Vielzahl von Akteuren involviert, könnten marktbezogene Mechanismen für diesen Zweck tatsächlich von Vorteil gegenüber einem staatsgelenkten Prozess sein. Sie sind vielleicht am besten geeignet, um den wahren Wert rarer Güter hervortreten zu lassen, ob es sich nun um »saubere Luft« oder »Waldbestände« handelt. Und sie könnten zu einer bedeutenden Einkommensumverteilung von Norden nach Süden führen, da Entwicklungsländer oft den Schlüssel zur Lösung der heutigen globalen Krisen in der Hand halten.

Wir sehen also, dass das Thema der Finanzierung nicht abstrakt diskutiert werden kann. Es wird immer wieder die Frage auftauchen, warum ein bestimmtes Problem nicht vom Markt gelöst werden kann. Und wenn dies der Fall ist, wird eine begrenzte öffentliche Intervention, wie etwa die Klärung von Eigentumsrechten, oftmals ausreichen. Gewiss, öffentliche und private Akteure würden als Käufer und Verkäufer auf dem Markt für saubere Luft auftreten. Aber ein Marktteilnehmer zu sein, wäre eine ganz andere Rolle für die Regierung als der Versuch, öffentliche Programme gegen die Luftverschmutzung durchzuführen.

e) Verbesserung der Wirksamkeit der Entwicklungszusammenarbeit

Auch heute gibt es noch einflussreiche Stimmen, die die angepeilten 0,7 Prozent des BSP für Entwicklungshilfe befürworten. Aber ein Großteil der Diskussion zur Entwicklungszusammenarbeit konzentriert sich auf die Verbesserung ihrer Wirksamkeit. Am dringlichsten wird in diesem Zusammenhang die Frage debattiert, wie man das Eigentumsrecht an Entwicklungsinitiativen in den Empfängerländern stärken kann. Oft lautet die Antwort: stärkere Überwachung und Kontrolle. Aber alle Bemühungen in dieser Hinsicht haben sich bislang noch nicht als sehr erfolgreich erwiesen.

Es wäre für die Geberländer offensichtlich eine einfache Alternative, die Empfängerländer zu ermutigen, selbst die Bedingungen für Entwicklungshilfe festzulegen und die Verwaltung zu übernehmen. Es gibt einen historischen Präzedenzfall für einen solchen Ansatz, nämlich den Marshallplan, den die Vereinigten Staaten nach dem Zweiten Weltkrieg einsetzten, um den Wiederaufbau der Länder Europas voranzutreiben. Vielleicht ist fünfzig Jahre später die Zeit reif, die Wiederholbarkeit dieses Ansatzes in den Entwicklungsländern und in den Transformationsländern zu testen. Die Implikationen eines solchen Ansatzes wären für die Geberländer weitreichend. Es wäre nötig, Entwicklungsgelder an keinerlei Verwendungszwecke zu binden und Einfühlungsvermögen und Dialogbereitschaft zu signalisieren.

Zusammenfassung

Wenngleich die hier behandelte Liste der Themen und der möglichen politischen Optionen keineswegs erschöpfend ist, zeigt sie doch, wie viel komplizierter und facettenreicher heute das Thema Entwicklungsfinanzierung im Vergleich zur Zeit des Brandt-Berichts ist. Mehr noch, der Problemansatz ist in vielerlei Hinsicht wesentlich anders. Die Hauptunterschiede sind Folgende:

- 1980 stand die »Schließung von Finanzlücken und -bedürfnissen« im Vordergrund. Heute liegt der Schwerpunkt auf »finanzieller Ermächtigung«, d. h. alle Akteure sollen in die Lage versetzt werden, aktive und kompetente Teilnehmer an den Finanzmärkten zu sein und die Ausgabeprioritäten der Regierung zu kennen.
- Vom Transfer öffentlicher Ressourcen ist man dazu übergegangen, Gelder aus verschiedenen Quellen (öffentlich und privat, aus dem In- und Ausland) zu bündeln, um die gesamte Effizienz und Effektivität zu verbessern.
- Während man früher vom »Land« als Grundeinheit für alle Überlegungen ausging, sorgt man sich heute mehr darum, wohin das Geld innerhalb eines Landes geht, ob es alle Bevölkerungsgruppen erreicht und ob es den Entwicklungsprioritäten dient.
- 1980 nahm man noch deutlich ein starkes Nord-Süd-Gefälle, eine Kluft zwischen Reich und Arm wahr. Heute treffen sich verschiedene Akteure, darunter Staaten, Privatunternehmen und individuelle Investoren als zunehmend gleichberechtigte Spieler auf den Finanzmärkten.

Diese Verlagerungen im Ansatz bringen drei weitere Unterschiede mit sich:

- Die derzeitigen Finanzierungsmechanismen sind wahrscheinlich stärker entwicklungsorientiert als früher.
- Es gibt ein wachsendes Bewusstsein von Interdependenz, davon, Teil ein und desselben Finanzsystems zu sein, von dem wir alle abhängen und das uns zur Zusammenarbeit zwingt, weil Krisen für alle den Ruin bedeuten und Stabilität für alle Gewinn und Prosperität bringen kann.
- Aufgrund dieses verstärkten Bewusstseins von Interdependenz achtet man jetzt auch mehr darauf, Zugeständnisse im Sinne größerer Fairness zu machen.

Demzufolge unterscheiden sich die finanziellen Mechanismen und Instrumente, über die wir heute diskutieren, deutlich von den im Brandt-Bericht vorgeschlagenen. Die heutige Debatte zur Entwicklungsfinanzierung steht jedoch »im Geiste« dem BCR vermutlich näher als es die Empfehlungen des Berichts selbst jemals waren. Zugegeben, die derzeitige Debatte ist nur eine Debatte. Die Realität der Entwicklungsfinanzierung sieht häufig anders aus. Doch Visionen und Pläne für konkrete politische Optionen zu haben, ist der erste Schritt zu einer wirklichen Veränderung.

Anmerkungen

* Die Autorin ist Direktorin des *Büros für Entwicklungsstudien* beim Entwicklungsprogramm der Vereinten Nationen (UNDP), New York. Die im vorliegenden Artikel vertretenen Auffassungen sind die der Verfasserin und entsprechen nicht unbedingt dem Standpunkt von UNDP.

1 Die Arbeitsgruppe wurde aufgrund der Resolution A/RES/53/173 der UN-Vollversammlung eingerichtet. Sie stellte ihre Überlegungen unter acht Hauptthemen: Mobilisierung von Binnenressourcen für Entwicklungszwecke, Mobilisierung internationaler privater Finanzzuwendungen für Entwicklungszwecke, Auslandsverschuldung (bilateral, multilateral und im Handel), Finanzierung für Entwicklung und Handel, innovative Finanzierungsquellen, Steuerung der internationalen Währungs-, Finanz- und Handelssysteme und das Verhältnis der Hauptelemente zu anderen speziellen Themen. Siehe Vereinte Nationen 1999 und 1999a für weitere Einzelheiten.

2 Ich danke Almud Weitz für die kritische Durchsicht des Textes, wertvolle Anregungen und Beiträge.

3 Dieser Punkt ist im Detail im *Bericht über die menschliche Entwicklung* (UNDP 1990–99) ausgeführt.

4 Zur Diskussion über die systemischen Risiken der Finanzmärkte siehe Wyplosz (1999), zur Analyse des Risikos einer Klimaveränderung IPCC (1995 und 1996).

5 Das mangelnde Bewusstsein von Interdependenz ist einer der Gründe für die ernst zu nehmende Unterversorgung an globalen öffentlichen Gütern, wie neuere Analysen zeigen, z. B. Kaul, Grunberg und Stern (1999).

6 Die Literatur zu Internationalen Beziehungen hat diesen Punkt in einer wachsenden Zahl von Bereichen bewiesen; siehe beispielsweise Axelrod (1984). Ebenso belegen die Fallstudien in Kaul, Grunberg und Stern (1999) diesen Punkt. Sie decken so verschiedene Bereiche wie Fairness und Gerechtigkeit, Markteffizienz, Umwelt und Kultur, Gesundheit, Wissen und Information, Frieden und Sicherheit ab.

7 Zur derzeitigen Diskussion über die Vor- und Nachteile einer Revision der SZR-Zuteilungen siehe http://www.imf.org/external/pubs/ft/survey/sup0996/ 10sdr.htm.

8 Eine Übersicht der verschiedenen Vorschläge für eine neue Finanzarchitektur findet sich in Eichengreen 1999a, 1999b und 1999c sowie im Beitrag von Reimut Jochimsen in diesem Band.

9 Eine kurze und prägnante Analyse der gegenwärtigen Probleme im Bezug auf den Steuerwettbewerb unter Regierungen als Ergebnis größerer Offenheit und Globalisierung liefern Grunberg (1998) und Tanzi (1998). Tanzi bietet auch eine Reihe von möglichen politischen Antworten auf nationaler und internationaler Ebene.

10 Eine Übersicht über die ersten innovativen Bemühungen um eine geschlechts- und umweltspezifische Budgeterstellung liefert der Bericht eines mit Fachleuten und Juristen hochkarätig besetzten Workshop, den UNDP veranstaltete.

11 Beispiele finanzieller Innovation zur Unterstützung menschlicher Entwicklung treten in letzter Zeit immer zahlreicher auf. Eine Auflistung erfolgreicher finanzieller Innovationen findet sich in Kaul, von Pischke und Weitz (i. E.).

12 »Öffentliche Güter« sind Güter von nicht rivalisierendem und nicht ausschließlichem Nutzen. Zur Diskussion dieses Konzepts und seiner Anwendung auf globaler Ebene siehe Kaul, Grunberg und Stern (1999).

13 Siehe Kaul, Grunberg und Stern (1999) für eine eingehendere Darstellung dieses Vorschlags.

Literatur

Axelrod, Robert (1984): The Evolution of Cooperation, New York.

Bank for International Settlements (BIS) (1998): 68th Annual Report, Basel.

Brugger, Ernst A./Sarath Rajapatirana (Eds.) (1995): New Perspectives on Financing Small Business in Developing Countries, San Francisco.

Eatwell, John (1997): International Financial Liberalization: The Impact on World Development. ODS Discussion Paper 12. New York: Office of Development Studies/UNDP.

Eichengreen, Barry (1999): International Architecture Reform Scorecard, in: The International Economy 13(3), S. 34–35.

(1999a): A Practical Fix, in: The International Economy 13(3), S. 30–33.

(1999b): Toward a New International Financial Architecture: A Practical Post-Asia Agenda, Washington, D.C. (Institute for International Economics).

Fischer, Bernhard (1994): Financing Small Enterprises in Developing Countries: Experiences and Policy Issues, in: Bernhard Fischer (ed.), Investment and Financing in Developing Countries, HWWA Band 6, Hamburg.

Griffith-Jones, Stephany/Jacques Cailloux (1999): Encouraging the Longer Term: Institutional Investors and Emerging Markets. ODS Discussion Paper 16. New York: Office of Development Studies, UNDP.

Grunberg, Isabelle (1998): Double Jeopardy: Globalization, Liberalization and the Fiscal Squeeze, in: World Development 26(4), S. 591–605.

Hulme, David/Paul Mosley (1996): Finance Against Poverty, Volume 1, New York.

Independent Commission on International Development Issues (1980): North-South: A Programme for Survival, London.

IPCC (Intergovernmental Panel on Climate Change) (1995): IPCC Second Assessment: Climate Change 1995, Geneva (UNEP).

(1996): Climate Change 1995: Economic and Social Dimensions of Climate Change, Cambridge.

Kaul, Inge/Isabelle Grunberg/Marc A. Stern (1999): Global Public Goods: International Cooperation in the 21st Century, New York.

Kaul, Inge/J. D. von Pischke/Almud Weitz: Retailing Money: Human Development and Private Finance, New York (i. E.).

Kendall, Leon T./Michael J. Fishman (Eds.) (1996): A Primer on Securitization, Cambridge, MA.

Ocampo, José Antonio (1999): Towards a New International Financial Architecture. Report of the Task Force of the Executive Committee on Economic and Social Affairs of the United Nations, Santiago de Chile.
Organisation for Economic Co-operation and Development (OECD) (1999): Efforts and Policies of the Members of the Development Assistance Committee: DAC Report 1998, Paris.
Otero, Maria/Elisabeth Rhyne (Eds.) (1994): The New World of Microenterprise Finance, Connecticut.
Social Watch (1998): Social Watch. Uruguay (Instituto del Tercer Mundo).
Tanzi, Vito (1998): International Dimensions of National Tax Policy. Paper prepared for the United Nations' Experts' Meeting on International Economic and Social Justice. 12–14 November. Tarrytown, New York.
United Nations 1999a: Report of the Working Group to the General Assembly. Ad-Hoc Open-Ended Working Group of the United Nations General Assembly on Financing for Development. 11 May, New York.
(1999b): Draft Report to the General Assembly of the Ad Hoc Open Ended Working Group on Financing for Development. 26 May 1999, New York.
UNDP (1990–99): Human Development Report, New York.
UNDP: Pro-Poor, Gender-and-Environment-Sensitive Budgets. Report of the Workshop held from 28–30 June 1999. Mimeo, New York (Bureau for Development Policy) (i. E.).
UNDP/UNESCO/UNFPA/UNICEF/WHO/WELTBANK 1998: Implementing the 20/20 Initiative, New York (UNICEF).
Von Pischke, J.D. (1991): Finance at the Frontier, Washington, D.C. (World Bank).
Wyplosz, Charles (1999): International Financial Instability. In: Inge Kaul/Isabelle Grunberg/Marc A. Stern (Eds.), Global Public Goods: International Cooperation in the 21st Century, New York/Oxford.

Ingvar Carlsson

Globale Sicherheit und Global Governance. Initiativen und Visionen von Willy Brandt

I.

Sicherheit ist unteilbar. Nationale Sicherheit ist heute undenkbar ohne persönliche und globale Sicherheit. Sicherheit ist untrennbar damit verbunden, wie wir Integration, nachhaltige Entwicklung, die Beseitigung der Armut und Achtung des Gleichheitsgedankens voranbringen.

Willy Brandt kommt bei der Entwicklung dieser modernen Auffassung von Sicherheit eine Schlüsselrolle zu. Die zehn Jahre seit 1989 haben den Weitblick seines Denkens und der zum großen Teil von ihm eingeleiteten politischen Prozesse bestätigt. Die globale Kooperation ist jedoch weit hinter den hochgesteckten Erwartungen, die wir vor zehn Jahren hatten, zurückgeblieben; vieles ist am Beginn des neuen Jahrtausends noch in der Schwebe. Und doch haben wir sicherlich allen Grund, die wichtigen Initiativen voranzutreiben, die Willy Brandt und seine zahlreichen Freunde im Geiste internationaler Solidarität so unbeirrbar auf den Weg gebracht haben.

II.

Die Haltung Willy Brandts und seiner Generation gegenüber den globalen Herausforderungen war tief geprägt von den tragischen Erfahrungen im Europa des 20. Jahrhunderts. Dies bezeugen die UN-Charta, die *Allgemeine Erklärung der Menschenrechte,* das Bretton Woods-System und die zahlreichen Institutionen der europäischen Zusammenarbeit. Uneins war jedoch das westliche Lager in zwei Streitfragen, die mit grundsätzlichen Fragen der Sicherheit zu tun hatten: Wie sollte der Westen mit der neu gewonnenen Souveränität der Länder der »Dritten Welt« und wie mit dem Kalten Krieg umgehen?

Es war von allergrößter Bedeutung, dass Willy Brandt, Olof Palme, viele andere führende Sozialdemokraten und einige Repräsentanten der politischen Mitte in beiden Fragen entschieden Position bezogen. Die Debatte über den Antikolonialismus spaltete die europäische Politik bis weit in die achtziger Jahre, der Kampf gegen die Apartheid sogar bis in die neunziger Jahre. Noch immer gibt es eine Debatte, was zum Ende des Kalten Krieges führte. Ich bin jedoch fest davon überzeugt, dass ohne das neue Verständnis von Sicherheit der genannten westlichen Führungsfiguren der Zusammenbruch der Sowjetunion mit weit größeren Gefahren verbunden und die enormen Fortschritte der letzten zehn Jahre nicht möglich gewesen wären. Der Antikolonialismus und der Widerspruch zum Kalten Krieg waren wichtig für die Herausbildung eines Grundkonsens über globale Fragen, lange bevor »Globalisierung« zu einem Schlagwort wurde. Dieses Vermächtnis lebt heute fort in einem umfassenden Verständnis von globaler Demokratie, *Global Governance* und erweiterter Sicherheit.

III.

Die von Willy Brandt, Olof Palme und Gro Harlem Brundtland geleiteten internationalen Kommissionen haben zur Herausbildung eines intellektuellen und politischen Konsensus in den von ihnen behandelten Themenfeldern beigetragen. Diese Themen waren nicht zufällig gewählt. Die beiden Brandt-Berichte erschienen nach der Ölkrise und nach dem Zusammenbruch des nach dem Weltkrieg geschaffenen Währungssystems. Unsere Gesellschaften wurden sich zunehmend der Interdependenz zwischen reichen und armen Ländern bewusst. Der *Palme-Bericht* erschien als Reaktion auf den zu Beginn der achtziger Jahre frostiger gewordenen Kalten Krieg. Nie zuvor wurde die Unteilbarkeit der Sicherheit so deutlich zum Ausdruck gebracht. Der *Brundtland-Bericht* erschien, als die sich weltweit verschlechternden Umweltbedingungen geradezu nach einer politischen Reaktion schrien. Er forderte eine andere Art wirtschaftlicher Entwicklung, nämlich eine »nachhaltige Entwicklung«, welche die Bedürfnisse der heutigen und der zukünftigen Generationen berücksichtigt.

Diese drei Berichte waren eng miteinander verwandt, nicht nur in konzeptioneller und politischer Hinsicht, sondern auch durch das politische Gewicht der Persönlichkeiten, die ihnen den Namen gaben. Die Zahl konkreter, nicht nur konzeptioneller Vorschläge, die sie machten, war beeindruckend. Es ging ihnen vor allem darum, kritische politische Energien zu mobilisieren. Als sich Ende der achtziger Jahre der Niedergang des Sowjetsystems beschleunigte, ließ auch der Handlungsdruck rasch nach. In vielen anderen Ländern, so in fast ganz Lateinamerika, hatte sich in den achtziger Jahren ein demokratischer Wandel vollzogen. »Chance« hieß nun die Parole. Welche Prioritäten sollten nun gesetzt werden, nachdem Druck und Zwang allmählich verschwanden und sich neue Chancen eröffneten?

IV.

Es war folgerichtig, dass Willy Brandt diejenigen um sich scharte, die in den zurückliegenden zehn bis 15 Jahren an der Entwicklung eines neuen Paradigmas mitgewirkt hatten. Dies geschah Anfang 1990 in Königswinter bei Bonn. Die in Königswinter versammelten Teilnehmer beauftragten Shridath Ramphal, Jan Pronk und mich, innerhalb eines Jahres einen Bericht vorzulegen. Das Ergebnis war die *»Stockholm Initiative«* vom April 1991[1]. Willy Brandt leitete das Treffen in Schweden, das zu einer Reihe von Fragen einen Aufruf zum Handeln verabschiedete und dazu aufforderte, *Global Governance* in den politischen Mittelpunkt zu rücken.

Willy Brandt persönlich drängte Shridath Ramphal und mich dazu, als Arbeitsforum eine Unabhängige Internationale Kommission zu bilden. Das war der Beginn der *Commission on Global Governance,* zu deren Mitgliedern auch Kurt Biedenkopf gehörte. Willy Brandt erlebte ihr Arbeitsergebnis nicht mehr. Aber bei einem Rückblick, wie ihn dieser Band veranstaltet, muss unbedingt die enge konzeptionelle und politische Verbindung zwischen seinem Wirken und unserer Arbeit in der Kommission gewürdigt werden.

Der 1995 vorgelegte Bericht der Kommission mit dem Titel *»Our Global Neighbourhood«*[2] versuchte, eine ausgearbeitete Agenda zu formulieren, wie angesichts zunehmender Interdependenzen verantwortliches Handeln für das Gemeinwohl gestaltet werden müsste. Sein Hauptargument, dass es als Grundlage für Governance-Reformen einer Weltethik bedarf, findet heute in den vielen Debatten über Werte und Demokratie seinen Widerhall. Das Argument, dass Sicherheit nicht nur Sicherheit für Staaten, sondern auch Sicherheit für den Einzelnen und für die Erde als Ganzes bedeuten muss, stellt das Sicherheitsproblem in einen breiten und modernen Kontext. Nachdem ich den Bericht wieder gelesen habe, bin ich überzeugt, dass er immer noch aktuell ist, vor allem auf Grund seiner umfassenden Sichtweise, aber auch deshalb, weil viele seiner 72 Empfehlungen bereits in Handeln umgesetzt wurden.

V.

Hier ist nicht der Ort für eine umfassende Analyse der Fortschritte, die in den letzten zehn Jahren gemacht wurden. Gestattet sei mir dagegen, zwei schwerwiegende Fehlschläge anzusprechen, die nicht verschwiegen werden dürfen: Nämlich unsere Unfähigkeit, gewaltsame Konflikte zu verhindern, und unsere Unfähigkeit, Ungleichheit abzubauen.

Im ersten Fall geht es um das Versagen der Staatengemeinschaft, gewaltsame Konflikte, wie sie in Ruanda oder auf dem westlichen Balkan ausbrachen, zu verhindern oder einzudämmen und den Völkern bei der Bewältigung ihrer Differenzen zu helfen. Was in Ruanda geschah, war sicherlich ein Völkermord; auf dem Balkan haben wir es eindeutig mit Kriegsverbrechen und Verbrechen gegen die Menschlichkeit zu tun: Hunderttausende von Toten, eine noch größere Zahl von Opfern einer schrecklichen Fluchttragödie, traumatisierte Kinder, Frauen und Männer, Vergewaltigung als Kriegshandlung, Straflosigkeit für die Täter – die Aufzählung von solchen Opfern und Kriegsfolgen ließe sich fortsetzen. Die Zukunft dieser Länder und Völker ist höchst ungewiss. Das internationale System erlitt einen schweren Verlust an Glaubwürdigkeit.

VI.

Zuerst müssen wir uns darüber klar werden, dass all dies nicht hätte geschehen »müssen«. Es kann sein, dass die Konflikte zwischen zwei Gruppen einen Punkt erreichen können, an dem es für Dritte unmöglich ist, Gewalt zu verhindern. Allerdings wurde das, was man mit Fug und Recht von der Staatengemeinschaft erwarten kann, bevor dieser Punkt erreicht wurde, weder rechtzeitig noch in der richtigen Reihenfolge und im richtigen Maß getan. Hier geht es nicht um eine Schuldzuweisung in besonderen Krisensituationen, sondern um drei allgemeine Lehren für das Krisenmanagement. Alle drei wurden in unserem Bericht *»Nachbarn in Einer Welt«* behandelt.

Erstens der *Imperativ der Prävention.* Wie oft müssen wir daran erinnern, dass »Vorbeugen besser« ist? Wenn ein Konflikt einmal in Gewaltanwendung eskaliert ist, wird die Abhilfe, wenn sie überhaupt noch möglich ist, äußerst schwierig und auch sehr teuer. Die internationale Diplomatie dürfte inzwischen das gesamte Instrumentarium des Krisenmanagements – von Frühwarnung und stiller Diplomatie über Maßnahmen ziviler, humanitärer oder menschenrechtlicher Art bis hin zu militärischen Präventivschlägen – beherrschen. Politische Entschlossenheit und die Bereitschaft zur Finanzierung von Aktionen, die natürlich zusammengehören, sind Voraussetzungen für ein situationsgerechtes Handeln.

UN-Generalsekretär Kofi Annan hat die *»Agenda für den Frieden«* seines Vorgängers um Reformen und Innovationen erweitert, die die Fähigkeit zum präventiven Handeln stärken sollen. Das Hauptproblem bleibt die Bereitschaft der UN-Mitgliedsstaaten, dieses Handeln politisch und finanziell zu unterstützen. Trotz aller verfügbaren Instrumente zur Prävention müssen wir aber wohl noch eine andere Hürde überwinden. Die *»Kultur der Prävention«* hat unsere Gesellschaften noch nicht durchdrungen. Wir verstehen etwas von Vermittlung und Friedenssicherung, wenn es einen Frieden zu sichern gilt, aber eine neue *»Kultur der Prävention«* verlangt mehr. Beispielsweise wäre es unerlässlich, ein Wahlsystem zu finden, das ausdrücklich jene begünstigt, die Versöhnung statt Teilung predigen (wie es z. B. in Bosnien nach dem Dayton-Abkommen nicht der Fall war). Außerdem müsste die Kluft zwischen humanitärer Hilfe und Entwicklungshilfe, die auf die Beseitigung wirtschaftlicher Benachteiligungen und auf die Förderung von Wachstum und Integration abzielt, geschlossen werden.

Zweitens: Wenn die Prävention versagt hat, müssen die Vereinten Nationen zu einer humanitären Intervention ermächtigt werden. Der Kosovo-Konflikt von 1999 hat ein zentrales Argument unseres Berichtes bestätigt, dass nämlich die Weltmeinung sich heute dahin geändert hat, dass schwere Menschenrechtsverletzungen ein Eingreifen verlangen. Hinweise auf die Souveränität dürfen nicht mehr als Schutzschild herhalten. Die UN-Charta, die für jede militärische Intervention die Rechtsgrundlage bilden sollte, bietet genügend Handlungsspielraum. Aber solange der UN-Sicherheitsrat durch ein einziges Veto blockiert werden kann, können die Vereinten Nationen durch ein bloßes Handzeichen ihrer ganzen Handlungsmöglichkeiten beraubt werden.

Deshalb ist es umso bedauerlicher, dass sich die UN-Mitgliedstaaten bisher nicht auf eine umfassende Reform der Zusammensetzung und der Arbeitsweise des Sicherheitsrates, einschließlich einer Neuregelung der Vetorechte, einigen konnten. Zwar hat das Veto seiner Ständigen Mitglieder auch die Funktion der Bestandssicherung des UN-Systems, selbst um den Preis des Versagens in bestimmten Fällen, in denen seine politische Energie am dringendsten gebraucht würde. Aber als China Anfang 1999 gegen eine Verlängerung der präventiven UN-Friedensmission in Mazedonien stimmte (weil Mazedonien Taiwan anerkannt hatte), bedeutete dies einen empfindlichen Schlag gegen die Glaubwürdigkeit der Vereinten Nationen als Akteur im Kosovo-Konflikt.

Die nachfolgenden Ereignisse führten zum größten Krieg in Europa seit dem Zweiten Weltkrieg. Dieser Krieg wurde ohne die Rechtsgrundlage, die ihm die UN-Charta verschaffen sollte, geführt. Was angesichts schwerer Menschenrechtsverletzungen grundsätzlich richtig war, nämlich notfalls auch mit militärischen Mitteln einzugreifen, hätte durch einen Beschluss des UN-Sicherheitsrates abgesegnet werden müssen. Dies sollte nun die UN-Mitgliedstaaten und die fünf Ständigen Mitglieder des Sicherheitsrates veranlassen, die Funktionsweise des UN-System so zu verändern, dass es angesichts der heutigen Sicherheitsrisiken den Forderungen der Menschen nach Handeln besser gerecht werden kann. Andernfalls droht eine Erosion der hohen Werte, auf denen die Vereinten Nationen gründen.

Drittens: Die Einbindung von Völkern in Projekte der regionalen Integration. Globale Sicherheit lässt sich nicht allein durch globales Handeln erreichen. *Global Governance*, wie ich sie verstehe, bedeutet die Stärkung und pragmatische Erneuerung von Institutionen sowohl auf globaler als auch auf regionaler Ebene. Ein offener Regionalismus kann eine gute Basis für globale Verantwortung bilden. Globalismus und Regionalismus müssen nicht miteinander konkurrieren, sondern können sich gegenseitig verstärken. Erfahrungsgemäß ist eine wirksame regionale Zusammenarbeit nur äußerst schwer zu erreichen. Die Tatsache, dass die um die Großen Seen in Zentralafrika oder im westlichen Balkan lebenden Völker regionale Kooperation und Integration für ein geordnetes Zusammenleben brauchen, hätte der regionalen Dimension beim Konfliktmanagement ein viel größeres Gewicht geben müssen.

Das Entstehen der EU war nicht leicht, aber sie ist ein Wunder an funktionierender Kooperation und Integration, wenn man sie mit dem Zustand vieler anderer regionaler Kooperationsbemühungen vergleicht. Sie bildet heute in unserer Politik einen selbstverständlichen Bezugspunkt, aber es muss daran erinnert werden, dass ihre Entwicklung über ein halbes Jahrhundert dauerte. »Kohle und Stahl« waren ein Element der Nachkriegsstrategie, die Völker nach Jahrhunderten von Konflikten zusammenzuführen. Herauszufinden, was Europas »Kohle und Stahl« in anderen Konfliktregionen entspricht, könnte dem Regionalismus als Faktor der globalen Sicherheit entscheidende Impulse geben.

VII.

Ein anderes schwer wiegendes Versagen der letzten zehn Jahre war die Unfähigkeit, die Kluft zwischen Arm und Reich zu verringern. Zwar ist der Zusammenhang zwischen Armut oder Ungleichheit und gewaltsamen Konflikten nicht ganz so einfach herzustellen, aber es kann kein Zweifel daran bestehen, dass heute auf einer allgemeinen Analyseebene die komplexen Sicherheitsrisiken aufs engste mit Fragen der wirtschaftlichen Entwicklung und Integration zusammenhängen.

Noch vor dem Jahresende 1999 erreichte die Weltbevölkerung sechs Milliarden. Von diesen müssen 1,3 Milliarden von weniger als einen US-Dollar pro Tag leben. Die drei reichsten Personen der Welt vereinen einen Reichtum, der größer ist als alle *Least Developed Countries* in einem Jahr produzieren. Es gibt im *Human Development Report* von 1999 noch mehr Statistiken, die diesen Tatbestand belegen.

Dieser Bericht ist ein Beispiel für die Nützlichkeit des UN-Systems zur Bereitstellung globaler öffentlicher Güter, in diesem Fall von zuverlässigen und wichtigen Informationen. Hier gab es in den vergangenen zehn Jahren große Verbesserungen.

Aber die Wirklichkeit hat sich nicht verbessert. In der Regierungserklärung, die Bundeskanzler Gerhard Schröder vor dem Kölner G 8-Gipfel im Juni 1999 abgab, gebrauchte er die folgenden starken Worte: »Die Überwindung der Teilung zwischen den armen und reichen Regionen der Welt bleibt die größte internationale Herausforderung an der Schwelle zum 21. Jahrhundert«. Dies stellte eine direkte Verbindung zur Tradition von Willy Brandt und Lester Pearson her, der vor 30 Jahren in seinem bahnbrechenden Bericht schrieb: »Die sich vergrößernde Kluft zwischen Industrie- und Entwicklungsländern ist zum zentralen Problem unserer Zeit geworden.«

Die Zeit vergeht, die Welt wird reicher, Interdependenzen nehmen zu, aber die Armen bleiben ausgeschlossen. Das kann nicht gut gehen. Beunruhigend sind nicht nur die Beziehungen zwischen Extremen. In Indonesien, einem Land mit einer wachsenden Wirtschaft, wuchs im Gefolge der asiatischen Finanzkrise die Zahl der Armen, die von weniger als einen Dollar pro Tag leben müssen, innerhalb von zwei Jahren von 13 auf 34 Millionen. Nach dem Zusammenbruch der Sowjetunion sind 150 Millionen neue Arme hinzugekommen. Wie auch immer im Einzelfall die Erklärungen lauten mögen: Die Hoffnung, dass wachsende Wirtschaften, die Systemtransformation und globale Integration schon einen einigermaßen guten Entwicklungstrend einleiten werden, ist trügerisch.

VIII.

Die Globalisierung eröffnet sicherlich Chancen, aber wenn die Politik die sich transformierenden und integrierenden Märkte nicht gestaltet, bleibt das Risiko, dass die Armen von ihren Wohltaten ausgeschlossen werden. Die Marktwirtschaften könnten zu Gefangenen von partikularen Interessen von Eliten werden. In extremen Fällen verformen Korruption und Kriminalisierung völlig den »freien« Markt. Das ungesunde Beziehungsgeflecht von Führungsgruppen in Politik, Wirtschaft und Banken kann die Wohlstand schaffenden freien Märkte unterminieren und die ganze Welt in eine Wirtschaftskrise stürzen, wie die Finanzkrise der Jahre 1997/98 zeigte. Wenn es gut geht, lehrt die herkömmliche wirtschaftliche Vernunft, dass nichts getan werden sollte. Wenn die Krise da ist, ist es zum Handeln häufig schon zu spät. Die Zahl der Armen wächst, und es wird schwieriger, die positive Wechselwirkung von Entwicklung, Demokratie und Frieden durchzuhalten. Es ist von größter Bedeutung für die globale Sicherheit, wie wir die Weltwirtschaft gestalten.

In unserem Bericht »*Nachbarn in Einer Welt*« schlugen wir eine Regulierung der Weltwirtschaft vor, die auf verschiedene Weise erfolgen könnte. Ein Vorschlag bezog sich genau auf die Art von finanzieller Transparenz, »best practice« und Regulierung, die nach der asiatischen Finanzkrise eingeführt wurde. Ein anderer Vorschlag bezog sich auf die Führungsebene in Wirtschaftsfragen. Obwohl die Finanzkrisen mehr als jemals zuvor das Fenster für Diskussionen öffneten – so schlug der britische Finanzminister Gordon Brown vor kurzem eine »neue Wirtschaftsverfassung« vor –, ist bisher noch nicht viel geschehen.

Wir schlugen ein Gremium vor, in dem sich Führungspersönlichkeiten regelmäßig treffen, um Richtungsmarken zu setzen, eine in sich stimmige Politik zu entwerfen und auf Krisen und neue Entwicklungen reagieren zu können. Dies sollte kein Entscheidungsgremium sein, das die Entscheidungskompetenzen des *Internationalen Währungsfonds* (IMF), der Weltbank, der *Welthandelsorganisation* (WTO) oder der *Internationalen Arbeitsorganisation* (ILO) usurpieren sollte, aber es sollte politische Verpflichtungen erarbeiten, die für eine kohärente Arbeit dieser Institutionen notwendig sind. Um handlungsfähig zu sein, sollte ein solches Gremium nicht allzu groß sein. Wir gaben unserer Idee den Namen *»Wirtschaftlicher Sicherheitsrat«* und verorteten ihn innerhalb des UN-Systems, um ihm größere Legitimität zu verschaffen. Andere brachten ähnliche Ideen auf den Begriff des *Weltwirtschaftsrates (World Economic Council).*

Ich bin davon überzeugt, dass die politischen Führungsgruppen mit der Zeit die Notwendigkeit erkennen, ihre Einflussmöglichkeiten durch das Einschalten der multilateralen Wirtschaftsinstitutionen zu bündeln. Dies könnte zwar auch durch eine intensivere Zusammenarbeit zwischen den bereits bestehenden Institutionen geschehen. Aber früher oder später ist eine neue Führungsebene unverzichtbar. Besser früher als später. Die Beziehung zwischen wirtschaftlicher *Global Governance* und globaler Sicherheit wird auf gefährliche Weise unterschätzt.

Treffen auf höchster Ebene sind notwendig, aber sie brauchen auch ein Arbeitskonzept. Hier hat sich in den letzten Jahren einiges geändert. Die neoliberale Hybris verflüchtigte sich zu einem Nichts. Heute besteht Konsens, dass eine freie Marktwirtschaft dringend eine gute Wirtschaftspolitik und gute öffentliche Institutionen braucht. Es geht darum, den Markt entweder sozial zu gestalten oder ihn auf nationaler und internationaler Ebene Interessen zu überlassen, die ihn sich unterwerfen. Aus meiner Sicht eröffnet die Abkehr vom (niemals existierenden) *»Washington Konsens«* und die Hinwendung zu etwas, was nach dem Kopenhagener Sozialgipfel von 1995 *»Kopenhagen Konsens«* genannt werden könnte, hoffnungsvolle Perspektiven.

Es überrascht nicht, dass nun Investitionen in die sozialen Sektoren und in die Herstellung von sozialer Gleichheit als immer wichtiger erachtet werden. Dies ist das Wesen der gesellschaftlichen Transformation, die wir in unseren eigenen Ländern erleben. In der Tradition der sozialen Demokratie, die in verschiedenen Gestaltungsformen auf dem Prinzip demokratischer Gleichheit beruht, den Markt sozial gestaltet und durch massive öffentliche Investitionen die Fähigkeiten der Individuen zur Entfaltung bringt, ist dies wohl bekannt. Wir sollten die globalen Institutionen und die Globalpolitik dazu nutzen, dieselbe wirksame Transformation zu erreichen, die viele von uns in unseren eigenen Gesellschaften erlebt haben.

IX.

Ist also das Glas von *Global Governance* halb voll oder halb leer? Wir sollten die Fortschritte nicht gering schätzen. Die Weltkonferenzen der 90er-Jahre waren einmalig, weil sie einen breiten Konsens über menschliche Entwicklung herstellten und vertieften. Institutionell arbeiteten das UN-System und die Weltbank niemals enger zusammen. Kofi Annan setzte eine Reihe von Reformen der Vereinten Nationen durch, die im weiten wirtschaftlichen und sozialen Operationsfeld des UN-Systems größere Effizienz versprechen. James Wolfensohn praktiziert auf ähnliche Weise in der Weltbank eine eindrucksvolle Führungsrolle. Es gibt eine lebhaftere Partnerschaft zwischen Industrie- und Entwicklungsländern in der Entwicklungszusammenarbeit.

Die ILO unter Juan Somavía und die *Weltgesundheitsorganisation* (WHO) unter Gro Harlem Brundtland verfolgen eine neue Politik. Es gibt eine wachsende *»public-private partnership«* auf der globalen Ebene. Die internationale Zivilgesellschaft ist lebendig und gewinnt eine breitere Basis. Die WTO bereitet sich auf eine weitere Verhandlungsrunde vor. Die Menschenrechte stehen nun mehr im Mittelpunkt politischen Handelns in der Welt als jemals zuvor. Mit dem *Internationalen Strafgerichtshof* (ICC) ist für die Straflosigkeit bei Verbrechen gegen die Menschlichkeit ein Ende in Sicht.

Die Fehlschläge, auf die ich hingewiesen habe, richten das Augenmerk auf Schwachstellen in der Behandlung von Sicherheitsproblemen und wirtschaftlichen Problemen. Dennoch haben wir in der vergangenen Dekade viele Fortschritte erlebt. Vielleicht können sowohl Misserfolge als auch Erfolge dazu beitragen, dass sich Regierungen und die internationale Zivilgesellschaft gezielter mit diesen Schwachstellen beschäftigen. Im Jahr 2000 werden die Vereinten Nationen eine *Millenium Assembly* einberufen. Ihre Mitgliedstaaten können den Erwartungen ihrer Völker gerecht werden oder scheitern. Sie haben die Wahl.

X.

Zum Schluss zwei Überlegungen, die viel mit dem Werk von Willy Brandt zu tun haben. Die Erste bezieht sich auf die Demokratie, für die Willy Brandt schon in jungen Jahren zu kämpfen hatte. In diesem Jahr nahmen die UN-Mitglieder in der UN-Menschenrechtskommission eine Resolution zum »Recht auf Demokratie« an. Obwohl die Demokratie implizit, teilweise auch explizit, in Menschenrechtskatalogen verankert ist, zu denen sich die Staaten bekannt haben, zögerte die Staatengemeinschaft in der Vergangenheit, sich explizit und geschlossen auf die Demokratie zu berufen. Es gibt keinen Grund mehr für diese Zurückhaltung. Diese Resolution wird Folgen haben. Für die Herausbildung von *Global Governance,* wenn sie auch nur im Entferntesten den Herausforderungen der Interdependenz gerecht werden soll, ist eine starke demokratische Kultur unabdingbar.

Die zweite Überlegung bezieht sich auf die *Friedensdividende.* Am Ende seinen Lebens setzte Willy Brandt große Hoffnungen auf die Umwidmung der vom Kalten Krieg gebundenen Militärausgaben für produktive Zwecke, vor allem für die Armutsbekämpfung. Anfänglich fielen die Militärausgaben tatsächlich beträchtlich. Aber die Mittel für Entwicklung wurden nicht erhöht. Sie befinden sich im Gegenteil auf einem historischen Tiefpunkt, und dies zu einem Zeitpunkt, wo sie wirksamer als jemals zuvor genutzt werden könnten. Der Kosovo-Krieg offenbarte wieder in einer tragischen Weise, dass massive Mittel für militärische Zwecke mobilisiert werden können, aber wir ausgehungert werden, wenn wir Mittel für Präventivmaßnahmen und für eine langfristige Entwicklung fordern.

Für die Herausbildung von *Global Governance,* wenn sie auch nur im Entferntesten den Notwendigkeiten von nationaler Sicherheit, menschlicher Sicherheit oder planetarischer Sicherheit gerecht werden will, ist die Mobilisierung gemeinsamer finanzieller Ressourcen gleichermaßen unerlässlich.

Anmerkungen

1 Der Text dieser Initiative wurde von der *Stiftung Entwicklung und Frieden* veröffentlicht: Gemeinsame Verantwortung in den neunziger Jahren. Die Stockholmer Initiative zu globaler Sicherheit und Weltordnung – Die Charta der Vereinten Nationen, Reihe Eine Welt, Band 5 (alte Zählung), Bonn 1991.

2 Die *Stiftung Entwicklung und Frieden* besorgte die deutsche Übersetzung unter dem Titel «Nachbarn in Einer Welt«, Bonn 1995.

Zweiter Teil

Perspektiven der Entwicklungspolitik

DIRK MESSNER

Globalisierung, Global Governance und Perspektiven der Entwicklungszusammenarbeit

Globalisierung und neue Herausforderungen für die Politik

Mit der Globalisierung von Ökonomie, Technologie, Kommunikation und Transportsystemen internationalisieren sich auch Fehlentwicklungen wie Kriminalität, Drogenhandel und Arbeitslosigkeit. Die Risiken neuer Technologien lassen sich national ebenso wenig eingrenzen wie die Klimaproblematik oder die Wirkungen von Wechselkursverschiebungen wichtiger Währungen auf »nationale Ökonomien«, Wirtschaftssektoren, Einzelunternehmen, Beschäftigung und soziale Entwicklung. Auch Krisen in scheinbar entfernten Regionen – wie Verelendung und Massenarmut, Umweltzerstörung und Kriege, armutsbedingte oder durch Menschenrechtsverletzungen ausgelöste Migration – haben globale Bumerangeffekte. Weltprobleme überfordern die Nationalstaaten.

Die immer engere Verdichtung ökonomischer Interdependenzen, das immer feinere Netz von Handelsbeziehungen, Finanzströmen und Direktinvestitionen beeinflussen die Entwicklungsdynamiken der »Volkswirtschaften« und die Handlungsspielräume nationalstaatlicher Politik in einem Ausmaß, das noch vor einem Vierteljahrhundert (vor dem Zusammenbruch des Bretton-Woods-Systems 1973) völlig undenkbar gewesen wäre. Die Weltwirtschaft ist nach dem Zusammenbruch des Sozialismus und dem Scheitern binnenmarktorientierter Entwicklungsstrategien im Süden in nahezu allen Ländern der Welt zum Referenzrahmen für nationale Entwicklungsstrategien und Wirtschaftspolitiken geworden. In den neunziger Jahren hat sich eine Weltmarktwirtschaft herausgebildet, in der nicht nur Unternehmen, sondern auch Sozial-, Bildungs- und Umweltregulierungs- und Steuersysteme im Wettbewerb miteinander stehen.

Die aktuellen Globalisierungsprozesse implizieren eine Vermehrung und Verdichtung grenzüberschreitender Interaktionen, die fast alle Gesellschaften, Staaten, Organisationen, Akteursgruppen und Individuen – freilich mit unterschiedlichem Tiefgang – in ein komplexes System wechselseitiger Abhängigkeiten verwickeln. Handlungsspielräume von Individuen, die Reichweite nationalstaatlicher Politik, Lebenswelten, soziale Ordnungsmuster und die Tiefenstrukturen von Gesellschaften verändern sich nachhaltig. Globalisierung ist also keineswegs nur ein ökonomisches Phänomen. Auch politische, soziale, ökologische und kulturelle Prozesse haben zunehmend grenzüberschreitende Dimensionen.

Globalisierung ist ein *räumliches Phänomen*. Lokale, regionale, nationale und globale Räume werden immer enger und auf neue Art und Weise miteinander verwoben. Regionale Integrationsobjekte von Ländergruppen schieben sich zwischen die Nationalstaaten und die globale Ebene. Wirtschaftliche, soziale und kulturelle

Aktivitäten ordnen sich entlang des Kontinuums von den lokalen zu den globalen Räumen und Handlungsebenen neu. Handlungsketten sind über unterschiedliche Ebenen hinweg immer dichter miteinander vernetzt. Lokalmultilaterale, inter- und intraregionale oder auch transkontinentale Interaktionsmuster entstehen zwischen Unternehmen, staatlichen Institutionen, Nicht-Regierungsorganisationen (NGOs), Universitäten, Individuen. Weit entfernte Ereignisse wirken auf lokale Entwicklungen zurück und vice versa.

Globalisierung hat auch eine *zeitliche Dimension*. Informationen, Wissen, Kapital, Waren und auch Menschen sind in immer kürzerer Zeit rund um den Globus zu transportieren. Aktivitäten, Entscheidungen oder auch Unterlassungen in einer Ecke der Welt wirken sich daher mit immer geringerer Zeitverschiebung oft sogar auf alltägliches Handeln am anderen Ende der Erde aus.

Globalisierung ist durch dichte kausale Interdependenzketten zwischen unterschiedlichen globalen Trends charakterisiert. Das lässt sich am Beispiel des globalen Syndroms Wachstum – Energieeinsatz – Umweltschutz – Arbeitslosigkeit – Entwicklungsländer skizzieren: Wachstum stößt global an Grenzen; Energieeinsatz und Umweltschutz wirken gegenläufig; Wachstumsminderung in den Industrieländern steigert Arbeitslosigkeit, diese verschlechtert Exportchancen von Entwicklungsländern; bahnbrechende Rationalisierungserfolge in den OECD-Ländern schmälern die Chance für Aufholprozesse in Entwicklungs- und Transformationsländern; das Ausbleiben von Innovation verschlechtert die Chancen auf eine ökologische Effizienzrevolution. Wirtschaftliche und soziale Entwicklung, Bevölkerungswachstum, Umwelt und technologische Innovationen wirken auf spezifische Art und Weise aufeinander ein. Krieg und Frieden können von sozialen Entwicklungen, Umweltverwerfungen oder fehlender politischer Steuerung komplexer Probleme mit grenzüberschreitenden Wirkungen abhängen.

Mit der Globalisierung verbinden sich auch vielfältige Chancen, z.B. für Entwicklungsländer, denen es gelingt, sich aktiv in die Weltwirtschaft einzuordnen. Immerhin waren die dynamischsten Ökonomien der vergangenen drei Dekaden diejenigen, die sich gezielt in Richtung Weltwirtschaft entwickelt haben. Die weltweiten Interdependenzen und wechselseitigen Abhängigkeiten können auch ein höheres Maß an Kooperation in der Weltgesellschaft begünstigen. Und nicht zuletzt eröffnen die neuen Informations- und Kommunikationstechnologien vielen Akteuren einen raschen Zugriff auf international verfügbares Wissen und internationale Vernetzungsmöglichkeiten, die bisher von den weltweiten Kommunikationsströmen weitgehend abgeschnitten waren; dies gilt gleichermaßen für staatliche Institutionen, Unternehmen, NGOs und Wissenschaftler aus vielen Ländern des Südens.

Die Globalisierung wirft aber auch viele neue und komplexe Fragen auf, die die Zukunft der Politik betreffen:

- *Regierbarkeit als Zukunftsproblem:* Wenn es richtig ist, dass die Welt den Nationalstaaten zu entgleiten droht und »driftet«, wie Dieter Senghaas (1994) schreibt, dann stellt sich die Frage nach der politischen Gestaltbarkeit der Globalisierung und damit das »Problem der Regierbarkeit der Welt«, wie der israelische Sozialwissenschaftler Dror (1995) in einem Bericht an den *Club of Rome* Anfang der neunziger Jahre formulierte.
- Insbesondere stellt sich die Frage nach den Möglichkeiten einer institutionellen Einbettung der Weltwirtschaft. Gerade vor dem Hintergrund der Asienkrise

und den Turbulenzen auf den internationalen Finanzmärkten beschäftigen sich nun auch Organisationen wie der IWF, die OECD, BIZ, G 7 u. a. mit Ansätzen zur Regulierung der globalen Ökonomie, die bis vor kurzem, mit Verweis auf die prinzipielle Allokationseffizienz des Marktes, jedes Nachdenken über notwendige Ordnungsrahmen für die Weltwirtschaft als »altes Denken« zurückgewiesen haben.

- *Die ungezügelte Globalisierung überfordert die sozialen Integrationsmechanismen der Gesellschaften:* Ralf Dahrendorf warnte in einem Aufsatz in der »ZEIT« im Februar 1998 vor einer »wilden und erbarmungslosen Globalisierung«, die nur den Gesetzen der Konkurrenz folgt und daher in vielen Ländern zu einem Ausschluss »einer beträchtlichen Zahl von Menschen« aus der Gesellschaft führen könnte. Dies hieße aber, so Dahrendorf, »dass eine solche Gesellschaft nicht mehr überzeugend verlangen kann, dass ihre Mitglieder sich an Recht und Ordnung halten« – sich verschärfende innergesellschaftliche Konflikte und die Gefährdung des sozialen Zusammenhalts wären die Folgen. Nimmt man diese Warnung eines Beobachters ernst, der nicht zu den notorischen Kassandrarufern seiner Zunft gehört, stellt sich die Frage nach dem Primat der Politik gegenüber eigendynamischen Gesetzmäßigkeiten des Marktes sowie nach Institutionen zur Gestaltung der Globalisierung und Ansätzen, um nationale Gesellschaften und Institutionensysteme im Norden, Süden und Osten auf die neuen Herausforderungen vorzubereiten.

In der Diskussion um die Zukunft der Politik in einer globalisierten Welt geht es bei alledem nicht um den alten Schulenstreit um mehr oder weniger Staat oder Nachfrage- versus Angebotspolitik. Vielmehr operieren unsere Gesellschaften mit Institutionen, die den neuen Realitäten von Globalisierung und Informationsrevolution nicht mehr gewachsen sind. Daher rührt die vermeintliche Ohnmacht der Politik. Will die Politik die Initiative wiedergewinnen und zunehmendes Politikversagen verhindern, muss sie ihre Instrumente und Institutionen anpassen. Richard Haas, einer der profiliertesten Wissenschaftler des Washingtoner *Brooking Institute,* hält vor diesem Hintergrund die Schaffung von Institutionen für den Umgang mit der Globalisierung für »die derzeit größte intellektuelle Herausforderung der Welt«.

Typologie »globaler Probleme«

In den aktuellen Diskussionen wird oft übersehen, dass verschiedene Problemtypen unterschieden werden können, die sehr unterschiedliche Anforderungen an die Politik stellen. Sechs Problemtypen lassen sich unterscheiden:

1. »Global goods and bads« – »globale öffentliche Güter«:

Angesprochen sind hier zum einen Probleme mit weltweiter Dimension (z. B. Klimaveränderungen, Ozonloch, voranschreitende Wüstenbildung, Bedrohung der Biodiversität, Gefahren für den Weltfrieden, instabile Finanzmärkte), bei denen es um den Schutz globaler Güter geht. Die Probleme können durch einige Akteure ausgelöst oder verschärft werden (z. B. CO_2-Ausstoß der Industrieländer), übersetzen sich jedoch in weltumspannende Gefährdungen. Zum anderen verlangt die Globalisierung der Ökonomie, insbesondere der Kapitalmärkte, danach, weltumspannende Regeln zur Stabilisierung der Weltwirtschaft zu entwickeln (Stabilität als *»öffentliches Gut«*).

Zur institutionellen Einbettung der *»global goods and bads«* bedarf es einerseits internationaler Regime und verbindlicher Konventionen, um weltweit verbindliche Regeln (wie Reduktionsfahrpläne für FCKW und CO_2 etc.) und Strategien festzulegen und andererseits vielfältiger Aktivitäten auf allen Ebenen der *Global Governance*-Architektur, um die internationalen Vereinbarungen umzusetzen und zu überwachen. *»Global commons-Probleme«* tangieren die Weltgemeinschaft als Ganzes, verlangen ein hohes Maß an internationaler Kooperation und machen in vielen Bereichen weltweite Ordnungspolitik notwendig. Fortschritte sind, wie z. B. die Klimaverhandlungen in Berlin und Kyoto gezeigt haben, auf Grund der oft komplexen Interessenkonstellationen und der großen Zahl der Beteiligten, schwierig und langwierig – aber, wenn der Problemdruck von zentralen Akteuren wahrgenommen wird, auch möglich, wie die Fortschritte zum Schutz der Atmosphäre zeigen.

2. Globale Interdependenzprobleme:

Wirtschaftskrisen verursachen Verelendungprozesse, die Migrationsströme auslösen können; Umweltkrisen können zu Kriegsursachen werden; Welthandelsströme erhöhen den Wohlstand der Nationen, können aber über steigende Transportbewegungen die Umweltsysteme überfordern usw. Die Sicherung von Politikkohärenz und das Management von Interdependenzen zwischen Politikfeldern und Problembereichen ist schon im nationalen Rahmen schwierig und unterentwickelt. Im internationalen Rahmen besteht hier noch größerer Handlungsbedarf. Die handlungsmächtigen internationalen Organisationen (z. B. WTO, IWF) sind klassische *single issue*-Organisationen, die die komplexen Folgewirkungen ihres Handels kaum berücksichtigen. Im Kontext der Weltkonferenzen der neunziger Jahre wurden viele dieser Interdependenzprobleme herausgearbeitet und in den Konferenzdokumenten festgehalten. Von der lokalen bis zur globalen Ebene mangelt es jedoch an Institutionen, die an den Schnittstellen zwischen wichtigen Problembereichen arbeiten, Wechselwirkungen beobachten, Koordinationsfunktionen wahr-nehmen und Problemlösungsansätze bündeln.

3. Globale Phänomene:

Unregierbarkeit von Mega-Städten, Krisen hierarchischer Großorganisationen und staatlicher Verwaltungen oder Prozesse zunehmender gesellschaftlicher Fragmentierung sind Probleme, die weltweit auftreten, ohne notwendigerweise durch grenzüberschreitende Interdependenzbeziehungen hervorgerufen zu sein. Auch Armut und Hunger werden oft als globale Phänome in diesem Sinne wahrgenommen. Dieser Typus von Weltproblem kann und muss weiterhin im Wesentlichen im Rahmen nationalstaatlicher Politik bearbeitet werden; es eröffnet sich jedoch ein weites Feld für »Lernpartnerschaften« entlang der »lokal-global-Achse«: Erfahrungen anderer Länder und Regionen können systematisch ausgewertet werden, bi- und multilaterale Pilotprojekte zur Lösung ähnlich gelagerter Probleme wären denkbar; Sao Paulo, Jakarta, Paris und New York haben in vielen Bereichen mehr Gemeinsamkeiten und Ansatzpunkte für gemeinsame Lernprozesse als mit den Klein- und Mittelstädten ihrer Länder.

Ansätze für diesen Typus von Problemlösung in der *Global Governance*-Architekur gibt es (z. B. im Rahmen der EU den Versuch, die Beschäftigungspolitiken der Mitgliedsländer auszuwerten), sie sind jedoch meist punktueller Natur und nicht ein strategisches Element einer weitsichtigen *Global Governance*-Strategie. Zukünftig werden sich die Länder besonders dynamisch entwickeln, die erfolgreich und systematisch von den Erfahrungen anderer lernen. Staaten haben hier gegenüber weltweit agierenden Unternehmen, die Innovationsaktivitäten und Lernpartnerschaften längst über nationale Grenzen hinweg aufbauen, Nachholbedarf.

4. Systemwettbewerb der Nationalstaaten in der Weltwirtschaft:

Die Globalisierung der Ökonomie und weltweite Liberalisierungsschübe haben den Systemwettbewerb zwischen den Nationalstaaten verschärft. Nicht nur ökonomische Institutionen, sondern auch Sozial- und Umweltregulierungssysteme stehen in der Weltwirtschaft miteinander im Wettbewerb. Wird dieser Wettbewerb nicht institutionell eingebettet, drohen Deregulierungs- und Unterbietungswettläufe, die die Weltwirtschaft destabilisieren und soziale sowie umweltpolitische Errungenschaften aushebeln. Wirtschaftspolitische Antworten müssen auf nationaler, regionaler und multilateraler Ebene entwickelt werden.

In vielen Bereichen bleiben nationale (vor allem produktbezogene) Regulierungen weiterhin möglich, in einigen Fällen sind sogar auf Grund der Globalisierung *»races to the top«* zu beobachten (z. B. steigende Umweltstandards in exportorientierten Entwicklungsländern). Im Rahmen der EU sind eine engere wirtschaftspolitische Koordination und Harmonisierungen (z. B. der Steuerpolitiken und der Genehmigungsverfahren) notwendig. Auf internationaler Ebene bedarf es weltwirtschaftlicher Ordnungsrahmen (z. B. Weiterentwicklung der Welthandelsordnung, Entwicklung einer tragfähigen Weltfinanzordnung und einer internationalen Wettbewerbsordnung).

Erfolgreiche Politiken auf den unterschiedlichen Ebenen der *Global Governance*-Architektur zur Eingrenzung des Systemwettbewerbs sind möglich, aber angesichts der weltweiten Konkurrenz um Investitionen schwierig, weil sich die Machtverhältnisse von den politischen (immobilen) Institutionen zu den privaten (mobilen) Unternehmen und Kapitalbesitzern verschoben haben, die mit »Standortverlagerung« bzw. Kapitalexport drohen können. Die einzig probate Strategie zur Überwindung dieses Ungleichgewichts besteht in mehr Kooperation und Koordination zwischen den Nationalstaaten.

5. Grenzüberschreitende Probleme:

Die Häufung von Phänomenen wie Migration, die Verschmutzung der Nordsee, der saure Regen oder Arbeitsmigration (z. B. im Rahmen der EU) übersteigen die Reichweite nationaler Politik und stellen das traditionelle Konzept nationalstaatlicher Souveränität in Frage, weil Aktivitäten oder Unterlassungen in einem Land Wirkungen auf andere Länder haben, auch wenn diese keine weltweite Dimensionen annehmen. Sie verlangen ein steigendes Maß an Kooperation und den Willen zur gemeinsamen Problemlösung zwischen Nationalstaaten und beteiligten Akteursgruppen, jenseits der klassischen Außenpolitik. Viele der grenzüberschreitenden Probleme können im Kontext regionaler Integrationsprojekte bearbeitet werden.

6. Komplexität der Global Governance-Architektur:

Wenn es gelingt, die Transformation der Politik in Richtung einer ausdifferenzierten und vielfältig vernetzten *Global Governance*-Architektur weiterzuentwickeln und so der »Entmachtung der Politik« entgegenzuwirken, so darf nicht übersehen werden, dass die *Global Governance*-Architektur angesichts ihrer Komplexität selbst zum globalen Problem werden kann. Grenzen und Fallstricke politischer Steuerung sind im nationalen Kontext gut erforscht, im globalen Maßstab werden sich aber qualitativ neue und zusätzliche Problemkonstellationen herausbilden. Nicht zuletzt stellt sich die Frage, wie die bisher im nationalstaatlichen Rahmen organisierte Demokratie im Kontext von *Global Governance* gesichert werden kann.

Vor dem Hintergrund dieser Typologie wird deutlich, dass unterschiedliche Problemtypen spezifische Lösungsstrategien erforderlich machen: Divergierende Akteurskonstellationen sind involviert, Aktivitäten auf unterschiedlichen Handlungsebenen entlang der lokal-global-Achse notwendig und entsprechend angepasste institutionelle Arrangements und Innovationen gefordert.

Ursachen der »Krise der Politik«

Die »Krise der Politik« ist nicht der Globalisierung an sich geschuldet, sondern der Organisation der Politik, die die Anforderungen der Vergangenheit reflektiert, aber den Herausforderungen der Zukunft nicht angemessen ist. Weltwirtschaft und Weltgesellschaft haben sich in den vergangenen zwei Dekaden nachhaltig verändert, die Institutionen der Politik sind nicht »nachgewachsen«; ihr Beharrungsvermögen ist (zu) groß; es mangelt an institutionellen und politischen Innovationen.

Erstens: Die Kluft zwischen der internationalisierten Ökonomie, globalen Umweltgefährdungen, grenzüberschreitenden Problemen (wie Migration, Kriminalität, Wald- und Artensterben) auf der einen Seite und der weitgehend territorialstaatlichen Fixierung des politischen Handelns auf der anderen Seite wächst. Konstitutive Koordinaten unseres politischen Denkens werden von der Realität in Frage gestellt oder überholt:

- Während innen- und außenpolitisch orientierte politische Institutionen klar voneinander getrennt sind und zwei unterschiedlichen politischen Communities angehören, verschwimmen de facto die Grenzen zwischen Innen- und Außenpolitik, weil Probleme zunehmend grenzüberschreitenden, nicht selten gar globalen Charakter haben (Messner 1998b; Zürn 1999): Das Problem von Steuersenkungswettläufen infolge des Standortwettbewerbs und das Problem der Besteuerung von Kapitaleinkommen auf Grund der Liberalisierung der internationalen Finanzmärkte betrifft unmittelbar die nationale Fiskalpolitik, innerstaatliche Sozialbeziehungen und zugleich das Verhältnis zu anderen Gesellschaften. Lokale und nationale Umweltprobleme haben oft grenzüberschreitende Wirkungen oder externe Ursachen. Fragen des innergesellschaftlichen sozialen Ausgleichs und sozialer Sicherheitsstandards sind mit Interessenkonflikten verwoben, die sich z. B. aus internationalen Entwicklungsdisparitäten ergeben (Stichworte: Sozial- und Umweltdumping im Welthandel).

- Angesichts dieser Trends stellt auch die in der Wissenschaft noch dominante Trennung in Innenpolitik und *»Foreign Affairs«* einen analytischen Hemmschuh dar. Althergebrachte Begrifflichkeiten und Interpretationsmuster, durch die »die Welt« wahrgenommen wird, aber auch institutionelle Arrangements, die die Richtung der Politik bestimmen, werden durch die Dynamik von Globalisierung, Technologie und weltweiten Märkten »entwertet«.
- Welt- und grenzüberschreitende Probleme sind nur durch ein Mehr an internationaler Kooperation lösbar. Wir leben in einem System *»geteilter Souveränitäten«* – die Möglichkeiten von Nationalstaaten, die drängenden Zukunftsfragen im Alleingang zu bewältigen, sind begrenzt. Das traditionelle Verständnis von »nationaler Souveränität« und eine zu enge Definition »nationaler Interessen« führen angesichts der internationalen Interdependenzbeziehungen in politische Sackgassen und zu Politikversagen: Zur Stärkung der Handlungsfähigkeit der Nationalstaaten ist internationale Kooperation, selektiver Souveränitätsverzicht und internationaler Lastenausgleich unabdingbar (Camilleri/Falk 1992; Chayes/Handler 1995).
- Auch das *»Prinzip der Nichteinmischung«* in »innere Angelegenheiten« bedarf einer Anpassung an die neuen Verhältnisse zunehmender internationaler Interdependenz. Zum Schutz der Menschenrechte, zur Eindämmung von Bürgerkriegen, zur Bekämpfung internationaler Umweltkrisen, zur Verfolgung von Völkermord, zur Kontrolle der Einhaltung internationaler Vereinbarungen müssen international verbindliche Regelwerke und Monitoringsysteme als Grundlage für neue Formen »wechselseitiger Einmischung« (natürlich auch in die »Angelegenheiten der Industrieländer«, z. B. hinsichtlich der Umsetzung von CO_2-Reduktionen) geschaffen werden. Der Kosovo-Krieg hat vor Augen geführt, dass es dazu einer Weiterentwicklung der internationalen Regelwerke und der Schaffung klarer Verantwortlichkeiten bedarf, um »Selbstmandatierungen« handlungsmächtiger Akteure und einer Erosion des Völkerrechts vorzubeugen.
- Nationale Binnenlogiken müssen angesichts der sich verdichtenden internationalen Interdependenzen immer wieder zugunsten längerfristiger Globalaspekte aufgebrochen werden. Gesellschaften, die diesen neuen Anforderungen nicht gerecht werden, werden mittel- und langfristig zu den Verlierern der Globalisierung gehören.

Zweitens: In Deutschland ist – jenseits der kleinen politischen und wissenschaftlichen Community der Außen- und Entwicklungspolitik sowie der globalen Umweltpolitik – das Verständnis dafür, dass wir de facto in eine *»Ära des Globalismus«* (Kaiser 1995) hineinwachsen, nur schwach ausgeprägt. Dies zeigt nicht zuletzt die untergeordnete Rolle, die die Entwicklungszusammenarbeit de facto auf der Berliner Bühne spielt. Selbst in der Entwicklungszusammenarbeit reproduzieren sich nationale Borniertheiten: Die Geberkoordinierung kommt kaum voran, Lieferbedingungen gehören noch immer zur Tagesordnung der EZ und auch im EU-Kontext mangelt es weiterhin an der Abstimmung zwischen den Partnern sowie klaren Profilbildungen in der EZ der Mitgliedsländer sowie der EU als Staatenverbund. Wo steht geschrieben, dass alle Länder das gesamte Spektrum der Entwicklungszusammenarbeit abdecken müssen? Hier ließe sich von global agierenden Unternehmen lernen, deren Leistungsfähigkeit davon abhängt, spezifische Wettbewerbsvorteile herauszubilden, statt (erfolglos) zu versuchen, in möglichst vielen Geschäftsfeldern tätig zu sein.

Drittens: Die *internationalen Organisationen* sind (abgesehen von den Bretton-Woods-Institutionen und der WTO) eher schwache und wenig handlungsmächtige Akteure oder den neuen Herausforderungen nicht gewachsen (wie z. B. der IWF den volatilen internationalen Finanzmärkten). Die Vereinten Nationen konnten ihre Rolle in der Weltpolitik nach dem Ende des Ost-West-Konflikts nicht ausbauen. Eine Neuordnung der internationalen Organisationen ist überfällig. Die UN-Reformen kommen nur langsam voran, obwohl es hier nicht an Vorschlägen mangelt (*Stiftung Entwicklung und Frieden* 1997). Auch Deutschland hat bisher noch keine aktive Strategie zur Reform der UN entwickelt und die eigene UN-Politik zu lange auf den Kampf um einen Sitz im Sicherheitsrat verengt. Deutlich wurde in den letzten Jahren aber auch, dass die UN keine »Schaltzentrale für *Global Governance*« sein können, sondern eher eine »Plattform für Weltforen« und internationale Vermittlungsaufgaben.

Viertens: Zudem erleben wir eine *Krise des Multilateralismus,* insbesondere in den USA, aber auch in Europa. Dass multilaterale Kooperation kompliziert und oft langweilig ist, kann nicht von der Hand gewiesen werden; dass es in vielen Problemfeldern zu ihr keine tragfähige Alternative gibt, wird oft übersehen.

Fünftens: Der Abstand zwischen *Arm und Reich* in der Welt wächst – trotz erfolgreicher Aufholprozesse einiger (vor allem asiatischer) Schwellenländer – weiter. Die Mittel für Entwicklungszusammenarbeit sinken weltweit; der Nord-Süd- und Ost-West-Dialog wird von den Industrieländern seit Mitte der 80er-Jahre vernachlässigt (Fues 1999). Dies sind keine guten Voraussetzungen, um die Kooperationswilligkeit der schwächeren Länder zu stärken und zukünftig Weltprobleme durch sich verdichtende internationale Kooperation zu lösen sowie den Globalisierungsprozess politisch zu gestalten.

Aus der Sicht von Entwicklungsländern klingt *Global Governance* oft wie eine Bedrohung, die auf die institutionelle Absicherung der hegemonialen Macht der Industrieländer und Problemlösung zulasten der Entwicklungsregionen abzielt. Ohne Kooperation mit dem Süden sind jedoch viele Weltprobleme (Klima, Ozon, Biodiversität, Migration) auf Dauer nicht lösbar. Erfolgreiche Entwicklungszusammenarbeit und globaler Lastenausgleich sind wichtige Dimensionen von *Global Governance* und zugleich der Humus für die Herausbildung tragfähiger Formen internationaler Kooperation zwischen de facto ungleichen Partnern.

Vor diesem Hintergrund muss man Fred Bergsten, dem Direktor des Washingtoner *Institute for International Economics*, Recht geben, der für den Ausbau eines globalen Multilateralismus eintritt und verlässliche globale Regeln vor allem auf den Gebieten der Währungspolitik, der Direktinvestitionen, des Kapitaltransfers, des Wettbewerbs, des Umweltschutzes, der Arbeitsstandards und der Korruptionsbekämpfung anmahnt. Hinzuzufügen wäre, dass auch der Harmonisierung regionaler Regelsysteme in den genannten Problemfeldern große Bedeutung zukommt. Auf die internationale Agenda gehört ein *»neues Bretton Woods«*, das die tief greifenden Herausforderungen annimmt und eine lange Tagesordnung abzuarbeiten hätte. Ziel muss eine »zweite Transformation« des Kapitalismus sein, um nach der Zähmung der nationalen Marktwirtschaft durch die Rechts- und Wohlfahrtsstaaten eine neue, diesmal globale institutionelle Einbettung der Weltmarktwirtschaft durchzusetzen.

Blockaden für Global Governance

Neben den skizzierten Ursachen für die »Krise der Politik«, die verhindern, dass aus diesen Elementen ein tragfähiger Flickenteppich wird, gibt es drei wichtige Gründe dafür, dass ein schlichtes »weiter so« in den internationalen Beziehungen nicht ausreicht, um die Zukunftsaufgaben der Weltgesellschaft anzugehen:

Erstens: Hegemoniale Politik verhindert kooperative Weltordnung: *Global Governance* ist nur als kooperatives Projekt aussichtsreich. Dies setzt voraus, dass die handlungsmächtigsten Länder der Welt ihre traditionelle Interessenpolitik überdenken. Insbesondere in den USA gibt es einen einflussreichen außenpolitischen Flügel, der die Schwächung der multilateralen Organisationen betreibt und zur Lösung von Weltproblemen nur dann beizutragen gewillt ist, wenn dies zu amerikanischen Bedingungen geschieht. Die USA präsentierten sich auf der New Yorker Rio-Nachfolgekonferenz im Sommer 1997 und auch auf der Klimakonferenz in Kyoto in der hegemonialen Pose der einzig verbliebenen Weltmacht – und präsentierten »altes Denken«. Sie blockieren zudem den Prozess des Verbotes von Antipersonen-Minen und versuchten, die Einrichtung eines handlungsfähigen *Internationalen Strafgerichtshofes* zu verhindern. Zbigniew Brzezinksi, einflussreicher Wissenschaftler und Politikberater in den USA, hat mit seinem Buch »Die einzige Weltmacht. Amerikas Strategie der Vorherrschaft« den derzeitigen US-amerikanischen mainstream in der Außenpolitik auf den Punkt gebracht.

Auch die EU fördert mit ihrer antiquierten Landwirtschaftspolitik, die vielen Entwicklungsländern ökonomisch nachhaltig schadet, nicht gerade den Geist internationalen Kooperationsmanagements. Die Industrieländer müssen Kooperation in der Weltgemeinschaft einüben, weil sonst in einer zunehmenden Zahl von Problemfeldern Politikversagen droht – auf diese Herausforderung wies selbst Samuel Huntington hin (1999) und warnte die USA vor einer zunehmenden Isolierung auf der internationalen Bühne, die langfristig auch den Interessen und der Handlungsfähigkeit der Supermacht schade.

Eine global gestaltungswillige und -fähige EU, die auf kooperative internationale Zusammenarbeit setzt, könnte hier wichtige Zeichen setzen. Die EU verfügt über das Potenzial zu einem »weltpolitischen Schwergewicht« und *Global Governance* braucht *Global Leadership*. Ein erster wichtiger Schritt könnte es sein, den G8-Club der sieben mächtigsten Industrieländer plus Russland in ein Global-16-Forum zu überführen, in das auch wichtige Partner zur Lösung der Weltprobleme aus den Entwicklungsregionen zu integrieren wären (z. B. China, Indien, Brasilien, Südafrika sowie Repräsentanten kleinerer Staaten).

Zweitens: *»Blinde Flecken der internationalen Politik«:* Internationales Krisenmanagement funktioniert bisher vor allem dann, wenn die Interessen wichtiger *Global Players* unmittelbar bedroht sind: Die Stabilisierung der asiatischen Ökonomien ist für das Weltwirtschaftsgefüge und die internationalen Banken von großer Bedeutung: Hier wurde rasch gehandelt und sehr viel Geld mobilisiert, um eine Ausbreitung der Krise zu verhindern. Andere drängende Zukunftsprobleme ganzer Weltregionen werden hingegen mit deutlich weniger Nachdruck angegangen: Die Verhandlungen über die Entschuldung der ärmsten Entwicklungsländer, in denen es um vergleichsweise geringe finanzielle Volumina geht, dauerte über fünfzehn Jahre, bevor auf dem G8-Gipfel in Köln eine erste spürbare Entschuldung eingeleitet wurde. Die Mittel der Geberländer für die Bekämpfung weltweiter Armut sinken tendenziell. Die Logik dieser Entwicklung: Afrika ist für die Industrieländer unwichtig – solange von ihm keine unmittelbaren Krisen ausgehen.

Diese »selektiven Formen von *Global Governance«* sind nicht nur aus normativen Gründen der Fairness fragwürdig; sie sind vor allem auch der Herausbildung einer umfassenden globalen Kooperationskultur in der Weltgesellschaft abträglich und unterminieren die Bereitschaft der schwächeren Länder zur Zusammenarbeit – und damit die Chancen auf die dauerhafte Bewältigung von Weltproblemen, zu deren Lösung auch diese Gesellschaften beitragen müssen. Die »blinden Flecken der internationalen Kooperation« verweisen auch auf die Grenzen einer Strategie ausschließlich deliberativer Politik im internationalen System, die einseitig auf die Selbstorganisation und Langfristorientierung der *Global Players* vertraut. So wie Nationalstaaten, kann sich auch die Weltgesellschaft nicht ausschließlich auf das »*good will*« der handlungsmächtigsten Akteure verlassen. Verbindliche Ordnungssysteme und Regelwerke waren eine wesentliche Grundlage der Zivilisierung von nationalen Gesellschaften. Nichts spricht dafür, dass man in einer immer interdependenteren Weltgesellschaft auf sie verzichten könnte.

Drittens: *»Krisenmanagement«* und *»ad hoc-ismus«* müssen durch *»Global Policy«* abgelöst werden: Bisher findet auf internationaler Ebene vor allem »Krisenmanagement« statt (z. B. zur Eindämmung der Finanzkrise in Asien; zur Bekämpfung der Waldbrände in Asien). Präventive und institutionalisierte Problemlösungen, also die langfristig orientierte Gestaltung von Entwicklungsprozessen, sind die Ausnahme. Globale Probleme sind jedoch keine »Ausnahmefälle«, »Unfälle« oder »temporäre Erscheinungen« mehr, sondern in einer globalisierten Welt der Normalzustand.

Die Schaffung von Weltordnungsstrukturen, die Herausbildung einer *Global Governance*-Architektur und von *»global public policy«* (Reinicke 1998) vorantreiben zu wollen heißt, globale Politik nicht nur re-aktiv und als Krisenmanagement zu verstehen. Das Management der globalen Interdependenzen wird zu einer Daueraufgabe – vergleichbar der Bildungs-, Sozial- und Wirtschaftspolitik in den nationalen Gesellschaften.

Viertens: Die außenorientierten Politiken Deutschlands müssen weiterentwickelt werden, weil die bisherigen Elemente den neuen Anforderungen nicht gerecht werden:

- Das *Auswärtige Amt* ist – von seinem bisherigen Zuschnitt her – nicht auf die Lösung der skizzierten Weltprobleme und andere grenzüberschreitende politische Steuerungsprobleme ausgerichtet, die sich aus der Globalisierung und der Verdichtung internationaler Interdependenzen in einer zunehmenden Zahl von Politikfeldern ergeben. Das Außenministerium kann de facto nicht mehr ein Monopol für die Außenbeziehungen Deutschlands (geteilt mit dem »kleinen Außenministerium« BMZ) beanspruchen, da längst auch die Umwelt-, die

Wirtschafts-, die Verkehrs-, die Sozial-, die Wissenschafts- und Forschungspolitik usw. grenzüberschreitende Dimensionen entwickelt haben (Messner 1998; Zürn 1998; Hillebrand 1999). Die Grenzen zwischen Innen- und Außenpolitik sind fließend geworden. Die »Außenpolitik«, oder besser: Grenzüberschreitende Politik, hat sich enorm ausdifferenziert.

- Das *Bundesministerium für Wirtschaftliche Zusammenarbeit und Entwicklung (BMZ)* ist bisher auf Beiträge zur Entwicklung in den Ländern des Südens konzentriert und leistet keinen systematischen Beitrag zur politischen Gestaltung der Globalisierungsprozesse (Messner 1998c).

Der Globalisierungsprozess wirft Probleme auf, die über die klassische Außenpolitik weit hinausreichen. Er zwingt dazu, das Verhältnis zwischen »Innen-« und »Außenpolitik« grundlegend zu überdenken und stellt zudem neue Anforderungen an die nationalstaatliche Politik und eröffnet, wie oben skizziert wurde, ein neues weites Feld für internationale Kooperation und *Global Governance*, für das es bisher keine tragfähigen institutionellen Strukturen und auch kein etabliertes Leitbild gibt. Internationales Krisenmanagement als »ad hoc-ismus« ist die Folge.

Von der Nord-Süd-Zusammenarbeit in Richtung internationale Kooperation zur Lösung globaler Probleme

Die Entwicklung der internationalen Zusammenarbeit der vergangenen Jahrzehnte lässt sich in drei Sequenzen darstellen:

- In einer ersten Phase war die Entwicklungskooperation auf die Verbesserung der Entwicklungsbedingungen in den Partnerländern durch Wissens- und Finanztransfers (von Nord nach Süd) ausgerichtet (nicht selten verknüpft mit einer »Belehrungskultur«).
- In einer zweiten Phase wuchs seit Mitte der achtziger Jahre die Einsicht, dass auch Veränderungen im Norden notwendig sind, um die Entwicklungschancen in den Ländern des Südens zu verbessern (Stichwort: »ökologische Strukturanpassung im Norden«). »Entwicklung«, so wurde im Kontext der Diskussionen um »nachhaltige Entwicklung« deutlich, ist nicht nur ein Problem des Südens, sondern eine globale Herausforderung.
- In einer dritten Phase wird im Verlauf der neunziger Jahre immer offensichtlicher, dass Globalisierung und Weltprobleme eine Erweiterung der Formen der internationalen Kooperation erfordern: Es geht darum zu erkennen, dass globale und grenzüberschreitende Probleme nur gemeinsam gelöst werden können. Die in der bisherigen Entwicklungszusammenarbeit verankerte Geber-Nehmer-Konstellation verliert hier an Bedeutung. Gemeinsame Such- und Lernprozesse sowie gemeinsame Problemlösung stehen im Vordergrund.

Ein höheres Maß zwischenstaatlicher Kooperation und Koordination, supranationale Normen- und Regelsysteme, völkerrechtlich verbindliche Konventionen, internationale Regime sowie nationale Strategien und Maßnahmen zur Lösung globaler Probleme, die international abgestimmt und gebündelt werden, sind notwendig. Eine »gemeinsame Kultur des Lernens«, die Herausbildung »internationaler Lerngemeinschaften« sind Grundsteine von *Global Governance*. Globales Interdependenz- und Kooperationsmanagement ergänzt nationale Politiken und bisherige Formen der Nord-Süd-Kooperation.

Das Montrealer Protokoll zum Schutz der Ozonschicht ist ein erfolgreiches Beispiel für »*Global Policy*«: Die Verknüpfung der internationalen Konvention mit verbindlichen Reduzierungsfahrplänen für FCKW, mit international koordinierten Maßnahmepaketen zur FCKW-Reduktion, Monitoringsystemen zur Überwachung des Umsetzungsprozesses, Technologietransfer und entwicklungspolitischen Instrumenten zur Unterstützung der Konversion FCKW-basierter Produktionsanlagen in den schwächeren Ländern haben eine globale Kurskorrektur ermöglicht. Der auf der Klimakonferenz Ende 1997 in Kyoto angestoßene Prozess einer globalen Strategie zur Reduzierung des Energieverbrauchs folgt einer ähnlichen Logik in einem der zentralen Politikfelder des 21. Jahrhunderts. Er wird weitere Felder der internationalen Kooperation eröffnen (Markt für Emissionszertifikate, *Joint Implementation*, Aufbau von Monitoring-, Indikatoren- und Kontrollsystemen, internationale Forschungsprogramme, Technologietransfer, Schlichtungsmechanismen usw.).

In vielen anderen Politikfeldern sind, wie nicht zuletzt die Weltkonferenzen der neunziger Jahre gezeigt haben (Messner/Nuscheler 1996), ähnliche Vorstöße dringlich. Um das Potenzial der Weltkonferenzen der vergangenen Jahre auszuschöpfen, wäre es wichtig, eine internationale Agenda der drängendsten Welt- und Zukunftsprobleme aufzustellen, um klare Prioritäten zu setzen, verbindliche und realistische Aktionsfahrpläne zu verabreden und so die Weichen in Richtung *Global Governance* zu stellen.

Globale Politik und internationale Kooperation als Elemente von *Global Governance*, so wie sie hier skizziert wurden, bedeutet demnach

- mehr als »friedliche Ko-Existenz«;
- mehr als einen optimierten Multilateralismus;
- mehr als internationales Krisenmanagement in akuten Gefahrensituationen;
- mehr als Finanz- und Wissenstransfers zur Stärkung der Entwicklungspotenziale in Entwicklungsländern;
- mehr als eine Stärkung schwacher internationaler Organisationen;
- mehr als die Gestaltung globaler Rahmenbedingungen.

Die Herausforderung besteht in der Entwicklung eines Institutionen- und Regelsystems und neuen Mechanismen internationaler Kooperation, die die kontinuierliche Problembearbeitung globaler Herausforderungen und grenzüberschreitender Phänomene erlauben. Die Nationalstaaten haben in den vergangenen zwei Jahrhunderten Institutionen hervorgebracht und Mechanismen eingeübt, um nationale Politik zu betreiben und nationale Gesellschaften zu gestalten. Nun steht ein ähnlicher Such- und Lernprozess zur Herausbildung tragfähiger *Global Governance*-Strukturen bevor.

Neue Weichenstellungen für die Entwicklungszusammenarbeit sind notwendig: Selbstbeschränkung der Entwicklungszusammenarbeit oder Beiträge zu Global Governance?

Für die Entwicklungszusammenarbeit stellt sich die Frage, welchen Beitrag sie zur Herausbildung der *Global Governance*-Architektur leisten will und kann. Die Frage soll hier nicht beantwortet, sondern nur strukturiert werden. Zentral ist sicher die Frage, ob sich die EZ der Zukunft primär auf »Nischen der internationalen Zusammenarbeit« (Selbstbeschränkung der EZ: Konzentration auf die ärmsten Länder und/oder auf direkte Armutsbekämpfung) oder (auch) auf die »neuen Kerne internationaler Kooperation« ausrichtet. Dabei stellt sich die Frage nach der Kompetenz und den komparativen Vorteilen der EZ-Organisationen im Kontext von *Global Governance.*

Entwicklungszusammenarbeit und die Kerndimension von Global Governance: Strukturierende Fragen

An dieser Stelle sollen keine Antworten gegeben, sondern vielmehr Fragen gestellt werden, die aus der Perspektive des BMZ und anderer EZ-Institutionen zu thematisieren wären:

- Ist es sinnvoll und denkbar, die Nord-Süd-Entwicklungszusammenarbeit in die Richtung einer umfassenden internationalen Kooperation zur Lösung von Weltproblemen, der institutionellen Einbettung der Globalisierungsprozesse und der Stärkung nationaler sowie globaler Steuerungsfähigkeit weiterzuentwickeln? Können die EZ-Organisationen zu Kerninstitutionen von *Global Governance* werden?
- In welchen Teilbereichen könnte die EZ ihre Erfahrungen und Kompetenzen einbringen?
- Im welchen *Global Governance*-Feldern bestehen komparative Vorteile gegenüber anderen Institutionen und Akteursgruppen?
- Wäre es sinnvoll, in Richtung eines »Ministeriums für globale Zusammenarbeit und Zukunftsfragen« zu denken, das die sektoralen Beiträge anderer Fachressorts zur Lösung globaler Probleme bündelte?
- Wenn die EZ sich auch zukünftig eher auf klassische Nord-Süd-Kooperation begrenzt, welche Institutionen wären dann gefordert, um *Global Governance* voranzubringen?

Minimalstrategie zur Weiterentwicklung der Entwicklungszusammenarbeit unter den Bedingungen der Globalisierung: Neue Schwerpunkte und Prioritäten definieren

Eine Minimalstrategie zur Weiterentwicklung der EZ bestünde in einer Ausdifferenzierung der bisherigen Nord-Süd-Entwicklungszusammenarbeit unter den neuen Bedingungen der Globalisierung. In welche Richtung wären Reformen zu entwickeln?

Erstens ist es weiterhin bedeutend, durch EZ die internen Entwicklungspotenziale von Partnerländern zu stärken (Förderung wirtschaftlicher, sozialer, ökologisch tragfähiger Entwicklung, von Menschenrechten und Demokratie). In diesem Feld besteht in der politischen und wissenschaftlichen Community ein hohes Maß an Übereinstimmung (Deutscher et al. 1998; Holz/Deutscher 1995).

Zweitens müssen zukünftig auch im Rahmen der Nord-Süd-Kooperation verstärkt Beiträge zur Lösung von Weltproblemen und zur Abfederung von Globalisierungsfolgen geleistet werden. Der Blick durch die »Brille der Weltprobleme und der Globalisierung« kann zu anderen Schwerpunkten der EZ führen als die bisherigen Länder- und Sektorkonzepte des BMZ, die vor allem von nationalen Problemlagen ausgehen. Sieben Elemente wären entscheidend:

1.

Globalisierung heißt aus der Perspektive von Entwicklungsländern vor allem, dass es keine tragfähige Alternative zur Integration in die Weltwirtschaft gibt. Länder, die keine nationalen Wettbewerbsvorteile entwickeln, werden zu »Sozialfällen in der Weltwirtschaft und -gesellschaft«. Die Zusammenarbeit zur Stärkung der Wettbewerbsfähigkeit und nationaler technologischer Kompetenz ist daher kein Rand-, sondern ein Kernthema der EZ (Eßer et al. 1996). Dabei wird es erstens immer wichtiger, Ansätze zur Stärkung ökonomischer Leistungsfähigkeit systematisch mit Konzepten ökologischer Nachhaltigkeit zu verbinden (Bosch 1999; Hinterberger et al. 1996). Zweitens müssen die großen Potenziale zur Ausschöpfung von Synergieeffekten zwischen Wirtschafts- und Sozialpolitik umfassend genutzt werden, um die Breitenwirksamkeit ökonomischer Entwicklung zu verbessern (Messner 1999).

2.

Eine global orientierte EZ muss die Partnerländer dabei unterstützen, eigenständige Beiträge zu *Global Governance* zu leisten. Nur leistungsstarke Länder können die internen Variablen globaler Probleme effektiv unter Kontrolle halten (z. B. Bevölkerungswachstum, Energiekonsum) und aktiv in der *Global Governance*-Architektur kooperieren. *Global Governance* kann nur funktionieren, wenn sich globale, regionale, nationale und lokale Politikgestaltung ergänzen. Hier gibt es viele Schnittpunkte mit der bisherigen EZ, es können sich jedoch neue Schwerpunkte in den Bereichen ergeben, die für die Lösung von Weltproblemen besonders relevant sind (z. B. Stärkung der Steuerungsfähigkeit des Staates; Ausbildung von nationalen Experten für globale Probleme/»Interdependenzmanager«/internationales Kooperationsmanagement).

Nachdem die internationale EZ der achtziger und neunziger Jahre auf der Grundlage des »Washingtoner Konsensus« der Ideologie des Minimalstaates und des möglichst weitgehenden Abbaus staatlicher Regulierung verhaftet war, geht es nun (erneut) um die Stärkung der (staatlichen und privaten) institutionellen Strukturen in den Partnerländern, um nationale und globale Probleme effektiv bearbeiten zu können. Hier müssen neue Wege beschritten werden, weil der neoliberale Politikverzicht gescheitert ist, aber auch nicht an die gescheiterten einseitig etatistischen Politikkonzepte der sechziger und siebziger Jahre angeknüpft werden kann. Die Potenziale von Markt-, Staats- und Netzwerksteuerung und deren Komplementaritäten müssen gebündelt werden, um die Lern- und Problemlösungskapazitäten der Gesellschaften zu stärken.

3.

Es könnte sinnvoll sein, EZ-Mittel in den Bereichen zu bündeln, in denen es um die Lösung weltumspannender Probleme geht. Die Erarbeitung einer Agenda der dringlichsten Weltprobleme wäre hierfür hilfreich. Aus dieser Perspektive würden sich andere Prioritätensetzungen und Schwerpunktfelder ergeben als auf der Grundlage der bisherigen, »national orientierten« Länderkonzepte des BMZ. So könnte man z. B. zu der Schlussfolgerung kommen, in China, Indien und Brasilien EZ-Mittel vor allem im Bereich rationeller und regenerativer Energiesysteme zu investieren, wohl wissend, dass angesichts der schieren Größe dieser Länder und der Bevölkerungszahl eine Lösung der globalen Klimaproblematik nur möglich ist, wenn in diesen Gesellschaften »Energiewenden« gelingen.

Wichtig wäre, dass die sinnvolle Orientierung der EZ auf Felder zur Steuerung globaler Trends und zur Lösung von Weltproblemen nicht zur kontraproduktiven Vernachlässigung anderer Bereiche führen darf, die für die interne Entwicklung der Länder (und damit langfristig auch für deren generelle Problemlösungskompetenz und Kooperationsbereitschaft in der *Global Governance*-Architektur) von Bedeutung sind. In einigen Fällen sind durchaus *win-win*-Situationen denkbar. Ansätze zur Lösung nationaler und globaler Probleme können sich wechselseitig verstärken (Beispiel: Konzentration in Afrika auf das Weltproblem Bevölkerungsentwicklung; Initiativen in den Bereichen Gesundheitsvorsorge/Armutsbekämpfung/Investitionen in die Ausbildung von Mädchen). Eine »*Global Governance*-zentrierte EZ« würde jedoch angesichts realer Finanzmittelknappheit zu anderen Prioritäten führen als z. B. eine vor allem auf Armutsorientierung ausgerichtete EZ. Diese Zielkonflikte müssen thematisiert werden.

4.

Aus der Perspektive von Weltproblemen wäre es völlig unsinnig, die EZ auf die ärmsten Länder zu konzentrieren (wie dies oft mit Verweis auf die intendierte Armutsorientierung der EZ gefordert wird). Die Lösung globaler Probleme ist ohne eine enge Kooperation mit den Schwellenländern sowie den bevölkerungsreichen Gesellschaften wie China, Indien, Indonesien und Brasilien unmöglich. Die elf bedeutendsten Schwellenländer (Argentinien, Brasilien, China, Indien, Indonesien, Malaysia, Mexico, Russland, Südafrika, Thailand, Türkei) vereinigen 62 Prozent der Bevölkerung der Entwicklungs- und Transformationsländer sowie 52 Prozent der Weltbevölkerung auf sich (Eßer 1999). Ohne sie wird es keine Lösung für die globalen Umweltprobleme, keine dauerhafte Stabilisierung der internationalen Finanzmärkte, keine tragfähiges Konzept zur Regulierung internationaler Migrationsströme und keine stabile internationale Friedensordnung geben. Zudem hängt in allen Regionen die Entwicklungsdynamik der kleinen Länder von der Lokomotivfunktion großer Nachbarstaaten ab (z. B. die Entwicklungschancen Boliviens, Paraguays oder auch Uruguays von der Entwicklungsdynamik Brasiliens).

Neben der Vertiefung und Verbreiterung bilateraler Kooperation mit den Schwellenländern sollten diese als regionale und *Global Players* gestärkt und in die globale Verantwortung genommen werden. Dazu gehört eine Aufwertung ihrer Rolle in den internationalen Organisationen und eine Heranführung an die Organisationen der Industrieländer, wie z. B. die OECD. Dies ist kein Plädoyer gegen die Bekämpfung der weltweiten Armut, jedoch für ein komplexeres Zielsystem internationaler Zusammenarbeit.

5.

Die Unterstützung regionaler Kooperations- und Integrationsprojekte müsste an Bedeutung gewinnen. In den Regionen können Handlungspotenziale zurückgewonnen werden, die auf nationaler Ebene verloren gegangen sind (*Regional Governance*). Zugleich können in den Regionen Problemlösungskapazitäten aufgebaut werden, um oft überforderte globale Organisationen (z. B. die UN) zu entlasten (z. B. durch den Aufbau regionaler Konfliktregulierungsmöglichkeiten in Afrika). Regionale Kooperation (z. B. im MERCOSUR) stärkt zudem die Chance der Entwicklungsländer, sich im Verbund aktiv an der Gestaltung der Globalisierung zu beteiligen.

Die Entwicklungspolitik der EU könnte aus dieser Perspektive eine doppelte Rolle spielen. Einerseits kann sie ihr wichtiges Erfahrungswissen im Feld der regionalen Integration in die weltweiten Integrationsprozesse einbringen. Zweitens sollte sie sich bemühen, die Kooperation zwischen den Regionen auszubauen und in Feldern tätig werden, die die Möglichkeiten der bilateralen Kooperation übersteigen. Denkbar wären Programme der EU zum Schutz von Tropenwäldern oder auch der Weltmeere mit asiatischen, afrikanischen und lateinamerikanischen Ländergruppen. Ähnliche gebündelte Initiativen wären denkbar, um eine »globale Energiewende« einzuleiten. Auch eine wirkungsvollere Menschenrechtspolitik kann in vielen Fällen besser von der EU als von ihren Mitgliedsländern verfolgt werden.

6.

Felder für gemeinsames Lernen zwischen Industrie- und Entwicklungsländern könnten an Bedeutung gewinnen und den klassischen Nord-Süd-Transfer ergänzen. Weltweit existente Problemkonstellationen, die gemeinsames Lernen sinnvoll machen, wären z. B.: Regierbarkeit von Megastädten, Ansätze zur Verknüpfung von Wettbewerbsfähigkeit und Nachhaltigkeit, Konzepte von Beschäftigungspolitiken, Formen von *public-private partnership.* In einer globalisierten und komplexen Welt verbessern sich die Chancen und die Notwendigkeiten für wechselseitige Lernprozesse und die gemeinsame Suche nach *best practice*-Methoden. EZ-Organisationen könnten sich zu wichtigen Knotenpunkten grenzüberschreitender Netzwerke entwickeln, in denen gemeinsame Probleme gelöst werden.

Eine wesentliche Herausforderung der Zukunft wird darin bestehen, weltweit vorhandenes Wissen zu bündeln, rasch aus Erfahrungen anderer zu lernen, Erkenntnisse an jeweilige Bedingungen anzupassen und dieses Know-how in praktische Problemlösungen umzusetzen. Die neuen Informations- und Kommunikationstechnologien (wie das Internet) öffnen hier neue Horizonte. Die EZ könnte ein Motor dieses Prozesses sein. Am Horizont eines solchen Prozesses werden der Übergang von der klassischen Nord-Süd-Kooperation in ein System internationaler Kooperation zwischen Industrie-, Entwicklungs- und Transformationsländern sowie Umrisse einer *Global Governance*-Architektur sichtbar.

7.

Neue Formen von *public-private partnership* müssen in der EZ entwickelt werden. Ohne die finanziellen, organisatorischen und technologischen Ressourcen der weltweit agierenden Unternehmen sowie die Warner-, Kontroll- und Öffentlichkeitsfunktionen grenzüberschreitend agierender NGOs ist die Lösung vieler Weltprobleme unmöglich. Spielräume für die Bündelung privater und staatlicher Problemlösungspotenziale müssen ausgeleuchtet und erprobt werden. Die Privatwirtschaft, die von der Globalisierung stark profitiert, muss ein unmittelbares Interesse an stabilen globalen Rahmenbedingungen und fairen globalen Spielregeln haben. Zugleich spricht vieles dafür, dass private Vermögensbesitzer, z. B. über eine minimale Besteuerung der internationalen Finanztransfers (*Tobin-Steuer*), an den Kosten und der Gestaltung der Globalisierung angemessen beteiligt werden. Eine Stärkung weltweit agierender NGOs ist bedeutend, da sie den Kern für die Herausbildung einer internationalen Zivilgesellschaft darstellen können, ohne die Globalisierung in Legitimationskrisen der Politik und Demokratieprobleme mündet.

Ist Global Governance eine realistische Perspektive?

Staaten haben zunächst nur geringes Interesse an einer Einschränkung ihrer Autonomie durch multilaterale Regelsysteme. Wollen die Staaten jedoch vermeiden, dass die Kosten ihres Autonomiestrebens stetig steigen, ist die Selbstbindung durch Prinzipien, Normen, Regeln, vereinbarte Verfahren unumgänglich. Die folgenden Einsichten können ein kooperatives *Global Governance*-Projekt befördern:

- die zunehmenden und sich verdichtenden räumlichen, zeitlichen und kausalen Interdependenzen in der Weltgesellschaft, die zu wechselseitigen Abhängigkeiten zwischen Ländern, Regionen und Akteursgruppen führen;
- die Unvorhersehbarkeit von Erfolg und Misserfolg, die begrenzte Reichweite sowie die Risiken von einseitig auf Wettbewerb und die Durchsetzung von Eigeninteressen orientierten Strategien in Politik und Wirtschaft;
- die generelle hohe Unsicherheit, die für alle beteiligten Akteure aus der Eigendynamik ungesteuerter Systeme – wie den internationalen Finanzmärkten, der Logik des globalen Standortwettbewerbs oder der technologischen Entwicklung – entstehen.

Die Alternativen zu einem kooperativen *Global Governance*-Projekt (Abschottung; Verzicht auf politische Gestaltung des Globalisierungsprozesses; Hoffnung auf eine kluge Weltpolitik des Hegemons USA) sind nicht tragfähig.

Deutschland ist nicht nur durch die Globalisierung »betroffen«, sondern selbst ein bedeutender *Global Player* mit Gestaltungsspielräumen. Dies gilt umso mehr für die *Europäische Union*, die auf Grund ihrer Wirtschaftskraft, der Herausbildung eines gemeinsamen Währungsraumes, der Größe des Binnenmarktes und ihres technologischen Potenzials eine Führungsrolle im Prozess der Herausbildung einer tragfähigen *Global Governance*-Architektur spielen kann. Die EU stellt das weltweit fortgeschrittenste regionale Integrationsprojekt dar und verfügt über kumulierte supranationale (positive wie negative) Erfahrungen (Politikkoordination, Mehrebenenpolitik, Ergänzung nationaler durch europäische Sichtweisen), die für die Lösung der Weltprobleme von entscheidender Bedeutung sein können. Vieles spricht dafür, dass es den USA auf Grund ihrer verinnerlichten Rolle als Supermacht viel schwerer fallen wird, ein kooperatives *Global Governance*-Projekt zu befördern.

Die zukünftige soziale und ökologische Ausgestaltung der EU-Ökonomie und die Gestaltung der Außenbeziehungen der EU werden entscheidende Auswirkungen auf die Entwicklungsrichtung der Globalisierung haben. Was spräche demnach gegen eine Protagonistenrolle der EU und ein aktives Engagement der führenden europäischen Wirtschaftsmacht Deutschland in Richtung *Global Governance?*

Um weitreichende Veränderungen und Strukturreformen einzuleiten, bedarf es mittelfristiger Szenarien möglicher Entwicklungspfade. Das Leitbild »*Global Governance*« stellt einen Referenzrahmen dar, um institutionelle Innovationen zur Stärkung politischer Steuerungsfähigkeit sowie zur Lösung der Welt- und Zukunftsprobleme zu entwickeln. Es gibt vielfältige Partikularinteressen und Machtblockaden, die gegen eine solche Entwicklung sprechen. Aber: Auch Leitbilder, die im politischen Prozess an Faszination gewinnen und handlungsleitend wirken, beeinflussen die Dynamik globaler Politik.

Ein aktuelles Beispiel für die Kraft von Ideen und Leitbildern ist, dass es im Verlauf der letzten Jahre einer unermüdlichen internationalen Expertengemeinschaft gelungen ist, die Bedeutung von CO_2-Reduktionen für die Lösung wichtiger Umweltprobleme weltweit »in den Köpfen der Menschen zu verankern«. Tatsächlich sind in diesem Bereich positive Entwicklungen in Gang gesetzt worden. In anderen Bereichen (z. B. dem Feld der internationalen Finanzmärkte) ist es (noch) nicht gelungen, die weltweite Dominanz von Deregulierungskonzepten und globalem Politikverzicht zu durchbrechen, obwohl es keineswegs sicher ist, dass die Verteilungseffekte und Anpassungszwänge der in Gang gesetzten Klimavereinbarungen (auch für die mächtigen Industrieländer) geringer ausfallen als z. B. die Einführung der *Tobin-Steuer*.

Der Erfolg von *Global Governance* hängt also auch davon ab, ob es Politik und Wissenschaft gelingt, die essenzielle Bedeutung dieses Zukunftsprojektes für eine friedliche Entwicklung innerhalb der Weltgesellschaft und zur Abwehr der »Entmachtung der Politik« zu verdeutlichen. Auch die Ostpolitik Willy Brandts, die Versöhnungspolitik Nelson Mandelas, die politische Integration Europas nach zwei verheerenden Weltkriegen waren zunächst realitätsfern erscheinende Visionen.

Literatur

Bank für Internationalen Zahlungsausgleich: Jahresbericht 1997, Basel.

Bosch, Gerhard (1999): Zukunft der Erwerbsarbeit. Strategien für Arbeit und Umwelt, Frankfurt/Main.

Brzezinski, Zbigniew (1997): Die einzige Weltmacht. Amerikas Strategie der Vorherrschaft, Berlin.

Brock, Lothar (1997): Globaler Wandel und Staatenpolitik, Plädoyer für Multilateralismus, in: HSFK-Standpunkte, Nr. 7.

Camilleri, Joseph A./Jim Falk (1992): The End of Sovereignty, Aldershot.

Chayes, Abram/Antonia Handler Chayes (1995): The New Sovereignty, Cambridge/London.

Commission on Global Governance (1995): Nachbarn in einer Welt, Bonn (Stiftung Entwicklung und Frieden).

Dahrendorf, Ralf (1997): An der Schwelle zum autoritären Jahrhundert, in: Die Zeit, 14. November 1997.
Delbrück, Jost (1998): Von der Staatenordnung über die internationale Kooperation zur »supraterritorial or global governance«: Wandel des zwischenstaatlichen Völkerrechts zur Rechtsordnung des Menschen und der Völker?, in: Ulrich Bartosch/Jochen Wagner (Hrsg.): Weltinnenpolitik, Münster, S. 55–66.
Deutscher, Eckhard et al. (1998): Zukunftsfähige Entwicklungspolitik. Standpunkte und Strategien, Unkel/Rhein.
Dror, Yehezkel (1995): Ist die Erde noch regierbar?, München.
Eßer, Klaus (1999): Entwicklungszusammenarbeit mit Schwellenländern, DIE, Berlin (Manuskript).
Eßer, Klaus et al. (1996): Systemic Competitiveness, London.
Fues, Thomas (1999): Armut und Reichtum, in: Hauchler, Ingomar et al. (Hrsg.): Globale Trends 2000, Frankfurt/Main.
Hillebrand, Ernst (1999): Mikro-Außenpolitik, in: Aus Politik und Zeitgeschichte, 23/99.
Hillebrand, Ernst/Günther Maihold (1999): Von der Entwicklungspolitik zur globalen Strukturpolitik. Zur Notwendigkeit der Reform eines Politikfeldes, Bonn (Manuskript).
Hinterberger, Fritz et al. (1996): Ökologische Wirtschaftspolitik, Berlin.
Holtz, Uwe/Eckhard Deutscher (1995): Die Zukunft der Entwicklungspolitik, Bonn.
Huntington, Samuel (1999): The Lonely Superpower, in: Foreign Affairs, vol. 78 (2), S. 35–49.
Kaiser, Karl (1995): Die neue Weltpolitik. Folgerungen für Deutschlands Rolle, in: ders. (Hrsg.): Die neue Weltpolitik, Bonn.
Krupp, Hilmar (1997): Technologiepolitik in der Weltgesellschaft, in: Fraunhofer Institut für Innovationsforschung (Hrsg.): Jubiläum 1972–1997, Karlsruhe.
Messner, Dirk (1998a): Die Netzwerkgesellschaft. Internationale Wettbewerbsfähigkeit und wirtschaftliche Entwicklung als Probleme gesellschaftlicher Steuerung, Köln.
Messner, Dirk (Hrsg.): (1998)b: Die Zukunft des Staates und der Politik. Möglichkeiten und Grenzen politischer Steuerung in der Weltgesellschaft, Bonn.
Messner, Dirk (1998c) (Hrsg.): New Perspectives of German and International Development Policies, INEF-Report, Nr. 33, Duisburg.
Messner, Dirk (1999): Fortalecer la competitividad internacional y dimensiones sociales de desarrollo. Correlaciones y contradicciones, in: Carlos Filgueira et al. (Hrsg.): Sistémas de protección social en un mundo globalizado, Buenos Aires.
Messner, Dirk/Franz Nuscheler (Hrsg.) (1996): Weltkonferenzen und Weltberichte. Ein Wegweiser durch die internationale Diskussion, Bonn.
Nowotny, Ewald (1997): Ein Ordnungsmodell für den globalen Wettbewerb, in: Internationale Politik und Gesellschaft, Nr. 3, Bonn, S. 229–236.
Reinicke, Wolfgang (1998): Global Public Policy, Washington, D. C.
Scharpf, Fritz (1997): Politische Konsequenzen der Globalisierung, in: Hypo Bank/Kempfenhausener Gespräche (Hrsg.): Globalisierung der Wirtschaft und gesellschaftlicher Strukturwandel, München.
Stiftung Entwicklung und Frieden (Hrsg.) (1997): UN-williges Deutschland, Bonn.
Zürn, Michael (1998): Regieren jenseits des Nationalstaates, Frankfurt/M.

PAUL STREETEN

Hat Entwicklungspolitik eine Zukunft? Entwicklungsstrategien für die nächsten Jahrzehnte

Global Governance und Entwicklungspolitik

Die Globalisierung ist schneller vorangekommen als Global Governance. Die nationalen Regierungen haben an Macht und an Fähigkeit, nationale Politik durchzusetzen, eingebüßt, ohne dass dem ein entsprechender Zuwachs an supranationalen Regelungsstrukturen oder an effektiver internationaler Kooperation gegenüberstünde. Es sind andere Gründe, die zu einer Verringerung der Macht nationaler Regierungen geführt haben. Viele Länder sind bei nur mäßigem Wirtschaftswachstum in eine untragbare Ausgabenfalle geraten: Bevölkerungen sind überaltert, die Kosten für Gesundheitsfürsorge sind ebenso gestiegen wie die Ansprüche an den Staat. Sozialausgaben wurden gekürzt bzw. privatisiert, so dass diejenigen, die nicht bezahlen können, auf Leistungen verzichten müssen.

Das Ergebnis dieses Hinterherhinkens politischer Institutionen hinter der Globalisierung der Technologie und der Liberalisierung ist ein Verlust an Regierungsfähigkeit. Nach Karl Polanyi war der nationale Markt in Gesellschaft und Staat eingebettet[1]. Keine solche Instanz regelt den internationalen Markt. Regierungsinterventionen sind für das Funktionieren des Marktes unerlässlich: Sicherheitsnetze, Sozialversicherung, Arbeitslosenunterstützung, Anpassungshilfe, Umschulungsprogramme, Wettbewerbspolitik, Infrastruktur, Gesundheits- und Sicherheitsbestimmungen, Forschung und Entwicklung sind Beispiele dafür. Anfang des 20. Jahrhunderts, in der Hochblüte des Kapitalismus und des freien Marktes, intervenierte die Regierung mit Gesetzen über Mindestlöhne, Kinderarbeit und Sicherheit am Arbeitsplatz. Einerseits förderte der Staat die Vorteile, die der Markt für das Allgemeinwohl mit sich brachte, andererseits bekämpfte er die damit verbundenen Nachteile für die Allgemeinheit.

Auf globaler Ebene gibt es diesen Ausgleich nicht. Hier regiert der Markt (obwohl es sich angesichts internationaler Monopole und Kartelle keineswegs immer um einen reinen Wettbewerb handelt). Auf globaler Ebene gibt es keine Regelungen, keine Strategien, keinen Schutz, keine Sicherheitsgarantien, keine Wettbewerbspolitik. Die nationalen Regierungen befinden sich auf dem Rückzug; sie kürzen ihre Sozialleistungen, senken den Steuerfreibetrag, beschneiden soziale Netze, wobei allerdings die Taten den Verlautbarungen hinterherhinken. Während globale Kräfte die Möglichkeit der Menschen, auf nationaler Ebene die Politik demokratisch zu beeinflussen, verringern, gibt es auf globaler Ebene keinerlei demokratische Institutionen und manchmal überhaupt keine Institutionen, die es den Menschen ermöglichen, ihr Schicksal zu bestimmen oder auch nur zu beeinflussen.

Dieses Vakuum wurde zu einem Teil von den multinationalen Unternehmen ausgefüllt. Ihre Manager, nicht die Bürger, bestimmen nun die Politik. Die Ausbreitung dieser Unternehmen und des internationalen Kapitals haben zu der Klage geführt, dass nationale Ökonomien nicht mehr beherrschbar seien und die globale Wirtschaft politisch nicht gesteuert werde. Welche globalen politischen Institutionen im Anfangsstadium es auch geben mag, sie unterliegen keiner demokratischen Kontrolle. Die Menschen betrachten sie nicht als Repräsentanten ihrer Interessen, ihrer Meinungen oder ihrer Werte. Aber »Government« ist nicht das Gleiche wie »Governance«.

»Global Governance« und »internationale Gemeinschaft« sind Begriffe, die sich gleichermaßen zur Verschleierung wie zur Klärung von Bedeutungen eignen. Viele Sünden werden im Namen von *»Global Governance«*, der »internationalen« oder »globalen Gemeinschaft« begangen. Diese Begriffe gehören in den Bereich der Sprachdiplomatie; sie sollen »den schmutzigen Prozessen der internationalen Politik einen Anstrich von Würde verleihen«[2]. Wir lesen über die *»business community«*, die *»black community«*, die *»gay community«* und natürlich die *»international community«*. Früher einmal hatte das Wort eine Bedeutung. Man bezeichnete Wiedertäufer oder Mormonen, Benediktinermönche oder die Oneida als Gemeinschaften. Heute führt man einen viersilbigen Sprachbrocken im Mund, der auf alles angewendet wird und nichts bedeutet.

Die schlimmste Gemeinschaft ist vielleicht die internationale. Sie wird regelmäßig beschworen, ständig angerufen und soll unaufhörlich alles und jedes in jedem Land in Ordnung bringen oder (wie man es heute nennt) »angehen«, dass man glauben könnte, so etwas wie die internationale Gemeinschaft existiere tatsächlich[3]. Das ist aber nicht so. Es gibt so etwas wie die Vereinten Nationen und zahllose andere Organisationen, die sich schlecht und recht darum bemühen, die wirtschaftliche Entwicklung zu fördern, Flüchtlinge zu betreuen, Kranke zu heilen, Hungernde zu sättigen und Tote zu zählen. Aber das ist keine Gemeinschaft.

Ähnlich steht es mit *Governance*. Es war politisch schwierig, Korruption, Misswirtschaft und Übergriffe autoritärer Regime, vor allem in Afrika, zu kritisieren, ohne Verstimmungen zu riskieren. Also wurde ein neuer Begriff erfunden, dessen Bedeutung im Gegensatz zu dem altmodischeren »Government« nicht klar ist. Das *Dictionary of American Heritage* definiert Governance als »den Akt, den Vorgang oder die Fähigkeit des Regierens; Regierung«, das *Oxford English Dictionary* als »den Akt oder die Art und Weise des Regierens, der Ausübung von Kontrolle oder Hoheit über die Handlungen von Staatsbürgern; ein Regelungssystem«. Die *International Encyclopedia of the Social Sciences* führt *Governance* überhaupt nicht auf. Der Begriff erscheint auch nicht im Index.

Die Weltbank definierte *Governance* als »die Art und Weise, wie Macht ausgeübt wird beim Einsatz der wirtschaftlichen und sozialen Ressourcen für die Entwicklung«[4], Edgardo Boeninger als »das gute Regieren der Gesellschaft«[5]. Für Pierre Landell-Mills und Ismail Serageldin benennt *Governance* die »Art und Weise, wie Menschen regiert und wie die Staatsgeschäfte geführt und geregelt werden. Der Begriff bezieht sich auf das politische System eines Staates und darauf, wie dieses System im Hinblick auf die öffentliche Verwaltung und das Recht funktioniert. Daher hat der Begriff *Governance* eine politische Dimension«[6]. Ein Afrika-Bericht der Weltbank definierte *Governance* als »die Ausübung politischer Macht zur Regelung der Angelegenheiten des Landes«[7]. In einer Grußadresse an eine gemeinsame Tagung von Bankern und Wirtschaftsverbänden in Manila definierte Michel Camdessus *Good Governance*, die fünfte seiner Bedingungen für ein »Wachstum von hoher Qualität« (das war noch die gute alte Zeit), als »Regieren zum Wohle der ganzen Gesellschaft statt von Gruppeninteressen«[8]. Die Weltbank und der IWF haben »die Preise müssen stimmen« durch »die Governance muss stimmen« ersetzt. Joan Nelson unterscheidet drei Elemente von *Governance*: Demokratie, gute Regierung, Entwicklung[9].

Die vielleicht umfassendste Definition enthält der Bericht der *Commission on Global Governance*[10] »Our Global Neighbourhood«: »Governance ist die Summe der vielen Vorgehensweisen, mit denen Einzelne und Institutionen, öffentliche und private, ihre gemeinsamen Angelegenheiten regeln. Sie ist ein ständiger Prozess, durch den gegensätzliche oder unterschiedliche Interessen befriedigt werden können und kooperativ gehandelt werden können. Dazu gehören formelle Institutionen und Strukturen, die die Befolgung von Regeln durchsetzen können, ebenso wie informelle Vereinbarungen, denen die Menschen und Institutionen entweder zugestimmt haben oder die als in ihrem Interesse liegend empfunden werden.«[11]

Was also ist *Global Governance?* »Wenn der Nationalstaat nicht mehr in der Lage ist, eine Fülle dringender Probleme aus eigener Kraft zu lösen, sollte er aus einem aufgeklärten Selbstinteresse heraus einen Ordnungsrahmen suchen, der einen Teil seiner Handlungsfähigkeit wiederherzustellen verspricht. Diesen Versuch, globale Probleme anzupacken, nennt man Global Governance«.[12] *Global Governance* bedeutet nicht Weltregierung, auch nicht die Gesamtheit des Handelns aller Staaten. Sie meint vielmehr Kooperation und Interaktion von Staaten, Privatfirmen, der nationalen und globalen Zivilgesellschaft, multilateralen Institutionen, regionalen Akteuren und der Politik in den einzelnen Staaten.

Die Rolle der Zivilgesellschaft

Im Zusammenhang mit internationaler Kooperation schrieb der verstorbene Göran Ohlin: »Was in manchen Köpfen herrscht, ist eine vage Vorstellung von etwas, das weniger als eine Regierung und mehr als Chaos ist – Strukturen, wie sie bereits für viele Zwecke bestehen.«[13] Man könnte den Begriff auch so verstehen, dass er mehr bedeutet als Regierung, nicht nur die Welt-, Staats-, Provinz- oder (in einem Bundesstaat) Landesregierung und Gemeindeverwaltung umfasst, sondern auch die Beziehungen zur Zivilgesellschaft, der gewinnorientierten Privatwirtschaft, zum Markt, zur Familie und zum Einzelnen, soweit diese Beziehungen für das Regieren einer Gesellschaft von Bedeutung sind.

Dass die Zivilgesellschaft und *civic culture* (wie sie sich über ein Jahrhundert hinweg entwickelt hat) von besonderer Bedeutung sind, zeigt Robert D. Putnam am Beispiel Italiens in seinem hervorragenden Buch »Making Democracy Work«[14]. Darin legt er dar, dass das, was er staatsbürgerliche »Normen und Netzwerke sozialen Engagements« nennt, das Funktionieren der Demokratie fördert. Das soziale Kapital von Vertrauen und Gegenseitigkeit, das in solche Normen und Netzwerke investiert wird, sieht Putnam als unabdingbar für effektives Regieren und wirtschaftlichen Fortschritt an. Dass der Markt von größter Bedeutung für *Governance* ist, versteht sich heutzutage von selbst. Auch kulturelle Faktoren beeinflussen *Governance* und werden wiederum von ihr beeinflusst.

Es gibt eine bedeutende internationale Zivilgesellschaft über alle nationalen Grenzen hinweg: Private Vereinigungen engagierter Bürger, Kirchen, religiöse Gemeinschaften, Berufsverbände, internationale Gewerkschaften, Interessengruppen, Bürgerbewegungen, Basisorganisationen, Aktionsgruppen usw., die allerdings keine wirkliche Macht haben. In jüngerer Zeit sind Frauenorganisationen, Umweltschützer, Menschenrechtsorganisationen usw. zur globalen Antwort auf die nachteiligen Auswirkungen der Globalisierung geworden. Auch sie können ihre Mitglieder einbinden. Die Zivilgesellschaft befindet sich ebenfalls auf dem Wege der Globalisierung. Natürlich vertreten diese Gruppierungen die speziellen Interessen und Werte ihrer Mitglieder, die durchaus umfassenderen globalen Interessen und Werten zuwiderlaufen können. Und dann sind da die bereits erwähnten multinationalen Konzerne und die internationalen Banken.

Wie können die UN-Organisationen und andere internationale und regionale Organisationen mehr auf die Ansprüche und Bedürfnisse der globalen Zivilgesellschaft eingehen und mehr zur Förderung von Entwicklungsstrategien beitragen? Wir hören viel über die Notwendigkeit verstärkter Partizipation, aber die internationalen Organisationen, die dieses Evangelium predigen, tun sich nicht gerade in der Befolgung dessen hervor, was sie predigen.

In letzter Zeit war auch viel zu hören über die Notwendigkeit, die öffentliche Verwaltung zu dezentralisieren und zivilgesellschaftliche Organisationen mehr an der Politik zu beteiligen. Die Welt hat erkannt, dass der zentralisierte Entscheidungsprozess in zentral geplanten Ökonomien nicht funktioniert, und ihm eine Absage erteilt. Aber genau derselbe Prozess bestimmt die Beziehungen zwischen den Tarifpartnern in der Privatwirtschaft und im öffentlichen Dienst. Wir wissen, dass sich Menschen unter strengem Reglement nicht entfalten können.

Demokratie und Partizipation sollten nicht nur in der Politik, sondern auch in der Privatwirtschaft, nicht nur in der Regierung und in gewinnorientierten Unternehmen, sondern auch in privaten Vereinigungen und Nichtregierungsorganisationen (NGOs), wie Gewerkschaften und Kirchen, einen Platz haben. Selbst in manchen Familien besteht ein Bedarf nach mehr Partizipation oder zumindest nach leichterem Zugang zu jenen, die das Sagen haben, insbesondere bei Frauen und in manchen Gegenden auch bei Kindern. Dies könnte man vertikale Partizipation nennen: die Sensibilisierung der Mitgliedschaft dieser Akteure für die Bedürfnisse aller ihrer Mitglieder durch ein höheres Maß an Partizipation und besseren Zugang zur Entscheidungsebene. Mit horizontaler Partizipation meine ich die Aufnahme von Vertretern der Zivilgesellschaft in die internationalen Organisationen.

Neue Begriffe von Sicherheit

Nach dem Ende des Kalten Krieges können die Vereinten Nationen und ihre Organisationen wieder die Rolle spielen, die ihnen bei ihrer Gründung zugedacht war, jedoch nicht ohne Anpassungen an die veränderten Machtkonstellationen und die neuen Technologien. Japan und Deutschland müssen eine größere Rolle übernehmen. Sie sollten dazu bewogen werden, sich in der Beschaffung von Ressourcen und in den zahlreichen Aufgabenbereichen zu engagieren, die die Lebenssicherung der Menschen betreffen.

Friedenserhaltende und friedenschaffende Maßnahmen sind Sache der militärischen und der territorialen Sicherheitssysteme. Präsident Clinton spricht von persönlicher Sicherheit (vor Konflikten, armuts- und drogenbedingten Verbrechen, Gewalt gegen Frauen und Kinder, Terrorismus) und Gesundheitssicherung. Für die Nahrungssicherung ist die FAO zuständig, für Gesundheit die WHO (Weltgesundheitsorganisation). Die Finanzsicherung liegt beim IWF, der Weltbank und den regionalen Entwicklungsbanken. Der Umweltschutz ist Aufgabe des UNEP (Umweltprogramm der Vereinten Nationen), die Sicherung von Beschäftigung und Einkommen die Aufgabe der ILO (Internationale Arbeitsorganisation). Diese Aufzählung sollte um den Schutz der Gemeinschaften vor ethnischen und religiösen Zusammenstößen und den politischen Schutz vor Menschenrechtsverletzungen erweitert werden. Die Schaffung produktiver, einträglicher, sicherer, befriedigender und frei gewählter Möglichkeiten des Broterwerbs sollte für die Politiker höchste Priorität haben[15].

Die Existenzsicherung der Menschen (human security) lässt sich eher durch die Verringerung denn durch die Erhöhung der Militärausgaben verbessern. Dies ist vielleicht der einzige Bereich, auf den die *Laffer-Kurve* zutrifft. Ethnische Konflikte, Bürgerkriege, Aggression von außen und Völkermord haben häufig ihre wirtschaftlichen und sozialen Wurzeln in der extremen Unsicherheit, die mit Hunger, Armut, Arbeitslosigkeit, Diskriminierung, sozialer Ausgrenzung und kulturellem Verfall einhergeht. Die Bekämpfung der Ursachen von Armut, Marginalisierung, ethnischen und religiösen Konflikten durch Präventivmaßnahmen – statt durch Intervention, nachdem Konflikte in offene Kriege übergegangen sind – kann viel wirksamer sein und viele Menschenleben retten.

Die Zivilgesellschaft sollte nicht übermäßig romantisiert werden. Sie kann Sicherheit für die Menschen schaffen und gewährleisten, aber auch bedrohen und zerstören, wie es im Libanon, Sri Lanka, im ehemaligen Jugoslawien und der Sowjetunion der Fall ist. Das geschieht, wenn der Staat zu schwach ist. Es hat eine Verlagerung von Konflikten zwischen Staaten zu Konflikten innerhalb von Zivilgesellschaften stattgefunden. Die Bedrohung durch einen Atomkrieg zwischen Supermächten ist der Bedrohung durch Umweltzerstörung, ethnische und religiöse Konflikte, Hungersnöte, Armut, Bevölkerungswachstum, Krankheit, Drogen, Terrorismus, Verbrechen, Migration gewichen. Die Schwäche des Staates hat den Machtzuwachs nichtstaatlicher Akteure begünstigt. Der billige Zugriff auf technische Information macht Massenmorde durch kleine Gruppen möglich. Biologische und chemische Waffen sind für Terroranschläge besonders geeignet[16].

Globalisierung und internationale Kooperation

Globalisierung kann von oben (multinationalen Konzernen, Weltmärkten, internationalen Kapitalströmen) oder von unten kommen. Beispiele sind die Bemühungen von Greenpeace, Shell an der Versenkung einer Bohrinsel mit toxischer Belastung in der Nordsee zu hindern oder die Kampagne im Südpazifik gegen die Wiederaufnahme französischer Nukleartests[17]. Mehrere Weltkonferenzen über Frauen, Bevölkerung, Umwelt und soziale Entwicklung haben mit ihren von NGOs organisierten Parallelveranstaltungen als Ausgleich und Gegengewicht zu den zwischenstaatlichen Aspekten neue Formen von Partizipation, Verantwortlichkeit und Repräsentation aufgezeigt[18]. Obwohl sie sich noch im Anfangsstadium befinden, könnten diese neuen Formen eine Art Erziehung zur Weltbürgerschaft darstellen.

Der IWF, die Weltbank und orthodoxe Ökonomen fordern die völlige Einbeziehung der Entwicklungsländer in die globale Wirtschaft. Um aber eine humane Weltordnung zu erreichen, bedarf es politischer Strategien, die die Befriedigung der Grundbedürfnisse sicherstellen, einen Ausgleich schaffen für die in höchstem Maße ungleiche Verteilung von Ressourcen und Einkommen und die Ausbreitung von Unsicherheit und Marginalisierung verhindern. Um 1,3 Mrd. Menschen, die derzeit unter der Armutsgrenze leben, auf den Mindeststandard zu bringen, wäre eine Vervierfachung der heute geleisteten Entwicklungshilfe erforderlich. Wir wissen, dass damit wohl kaum zu rechnen ist. Die Aussichten für die Entwicklungshilfe sind trübe. Aber im gegenwärtigen Klima gibt es fünf hoffnungsvolle Anzeichen für globale Strategien zur Armutsbekämpfung:

Erstens: Die hauptsächlich vom IWF auferlegten Austeritätsprogramme haben politische Führer für »gezieltere« Programme sensibilisiert, die die schwächeren Bevölkerungsgruppen schützen oder sogar fördern. (Wir sollten die Vokabeln »zielen« und »Zielgruppe« vermeiden; sie suggerieren – ganz im Einklang mit den bei der Weltbank üblichen militärischen Metaphern –, dass auf Menschen nicht nur gezielt, sondern auch geschossen wird.) In der Vergangenheit war den Politikern viel mehr an großen Industrialisierungs- und Infrastrukturprojekten gelegen. Den informellen Sektor hatten sie als versteckte Arbeitslosigkeit abgetan und nicht als Quelle produktiven Wachstums gesehen. Beispiele für gelungene Veränderungen sind Indiens *Integrated Rural Development Programme* oder die Tatsache, dass Kenia einem Bericht der ILO nun mehr Beachtung schenkt und Ägypten die Kleinunternehmer fördert.

Zweitens: Der wohl etwas außer Mode gekommene Slogan »die Preise müssen stimmen« als oberste Priorität kann zum Nutzen des informellen Sektors angewendet werden, in dem sich zwar einige recht wohlhabende Leute, aber auch sehr viele Arme betätigen. Niedrige Zinsen hatten häufig zur Folge, dass es zu einer Rationierung von Krediten zugunsten von Großfirmen kam und der informelle Sektor das Nachsehen hatte und kapitalintensive Produktionsmethoden gefördert wurden. Hohe Löhne haben häufig zur Verschärfung der Arbeitslosigkeit geführt und nur eine privilegierte Arbeiteraristokratie begünstigt. Niedrige Preise für die vom Staat gelieferte Energie aus mit Verlust arbeitenden Kraftwerken kamen der Privatwirtschaft und der Mittelklasse zugute usw. Die Abwertung überbewerteter Währungen kann den Absatz von Betrieben des informellen Sektors steigern. Vor einigen Jahren hat Kenia damit begonnen, kleinen Betrieben einen Zollabschlag für importierte Inputs zu gewähren.

Drittens: Durch eine Zahlungsbilanzkrise und den Schuldendienst verursachte Probleme können für die Armen im informellen Sektor von Vorteil sein. Importbeschränkungen lenken die direkte Nachfrage zu den Produkten und Dienstleistungen des informellen Sektors. Abwertungen können sogar Exporte aus dem informellen Sektor fördern; wenn arbeitsintensiv produziert wird, verringert sich die

Arbeitslosigkeit. Durch den Preisanstieg von importierten Inputs kann es für einheimische Großfirmen vorteilhaft sein, auf den informellen Sektor zurückzugreifen.

Viertens: Die in Mode gekommene Dezentralisierung kann – auch wenn sie manchmal den lokalen Machteliten, denen die Armen ein Ärgernis sind, in die Hände spielt und finanzielle Verantwortung vom Zentrum zu den lokalen Behörden verlagert – unter bestimmten Umständen den Zugang der Armen zu politischer Macht erleichtern, mehr auf ihre Bedürfnisse eingehen, die Korruption vermindern und Transparenz, Gerechtigkeit und Effizienz fördern.

Fünftens: Dasselbe gilt für die in Mode gekommene Überhöhung der Rolle der NGOs, der ehrenamtlichen Organisationen (PVOs = *Private Voluntary Organisations*), der Kooperativen und Initiativen gegen den staatlichen Bürokratismus. Die Grameen-Bank in Bangladesch, die in Ahmedabad ansässige *Indian Self-Employed Women's Association* und das Milchwirtschaftsprojekt in Andhra Pradesh (»*Operation Flood*«), das sich am Anand-Modell orientiert, sind Erfolgsgeschichten der Hilfe für die Armen durch kooperative Selbsthilfe.

Seit Ende der achtziger Jahre setzt die Weltbank zunehmend auf NGOs. Von 1973 bis 1988 waren NGOs lediglich an 6 Prozent der von ihr finanzierten Projekte beteiligt. 1990 belief sich ihr Anteil bereits auf 22 Prozent, 1994 auf über 50 Prozent. Die Zusammenarbeit mit NGOs wird nicht nur bei der Durchführung, sondern auch im Planungsstadium von Projekten gefördert. Auch NGOs in Entwicklungsländern werden immer häufiger in Projekte der Weltbank einbezogen. Während zwischen 1973 und 1991 40 Prozent der NGOs internationale NGOs waren, war 1994 der Anteil einheimischer NGOs auf 70 Prozent angewachsen. Im Juli 1995 wurde eine Initiative angekündigt, die die Rolle der NGOs weiter stärken könnte. Die *Consultative Group to Assist the Poorest* (CGAP) soll der Weltbank zufolge »die Verbreitung und die Erweiterung der von NGOs durchgeführten Programme zur Finanzhilfe an die Armen fördern«.

Der Gedankenaustausch zwischen NGOs und Weltbank hat stark zugenommen[19]. Es gibt eine siebenköpfige *Policy Advisory Group* (PAG) unter dem Vorsitz von Dr. Yunus von der Grameen-Bank. Zu ihren Mitgliedern gehören auch Ela Bhatt von der *Self-Employed Women's Association* und Nancy Barry von *Women's World Banking*. Die Lebensumstände armer Menschen lassen sich auch durch die Nebeneffekte der von IWF und Weltbank empfohlenen Strategien verbessern, auch wenn dies nicht immer deren erklärte Absicht ist.

Hilfe zur »menschlichen Anpassung«

Die Entwicklungshilfe hat viel von ihrem Glanz verloren. Nicht wenige sagen ihr Ende im nächsten Jahrhundert voraus. Das noch vorhandene Interesse richtet sich eher auf die Veränderung des Konzepts der Hilfe hin zu Rechten und Ansprüchen und auf die Entwicklung neuer Formen des Ressourcentransfers. Darunter versteht man Schritte in Richtung einer internationalen Einkommensteuer (mit Pflichtbeiträgen, progressiver Lastenverteilung, kalkulierbaren jährlichen Zuflüssen). Es gibt auch zahlreiche andere Vorschläge für internationale Steuern, angefangen bei der *Tobin-Steuer* auf kurzfristige Kapitalbewegungen bis hin zur Besteuerung von internationalem

Handel, Waffenhandel, Tourismus, Kohlendioxydausstoß, Kraftstoff, Fischerei in internationalen Gewässern, internationalen Flügen, Umweltverschmutzung, einer internationalen Lotterie, Neuzuteilung von Sonderziehungsrechten usw.

Ein anderer Vorschlag für die Veränderung des Konzepts der Hilfe sind Zahlungen für von Entwicklungsländern erbrachte Leistungen. Als Beispiele wären zu nennen: Umweltprogramme, die den reichen Ländern nützen, die Vernichtung von Kernwaffen, die Verringerung des Anbaus von Drogenpflanzen durch Substitutionsprogramme, die Bekämpfung der Ausbreitung ansteckender Krankheiten, Konversionsprogramme, die Bekämpfung des internationalen Terrorismus und grenzübergreifender Verbrechen, die gemeinsame Finanzierung und Bewirtschaftung transnationaler Naturressourcen wie die Küstenfischerei, die Bewirtschaftung der globalen Gemeingüter usw. Einige Autoren empfehlen einen Ausgleich für die von den Entwicklungsländern erlittenen Nachteile, zum Beispiel durch brain drain oder durch Beschränkungen der Migration ungelernter Arbeiter und des Handels mit Waren und Dienstleistungen. Meiner Ansicht nach wird die herkömmliche Entwicklungshilfe auch im nächsten Jahrhundert noch eine bedeutende Rolle spielen; allerdings sollte ihre Konditionalität geändert werden.

Traditionell bezieht sich die Konditionalität auf die Währungs-, Steuer- und Handelspolitik. In neuerer Zeit sind Umwelt-, Bürger- und Menschenrechtsaspekte und institutionelle Reformen dazugekommen, allerdings ohne Erhöhung der zugesagten oder ausgezahlten Mittel. Die menschlichen und sozialen Bedingungen sollten in den Förderungskatalog aufgenommen werden. Man kann argumentieren, dass sie höhere Priorität bekommen sollten, weil die Auswirkungen ökonomischer Variablen keine Frage wissenschaftlicher Gewissheit sind, wohingegen die Pflicht, das menschliche Elend zu verringern, eine moralische Gewissheit ist.

Das UNDP und der Hauptarchitekt der jährlichen *Human Development Reports* 1990–1996, der verstorbene Mahbub ul Haq, haben beredt für die Sache der »menschlichen Entwicklung« gestritten. Globalisierung wurde unter dem Aspekt von Märkten und Staaten diskutiert, selten jedoch wurden die Auswirkungen auf die Menschen berücksichtigt. Deshalb sollte sich die Diskussion über die Konditionalität mit deren Auswirkungen auf die Menschen befassen. Zwei Arten von Konditionalität, die »menschliche Entwicklung« zum Ziel hat, sollten überlegt werden. Die eine betrifft das Äquivalent von Anpassungshilfe für eine kurze Übergangsperiode, die zweite langfristige Strategien zur menschlichen Entwicklung.

Eine reformorientierte Regierung, die eine Landreform, eine Steuerreform oder eine Bildungsreform, eine Verwaltungsreform durchführen oder mehr Mittel für soziale Dienste verwenden oder direkt an die Armen vergeben will, wird vorübergehend in Schwierigkeiten geraten und unweigerlich den Haushalt und die Verwaltung zusätzlich belasten. Wenn Einkommen zugunsten der Armen umverteilt werden, steigt die Nachfrage nach Lebensmitteln. Weil das Angebot an Lebensmitteln wahrscheinlich nicht elastisch auf die Nachfrage reagiert, wird es zu einer Steigerung der Inflation kommen. Eine Landreform wird mit großer Wahrscheinlichkeit kurzfristig das Lebensmittelangebot verknappen. Durch erhöhte Nahrungsmittelimporte wird sich die Zahlungsbilanz verschlechtern und der Inflationsdruck zunehmen. In dem Maß, wie die Einkünfte der Reichen sinken, wird die Arbeitslosigkeit im Luxusgüterbereich steigen. Das Ergebnis ist eine Kombination von Inflation und steigender Arbeitslosigkeit.

Wenn der Privatsektor das Vertrauen verliert, dürfte Kapitalflucht die Folge sein, die wiederum die Zahlungsbilanzkrise verschlimmert. Inlandsinvestitionen könnten zurückgehen und die Preise für Wertpapiere fallen. Dies würde zu einem Verfall der Sicherheiten für Bankkredite führen, könnte eine Bankenkrise heraufbeschwören und den Rückgang von Realinvestitionen beschleunigen. Enttäuschte Gruppen könnten mit Streiks, Sabotage oder gar mit einem Staatsstreich reagieren. All dies sind vertraute Probleme für radikale Regierungen, die sich Veränderungen zugunsten der Armen auf die Fahnen geschrieben haben.

Leider ist das Erscheinungsbild dieser Übergangsschwierigkeiten dem einer schlecht geführten Ökonomie sehr ähnlich. Wenn die reformorientierte Regierung keine Erfahrung hat, wird tatsächlich ein gewisses Maß an Missmanagement die Übergangsprobleme verschlimmern. In solch kritischen Situationen können internationale Geber die Übergangsprobleme entschärfen und die Erfolgsaussichten verbessern. Ebenso wie Strukturanpassungsdarlehen solchen Ländern gewährt werden, die sich in einem Prozess der Restrukturierung makro-ökonomischer Politiken befinden, sollte auch Hilfe zur sozialen Anpassung an solche Länder gehen, die positive Schritte in Richtung menschlicher Entwicklung unternehmen. Diese Hilfe würde das menschenorientierte Wirtschaftswachstum fördern, indem sie die Ernährung, die Gesundheit, die Ausbildung und die Produktivität der Armen verbessert und das Bevölkerungswachstum senkt; vor allem aber würde sie eine Verbesserung der Lebensbedingungen als vornehmes Ziel an sich bewirken.

Die Mittel könnten zum Beispiel für Investitionen in die soziale Infrastruktur wie Krankenhäuser und Schulen verwendet werden. Sie könnten auch helfen, wiederkehrende Ausgaben wie Löhne und Gehälter für Lehrer, medizinisches Personal und Gemeindebedienstete, die Anschaffung von medizinischem und schulischem Material oder den Bedarf für Ernährungsprogramme zu finanzieren. Hilfsgelder könnten auch für beschäftigungswirksame Maßnahmen verwendet werden, z. B. für Berufsbildung, Trainingsprogramme und die Vergabe von Krediten, für die Förderung von Kleinstbetrieben oder für den Aufbau partizipatorischer Einrichtungen oder zur Entfaltung von einheimischem Potenzial.

Wie soll die »soziale Konditionalität« praktiziert werden?

Ebenso wie Strukturanpassungsdarlehen müsste die Anpassungshilfe für »menschliche Entwicklung« auf eindeutigen und klar definierten Strategien basieren. Die Abwicklung müsste sorgfältig beobachtet werden, um zu gewährleisten, dass die Gelder auch den angestrebten Zweck erfüllen. Das Prinzip der Anpassungshilfe für »menschliche Entwicklung« könnte von der Überbrückung der Anpassungszeit auf eine langfristige Periode menschlicher und sozialer Entwicklung ausgedehnt werden. Was spricht für, was gegen eine solche Politik?

Einerseits könnte die »menschliche Konditionalität« von den Empfängerländern als Einmischung oder gar als Verletzung ihrer nationalen Souveränität verstanden werden. Auf der anderen Seite sehen sich die Geberländer ihren Steuerzahlern gegenüber in der Pflicht zur Rechenschaft über die Mittelverwendung und erwarten, dass eine Verringerung der Armut und »menschliche Entwicklung« erreicht werden, wenn die Mittel zu diesem Zweck gegeben werden. Die Empfängerländer misstrauen Geberinstitutionen, weil sie befürchten, dass Kriterien von außen in den

Prozess einfließen; umgekehrt misstrauen Geber den Institutionen der Empfängerländer, weil diese womöglich unbefriedigende Ergebnisse vertuschen wollen. Zur Lösung dieses Konflikts sind Planungsinstitutionen vonnöten, die das Vertrauen beider Seiten genießen und die Umsetzung zuverlässig und objektiv überwachen.

Diese Institutionen müssen nicht nur für die Bedürfnisse und Wünsche beider Seiten offen sein, sondern auch als Puffer fungieren, sensibel sein für soziale und politische Bedingungen und über die Fähigkeit verfügen, die Auswirkungen der Programme auf die Verringerung der Armut zu beurteilen. Auch sollten sie in den Entwicklungsländern die Herausbildung einheimischer Kompetenz zur Beobachtung der Armutsentwicklung unterstützen.

Eine mögliche Lösung wäre es, die Methode aufzugreifen, die die *Organisation für Wirtschaftliche Zusammenarbeit in Europa* (OEEC), die Vorläuferin der OECD, bei der Umsetzung des Marshall-Plans praktizierte. Die USA zogen sich großzügig aus dem Überwachungsprozess zurück und forderten die europäischen Regierungen auf, gegenseitig ihre Resultate zu überprüfen. Analog würden Ländergruppen, zum Beispiel die Länder Ostafrikas, sich zusammensetzen, und eines, sagen wir Uganda, würde die Leistung eines anderen, etwa Kenia oder Tanzania, überprüfen und umgekehrt. Um die Kompetenz für ein solches Vorgehen zu schaffen oder zu stärken, wäre zu Anfang technische Hilfe erforderlich.

Eine andere Lösung wäre ein mit allseitiger Zustimmung zu berufender Rat von Weisen mit einem kompetenten Sekretariat, der die Überwachung durchführt, auch hier möglicherweise wieder in Kombination mit technischer Hilfe zur Herausbildung einheimischer Kompetenz.

Eine dritte Lösung wäre ein wirklich globales Sekretariat, das der embryonalen Weltgemeinschaft untersteht, ein sozial sensibles und gleichzeitig technisch kompetentes Sekretariat. Die Sekretariate der bestehenden internationalen Organisationen, seien es die Weltbank oder die UN-Behörden, haben diesen Punkt noch nicht ganz erreicht und werden von den Empfängerländern nicht als wirklich global in ihren Loyalitäten und ihrem Engagement empfunden. Veränderungen bei der Besetzung, der Ausbildung und der Beförderung wären nötig, vielleicht auch bei der Führung und beim Standort dieser Institutionen. Eine Dezentralisierung hin zu starken Regionalbüros[20], deren Mitglieder in täglichem Kontakt mit Regierungsstellen und der Bevölkerung in den Entwicklungsländern stehen, dürfte dafür eine unabdingbare Voraussetzung sein. Bis solche Reformen in Gang kommen, hat bilaterale Hilfe gewisse Vorzüge gegenüber multilateraler Hilfe im Hinblick auf das angestrebte Ergebnis und die Überprüfung. Dies steht nicht im Einklang mit der herkömmlichen Auffassung, ist aber trotzdem richtig, solange Reformen der Bürokratien der weitgehend unkontrollierten multilateralen Agenturen ausstehen.

Welche institutionelle Lösung auch gewählt wird, es ist sinnvoll, ein gewisses Maß an Konkurrenz in den Überwachungsprozess einzuführen, so dass verschiedene Methoden erprobt werden können. Derzeit ist zu befürchten, dass die großen internationalen Finanzorganisationen ein Macht- und Kompetenzmonopol ausüben und gelegentlich voreilig für endgültig erklärte Orthodoxien propagieren. Die vorgeschlagenen Pufferverfahren oder Pufferinstitutionen hätten den zusätzlichen Vorteil, dass sie zur Herausbildung und Stärkung von einheimischen Forschungs- und Überwachungskompetenzen in den Entwicklungsländern beitragen würden. Denn Armutsforschung, Armutsbekämpfung und menschliche Entwicklung tendieren in die gleiche Richtung, wie die Untersuchungen von Sidney und Beatrice Webb, der Weltbank und der UN-Entwicklungsagenturen gezeigt haben.

Es gibt eine vierte Methode, Nichteinmischung und Achtung nationaler Souveränität mit »menschlicher Entwicklung« zu verbinden, die ohne Pufferinstitution auskommt. Anstatt erwünschte Politik zur Voraussetzung für Hilfe zu machen, stellen die Geber fest, welche Länder gute Politik betreiben oder dazu ehrlich bereit sind, und helfen diesen Ländern dann ohne viel Aufhebens. Das sind weder die besonders Bedürftigen noch die Tüchtigen, denn die Ersteren setzen die Mittel vielleicht nicht effektiv ein, und die Letzteren brauchen sie nicht, sondern diejenigen, die potenziell am meisten damit bewirken. Man könnte hier von »stiller Hilfe« sprechen, weil sie nicht laut ihre Absichten verkündet und keine harten Leistungskriterien anlegt, die Verbitterung und Hassgefühle hervorrufen können. Stattdessen werden würdige Kandidaten ausgewählt und unterstützt. Das wird sich schnell herumsprechen. Die Signale werden anderen vermitteln, die sich ebenfalls für Reformen und die richtige Politik entscheiden müssen, wenn sie Hilfe erhalten wollen. Wenn der Mittelvergabe ein Dialog vorausgeht, wird auf Überzeugung statt Zwang gesetzt.

Für welche Form man sich auch entscheidet, man darf nicht vergessen, dass es auf Geber- wie auf Nehmerseite Verpflichtungen gibt. Es dürfte daher angemessener sein, von der Sprache der Konditionalität über den Dialog zur Sprache eines Sozialpakts überzugehen. Auch der Geber akzeptiert gewisse Bedingungen, z. B. hinsichtlich des Umfangs, der Qualität, der Regelmäßigkeit und der Zuverlässigkeit der Hilfeleistungen.

Ferner ist da die Frage der Zusätzlichkeit, und zwar in zweierlei Hinsicht. Erstens: Wenn soziale und »menschliche Konditionalität« ins Spiel kommt, handelt es sich dann um eine Erweiterung anderer Formen der Konditionalität oder um eine Ersetzung anderer Konditionen? In den letzten Jahren sind zu den Konditionen bei Umschuldungen noch allerlei andere dazugekommen: Konditionen im makro-ökonomischen Bereich (Steuerdisziplin, Verringerung der Haushaltsdefizite, finanzielle Liberalisierung, Währungsanpassung, Privatisierung, Deregulierung, Besitzrechte), dann Umweltkonditionen (»grüne Konditionalität«), Konditionen zu *Good Governance* einschließlich freier Wahlen mit mehreren Parteien, Menschenrechten, Rechtsstaatlichkeit, Armutsbekämpfung, Verringerung der Militärausgaben; und natürlich »menschliche Konditionalität«.

Zweitens: Handelt es sich bei den Geldern zur Erfüllung der »menschlichen Konditionalität« um zusätzliche Mittel? Die Akzeptanz sozialer und »menschlicher Konditionalität« durch die Empfängerländer hängt fraglos von der Antwort auf diese beiden Fragen ab. Aber die Zusätzlichkeit von Ressourcen wirft metaphysische Fragen auf. Worauf es ankommt, ist nicht, ob die Mittel zu den in der Vergangenheit bewilligten Geldern dazukommen, sondern ob sie höher sind als das, was ohne Konditionen gezahlt worden wäre. Dies ist eine unbekannte, vielleicht auch gar nicht zu ermittelnde Größe.

Entwicklungshilfe und öffentliche Meinung

Zwischen 1994 und 1995 hat sich die internationale Entwicklungshilfe um real 9 Prozent verringert. Die großen Geber – Japan, USA, Deutschland und Frankreich – bestätigen, dass diese Tendenz anhalten wird[21]. Der Anteil der Hilfe an die ärmsten Länder fiel von 62 Prozent im Jahr 1990 auf 51 Prozent im Jahr 1995: ein kleineres Stück von einem kleineren Kuchen.

Das *Program on International Policy Attitudes* der Universität von Maryland veröffentlichte im Januar 1995 eine Umfrage, derzufolge 75 Prozent der Amerikaner der Meinung sind, die USA gäben »zu viel« für Auslandshilfe aus, und 64 Prozent eine Kürzung befürworteten[22]. 11 Prozent scheinen es für richtig zu halten, dass »zu viel« für Auslandshilfe ausgegeben wird. Eine andere Umfrage ergab, dass fast die Hälfte der Wähler Sozialhilfe oder Auslandshilfe für den größten Posten des Bundesetats hielten. Tatsächlich sind sie mit die kleinsten Posten[23]. Die Befragten sollten auch angeben, wie hoch der Anteil der Auslandshilfe am Bundesetat ist. Die mediane Antwort war 15 Prozent, die mittlere 18 Prozent. Andere neuere Umfragen ergaben, dass nach Ansicht der Amerikaner die Regierung 20 Prozent oder mehr ihres Etats für Auslandshilfe aufwendet. Die richtige Antwort lautet: unter 1 Prozent. Die US-Regierung gibt jährlich 14 Mrd. US-Dollar für Auslandshilfe (einschließlich Militärhilfe) bei einem Gesamtetat von 1 500 Mrd. US-Dollar aus. Etwa die Hälfte geht in soziale Entwicklungsprogramme, die von der *Agency for International Development* verwaltet werden.

Auf die Frage, wie viel angemessen wäre, war die mediane Antwort 5 Prozent des Etats, also fünfmal so viel wie die tatsächlichen Ausgaben. Die Frage, wie viel »zu wenig« sei, ergab eine mediane Antwort von 3 Prozent – das mehr als Dreifache der heutigen Aufwendungen. Ähnliche Überschätzungen der gewährten Hilfe sind aus anderen Geberländern bekannt. Nachdem die Interviewer den Befragten die richtige Antwort auf die Frage, wie viel (oder besser gesagt, wie wenig) die USA für Auslandshilfe aufwenden, gegeben hatten, sprachen sich 35 Prozent immer noch für eine Kürzung aus. Wie *The New Yorker* feststellte, »ist diese Umfrage nicht so sehr wegen ihrer Erkenntnisse über die Auslandshilfe, sondern wegen ihrer Erkenntnisse über die amerikanische Demokratie interessant. Es ist nicht nur, dass die Amerikaner erschreckend unwissend sind, sondern dass sie ein demokratisches Recht auf ihre Ignoranz zu haben glauben.«

Größter Beliebtheit erfreut sich in diesem Zusammenhang auch der Mythos, die USA seien großzügiger als andere Länder. Die USA geben 0,15 Prozent ihres Bruttoinlandsproduktes an Auslandshilfe, viel weniger als andere wohlhabende Länder, und der Anteil ist in den vergangenen Jahren stetig gefallen. Von den Steuern, die eine amerikanische Durchschnittsfamilie jährlich bezahlt, gehen etwa 44 Dollar in die Auslandshilfe. In Dänemark sind es umgerechnet 900 Dollar. Allerdings sind Spenden an private Organisationen laufend gestiegen.

Es herrscht auch verbreitet der Eindruck, dass jede Hilfe Geldverschwendung sei und dass Amerika nichts dafür zurückbekomme. Senator Jesse Helms nennt es Geld in ein »Rattenloch« werfen. Dies könnte ein Analogschluss aus anderen Beispielen von Geldverschwendung durch die öffentliche Hand sein. Auch wenn ein großer Anteil der Hilfe in der Zeit des Kalten Krieges, die aus den falschen Gründen an die falschen Länder für die falschen Projekte geleistet wurde, keine nennenswerten Ergebnisse zeitigte, so sind die Erfolge von Hilfe für Gesundheitsfürsorge, Bildung, Familienplanung und ländliche Entwicklung inzwischen gut dokumentiert.

Natürlich könnte mehr für die »menschliche Entwicklung« getan werden. Beim Weltsozialgipfel in Kopenhagen wurde die Formel 20 : 20 diskutiert und von einigen

Ländern auch akzeptiert: 20 Prozent des einheimischen Etats und 20 Prozent der Entwicklungshilfe sollten in die sozialen Grunddienste investiert werden. Die Erfolge in den Bereichen Alphabetisierung, Gesundheitsvorsorge und Senkung der Geburtenrate sind eindrucksvoll.

Eine Umfrage der University of Maryland ergab, dass eine große Mehrheit die der Entwicklungshilfe innewohnenden Werte für richtig hält und nach detaillierter Aufklärung über die tatsächlichen Ausgaben die Beibehaltung bzw. Erhöhung der Leistungen in den meisten, aber nicht allen Bereichen befürwortet. Wenn es so ist, dass demokratisches Handeln die Werte der Öffentlichkeit widerspiegelt, dann findet Entwicklungshilfe in Amerika erhebliche Unterstützung. Man darf davon ausgehen, dass nach Reformen, wie sie oben beschrieben wurden, die Befürwortung von Entwicklungshilfe stark zunehmen würde.

Derzeit ist es Mode, besonders auf Handel und private Auslandsinvestitionen zu setzen. Es ist auch richtig, dass mit Investitionen und Krediten an Kleinunternehmen gute Erfahrungen gemacht wurden. Der *Small Enterprise Assistance Fund*, ein Washingtoner Risikokapitalfonds, den die in Atlanta ansässige Hilfsorganisation CARE eingerichtet hat, ist eine interessante neue Form von Zwitterorganisation: Das sind Non-profit-Gruppen, die von Regierungen und Hilfsorganisationen finanziert werden und wie private Investoren auftreten. Ihre Gewinne investieren sie wieder in neue Kleinbetriebe. Größere Organisationen, wie die *International Finance Corporation*, die *US Overseas Private Investment Corporation* und die *Europäische Bank für Wiederaufbau und Entwicklung*, engagieren sich natürlich schon seit einiger Zeit im privaten Sektor.

Diese neuen institutionellen Zwitter haben eine wichtige Funktion. Andererseits können sie traditionelle Formen der Entwicklungshilfe nicht ersetzen. Erstens suchen sie sich die leistungsstärksten Länder aus und lassen diejenigen, die Hilfe am nötigsten hätten, unberücksichtigt. Nach Angaben der OECD gehen 80 Prozent der privaten Mittel an nur 20 Länder. Für private Gelder sind Tanzania oder Sierra Leone nicht attraktiv; sie bevorzugen Indonesien oder Malaysia. Zweitens helfen sie nicht unbedingt den Menschen, die es am meisten brauchen: nämlich den potenziellen Arbeitnehmern statt ihren Arbeitgebern. Drittens sind Investitionen im sozialen Bereich, in Gesundheit, Bildung, Ernährung und Familienplanung, kommerziell uninteressant, obwohl sie für die Gesellschaft als Ganzes sehr gewinnbringend sind. Viertens hängt der Erfolg der Privatwirtschaft von der vorhandenen Infrastruktur ab, die wiederum oft besser durch öffentliche Investitionen bereitgestellt wird. Außerdem gibt es immer einen Bedarf an Nothilfe, an Hilfe für Arbeitslose und für die Opfer des Konkurrenzkampfes, die durch das Netz gewinnträchtiger Investitionen fallen.

Programmhilfe gegen Projekthilfe: ein Rollentausch

Im goldenen Zeitalter der Entwicklungshilfe neigten Menschen guten Willens dazu, Programmhilfe zu favorisieren, während hart gesottene Konservative der Projekthilfe das Wort redeten. Von der Projekthilfe nahm man an, sie unterliege der Disziplin der Projektbewertung und könne durch einen kompetenten Geber kontrolliert werden, während im Falle der Programmhilfe der Empfänger nach Gutdünken mit dem Geld verfahren könne. Jeder, der einmal Gelder für eine Universität oder ein Forschungsinstitut auftreiben musste, kennt das Dilemma und weiß auch, wie er ihm entrinnen kann. Man benennt ein Gebäude oder einen Lehrstuhl, die man ohnehin haben wollte, nach einem Spender (das Projekt) und gibt das Geld dann für Dinge aus, die man selbst (nicht der Spender) für vorrangig hält; für die bessere Ausstattung der Küche, den Garten oder für Gehaltserhöhungen. Das nennt man Umwidmung.

Die Verfechter der Programmhilfe waren nicht gegen eine an die Hilfe gekoppelte Konditionalität. Sie glaubten, die richtigen makro-ökonomischen Politiken seien wichtiger als Projektplanung. Selbst das beste Projekt kann durch falsche Wechselkurse oder falsche Nachfragesteuerung oder falsche Preise zunichte gemacht werden. Die Ansicht war verbreitet, man könne mit Krediten zu Vorzugsbedingungen die richtigen Strategien erkaufen. Diejenigen, die argumentierten, dass eine effiziente Projektdurchführung der Disziplin üblicher kommerzieller Zinsen bedürfe, irrten sich (so glaubte man). Kredite und Zuschüsse zu Vorzugsbedingungen bewirkten mehr, weil man sie mit Bedingungen für sinnvolle Verwendung verknüpfen könne, die über die Rückzahlungsbedingungen hinausgingen – über die Bedingungen nämlich, auf die sich kommerzielle Kreditgeber zu beschränken hätten. Sie könnten gute wirtschaftliche, soziale und politische Strategien beinhalten. Sie seien es, die für den Erfolg der Projekte ausschlaggebend seien. Heutzutage sind die Rollen vertauscht. Die Konservativen, vor einiger Zeit angeführt vom damaligen US-Finanzminister James Baker, sind für Programmhilfe, und die Linken sind für Projekthilfe. Warum dieser Rollentausch? Ich kann mir fünf Gründe denken.

Erstens: Während der Schuldenkrise war die Programmhilfe häufig Hilfe für die Banken in den USA und anderen Gläubigerländern, und nicht Hilfe für die Armen oder Entwicklungshilfe. Die Alternative wäre Insolvenz oder Schuldenerlass. Es ist daher verständlich, dass Leute mit Sympathien für Banker und Bankaktionäre (und vielleicht Sparer) es sehr gern sähen, wenn Geld, das für Entwicklungshilfe gedacht ist, für die Rückzahlung von Bankkrediten verwendet wird. Ein Nachteil der Konditionalität bei Krediten, die für die Rückzahlung der Schulden aufgenommen werden, ist es, dass die Belohnung für die gehorsame Erfüllung der Auflagen an die Gläubiger geht – und das vermindert die Motivation der Schuldner, die Bedingungen zu erfüllen.

Zweitens: Es mag nicht auf den ersten Blick klar geworden sein, dass nicht nur Projekte, sondern auch Strategien durch andere ersetzt werden können. Substituierung von Strategien entspricht der Umwidmung bei Projekten: Beide laufen den Absichten des Gebers zuwider, sei es durch Weglassung oder Veranlassung. Der Geber macht eine Abwertung zur Auflage, aber der Empfänger, den Rat wohl befolgend, heizt zuerst die Inflation an, um dann beim alten Wechselkurs zu landen. Auch können direkte und indirekte Steuern und Subventionen die Zoll- und Kreditpolitik unterlaufen. Ein Bündel von Konditionen, das alle denkbaren Maßnahmen einschließt, wäre unmöglich durchzusetzen oder zu kontrollieren. Die Erkenntnis, dass nicht nur Lieblingsprojekte »von höchster Priorität«, sondern auch Lieblingsstrategien »von höchster Priorität« Umgehungsmechanismen erlauben können, hat sich nur langsam durchgesetzt.

Drittens: Die Auflagen der Kreditgeber reflektieren häufig vorzeitig verfestigte und mit Makeln behaftete orthodoxe Auffassungen. Die gegenwärtige Mode des Staatsminimalismus und der Glaube an freie Preise mit ihrer Betonung der »richtigen« Preise im freien Spiel der Marktkräfte und der Entfaltung privaten Unternehmertums basieren mitnichten auf soliden wissenschaftlichen Erkenntnissen. Doktrinen haben sich zu Ideologien verhärtet, und die Pluralität der Meinungen und Auflagen der Geber hat sich stark verringert.

Im goldenen Zeitalter der Entwicklungshilfe konnten sich Kreditnehmer, die mit den Auflagen nicht einverstanden waren, an einen anderen Kreditgeber wenden oder sich mit weniger zufrieden geben. Angesichts hoher Wachstumsraten, eines boomenden Welthandels und eines funktionierenden Finanzsystems war dies kein großer Verlust. Heute jedoch sind die Empfängerländer in einer solch verzweifelten Lage, dass sie sich gegen ihre eigene Überzeugung den Auffassungen der Geber beugen müssen. Zwei Geber, die Weltbank und der Internationale Währungsfonds, kontrollieren alle übrigen Geber, so dass den Empfängerländern alle Quellen verschlossen bleiben, wenn sie sich ihren Bedingungen nicht fügen.

Viertens: Das Vertrauen in die Fähigkeit der Empfängerländer, die Auflagen umzusetzen, hat nachgelassen. Das liegt einerseits daran, dass nach dem Zusammenbruch des Keynes'schen Konsenses die politischen Hindernisse und die psychischen Hemmungen gegenüber neuen Rezepten (z. B. Rückzug des Staates) größer geworden sind, und andererseits ein Defizit an Ausbildung und Kompetenz in den Entwicklungsländern angenommen wird. Der engstirnigen Ideologie, die in manchen Auflagen zum Ausdruck kommt, kritisch gegenüberzustehen, heißt nicht, die Politiken in den Entwicklungsländern zu billigen. Der früher verbreitete Glaube an die Programmhilfe beruhte zum Teil auf dem übergroßen Vertrauen in die Fähigkeit dieser Länder, gute Politik zu betreiben.

Fünftens: Anders als Programmhilfe eignet sich die Projekthilfe recht gut für partizipatorische Formen der Durchführung. Während die Festsetzung des richtigen Wechselkurses eine sehr technische Angelegenheit ist, können sich die Menschen an der Entwicklung, Durchführung und Kontrolle von Projekten beteiligen.

Das doppelte Paradoxon der Konditionalität

Ein Besucher vom Mars würde angesichts der Konditionalität bei Krediten an ein Entwicklungsland, die den Interessen des Kreditnehmers dient, ein doppeltes Paradoxon feststellen. Erstens: Es werden schwer zu erfüllende Bedingungen auferlegt, die angeblich im Interesse des Empfängerlandes sind. Wenn das wirklich so ist, warum werden diese Maßnahmen nicht von der dortigen politischen Führung ergriffen? Warum bedarf es des Drucks von außen, um Maßnahmen zu ergreifen, die vermeintlich im eigenen Interesse des Landes liegen? Zweitens: Wenn die politische Führung überzeugt werden kann, dass diese Maßnahmen richtig sind, wieso muss dann das Land mit Geld belohnt werden? Es ist durchaus einsichtig, dass man für gute Ratschläge bezahlen muss, aber doch nicht, dass man für ihre Befolgung belohnt wird. Davon leben Berater ja schließlich. Auch hier haben wir es wieder mit einem Rollentausch zu tun. Für dieses doppelte Paradoxon kann ich mir zehn Gründe von unterschiedlichem Gewicht denken:

1. Die politische Führung des Empfängerlandes kennt die wirtschaftliche Analyse nicht und braucht Nachhilfe. Dies hat Ähnlichkeit mit einem Lehrer-Schüler-Verhältnis.

2. Das Verhältnis von Maßnahmen und ihren Ergebnissen wird vom Empfänger anders eingeschätzt als vom Geber. So könnte beispielsweise der Empfänger der Meinung sein, dass eine Abwertung das Zahlungsbilanzdefizit vergrößern würde, während der Geber eine Verringerung für wahrscheinlich hält. Oder aber der Empfänger hält die direkte Importkontrolle für wirksamer als eine Abwertung.
3. Das Empfängerland könnte die zukünftige Weltlage anders einschätzen und deshalb zu anderen Schlüssen hinsichtlich der erforderlichen Maßnahmen kommen. Zum Beispiel könnte es davon ausgehen, dass der Ölpreis in zehn Jahren höher sein wird, während der Geber das Gegenteil vermutet. Oder der Empfänger nimmt an, dass umfangreiche Mittel aus dem Ausland zur Verfügung stehen werden, während der Geber viel weniger für wahrscheinlich hält. Ein selbstbewusster Empfänger mag seine Fähigkeit zur Durchführung von Kontrollen überschätzen, ein skeptischer Geber unterschätzt sie vielleicht.
4. Die Ziele einer Regierung – seien sie offen oder verdeckt, der Allgemeinheit oder sich selbst dienend – können sich von den Zielen des Kreditgebers unterscheiden. Die Regierung des Empfängerlandes könnte vor allem an ihrem Machterhalt oder an der Bedienung ihrer Klientel interessiert sein, während der Kreditgeber auf einschneidende Reformen zugunsten der weniger Privilegierten dringt. Auch könnte die Regierung eines Empfängerlandes eher die Umverteilung nach unten im Sinn haben, während der Geber mehr an der effektiven Ressourcenzuteilung interessiert ist, selbst wenn dies zum Nachteil schwächerer Gruppen sein sollte. In diesem Fall ist es nicht Zweck der Konditionalität zu überzeugen, sondern Druck auszuüben. Es ist auch möglich, dass die Interessen der Regierung denen der Masse der Bevölkerung zuwiderlaufen. Es war viel die Rede vom »Beutestaat«. Es wäre daher die Aufgabe des ausländischen Gebers, auf einer Politik zugunsten des Volkes zu bestehen. Ebenso ist es denkbar, dass eine Regierung nur das Wohl ihres Volkes im Auge hat, während der ausländische Kreditgeber nur im eigenen oder im Interesse seiner Hauptaktionäre handelt. Aber eine Volkswirtschaft, die ausschließlich auf Eigeninteresse setzt, hätte auch keinen Grund, dem Geber nicht dieselben Motive zu unterstellen.
5. Die Ziele mögen die gleichen sein, aber Empfänger und Geber geben den Zielen ein unterschiedliches Gewicht. Beide mögen eine weniger ungleiche Einkommensverteilung und eine Verringerung der Inflation anstreben, aber diesen Zielen ein jeweils unterschiedliches Gewicht beimessen; beide mögen für einen Abbau der Ungleichheit oder Arbeitslosigkeit sein, dabei aber unterschiedliche Akzente setzen.
6. Die Grundüberzeugungen, die Ideologie oder die Interessen des Empfängers können ganz andere sein. Der Empfänger glaubt vielleicht, dass »die Regierung nichts falsch machen kann«, während der Geber der Meinung ist, dass »die Regierung nichts richtig machen kann«. Vielleicht sieht der Empfänger die Kreditinstitution als Werkzeug imperialistischer Ausbeutung, und der Geber hält den Empfänger für ein Opfer überkommener Ideologien und möchte das Land für internationales Kapital attraktiv machen.
7. Über den zeitlichen Rahmen können die Vorstellungen auseinander gehen. Eine Regierung kann beispielsweise an der Machtsicherung und damit an raschen Ergebnissen interessiert sein, während der Geber eher kurzfristige Leiden zugunsten langfristiger Freuden empfiehlt.

8. Die Risikoscheu gegenüber Strategien mit unsicherem Ausgang kann unterschiedlich stark ausgeprägt sein.
9. Beide Seiten können in allen Dingen übereinstimmen, aber der Empfänger macht den ausländischen Geber für alle einschneidenden und unpopulären Maßnahmen, die ohnehin fällig gewesen wären, verantwortlich. Ausländische Geber eignen sich hervorragend als Sündenböcke.
10. Der Empfänger kann mit dem Geber in allem einig sein: Lagebeurteilung, Ziele, Risiken und Zeitrahmen; die Kosten des Übergangs zu einer besseren Politik sind aber nach seiner Ansicht zu hoch, als dass er sie ohne zusätzliche Hilfe aufbringen kann. Anpassung erfordert zusätzliche Mittel zur Erleichterung des Übergangs, einmal für die Überwindung politischer Opposition (die Entschädigung verlangen könnte) und zum anderen für wirtschaftliche, finanzielle und fiskalische Vorhaben.

Dieser zehnte Grund ist die vernünftigste Erklärung für das doppelte Paradoxon. Danach hat Auslandshilfe nicht, wie früher angenommen, die Aufgabe, Haushalts- und Devisenlöcher zu stopfen, sondern die Handlungsfähigkeit einer Wirtschaft zu erhöhen, die eine schlechte Politik durch eine bessere ersetzen will. Man sollte allerdings berücksichtigen, dass zusätzliche Mittel nicht nur die Erleichterung, sondern auch eine Verzögerung oder gar Verhinderung erwünschter Anpassungen bewirken können. In diesem Fall könnte Konditionalität für die zusätzlichen Mittel positive Ergebnisse hervorbringen.

Wie können diese Konflikte gelöst, wie die Differenzen beseitigt werden? Die Abhilfe für Punkte 1 und 2 besteht in Ausbildung, rationalem Dialog, der Darlegung von Argumenten, vor allem aber in Demut; für Punkt 3 in genauerer Analyse; für Punkte 4, 5 und 6 gibt es zwei Lösungen: Entweder unterstützt die Geberorganisation diejenigen Gruppen im Empfängerland, die ihren Zielen am nächsten stehen, oder sie überlegt sich, wie sie die durch die Reform beschädigten Interessen ausgleichen kann, soweit dies wünschenswert, machbar oder erforderlich ist. Eine andere Möglichkeit wäre eine Beschränkung des Gebers auf Minimalziele, nämlich die Außenbilanz zu sichern und Bedingungen zu schaffen, die es dem Land erlauben, den Kredit zu bedienen, aber Entscheidungen über andere Probleme, z. B. Inflation, Arbeitslosigkeit, Einkommensverteilung, Armutsbekämpfung usw., dem Empfängerland zu überlassen.

Um Meinungsverschiedenheiten über die Analyse der Ursachen auszuräumen, könnte sich der Kreditgeber auf Ergebnisse konzentrieren (z. B. auf die Zahlungsbilanzsituation) statt auf die Mittel (Abwertung, fiskalische Zurückhaltung, Kreditbeschränkungen, Privatisierung, Liberalisierung, Deregulierung). Eine weitere Möglichkeit bestünde darin, ohne harte Konditionalität »gute« oder viel versprechende Länder zu unterstützen, ohne gute Leistung zur ausdrücklichen Vorbedingung für Kredite zu machen. Dies würde sich schnell herumsprechen. Bei Punkt 9 erhebt sich die schwierige Frage, ob die Unterstützung der »Guten« innerhalb eines Landes von Vor- oder Nachteil ist. Im Falle von Punkt 10 empfehlen sich von der internationalen Gemeinschaft zusätzlich bereitgestellte Mittel, die die Handlungsfähigkeit der Empfänger erhöhen und die Kosten des Übergangs auffangen können.

Wenn Einigkeit darüber besteht, dass Wirtschaftspolitik keine exakte Wissenschaft ist, sondern sich auf sehr unsicherem Gelände bewegt, dann sollte die vom

Geber auferlegte Konditionalität durch einen echten Dialog zwischen Geber und Empfänger ersetzt werden. Aber selbst wenn dem Geber die Offenbarung der absolut richtigen Politik zuteil geworden wäre, könnte es kontraproduktiv sein, sie dem Empfänger aufzuzwingen, weil dies dazu benutzt werden könnte, die Opposition im Inland zu mobilisieren. Unter bestimmten Bedingungen kann Konditionalität dazu dienen, die reformwilligen Kräfte im Land zu unterstützen und zu stärken und die verbrieften Interessen der Gegenseite zu beschneiden. Unter anderen Umständen kann Konditionalität das Todesurteil bedeuten, nämlich dann, wenn die Reformkräfte als Lakaien ausländischen Kapitals verunglimpft werden und damit ihre Position geschwächt wird.

Technische Hilfe

Bilaterale und multilaterale Technische Hilfe durch Regierungen oder internationale Institutionen, ganz besonders Ausbildungshilfe, wird im Allgemeinen als besonders wertvolle Form von Hilfe betrachtet. Das kann sie ohne Frage sein. Aber sie kann auch große Schwächen haben.

Zum einen haben wir normalerweise keinen objektiven Wertmaßstab. Das Ergebnis wird am Aufwand gemessen – an der Höhe der Mittel oder an der Anzahl der entsandten Experten. Dieser Maßstab vermittelt einen falschen Eindruck vom Erfolg, wenn in Wirklichkeit nichts (oder noch weniger) erreicht worden ist.

Zweitens haben sowohl die Empfänger, die Leistungen gratis erhalten, als auch Geber, die keiner politischen Kontrolle unterliegen, ein Interesse daran, technische Hilfsprogramme aufzublähen, ohne deren wirklichen Nutzen zu prüfen. Denn eine sichtbare Wirkung kann einheimische Defizite offenbaren, politische Interessen oder die Interessen bestimmter Berufsgruppen in den Empfängerländern beschädigen, Menschen verärgern oder Dinge durcheinander bringen. Der ausländische Experte – vorausgesetzt er bewirkt nicht viel – dient dem Prestige des Gastlandes, ohne lästig zu sein.

Drittens können sich diese Experten einen zu Hause unerreichbaren Lebensstandard leisten. Wenn sie nicht gerade übermäßig selbstkritisch sind, haben auch sie kein großes Interesse daran, ihre Daseinsberechtigung und ihren Entwicklungsbeitrag einer allzu genauen Prüfung zu unterziehen. Aber mit ihrem Beispiel, nämlich durch die Beschäftigung von Dienstboten, andere Lebensweisen und ihr Untersichbleiben, verschärfen sie die Probleme, die der Entwicklung durch eine zweigleisige Wirtschaft entstehen. Das gemeinsame Interesse von Regierungen der Empfängerländer, Gebern und Experten an der Verhinderung radikaler Reformen führt dazu, dass ungeeignete Leute von mittelmäßiger Qualität sich angezogen fühlen und eingestellt werden. Ein großer Teil der Mittel für Technische Hilfe geht in die Bereitstellung und Finanzierung von Sinekuren für Akademiker. Dudley Seers schrieb einmal einen Artikel »Why Visiting Economists Fail«. Manchmal denke ich, dass ein Folgeartikel »Why Failed Economists Visit« angebracht wäre.

Viertens: Die »Absorptionsfähigkeit« von Entwicklungsländern mit geringem Einkommen ist sowohl für Kapital- als auch Technische Hilfe begrenzt. Um Fähigkeiten zu lehren, ist mehr nötig als Lehrfähigkeit und Entwicklungsgeschick. Die

Einstellung der Menschen und die gesellschaftlichen Institutionen in einem komplexen Sozialsystem müssen sich verändern, wenn Unterweisung eine Wirkung haben soll. Technische Hilfe »greift« nicht ohne Reformen in anderen Bereichen des Systems. Wie Schnittblumen welkt und verdorrt sie, weil sie keine Wurzeln hat.

Fünftens: Auf Grund ihrer Statuten und ihres Bestrebens nach Erhalt und Ausweitung ihrer Zuständigkeitsbereiche neigen die UN-Sonderorganisationen zu technischen »Lösungen« ohne Berücksichtigung der gesellschaftlichen, kulturellen und menschlichen Faktoren.

Mit vielen dieser Unzulänglichkeiten der staatlichen und zwischenstaatlichen Organisationen haben die besten der NGOs nicht zu kämpfen. Sie haben kein Interesse daran, ihre Programme aufzublähen, denn ihr Vorteil und ihr Stolz ist das überschaubare Maß. Ihr Lebensstil ist viel einfacher als der der technischen Experten. Sie leben unter der Dorfbevölkerung oder unter den Armen in den Städten und teilen ihre Armut. Die Armen sind oft planlos und chaotisch, mutlos und uninformiert. Diese NGOs helfen die Einstellungen der Armen verändern, indem sie ihr Selbstvertrauen und ihr Selbsthilfepotenzial stärken, ihnen Mut machen und ihnen Lösungen aufzeigen, für die sie vorher Hilfe von außen in Anspruch nehmen mussten, ihnen die Augen öffnen für Möglichkeiten zur Verbesserung ihrer Lebensbedingungen, die sie nicht ausgeschöpft hatten, Risiken vermindern, Vermittler ausschalten und Kontakte zu Agenten von außen herstellen. Dadurch wird die »Aufnahmefähigkeit« erhöht. Ihre Sensibilität für die Bedürfnisse der Armen macht sie auch sensibel für die gesellschaftlichen, kulturellen und menschlichen Kräfte in der Gesellschaft, in der sie arbeiten.

Zusammenfassung einiger neuer Formen von Entwicklungszusammenarbeit

1. Harte Konditionalität sollte durch gegenseitige Überwachung, wie einst beim Marshall-Plan, ersetzt oder es sollten Pufferinstitutionen zwischen Gebern und Empfängern eingerichtet werden. Auf diese Weise ließe sich die Achtung der nationalen Souveränität mit der Rechenschaftspflicht gegenüber dem Steuerzahler und der Gewissheit, dass die Hilfe ihr Ziel erreicht, verbinden.
2. Neue Formen internationaler Besteuerung sollten in Betracht gezogen werden. Die Besteuerung von Handel, Kraftstoff- und Waffenhandel, in internationalen Gewässern geschürften Mineralien und gefangenen Fischen, internationalen Flügen, Umweltbelastungen sowie eine internationale Lotterie, neue Sonderziehungsrechte des IWF für arme Länder, Verkäufe aus der Goldreserve des IWF und vieles andere wären denkbare Möglichkeiten.
3. Soziale Anpassungshilfe sollte ausgeweitet werden, wenn ein Land bereit ist, schlechte Politik durch gute zu ersetzen.
4. Für die wirtschaftliche Zusammenarbeit sollten nicht 0,7 Prozent des Bruttosozialprodukts anvisiert werden, sondern klar definierte allgemeine Ziele, wie z. B. die Beseitigung von Hunger und Unterernährung auf der ganzen Welt oder sauberes Wasser für alle. Dies müsste mit einer Mobilisierung der öffentlichen Meinung einhergehen. Diese Ziele sind ihrer Natur nach öffentliche Güter.

5. Es sollte eine Rückkehr zu Projekthilfe und insbesondere zu partizipatorischer Projekthilfe im Bereich der »menschlichen Entwicklung« erfolgen.
6. Nothilfe sollte an Entwicklung gekoppelt werden, indem z. B. Flüchtlinge zum Straßenbau verpflichtet werden.
7. Erprobung von öffentlich-privaten Mischformen von Entwicklungsinstitutionen, wie z. B. die *British Commonwealth Development Corporation*, die Privatinitiative mit sozialer Verantwortung und Rechenschaftspflicht des öffentlichen Sektors verbindet.
8. Die Auswirkungen der *gesamten* Politik der reichen Länder auf die Armen sollten überprüft werden, nicht nur die der Entwicklungshilfe. Agrar-, Industrie-, Regional-, Umwelt-, Steuer-, Geld- und Währungspolitik können ein Vielfaches dessen zunichte machen, was Entwicklungspolitik leistet.

Anmerkungen

1 Polanyi, Karl (1944): The Great Transformation, Boston. Dieses Argument verdanke ich Mohan Rao (1977): Globalization: A View from the South, Manuskript, Dezember 1977. Der Begriff des »eingebetteten Liberalismus« für den Ausgleich zwischen Handelsliberalisierung und Sozialpolitik in der Nachkriegszeit stammt von John G. Ruggie: At Home Abroad, Abroad At Home: International Liberalization and Domestic Stability in the World Economy, in: Millenium. Journal of International Studies, vol. 24 (3), S. 507–526.
2 Orwell, George (1946): Politics and the English Language, zitiert nach Göran Ohlin: A Plea for Realism in Discussing International Cooperation. Participant Paper 52 for the Roundtable on Global Change, UNDP/Saltsjöbaden, Juli 1994.
3 Wie wurden Probleme gelöst, Dinge in Angriff genommen und Fragen geklärt, bevor alles »angegangen« (addressed) wurde? »Address« war etwas, wofür ausschließlich Briefumschläge in Frage kamen. Der prätentiöse Gebrauch des Wortes stammt aus dem Golfsport.
4 Nach K. Sawar Lateef (1992): Comment on »Governance and Development«, in: Proceedings of the World Bank Annual Conference on Development Economics 1991. Supplement on the World Bank Economic Review and Research Observer, Washington, D. C., S. 295.
5 Ebenda
6 Landell-Kills, Pierre/Serageldin, Ismail (1992): Governance and the External Factor, in: Proceedings of the World Bank Annual Conference on Development Economics 1991 (Anm. 4), S. 303–320.
7 Weltbank (1989): Sub-Saharan Africa: From Crisis to Sustainable Growth. A Long-Term Perspective Study, Washington, D. C.
8 IMF Survey vom 14.11.1994, S. 300.
9 Nelson, Joan (1992): (Anm. 4), S. 289.
10 The Report of the Commission on Global Governance (1995): Our Global Neighbourhood, Oxford, S. 2.
11 The Commission on Global Governance Update, September 1994, S. 3.
12 Messner, Dirk/Nuscheler, Franz (1996): Global Governance. Policy Paper 2 der Stiftung Entwicklung und Frieden, Bonn.
13 Ohlin, Göran (1994): (Anm. 2).
14 Putnam, Robert D./Leonardi, Robert/Nanetti, Raffaela Y. (1993): Making Democracy Work, Princeton.
15 Man sollte nicht vergessen, dass manche als Vorteil sehen, was andere als Bedrohung der Wettbewerbsfähigkeit betrachten. So kann man beispielsweise die Sicherheit des Arbeitsplatzes, sichere Renten und ein umfassendes Sozialsystem als Beitrag zur Lebenssicherung, aber auch als Verstärkung von »Inflexibilität« und Erstarrung und damit verbundener Steigerung der Sozialkosten betrachten.

16 Vgl. Shubik, Martin (1997): Terrorism, Technology and the Socio-economics of Death; in: Comparative Strategy, Nr. 16/1997, S. 399–414.
17 Siehe Falk, Richard (1996): Revisioning Cosmopolitanism, in: Martha Nussbaum et al., For Love of Country: Debating the Limits of Patriotism, Boston, S. 58.
18 Ebenda, S. 59.
19 Overseas Development Institute (1995): Briefing Paper.
20 Diese Büros sollten regional, nicht national organisiert sein, um gegenwärtige Fehler zu vermeiden, die aus engen nationalen Sichtweisen entstehen. Solche Fehler haben dazu geführt, dass beispielsweise Kenia eine Diversifizierung von Kaffee zu Tee und Sri Lanka eine Diversifizierung von Tee zu Kaffee angeraten wurde, obwohl es auf der Welt eine Überproduktion von beiden gibt.
21 Actionaid (1997): The Reality of Aid.
22 The New Yorker vom 6. 2. 1995, S. 4 f.
23 Herbert, Bob (1995): A Nation of Nitwits, in: The New York Times vom 1. März 1995.

Heidemarie Wieczorek-Zeul

Entwicklungspolitik ist Friedenspolitik. Neue Herausforderungen für Frieden und Entwicklung auf dem Weg ins 21. Jahrhundert

Das Überleben sichern: Aktuelle Grundprinzipien des Brandt-Berichtes

Der 1980 von der *Nord-Süd-Kommission* vorgelegte Bericht »Das Überleben sichern« verstand sich als Vision und Programm gleichermaßen. In seinem Vorwort formulierte Willy Brandt das Anliegen der *Nord-Süd-Kommission* mit folgenden Worten (S. 19): »Unser Bericht gründet sich auf das wohl einfachste gemeinsame Interesse: Dass die Menschheit überleben will und – wie man hinzufügen könnte – auch die moralische Pflicht zum Überleben hat. Dies wirft nicht nur die klassischen Fragen nach Krieg und Frieden auf, sondern schließt auch ein, wie man den Hunger in der Welt besiegt, wie man das Massenelend überwindet und die herausfordernde Ungleichheit in den Lebensbedingungen zwischen Arm und Reich. Auf einen Nenner gebracht: Dieser Bericht handelt vom Frieden.«

Vor dem Hintergrund der seinerzeit noch existierenden bipolaren Weltordnung kennzeichnete der Brandt-Bericht die Nord-Süd-Beziehungen als die große soziale Herausforderung unserer Zeit. Abgesehen von den möglichen Risiken militärischer Konflikte können auch Massenhunger, wirtschaftliche Zusammenbrüche, Umweltkatastrophen oder auch Terrorismus ebenso schwer wiegende Gefahren für die Menschheit hervorrufen. Wörtlich heißt es (S. 23): »Die Geschichte hat uns gelehrt, dass Kriege Hunger nach sich ziehen, aber weniger bewusst ist uns, dass Massenarmut ihrerseits zu Kriegen führen oder in Chaos enden kann. Wo Hunger herrscht, kann Friede nicht Bestand haben.«

Aus dieser Erkenntnis zog die *Nord-Süd-Kommission* die Konsequenz (S. 19): »Wir sind daher nicht nur aufgefordert, die gewissermaßen klassischen Ursachen der Friedensbedrohung zu mindern, sondern sind auch aufgefordert, aus Chaos Ordnung werden zu lassen.«

Obgleich sich in den zwanzig Jahren nach Erscheinen des Brandt-Berichtes die internationalen Koordinaten erheblich geändert haben, sind wichtige Grundannahmen des Berichtes noch heute überraschend aktuell. Richtungsweisend sind insbesondere die Feststellungen zu den Interdependenzen globaler Entwicklung und die Einsicht in die Notwendigkeit einer internationalen Zusammenarbeit zur Lösung der grenzüberschreitenden Probleme: »Wir sehen uns mehr und mehr Problemen gegenüber, welche die Menschheit insgesamt angehen, sodass folglich auch die Lösungen hierfür in steigendem Maße internationalisiert werden müssen. Die

Globalisierung von Gefahren und Herausforderungen – Krieg, Chaos, Selbstzerstörung – erfordert eine Art ›Weltinnenpolitik‹, die über den Horizont von Kirchtürmen, aber auch nationale Grenzen weit hinausreicht.« (S. 27)

Ökonomische, soziale, ökologische und politische Herausforderungen in der Weltgesellschaft an der Schwelle zum 21. Jahrhundert

Die Erweiterung und Verdichtung der globalen Beziehungen an der Schwelle zum 21. Jahrhundert schafft für die Weltgesellschaft neue große Chancen für Fortschritt und Entwicklung. Enorme Technologiesprünge eröffnen Möglichkeiten für höheres Wirtschaftswachstum und intensiveren Austausch von Waren und Dienstleistungen, von Kapital und Wissen. Moderne Verkehrs- und Kommunikationstechnik bringt nicht nur Produktionsstandorte und Märkte, sondern auch Menschen, Gesellschaften und Staaten einander näher und kann helfen, das gegenseitige Verständnis unterschiedlicher Kulturen und Lebensweisen zu verbessern. Die Welt rückt enger zusammen.

Gleichzeitig ist der Prozess der Globalisierung aber auch voller Risiken und Herausforderungen. Es wird Gewinner und Verlierer geben, weil die Voraussetzungen der einzelnen Staaten und ihrer Menschen ganz unterschiedlich sind. Der reine Prozess der Globalisierung ist weit davon entfernt, Chancengleichheit zu gewährleisten. Hier beginnt die Aufgabe der Politik. Sie muss sich den großen Herausforderungen stellen.

Die ökonomische Herausforderung

Die gegenwärtige Entwicklung der internationalen Wirtschaftsbeziehungen wird häufig mit dem Begriff der Globalisierung zusammengebracht. Dagegen ist nichts einzuwenden, solange der Begriff nicht als Schlagwort verwendet wird und die analytische Schärfe nicht verloren geht. Die wirtschaftlichen Verflechtungen weiten sich seit Jahrhunderten aus. Vor diesem Hintergrund stellt die Globalisierung kein neues Phänomen dar. Neu ist allerdings am Ende dieses Jahrhunderts das zunehmende Auseinanderfallen zwischen politischem Handlungsspielraum im Nationalstaat und den globalen Handels- und Finanzströmen.

Während die Reichweite der Wirtschaftsakteure stetig wächst, bleibt die Reichweite der Politik begrenzt. Während große Unternehmen sich global organisieren, bleiben die Nationalstaaten der klassische Rahmen von Politik. Damit sich diese Schere nicht weiter öffnet, muss die Politik verstärkt international koordiniert werden. Bereits die Herausbildung der Nationalstaaten im 18. und 19. Jahrhundert war zu einem guten Teil dieser Logik geschuldet: Die Wirtschaftsräume wuchsen und mit ihnen der Bedarf nach ihrer politischen Steuerung. Es ist derselbe Mechanismus, der uns heute dazu zwingt, Politik global zu gestalten.

Auf absehbare Zeit wird dieses aber realistischer Weise nicht in Form einer Weltregierung *(global government)* stattfinden. Sehr wohl nötig und möglich ist aber der Aufbau einer Weltordnungspolitik *(global governance)*, die ein abgestimmtes politisches Handeln auf globaler Ebene erlaubt. Bei der Gestaltung von *»global governance«* kommt es darauf an, multilaterale, regionale und nationale Ansätze miteinander zu verbinden und mit föderalen, kommunalen und lokalen Interessen zu vernetzen. Alle Ebenen müssen miteinander verbunden werden. Dabei ist nicht nur an staatliche Organisationen zu denken, sondern ebenso an NROs, Gewerkschaften oder transnationale Verbraucherschutzverbände, die in diesem Konzept eine große Rolle spielen. Es muss ein Netzwerk aus Institutionen, Verbänden, internationalen Normen und Regimen entstehen, das unterhalb der Ebene eines *»global government«* Machtkonzentrationen begrenzt und den Entwicklungsländern auf den Weltmärkten eine wirkliche Chance gibt. Entscheidend ist, dass auch im Weltmaßstab demokratische Standards und Ansprüche entwickelt werden.

Gerade für die ärmeren Entwicklungsländer sind die Risiken, die ihnen aus dem Prozess der Globalisierung entstehen, erheblich. Die Mehrzahl der Entwicklungsländer hat aus internen und weltmarktbedingten Gründen bisher keinen oder nur einen unzulänglichen Zugang zu den globalen Märkten gefunden.

Neben der zu geringen Reichweite nationalstaatlicher Politik stellen die internationalen Finanzkrisen ein weiteres großes Problem dar. Der internationale Finanztransfer und die internationale Verschuldung wachsen schneller als Welthandel und Weltproduktion. Die Finanzkrisen führen zu Instabilitäten im monetären Bereich, die insbesondere gravierende realwirtschaftliche Rückwirkungen haben. So befinden sich heute große Teile der Welt in einer Rezession, die durch Finanzkrisen ausgelöst wurde. Hinter den Zahlen verbergen sich wachsendes soziales Elend, steigende Armut und Arbeitslosigkeit, Krankheit, zunehmende Gewalt und Umweltzerstörung. Die *Asiatische Entwicklungsbank* kam auf ihrer Jahrestagung im April 1999 zu dem bitteren Ergebnis, dass die spektakulären Erfolge der letzten zwei Jahrzehnte in der Armutsbekämpfung in Asien durch die Krise zunichte gemacht wurden. Solche Rückschläge können nicht allein durch Korrekturen in den nationalen Finanzordnungen der betroffenen Länder vermieden werden, sondern verlangen eine zukunftsfähige Finanzarchitektur auch auf internationaler Ebene. Zugleich müssen die rechtlichen und institutionellen Voraussetzungen in den Entwicklungsländern verbessert werden.

Die Rolle der Entwicklungspolitik und der öffentlichen Leistungen im Kapitaltransfer an die Entwicklungs- und Übergangsländer ist daher von unverändert großer Bedeutung. Der Rückgang der ODA *(Official Development Assistance)* fällt vor diesem Hintergrund besonders schmerzlich ins Gewicht. Die ODA befand sich in den Jahren 1997 und 1998 mit rund 50 Mrd. US-Dollar auf dem tiefsten Stand seit 50 Jahren. Sie macht nunmehr knapp ein viertel Prozent am Bruttosozialprodukt der Industrieländer aus.

Vor diesem Hintergrund planen die Vereinten Nationen eine Konferenz zur Frage der Finanzierung von Entwicklung im Jahr 2001. Unter dem Leitthema *»Financing for Development«* soll dabei die gesamte Bandbreite der Quellen von Entwicklungsfinanzierung behandelt werden – angefangen von der Mobilisierung eigener Finanzmittel in den Entwicklungsländern über private Kapitaltransfers, Verschuldungsfragen, Handel, öffentliche Entwicklungshilfe bis hin zur Erörterung innovativer Finanzierungsformen (Stichwort: *Tobin-Steuer*). Ziel der Konferenz wird es sein, für die globale Aufgabe »Entwicklung« eine verlässliche und angemessene Mittelbereitstellung zu sichern.

In den Entwicklungsländern ist die Auslandsverschuldung seit den achtziger und neunziger Jahren kontinuierlich angestiegen und liegt inzwischen bei über zwei Billionen US-Dollar. Der deutsche Vorstoß anlässlich des G7/G8-Gipfels 1999 in Köln zu einer weitergehenden Entlastung der ärmsten hoch verschuldeten Entwicklungsländer (HIPC) zielt auf eine breitere, tiefere und schnellere Entschuldung besonders betroffener Entwicklungsländer und soll neue Freiräume zur Minderung von Armut und zum Abbau sozialer Ungleichgewichte schaffen. Er entwickelt die Entschuldungsbemühungen auf internationaler Ebene *(Pariser Club, HIPC-Initiative)* fort und ergänzt die Beschlüsse der Bundesregierung zu bilateralen Schuldenerlassen für besonders benachteiligte Ländergruppen und unternimmt gezielte Schuldenumwandlungsoperationen für Umwelt-, Bildungs- und Armutsbekämpfungsmaßnahmen in Entwicklungsländern.

Zudem hat sich der private Kapitaltransfer in die Entwicklungsländer in den letzten Jahren nicht nur als besonders selektiv – er konzentriert sich auf wenige Länder und Sektoren –, sondern auch als instabil erwiesen. Die privaten Nettokapitalzuflüsse in die Entwicklungsländer stiegen zwar seit Beginn der neunziger Jahre bis 1997 schnell auf 299 Mrd. US-Dollar an, fielen aber 1998 auf 227 Mrd. US-Dollar zurück (nach Daten der Weltbank). Besonders stark waren die Schwankungen bei den Portfolio-Investitionen. Die hohe Mobilität privaten Kapitals hat vielerorts nicht nur zum raschen Aufstieg *(»bubble economy«)*, sondern auch zum ebenso raschen Fall geführt. So ging das Volkseinkommen in den zehn Ländern Südostasiens – darunter *»emerging markets«* wie Korea, Malaysia, Indonesien, Singapur und Thailand – allein 1998 um 6,9 Prozent gegenüber dem Vorjahr zurück. Für die Entwicklungsländer und *»emerging markets«* weltweit machten sich die Folgen der Finanzkrisen in Asien und Lateinamerika auch 1999 noch schmerzlich bemerkbar, zumal die Rohstoffpreise tief gefallen und die langfristigen Kapitalimporte drastisch geschrumpft sind.

Die soziale Herausforderung

Nach wie vor ist die Welt geprägt von Armut und von Ungerechtigkeiten zwischen den Menschen und zwischen den Ländern. Gewerkschaften und Gewerkschafter werden unterdrückt, Frauen diskriminiert und Kinderarbeit gehört in vielen Ländern zum Alltag. Die Zahl der Menschen, die von weniger als 1 US-Dollar pro Tag leben müssen, hat sich im vergangenen Jahrzehnt erhöht, obwohl das Weltsozialprodukt weiter angestiegen ist. Sie wird nach Schätzungen der Weltbank bis zum Ende des Jahrtausends 1,5 Milliarden betragen. Die Trennlinie zwischen Arm und Reich wird zukünftig nicht allein zwischen Nord und Süd oder Ost und West verlaufen. Zusätzlich tut sich eine Kluft zwischen den Wirtschaftsräumen und Menschen auf, die erfolgreich in die globale Ökonomie integriert sind, und denen, die von diesen Chancen ausgeschlossen sind.

Der *Weltsozialgipfel* 1995 in Kopenhagen hat Wege aufgezeigt, die Industrieländer, Übergangs- und Entwicklungsländer gemeinsam beschreiten können, um die soziale Situation in den armen Ländern zu verbessern. Die in Kopenhagen eingegangene Verpflichtung, die Armut in der Welt überwinden zu wollen, und die

Konkretisierung dieser Verpflichtung im Entwicklungspartnerschaftsprogramm der OECD (Halbierung der Zahl der absolut Armen bis 2015) verlangen von Industrie- und Entwicklungsländern gleichermaßen größere Anstrengungen und die konsequente Verwirklichung einer weltweiten Verantwortungs- und Entwicklungsgemeinschaft. Die Vereinten Nationen haben in ihren Berichten zur menschlichen Entwicklung von 1997 und 1998 errechnet, dass mit zusätzlichen Investitionen von 40 Mrd. US-Dollar pro Jahr die soziale Grundversorgung auch in den Entwicklungsländern sichergestellt werden könnte. Wir müssen uns bewusst werden, dass diese Investitionen auch Investitionen in unsere eigene Sicherheit und Zukunft sind, und müssen der Lösung der sozialen Frage in Entwicklungs- und Übergangsländern noch höheres Gewicht beimessen.

Ein wichtiges Instrument ist das Vereinbaren von sozialen Mindeststandards für den Bereich der Produktion. Zwar wird hier vielfach der Einwand erhoben, dass es sich bei der Setzung von sozialen Mindeststandards um eine versteckte Form des Protektionismus handeln würde. Dieser Vorwurf geht aber an der Sache vorbei. Die Umgehung international anerkannter Schutzregeln für Arbeitnehmerinnen und Arbeitnehmer ist unter keinen Umständen ein legitimes Mittel zur Verbesserung der eigenen Wettbewerbssituation – zumal hier nicht von den Standards westlicher Industrienationen, sondern immer nur von Mindestanforderungen die Rede ist. Es ist die Aufgabe der Entwicklungspolitik, dafür Sorge zu tragen, dass international gültige Mindest-Sozialstandards vereinbart werden und – wichtiger noch – dass ihre Durchsetzung auch gewährleistet wird. Auch die Entwicklungsländer selbst müssen hieran ein Interesse haben, da sich ihre Absatzchancen ebenfalls verschlechtern, wenn einige wenige Länder auf Kosten ihrer Bevölkerung Sozialdumping betreiben. Zudem müssen sich in allen Ländern freie Gewerkschaften gründen können, die auch das Recht zur kollektiven Lohnverhandlung haben.

Sozialstandards geben noch einen weiteren wichtigen Impuls für die Entwicklungsländer: Sie ermöglichen Familien und Kindern in längerer Frist ein höheres Bildungsniveau. Schutzbestimmungen gegen Kinderarbeit erlauben z. B. vielen Kindern erst den Schulbesuch. Es ist dieses Kapital der Menschen, auf das es in den nächsten Jahrzehnten ankommen wird. Bildung muss ein zentraler Aspekt in der Entwicklungspolitik sein.

Ein interessantes Instrument ist die freiwillige Einführung von Sozíallabels im internationalen Handel. Soziallabel beziehen die Verbraucherinnen und Verbraucher in den Industrieländern bewusst mit ein. Dadurch, dass sie über das entsprechende Produkt zusätzliche Informationen erhalten, kommt ihre Konsumentensouveränität erst wirklich zum Tragen. Zudem wird so bei den Verbrauchern Bewusstsein für die Produktionsbedingungen in den Herkunftsländern der Waren geschaffen. Gerade dies ist ein wünschenswerter und nicht zu unterschätzender Effekt. Das Alltagsleben der Menschen in den Industriestaaten bietet viel zu wenig erkennbare Anknüpfungspunkte an die Lebens- und Produktionsbedingungen in den Entwicklungsländern.

Sind die sozialen Rahmenbedingungen geschaffen, können Wirtschaftswachstum und Wettbewerb auf den internationalen Märkten ihren Anteil an der Armutsbekämpfung übernehmen. Solange der soziale Rahmen aber nicht stimmt, droht Wettbewerb ausschließlich zu einem Konkurrenzkampf um die Standorte mit den niedrigsten sozialen Standards zu werden.

Die ökologische Herausforderung

Auch die größten Anstrengungen und großartige Leistungen in Politik, Wirtschaft und Wissenschaft können den Wohlstand nur mehren und sichern, wenn die ökologische Nachhaltigkeit gewährleistet ist. Die Bewahrung von Wasser und Boden sowie der Schutz der unsere Erde umgebenden Atmosphäre und der Biosphäre sind deshalb Aufgaben oberster Priorität.

Während 1990 über 100 Millionen Menschen von chronischer Wasserknappheit betroffen waren, rechnet man damit, dass diese Zahl bis zum Jahr 2025 auf eine Milliarde ansteigen wird. Bereits jetzt zeichnen sich schwere Konflikte um Wasser ab, die zu gewaltsamen Auseinandersetzungen zwischen Staaten und auch innerhalb von Staaten führen können.

Die Böden der Erde sind in allen Teilen der Welt zunehmend durch menschliche Einwirkung geschädigt. Von der gesamten Landfläche der Erde von 130 Millionen Quadratkilometern sind bereits 20 Millionen geschädigt. Angesichts der stark wachsenden Weltbevölkerung bei gleichzeitiger knapper werdenden landwirtschaftlichen Nutzflächen zeichnet sich hier ein bedrohliches soziales Konfliktpotenzial ab. Aufgrund des nachholenden Entwicklungsprozesses in den Entwicklungsländern und aufgrund des Bevölkerungswachstums wird die Nachfrage nach und der Verbrauch von erneuerbaren, aber auch nicht erneuerbaren Ressourcen in den nächsten Jahren in jedem Fall noch beträchtlich steigen.

Allein der Bedarf an Energie wird sich nach Schätzungen in den nächsten zwei bis drei Generationen vervierfachen. Bezogen auf den Pro-Kopf-Verbrauch wird jedoch der größte Anteil auf absehbare Zeit weiterhin auf die Industrieländer entfallen. Lange Zeit ist man davon ausgegangen, dass bei Fortsetzung der gegenwärtigen Produktions- und Konsummuster die ökologische Gefährdung vor allem durch die Erschöpfung und die Endlichkeit der natürlichen Ressourcen – wie sie besonders vom Bericht an den *Club of Rome* Anfang der siebziger Jahre prognostiziert wurde – entstehe. Heute deutet sich an, dass der hohe Ausstoß von Treibhausgasen und die globale Erwärmung sowie die Zerstörung der Ozonschicht eine noch unmittelbarere Bedrohung der weltweiten natürlichen Lebensgrundlagen darstellen.

Das Bundesministerium für wirtschaftliche Zusammenarbeit und Entwicklung (BMZ) hat vor diesem Hintergrund im Haushalt ein spezielles Programm »Zukunftssicherung durch Klimaschutz« aufgelegt: Im Rahmen der finanziellen Zusammenarbeit sollen gezielt Ansätze für eine verstärkte Nutzung von erneuerbaren Energiequellen in unseren Partnerländern gefördert werden. Das Programm ergänzt und flankiert die umfassenden Leistungen, die Deutschland im Rahmen der internationalen Bemühungen zur Verbesserung des Ressourcenschutzes und zur nachhaltigen Entwicklung erbringt. So trägt das BMZ je rund zehn Prozent zum Multilateralen Fonds des *Montrealer Protokolls* (seit 1990 1,16 Mrd. US-Dollar) und zur *Globalen Umweltfazilität*/GEF (seit 1991 rund 5 Mrd. US-Dollar), die den internationalen Konventionen zum Klimaschutz und zur Artenvielfalt als Finanzierungsmechanismus dient, bei. Auch der Einstieg in die ökologische Steuer- und Abgabenreform, mit dem marktwirtschaftliche Anreize für die Entwicklung energiesparender und umweltschonender Produkte und Verfahren und ein umweltbewusstes Verbrauchsverhalten in Deutschland gesetzt werden, dient einem verbesserten Umwelt- und Ressourcenschutz.

Die politische Herausforderung

In der globalisierten Welt können tragfähige Lösungen nur gefunden werden, wenn alle Beteiligten und Betroffenen gleichrangig mitwirken können. Dies erstreckt sich auf eine verbesserte Mitwirkung aller gesellschaftlichen Kräfte bei der Formulierung nationaler Politiken ebenso wie auf eine ausgewogene und faire Beteiligung aller Staaten an Entscheidungsprozessen im internationalen Rahmen. Hierbei ist durchaus auch an eine verstärkte Teilnahme von nichtstaatlichen Akteuren, wie Wirtschaft und Zivilgesellschaft, an der Erarbeitung globaler politischer Regelwerke zu denken. Zudem müssen die Interessen künftiger Generationen gewahrt werden.

Dem Erfordernis zu einer beteiligungsorientierten Erarbeitung von politischen Lösungen globaler Probleme steht vielfach noch immer eine nach innen gerichtete Politikauffassung auf nationaler Ebene gegenüber. Auch die Tendenz zu einem »Unilateralismus« unter der Meinungsführerschaft der einzig verbliebenen Supermacht USA wirkt einer globaleren und demokratischeren Politikgestaltung im internationalen Rahmen entgegen. Diese Tendenzen gilt es zu überwinden. Wir müssen im aufgeklärten Eigeninteresse nach neuen internationalen Handlungsmöglichkeiten und Kooperationsformen suchen.

Auch die Entwicklungs- und Übergangsländer müssen an einer Verdichtung der multilateralen Zusammenarbeit zur Überwindung der bestehenden sozialen, ökonomischen und ökologischen Herausforderungen intensiv beteiligt werden. Dabei geht es nicht um die Errichtung einer Weltregierung, sondern um eine Stärkung multilateraler institutioneller Arrangements. Es geht nicht um *»global government«*, sondern um die Gestaltung von *»global governance«* auf breiter Basis.

Dennoch: Auch die UN-Strukturen müssen in Richtung auf globale Verantwortung reformiert werden. Der UN-Sicherheitsrat sollte so verändert werden, dass er nicht nur – in letzter Konsequenz – die nationalen Interessen der großen Atommächte zum Ausdruck bringt, sondern Menschenrechte glaubwürdig und universell sichern hilft.

Ein interessantes Beispiel für ausgewogene und zugleich effiziente internationale Entscheidungsstrukturen ist die 1991 auf deutsch-französische Initiative von Weltbank, UNDP und UNEP eingerichtete *Globale Umweltfazilität* (GEF). Sie unterstützt Entwicklungs- und Übergangsländer dabei, die durch Umweltschutzmaßnahmen im globalen Interesse entstehenden zusätzlichen Kosten zu finanzieren. 1994 wurde für die GEF eine neuartige Organisations- und Entscheidungsstruktur eingeführt. Durch eine faire Repräsentanz in den Verwaltungsorganen und eine Gewichtung der Stimmen gemäß den Finanzbeiträgen werden die Interessen der beteiligten Entwicklungs-, Übergangs- und Industrieländer gleichermaßen gewahrt. Dies ist ein bedeutender Schritt in Richtung auf die in Rio 1992 proklamierte Umwelt- und Entwicklungspartnerschaft.

Die deutsche Entwicklungspolitik hat sich darüber hinaus zum Ziel gesetzt, die Berücksichtigung der Belange von Entwicklungsländern auch in anderen internationalen Foren und Regelwerken zu stärken. Dies betrifft z. B. die Beachtung von ökologischen und sozialen Kriterien in Strukturanpassungsprogrammen von IWF und Weltbank wie auch im Rahmen der WTO (Welthandelsorganisation).

Von zentraler Bedeutung ist die Stärkung der Handlungsfähigkeit der Vereinten Nationen, damit sie einen wirksamen Beitrag zu *»global governance«* leisten können. Auch hier können die im Rahmen des Rio-Prozesses erreichten strukturellen Fortschritte durchaus ein Vorbild geben. So wurde für die *Commission on Sustainable Development* (CSD) ein so genannter *»multi stakeholder dialogue«* eingeführt. Dieser wirkt als positives Beispiel, wie zivilgesellschaftliche Akteure in die globalen Gestaltungsstrukturen einbezogen und neue Formen globaler Politiknetzwerke aufgebaut werden können. Weitere Beispiele sind die *International Commission on High Dams* oder die *»Globale Wasserpartnerschaft«*, in denen Erfahrungen gesammelt werden, wie sich öffentliche Interessen über nationale Regierungen hinaus (aber ohne Weltregierung) durchsetzen lassen.

Bei der Durchsetzung der Menschenrechte haben sich in den vergangenen Jahren Fortschritte, aber auch Rückschläge gezeigt. So hat die UN-Menschenrechtskonferenz von 1993 in Wien das Bekenntnis zur Universalität der Menschenrechte bekräftigt und den Zusammenhang von sozialen und politischen Menschenrechten unterstrichen; sie hat zudem die Gleichberechtigung von Frauen und Männern untermauert und die Errichtung des Amtes eines *UN-Hochkommissars für Menschenrechte* erreicht. Mit der Verabschiedung eines Statuts zur Einrichtung eines internationalen Strafgerichtshofs wurde 1998 ein weiterer wichtiger Schritt zur Verbesserung des internationalen Menschenrechtsschutzes getan. In vielen Ländern werden dessen ungeachtet grundlegende Menschenrechte noch immer sträflich verletzt. Hierfür nur einige Beispiele: Täglich werden 6 000 Mädchen und Frauen an ihren Genitalien verstümmelt. 40 000 Menschen sterben am Tag, weil ihnen das Recht auf ausreichend Nahrung verwehrt blieb. In vielen Ländern werden die Verfahren wegen angezeigter Gesetzesverstöße und Menschenrechtsverletzungen ohne Anklage eingestellt.

Menschenrechtsschutz und die Förderung von demokratischen und rechtsstaatlichen Strukturen sind deshalb vorrangige Anliegen der deutschen Entwicklungspolitik. Wir werden dabei künftig auch besonderes Augenmerk richten auf die Stärkung der Rechte von Frauen und die Verbesserung ihrer Teilnahme und Teilhabe am Entwicklungsprozess sowie auf die Förderung von sozialen und wirtschaftlichen Menschenrechten. Dabei birgt die Kontroverse zwischen den westlichen Industrieländern und einigen Vertretern in anderen Weltregionen über die Universalität der Menschenrechte auch zukünftig Konfliktstoff.

Entwicklungspolitik als Friedenspolitik: Krisenprävention, Konfliktbearbeitung, Konfliktnachsorge

Im Zeitalter der Globalisierung und Interdependenz machen Krisen und Gewalteskalation nicht an Landesgrenzen Halt; sie greifen auf andere, auch unbeteiligte Länder über und gefährden die Ergebnisse bisheriger Entwicklungsanstrengungen. Ein zunehmender Anteil der öffentlichen Entwicklungsleistungen wird so durch die Beseitigung der Folgen von Krieg, Bürgerkrieg und Naturkatastrophen aufgezehrt und beeinträchtigt die langfristigen strukturgestaltenden Aufgaben der Entwicklungspolitik.

Die Anzahl der Kriege und bewaffneten Konflikte ist seit dem Zweiten Weltkrieg bis 1989, dem Ende des Kalten Kriegs, kontinuierlich von etwa 10 Ende der vierziger Jahre auf 30 bis 40 pro Jahr in der zweiten Hälfte der achtziger Jahre angestiegen. Zugleich änderte sich die Natur der Konflikte. Allein in den neunziger Jahren wurden über 100 bewaffnete Konflikte gezählt, von denen nur ein Bruchteil (vor allem Irak-Kuwait, Äthiopien-Eritrea) als klassische zwischenstaatliche Kriege zu bezeichnen ist. Über 175 Gruppen und Organisationen auf subnationaler Ebene waren in die Auseinandersetzungen involviert, die vornehmlich durch Milizen, bewaffnete Zivilisten, Guerilla-Kämpfer und ethnische Gruppen, kaum mehr durch reguläre militärische Kräfte ausgetragen werden. Absolut liegt die Zahl der jährlichen Todesopfer bei dieser Form von Kriegen zwar im Vergleich z. B. zum Korea- oder Vietnam-Krieg niedrig. Sie steigt im Trend dennoch kontinuierlich an als Folge der wachsenden Zahl bewaffneter Konflikte und bezieht in immer größerem Ausmaß die Zivilbevölkerung ein (UNDP 1999).

Aufgrund innerstaatlicher Auseinandersetzungen schwillt die Zahl von Vertriebenen und Flüchtlingen deutlich an. Ende 1997 wies der UNHCR 22 Millionen Flüchtlinge und Vertriebene (ohne Wirtschaftsflüchtlinge) aus. Mit der veränderten Natur von Kriegen und Konflikten wird immer deutlicher, dass der Schutz und die Förderung der Menschenrechte ein Anliegen aller Staaten sein muss. Das heißt auch, dass das Völkerrecht nicht mehr nur unter Bezug auf die nationale Souveränität definiert werden kann.

Die Sicherung des Friedens gelingt durch das Prinzip der Zusammenarbeit und regionale Zusammenschlüsse besonders gut. Die EU ist hierfür ein überzeugendes Beispiel. Regionale Kooperation und die Verdichtung und Vernetzung gemeinsamer (politischer, ökonomischer und kultureller) Interessen von Staaten wirken kriegsverhindernd. Dies belegt auch eine aktuelle Studie über militärische Konflikte zwischen 1950 und 1985 und die Mitgliedschaft in regionalen und internationalen Organisationen. Gemeinsame Mitgliedschaft und Zusammenarbeit in Zusammenschlüssen und regionalen Organisationen verringert die Kriegshäufigkeit zwischen Mitgliedsstaaten signifikant, insbesondere wenn diese zudem auf demokratischen Prinzipien aufgebaut sind (UNDP 1999). Die Unterstützung von regionalen Zusammenschlüssen und die Förderung ihrer Kapazitäten zur langfristigen Krisenvorbeugung und friedlichen Konfliktbearbeitung ist daher von besonderer entwicklungspolitischer Bedeutung. Wir haben dafür 1999 100 Millionen DM bereitgestellt.

Die Diskussion auf internationaler Ebene

Auf die vorgenannten Herausforderungen versucht die internationale Staatengemeinschaft verstärkt durch neue friedens- und entwicklungspolitische Aktivitäten sowohl auf multilateraler wie auch auf bilateraler Ebene zu reagieren. Bereits Anfang der neunziger Jahre wurden von Boutros Boutros-Ghali, seinerzeit Generalsekretär der Vereinten Nationen, mit der Vorlage der *»Agenda für den Frieden«* (SEF 1992) wichtige friedenspolitische Schritte initiiert. Im Unterschied zum bisherigen Mandat des Sicherheitsrates auf dem Gebiet der vorbeugenden Diplomatie, der Friedensschaffung und der Friedenssicherung, spricht die *»Agenda für den Frieden«* auch Maßnahmen zur Friedenskonsolidierung nach Beendigung eines Konfliktes an. Im Rahmen dieser Neuorientierung wird ebenfalls auf eine stärkere

Hinwendung zu Konfliktursachen gesetzt, sei es für die Friedenskonsolidierung oder für die Konfliktprävention. Die multilaterale und bilaterale Entwicklungspolitik werden aufgefordert, beim Kampf gegen Armut und Umweltzerstörung, Menschenrechtsverletzungen und fehlende politische Partizipation zusätzliche Anstrengungen zu unternehmen.

Wichtige Beiträge für die Stärkung multilateraler und bilateraler krisenpräventiver Entwicklungspolitik wurden auch im Rahmen von UNDP erarbeitet. Hervorzuheben sind die bei UNDP entwickelten Indikatoren menschlicher Sicherheit (UNDP 1994). Dazu zählen insbesondere:
- Ernährungssicherheit,
- Menschenrechtsverletzungen,
- ethnische und religiöse Konflikte,
- wirtschaftliche und soziale Ungleichheit,
- Militärausgaben.

Diese Indikatoren leisten auch einen Beitrag als Orientierungshilfe, um Konfliktpotenziale zu identifizieren und Schwerpunkte für entwicklungspolitische Maßnahmen im Rahmen der Krisenprävention und der Konfliktbearbeitung zu setzen.

In der zweiten Hälfte der neunziger Jahre wurden darüber hinaus zusätzliche Aktivitäten im Entwicklungsausschuss der OECD, in den Vereinten Nationen sowie im Rahmen der EU entwickelt. Mit den *DAC-»Guidelines on Conflict, Peace and Development«* von 1997 und dem *»UN Secretary-General's Report on the Causes of Conflict and the Promotion of Durable Peace and Sustainable Development in Africa«* vom 13. April 1998 sowie dem Beschluss des EU-Rates vom 30. November 1998 *zur Rolle der »Entwicklungszusammenarbeit bei friedensschaffenden Maßnahmen« sowie der Verhütung und Lösung von Konflikten* liegen jetzt international abgestimmte Konzepte vor, die eine verstärkte friedenspolitische Ausrichtung der Entwicklungspolitik voranbringen können.

1999 schließlich legte UNDP die Studie *»Global Public Goods: International Cooperation in the 21st Century«* vor, in der die Notwendigkeit unterstrichen wird, Länder übergreifend für die ausreichende Verfügbarkeit sogenannter *Globaler Öffentlicher Güter* Sorge zu tragen. Zu diesen zählen vor allem Frieden und Sicherheit, Fairness und Gerechtigkeit, Umwelt und Kulturerbe, aber auch der Zugang zu Wissen und Informationen und die Markteffizienz. Die Studie kommt dabei zu dem Schluss, dass eine globale Problembetrachtung und das Prinzip internationaler Kooperation zu Kernbestandteilen aller nationalen Politiken werden müssen, um den Bedrohungen wirksam entgegenzutreten, denen sich die Welt mangels ausreichender Versorgung mit globalen öffentlichen Gütern gegenübersieht.

Deutsche Entwicklungspolitik als Friedens- und Zukunftspolitik

Für die deutsche Politik ist die Verhinderung und Bewältigung gewaltsamer Konflikte ein zentrales Ziel. Im Rahmen eines außen-, sicherheits- und entwicklungspolitischen Gesamtkonzeptes ist es die Aufgabe der Entwicklungspolitik, in den Partnerländern durch Verbesserung der wirtschaftlichen, sozialen, ökologischen und politischen Verhältnisse zur Verhinderung und zum Abbau struktureller Ursachen gewalttätiger Konflikte einerseits sowie zum Aufbau von Mechanismen gewaltfreier Konfliktbearbeitung andererseits beizutragen. Die deutsche Entwicklungspolitik gehört damit zusammen mit der Außen- und Sicherheitspolitik zum Kernbereich der Friedenspolitik der deutschen Bundesregierung.

Voraussetzung für eine erfolgreiche Krisen- und Konfliktbewältigung sind eine genaue Analyse der Krisenursachen und die Identifizierung der Konfliktverläufe. Kriege mit ethno-nationalem Hintergrund spielen dabei die Hauptrolle, gleichzeitig sind diese die am schwierigsten zu lösenden Konflikte. Allerdings deuten die vorliegenden Erfahrungen darauf hin, dass ethnische oder religiöse Differenz allein nicht als Ursache von Konflikten herhalten kann; diese muss vielmehr im Zusammenhang mit Ressourcenkonkurrenz, Machtstreben und regionaler Siedlungspolitik (Majorisierung durch Umsiedelung) und krimineller Diskriminierung gesehen werden: »Nicht die behauptete oder wahrgenommene ethnisch-kulturelle Andersartigkeit als solche ist der wesentliche Grund für gewaltsames Gruppenhandeln, sondern deren Verbindung mit politischen, ökonomischen und sozialen Faktoren der Benachteiligung, Ausgrenzung und existenziellen Bedrohung« (Matthies 1994: 27).

Es ist nicht Aufgabe der Entwicklungspolitik, ethnisch-kulturelle Andersartigkeit zu überwinden. Vielmehr geht es z. B. um Schritte zur Armutsbekämpfung und zum Abbau sozialer Ungleichheit sowie um Maßnahmen zur Verbesserung der allgemeinen politischen und gesellschaftlichen Rahmenbedingungen in den Partnerländern. Insbesondere gilt es, Strukturen und Mechanismen zur friedlichen Konfliktaustragung zu schaffen sowie die Legitimität und Effektivität staatlicher Körperschaften und Institutionen zu verbessern. Auch die Stärkung zivilgesellschaftlicher Akteure und von Institutionen des Justizwesens, der Medien, der Frauen und Jugend, der Wahlgesetze und -prozesse, die rechtsstaatliche Einbindung von Polizei und Militär, die Demobilisierung von Kombattanten und überdimensionierten Militärkräften, die Wahrung der Rechtsstaatlichkeit und die Erweiterung von Partizipationschancen sind konstruktive Maßnahmen, um das Entstehen und den Ausbruch gewaltsamer Konflikte abzuwenden (DSE 1996).

Mit Blick auf die typischen Konfliktverläufe und Krisenphasen zeigt sich, dass in manchen Fällen die mittel- und langfristig orientierte Entwicklungszusammenarbeit mit ihrer strukturbildenden Zielsetzung in den Phasen der Ursachenbekämpfung und der Friedenskonsolidierung bereits bisher nachhaltig wirksam geworden ist. Die Krisenprävention über Entwicklungszusammenarbeit muss jedoch ergänzt werden durch das Einwirken der Entwicklungspolitik auf internationale Konzepte und Regelwerke, die auch die Entwicklungs- und Übergangsländer berühren und ihre Chancen auf Teilhabe am internationalen Wohlstandszuwachs bestimmen. Hier bemüht sich die deutsche Entwicklungspolitik um einen gerechten Interessenausgleich und die angemessene Berücksichtigung der Belange der Partnerländer. Dieses Anliegen ist auch nach innen gerichtet. So gilt es, das Bewusstsein in Deutschland für die Situation in den Entwicklungsländern und die Probleme der Menschen dort zu schärfen und die Unterstützung für die Entwicklungspolitik zu sichern. Wichtig ist vor allem, die weit verbreitete Faszination von Krisen durch eine Faszination für die Krisenprävention zu überwinden.

Für die Krisenprävention und -bewältigung werden künftig zusätzliche Anstrengungen erforderlich sein. Die deutsche Entwicklungspolitik baut daher einen *Zivilen Friedensdienst* (ZFD) auf. Dieser unterscheidet sich von den bisherigen

Instrumenten der Entwicklungszusammenarbeit zur Konfliktbewältigung insbesondere durch den gezielten Einsatz im politisch-gesellschaftlichen Bereich. Die vorgesehenen Aktivitäten sollen ein breites Spektrum abdecken, insbesondere in den Bereichen:

- Stärkung von Friedenspotenzialen; vertrauensstiftende Maßnahmen zwischen Angehörigen von Konfliktparteien; Aufbau von Informations- und Bildungsstrukturen und -programmen zur Bekanntmachung und Erklärung der Friedensaktivitäten und zum Abbau von Vorurteilen und Feindbildern (z. B. Friedenserziehung);
- Vermittlung bei Konflikten zwischen Angehörigen von Interessengruppen, Ethnien, Religionen; Mitwirkung bei der Beobachtung und Förderung der Menschenrechts- und Demokratiesituation;
- Beiträge zur Versöhnung und zum Wiederaufbau (einschließlich der Unterstützung von Verwaltungsaufgaben auf kommunaler Ebene).

Aktivitäten im Rahmen des *Zivilen Friedensdienstes* erfolgen auf der Grundlage entwicklungspolitischer Kriterien wie dem Subsidiaritätsprinzip, dem Prinzip des geringsten Eingriffs und dem Grundsatz der Hilfe zur Selbsthilfe. Zusammenarbeit mit und Akzeptanz durch einheimische Partner und Konfliktparteien sind im Interesse von Nachhaltigkeit durch Partizipation unabdingbar. ZFD-Einsätze werden grundsätzlich im Zusammenhang mit deutscher Entwicklungszusammenarbeit konzipiert und durchgeführt.

Da entwicklungspolitische Krisenprävention in hohem Maße von den Entscheidungen anderer Akteure tangiert wird, muss es verstärkt auch darum gehen, die Kohärenz mit anderen Politikbereichen zur Durchsetzung einer wirkungsvollen Entwicklungspolitik zu verbessern. Das betrifft in besonderem Maße auch die Rüstungsexportpolitik gegenüber den Entwicklungsländern.

Weltweit werden nach Angaben der Vereinten Nationen noch immer jährlich 780 Mrd. US-Dollar für Militär und Rüstung ausgegeben. Einen wesentlichen Anteil daran haben sogenannte Kleinwaffen, die zum vorherrschenden Mittel in den bewaffneten Konflikten in Entwicklungsländern geworden sind. Jährlich werden militärische Kleinwaffen und Munition im Wert von mindestens 5 Mrd. DM weltweit exportiert; über Produktion und Exporte besteht allerdings wenig Klarheit. Diese Problematik bewusst und transparenter zu machen sowie die Möglichkeiten einer entwicklungspolitischen Unterstützung und Förderung zu einer verbesserten Kontrolle über die Verwendung solcher Waffen in Entwicklungsländern zu stärken, war Ziel einer auf deutsche Initiative im EU-Rahmen 1999 gefassten Entschließung. Wir werden die Mitgliedschaft des BMZ im Bundessicherheitsrat nutzen, um eine restriktive Rüstungsexportpolitik zu betreiben, und vor allem alles zu tun, um dem massiven Export der sogenannten Kleinwaffen ein Ende zu setzen.

Zu Recht hatte schon die *Nord-Süd-Kommission* deutlich gemacht, dass eine erfolgreiche Entwicklungspolitik einer engen Abstimmung zwischen Außen-, Außenwirtschafts- und Umweltpolitik bedarf und darüber hinaus auch international koordiniert werden muss. Solange die Sicherheit von Menschen in Entwicklungsländern durch untragbaren Schuldendienst, destabilisierende Finanzströme, Handelsrestriktionen, durch Armut, soziale Ungerechtigkeit und ungebremstes Bevölkerungswachstum sowie durch politische Unterdrückung und die Zerstörung der natürlichen Lebensgrundlagen bedroht ist, kann Frieden nicht nachhaltig sein. Ohne

Frieden aber hat auch Entwicklung keine Zukunft. Unverändert gilt, was die *Nord-Süd-Kommission* bereits 1980 feststellte: »Man sollte die Nord-Süd-Beziehungen als das sehen, was sie sind, nämlich eine neue, geschichtliche Dimension für die aktive Sicherung des Friedens« (S. 21).

Auch Willy Brandt sah Entwicklungspolitik bereits als Friedenspolitik: »Entwicklung im weiteren Sinne, als ein anderes Wort für Frieden, kann uns in die Lage versetzen, Konflikte zu erkennen und mit ihnen in einer Weise umzugehen, dass ein Umschlag in militärische oder wirtschaftliche Kriege unwahrscheinlich wird.« (S. 18).

Entwicklungspolitik ist die Friedenspolitik des 21. Jahrhunderts. Mit dieser Vision steht die deutsche Entwicklungspolitik in der Tradition Willy Brandts und der *Nord-Süd-Kommission*. Mit ihrem globalen strukturgestaltenden Programm hat sie deren Erbe angenommen.

Literatur

Deutsche Stiftung für internationale Entwicklung (DSE) (1996): Entwicklungszusammenarbeit als vorbeugende Friedenspolitik. Erfahrungen, Grenzen und Handlungsmöglichkeiten, Berlin.

Matthies, Volker (1994): Immer wieder Krieg? Eindämmen – beenden – verhüten? Schutz und Hilfe für die Menschen, Opladen.

Nord-Süd-Kommission (Hrsg.) (1980): Das Überleben sichern. Gemeinsame Interessen der Industrie- und Entwicklungsländer, Köln.

Stiftung Entwicklung und Frieden (Hrsg.) (1992): Die Agenda für den Frieden. Analysen und Empfehlungen des UN-Generalsekretärs. Forderungen an die deutsche Politik, Bonn.

United Nations Development Programme (UNDP) (1999): Human Development Report 1999, New York.

United Nations Development Programme (UNDP) (1999): Global Public Goods, International Cooperation in the 21st Century, New York.

Wissing, Thomas (1995): Mögliche Beiträge der Entwicklungszusammenarbeit zur Kriegsprävention. Eine Literaturauswertung, Berlin (Deutsches Institut für Entwicklungspolitik).

Dritter Teil

Ordnungspolitische Perspektiven für das 21. Jahrhundert

Hans Küng

Plädoyer für ein globales Verantwortungsethos

Das Weltethos – ein Ethos für das 21. Jahrhundert

An der Schwelle zum dritten Jahrtausend stellt sich dringlicher denn je die ethische Kardinalfrage: Unter welchen Grundbedingungen können wir überleben, als Menschen auf einer bewohnbaren Erde überleben und unser individuelles und soziales Leben menschlich gestalten? Unter welchen Voraussetzungen kann die menschliche Zivilisation das dritte Jahrtausend bestehen? Welchem Grundprinzip sollen die Führungskräfte der Politik, der Wirtschaft, der Wissenschaft und auch der Religionen folgen, um eine nachhaltige Entwicklung zu ermöglichen? Unter welchen Voraussetzungen kann aber auch der einzelne Mensch zu einer geglückten und erfüllten Existenz kommen?

Dazu meine Grundthese: Die neue Weltepoche, die anders und stärker als jede frühere geprägt ist durch Weltpolitik, Weltwirtschaft, Welttechnologie, Weltkommunikation und Weltzivilisation, bedarf eines Weltethos. Das heißt: eines Grundkonsenses bezüglich verbindender Werte, unverrückbarer Maßstäbe und persönlicher Grundhaltungen. Ohne einen Grundkonsens im Ethos droht jeder kleinen und großen Gemeinschaft früher oder später Unordnung, Chaos oder gar eine Diktatur; so auch der Weltgemeinschaft. Daher meine feste Überzeugung, dass es keine bessere neue Weltordnung ohne ein Weltethos geben wird! Die Idee Weltethos gründet in ihrer Konzeption und Entwicklung auf folgender Grundprogrammatik:

- Kein Frieden unter den Nationen ohne Frieden unter den Religionen.
- Kein Frieden unter den Religionen ohne Dialog zwischen den Religionen.
- Kein Dialog zwischen den Religionen ohne Grundlagenforschung in den Religionen.

Das »Projekt Weltethos« bringt zum Ausdruck, dass die Religionen der Welt nur dann einen Beitrag zum Frieden der Menschheit leisten können, wenn sie sich auf das ihnen jetzt schon Gemeinsame im Ethos, also auf einen Grundkonsens ihrer Werte und Normen besinnen, der aber nicht nur von Gläubigen, sondern auch von Nichtgläubigen mitgetragen werden kann.

Weltethos meint dabei weder eine Weltideologie noch eine einheitliche Weltreligion jenseits aller bestehenden Religionen noch eine Mischung aus allen Religionen. Die Menschheit ist der Einheitsideologien müde, und die Religionen der Welt sind in ihren Glaubensauffassungen und »Dogmen«, ihren Symbolen und Riten ohnehin so verschieden, dass eine »Vereinigung« sinnlos, ein synkretistischer Cocktail ungenießbar wäre. Ein Weltethos will auch nicht die Hochethik der einzelnen Religionen durch einen ethischen Minimalismus ersetzen. Die Tora der Juden, die Bergpredigt der Christen, der Koran der Muslime, die Bhagavadgita der

Hindus, die Reden des Buddha, die Sprüche des Konfuzius: Sie alle bleiben die Grundlage für Glauben und Leben, Denken und Handeln von Hunderten Millionen Menschen.

Ein Weltethos will das, was den großen Religionen der Welt – Buddhismus, Konfuzianismus, Hinduismus, Judentum, Christentum, Islam – trotz aller Verschiedenheiten jetzt schon gemeinsam ist, herausarbeiten und zwar in Bezug auf menschliches Verhalten, sittliche Werte und moralische Grundüberzeugungen. Anders gesagt: Das Weltethos reduziert die Religionen nicht auf einen ethischen Minimalismus, wohl aber stellt es das Minimum dessen heraus, was den großen religiösen und philosophischen Traditionen der Welt schon jetzt im Ethos gemeinsam ist. Es ist gegen niemanden gerichtet, sondern lädt alle ein, Gläubige wie Nichtgläubige, sich freiwillig dieses Ethos zu Eigen zu machen und entsprechend zu handeln.

Nach zwei Weltkriegen und dem Ende des Kalten Krieges, nach dem Zusammenbruch von Faschismus, Nazismus und japanischem Militarismus und der Erschütterung von Kommunismus und Kolonialismus ist die Menschheit in eine neue Phase ihrer Geschichte eingetreten. Die Menschheit besäße heute genügend ökonomische, kulturelle und geistige Ressourcen, um eine neue, bessere Weltordnung zu etablieren. Doch alte und neue ethnische, nationale, soziale, wirtschaftliche und religiöse Spannungen bedrohen den friedlichen Aufbau einer besseren Welt; wir haben zurzeit 25 regionale Konflikte, bei denen 40 Länder beteiligt sind. Zwar gibt es größere wissenschaftliche und technische Fortschritte denn je. Und doch steht die Menschheit vor der Tatsache, dass weltweit Armut, Hunger, Kindersterben, Arbeitslosigkeit, Verelendung und Naturzerstörung nicht geringer geworden sind, sondern zugenommen haben. Vielen Völkern droht der wirtschaftliche Ruin, die soziale Demontage, die politische Marginalisierung, die ökologische Katastrophe, der nationale Zusammenbruch.

Angesichts dieser fundamentalen Krise in der Welt braucht die Menschheit nicht nur politische Programme und Aktionen. Sie bedarf einer Vision des friedlichen Zusammenlebens der Völker, der ethnischen und ethischen Gruppierungen und der Religionen in gemeinsamer Verantwortung für unseren Planeten Erde. Eine Vision beruht auf Hoffnungen, auf Zielen, Idealen, Maßstäben. Diese aber scheinen vielen Menschen überall auf der Welt abhanden gekommen zu sein. Doch gerade die Religionen tragen trotz ihres Missbrauchs und häufigen historischen Versagens die Verantwortung dafür, dass solche Hoffnungen, Ziele, Ideale und Maßstäbe wach gehalten, begründet und gelebt werden können.

Die Idee Weltethos gründet also auf dem Gedanken, dass bereits ein Ethos existiert, das diesen verhängnisvollen globalen Entwicklungen entgegenzusteuern vermag. Dieses Ethos bietet zwar keine direkten Lösungen für all die immensen Weltprobleme von der Gentechnologie bis zur Atomenergie. Wohl aber bietet es die moralische Grundlage für eine bessere individuelle und globale Ordnung, im Rahmen derer auch die konkreten Probleme angegangen werden können. Unter den Religionen ist ein Konsens bereits zu finden, das den Religionen im Ethos Gemeinsame, das die Grundlage für ein Weltethos bilden kann: ein minimaler Grundkonsens bezüglich verbindender Werte, unverrückbarer Maßstäbe und moralischer Grundhaltungen.

Formuliert, programmatisch entwickelt und einer breiten Öffentlichkeit präsentiert habe ich diese Idee 1990 in meinem Buch »Projekt Weltethos«. In dieses Buch waren zahlreiche Erfahrungen mit der Weltethos-Problematik eingeflossen, insbesondere jene vom UNESCO-Symposion in Paris im Jahr 1989 zum Thema »Kein Weltfriede ohne Religionsfriede« sowie die vom World Economic Forum in Davos 1990, wo die Notwendigkeit eines Weltethos im Kontext der Weltreligionen und der Weltwirtschaft diskutiert wurde.

Zum ersten Mal in der Geschichte der Religionen hat es der Council des Parlaments der Weltreligionen, das vom 28. August bis zum 4. September 1993 in Chicago unter Beteiligung von 6 500 Menschen aus allen möglichen Religionen tagte, gewagt, eine Erklärung zu einem Weltethos ausarbeiten zu lassen und vorzulegen; ich hatte die Ehre und Last, dafür den Entwurf zu erarbeiten. Und wie nicht anders zu erwarten war, hat diese Erklärung denn auch während des Parlaments heftige Diskussionen ausgelöst. Doch das Erfreuliche ist: In einer Zeit, in der so viele Religionen in politische Konflikte, ja, blutige Kriege mitverwickelt sind, haben Repräsentanten höchst unterschiedlicher großer und kleiner Religionen diese Erklärung mit ihrer Unterschrift sich zu Eigen gemacht, stellvertretend für ungezählte Gläubige auf dieser Erde.

Schon jetzt findet die Idee eines Weltethos Zustimmung aus aller Welt und aus allen Bereichen des öffentlichen Lebens. Zahlreiche Persönlichkeiten aus Politik, Kultur, Religion und Wissenschaft haben in unterschiedlichsten Statements das Weltethos bejaht. Doch nicht nur Einzelstimmen, sondern auch Weltorganisationen unterstreichen ausdrücklich die Notwendigkeit eines globalen Ethos.

Als die Programmschrift »Projekt Weltethos« 1990 veröffentlicht wurde, war es noch nicht möglich, auf Aussagen oder gar Forderungen zu einem globalen Ethos in internationalen Dokumenten zu verweisen. Zwar gab es Erklärungen zu den Menschenrechten, in grundlegender Weise die Allgemeine Menschenrechtserklärung der Vereinten Nationen von 1948, aber keine vergleichbaren Erklärungen zu Menschenpflichten. Inzwischen jedoch existieren einige wichtige internationale Dokumente, die sich nicht nur zu den Menschenrechten bekennen, sondern ausdrücklich von Menschenpflichten reden, ja, die programmatisch ein globales Ethos fordern und es sogar schon zu konkretisieren versuchen:

- So ist erstens zu verweisen auf den umfangreichen Bericht der *Commission on Global Governance,* betitelt mit »Nachbarn in Einer Welt« (»Our Global Neighbourhood«), von 1995, der im zweiten Kapitel die Frage der »Werte für die Nachbarschaft in der einen Welt« aufwirft und angesichts der gestiegenen nachbarschaftlichen Spannungen ein »Ethos der Nachbarschaft« fordert.
- Wichtig ist zweitens der Bericht der *World Commission on Culture and Development,* der unter dem Titel »Unsere kreative Verschiedenheit« (»Our Creative Diversity«) ebenfalls 1995 veröffentlicht wurde. Sein allererstes Kapitel über »globale Ethik« betont statt nur der Verschiedenheit die Gemeinsamkeit der Menschen.
- Wichtig ist drittens die »Universale Erklärung der Menschenpflichten«, wie sie der vom früheren japanischen Ministerpräsidenten Fukuda gegründete *InterAction Council* ehemaliger Staats- und Ministerpräsidenten unter dem Vorsitz des früheren deutschen Bundeskanzlers Helmut Schmidt mit Unterstützung durch ein Expertengremium ausarbeiten ließ und im Sommer 1997 der internationalen Öffentlichkeit zur Diskussion vorgeschlagen hat. Intention der Erklärung der Menschenpflichten ist es, die Allgemeine Menschenrechtserklärung von 1948 zu ergänzen und zu stärken, die Gleichrangigkeit von Rechten und Pflichten zu betonen

und Freiheit und Verantwortung in ein Gleichgewicht zu bringen, um so schließlich eine bessere Welt heraufzuführen.

Erfreulicherweise hat der britische Premierminister Tony Blair in einem programmatischen Artikel in der *Washington Post* diesen Gedanken aufgenommen und erklärt: »A false opposition was set up between rights and responsibilities ... The Third way strives for a new balance between rights and duties« (IHT, 28. 9. 1998).

Der fundamentale Inhalt des Weltethos

Die Weltethos-Erklärung des Parlaments der Weltreligionen bildet die Basis für einen umfangreichen Diskussions- und Akzeptanzprozess, der in allen Religionen ausgelöst worden ist. Die Unterzeichner und Befürworter der Weltethos-Erklärung waren sich bewusst, dass Religionen die ökologischen, wirtschaftlichen, politischen und sozialen Probleme dieser Erde nicht lösen können. Wohl aber können sie das erreichen, was allein mit ökonomischen Plänen, politischen Programmen oder juristischen Regelungen offensichtlich nicht erreichbar ist: Die innere Einstellung, die ganze Mentalität, eben das »Herz« des Menschen zu verändern und ihn zu einer »Umkehr« von einem falschen Weg zu einer neuen Lebenseinstellung zu bewegen. Die Menschheit bedarf der politischen, sozialen und ökologischen Reformen, gewiss, aber nicht weniger bedarf sie der spirituellen Erneuerung. Die Erklärung zum Weltethos durchdringt das Bewusstsein, dass es gerade die spirituellen Kräfte der Religionen sein können, die Menschen für ihr Leben ein Grundvertrauen, einen Sinnhorizont, letzte Maßstäbe und eine geistige Heimat vermitteln.

1.

Ausdrücklich wird in der Weltethos-Erklärung die Allgemeine Erklärung der Menschenrechte von 1948 in Erinnerung gerufen. Was diese auf der Ebene des Rechts feierlich proklamierte, das soll vom Ethos her bestätigt und vertieft werden: die volle Realisierung der Unverfügbarkeit der menschlichen Person, der unveräußerlichen Freiheit, der prinzipiellen Gleichheit aller Menschen und der notwendigen Solidarität und gegenseitigen Abhängigkeit aller Menschen voneinander. Lebenserfahrungen und oft notvolle Geschichte dieser Welt lehren es: Mit Gesetzen, Verordnungen und Konventionen allein kann eine bessere Weltordnung nicht geschaffen oder gar erzwungen werden. Die Verwirklichung von Frieden, Gerechtigkeit und Bewahrung der Erde hängt ab von der Einsicht und Bereitschaft der Menschen, dem Recht Geltung zu verschaffen. Der Einsatz für Recht und Freiheit setzt ein Bewusstsein für Verantwortung und Pflichten voraus, und deshalb müssen Kopf und Herz der Menschen angesprochen werden. Das Recht hat ohne Sittlichkeit auf Dauer keinen Bestand. Und deshalb wird es keine neue Weltordnung geben ohne ein Weltethos.

2.

Zentral für die Erklärung zum Weltethos ist die Grundforderung: Jeder Mensch muss menschlich behandelt werden. Es wird dabei nicht übersehen, dass die verschiedenen religiösen und ethischen Traditionen in oft sehr verschiedener Weise begründen, was dem Menschen nützt oder schadet, was recht oder was unrecht, was gut oder was böse ist. Die tief greifenden Unterschiede zwischen den einzelnen Religionen sollen nicht verwischt oder ignoriert werden. Doch sollen sie auch kein Hindernis sein, das öffentlich zu proklamieren, was den Religionen bereits jetzt gemeinsam ist und wozu sich die Anhänger dieser Religionen auf Grund der je eigenen religiösen oder ethischen Grundlagen schon jetzt gemeinsam verpflichtet fühlen. Nach wie vor werden überall auf der Welt Menschen unmenschlich behandelt. Sie werden ihrer Lebenschancen und ihrer Freiheit beraubt, ihre Menschenrechte werden mit Füßen getreten, ihre menschliche Würde wird missachtet. Aber Macht ist nicht gleich Recht! Angesichts aller Unmenschlichkeit fordern die religiösen und ethischen Überzeugungen: Jeder Mensch muss menschlich behandelt werden! Das heißt: Jeder Mensch – ohne Unterschied von Alter, Geschlecht, Rasse, Hautfarbe, körperlicher oder geistiger Fähigkeit, Sprache, Religion, politischer Anschauung, nationaler oder sozialer Herkunft – besitzt eine unveräußerliche und unantastbare Würde. Alle, der Einzelne wie der Staat, sind deshalb verpflichtet, diese Würde zu achten und ihnen wirksamen Schutz zu garantieren. Auch in Wirtschaft, Politik und Medien, in Forschungsinstituten und Industrieunternehmungen soll der Mensch immer Rechtssubjekt und Ziel sein, nie bloßes Mittel, nie Objekt der Kommerzialisierung und der Industrialisierung.

3.

Die Grundforderung »Jeder Mensch soll menschlich behandelt werden« lässt sich zuspitzen durch die Goldene Regel: *Was du nicht willst, das man dir tut, das füg auch keinem anderen zu!* Oder positiv: *Was du willst, das man dir tut, das tue auch den anderen!* Sie findet sich schon bei Konfuzius und ist in allen großen religiösen und ethischen Traditionen der Menschheit bekannt und hat sich dort bewährt. Sie sollte die unverrückbare, unbedingte Norm für alle Lebensbereiche sein, für Personen und Institutionen, für Familie und Gemeinschaften, für Rassen, Nationen und Religionen.

4.

Diese grundlegenden ethischen Forderungen konkretisiert die Erklärung zum Weltethos in so genannten vier »unverrückbaren Weisungen«. Die Verantwortung für:
- eine Kultur der Gewaltlosigkeit und der Ehrfurcht vor allem Leben;
- eine Kultur der Toleranz und ein Leben in Wahrhaftigkeit;
- eine Kultur der Solidarität und eine gerechte Wirtschaftsordnung;
- eine Kultur der Gleichberechtigung und die Partnerschaft von Mann und Frau.

Was diese unverrückbaren Weisungen in ihrer Konkretheit und Konsequenz bedeuten, möchte ich für vier grundlegende Lebensbereiche – ich bezeichne sie hier als Dimensionen – aufzuzeigen versuchen:

Die sozial-ökologische Dimension des Weltethos

Die Gewalt in unserer Gesellschaft hat zugenommen, in West- und wohl auch in Osteuropa. Das Einstiegsalter in die Kriminalität ist in Deutschland gesunken, und die Zahl der jugendlichen Täter ist angestiegen. Das ist zwar schlimm genug, doch längst nicht so tödlich wie in den USA, wo die Morde durch Jugendliche bedrohlich zugenommen haben.

Doch man beschuldige nicht die Jugend. Sie wird ja von der Welt der Erwachsenen, von der ganzen Gesellschaft geprägt. Schwere Gewalttaten nehmen zu: Nicht nur am Rande der Gesellschaft, sie haben auch in den Mittelschichten erheblich zugenommen. Und sind nicht gerade die von Erwachsenen produzierten sadistischen, frauenfeindlichen, fremdenfeindlichen, Gewalt verherrlichenden, alles in allem inhumanen Filme und Videos an vielem schuld? Tatsächlich hat die Medienforschung festgestellt: Medien können Gewaltbereitschaft verstärken.

Aber die Medienforschung hat auch ergeben: Ob es durch visuellen Gewaltkonsum wirklich zu langfristigen persönlichkeitsverändernden Schädigungen kommt, hängt vom Individuum und dessen Umfeld ab, vom familiären und sozialen Umfeld: Ob nämlich ein Kind, ein Jugendlicher Zuwendung und Zuneigung, Halt und Orientierung erhält oder nicht. Ob ihm ein stabiles Selbstwertgefühl und Aufgeschlossenheit gegenüber Fremdem, Ungewohntem, Neuem vermittelt wird, ob ihm auch klare sittliche Maßstäbe, Verantwortung und Friedfertigkeit beigebracht werden. Wie soll denn ein Kind, das zunächst kaum zwischen Fiktion und Realität in gewaltüberladenen Filmen, Comics und bei Videogames unterscheiden kann, Gespür und Sensibilität für das Leben, Achtung und Ehrfurcht vor dem Leben entwickeln, wenn es noch nie gehört hat von dem wohl grundlegendsten Imperativ der Menschlichkeit? Ich meine die uralte Weisung, die wir in allen großen religiösen und ethischen Traditionen der Menschheit finden: »Du sollst nicht töten!«? Oder positiv: Hab Ehrfurcht vor dem Leben! Diese Weisung ist das ethische Fundament für eine Kultur der Gewaltlosigkeit und der Ehrfurcht vor allem Leben.

Konkret heißt das für unsere Zeit: Jeder Mensch hat das Recht auf Leben, körperliche Unversehrtheit und freie Entfaltung der Persönlichkeit, soweit er nicht die Rechte anderer verletzt. Kein Mensch hat das Recht, einen anderen Menschen physisch oder psychisch zu quälen, zu verletzen, gar zu töten. Und kein Volk, kein Staat, keine Rasse, keine Religion hat das Recht, eine andersartige oder andersgläubige Minderheit zu diskriminieren, zu »säubern«, zu exilieren, gar zu liquidieren.

Die westlichen Traditionen betonen: Die menschliche Person ist unendlich kostbar und unbedingt zu schützen. Aber die östlichen Traditionen betonen mit nicht geringerem Recht: Auch das Leben der Tiere und Pflanzen, die mit uns diesen Planeten bewohnen, verdient Schutz, Schonung und Pflege. Hemmungslose Ausbeutung der natürlichen Lebensgrundlagen, rücksichtslose Zerstörung der Biosphäre, Militarisierung des Kosmos sind ein Frevel. Als Menschen haben wir – gerade auch im Blick auf künftige Generationen – eine besondere Verantwortung für den Planeten Erde und den Kosmos, für Luft, Wasser und Boden. Wir alle sind in diesem Kosmos miteinander verflochten und voneinander abhängig. Jeder von uns hängt ab vom Wohl des Ganzen. Deshalb gilt: Nicht die Herrschaft des Menschen über Natur und Kosmos ist zu propagieren, sondern die Gemeinschaft mit Natur und Kosmos zu kultivieren.

Die immens gewachsene wissenschaftlich-technologische Macht des Menschen bringt auch eine immens gewachsene moralische Verantwortung mit sich. Die vielen offenkundigen negativen Folgen des an sich so grandiosen modernen Fortschritts machen überdeutlich, dass hier nicht nur die einzelnen Menschen und Menschengemeinschaften, sondern auch die Nationalstaaten überfordert sind. Charakteristisch für die Nach-Moderne ist ja auch, dass die zusammengewachsene Menschheit zum ersten Mal in ihrer Geschichte ihren Untergang selber zu produzieren vermag.

Wenn die Menschheit überleben soll, dann müssen globale Lösungen angestrebt werden, die selbstverständlich nur Schritt um Schritt verwirklicht werden können, aber auf manchen Gebieten immerhin schon eingeleitet worden sind.

Die politische Dimension des Weltethos

Umfragen zum Werteprofil der Jugend zeigen: Gerade Jugendliche wollen mehr Aufrichtigkeit, mehr Ehrlichkeit. Kann uns dies nicht Hoffnung machen für die Zukunft angesichts einer Welt von heute, wo sich so unendlich viel Lug und Trug findet, Schwindel und Heuchelei, Ideologie und Demagogie? Wir wissen es ja alle:

- Viele Politiker, Funktionäre und Geschäftsleute benützen die Lüge als Ausrede oder Mittel zum Erfolg!
- Massenmedien scheren sich wenig um die Wahrheit: Was zählt, sind Schlagzeilen, die Gewinne versprechen, höhere Auflagen, höhere Einschaltquoten, höhere Werbeeinnahmen.
- Allzu viele Wissenschaftler und Forscher liefern sich moralisch fragwürdigen ideologischen oder politischen Programmen oder auch wirtschaftlichen Interessengruppen aus.
- Und viel zu viele Repräsentanten von Religionen qualifizieren anders- oder nichtgläubige Menschen als unehrlich oder minderwertig ab und verkünden Fanatismus und Intoleranz statt Respekt, Verständigung und Toleranz.

Nicht Hindernisse, sondern Wegweiser sind, richtig verstanden, jene uralten Weisungen, die sich in allen religiösen und ethischen Traditionen finden. Und eine zweite sehr elementare Weisung lautet: du sollst nicht lügen! Oder positiv: Rede und handle wahrhaftig! Sie bildet die ethische Grundlage für eine Kultur der Toleranz und ein Leben in Wahrhaftigkeit. Dies heißt konkret für unsere Zeit: Kein Mensch und keine Institution, kein Staat und auch keine Kirche oder Religionsgemeinschaft haben das Recht, den Menschen die Unwahrheit zu sagen. Dies gilt auch für:

- die Massenmedien, denen zu Recht die Freiheit der Berichterstattung zur Wahrheitsfindung garantiert ist;
- für Kunst, Literatur und Wissenschaft, denen zu Recht künstlerische und akademische Freiheit gesichert sind;
- für die Repräsentanten von Religionen und im besonderen Maße auch
- für die politischen Akteure und Institutionen.

Wenn Politiker ihr Volk ins Angesicht belügen, wenn sie sich der Manipulation von Wahrheit, der Bestechlichkeit oder einer rücksichtslosen Machtpolitik im Inneren wie im Äußeren schuldig machen, haben sie ihre Glaubwürdigkeit verspielt und verdienen den Verlust ihrer Ämter und ihrer Wähler. Umgekehrt sollte die öffentliche Meinung diejenigen Politiker unterstützen, die es wagen, dem Volk jederzeit die Wahrheit zu sagen. Wenn es also ein Ethos der Wahrhaftigkeit und Toleranz für Politiker gibt, sind dann entsprechende ethische Prinzipien auch gültig auf dem großen Schachbrett der Weltpolitik?

Reicht dieses persönliche Ethos auch hinein in die institutionelle Dimension internationaler Politik? Lässt sich mit dem Weltethos eine neue, bessere Weltordnung gestalten? Drei kurze Thesen sollen eine Antwort skizzieren, die ich in einem Buch über Weltpolitik und Weltwirtschaft breit begründet und konkretisiert habe:

- Nicht tauglich für eine neue Weltordnung ist die bloße Erfolgsethik der »Realpolitiker«, für die der politische Zweck alle Mittel, auch unmoralische wie Lug, Betrug, Verrat, politischen Mord und Krieg, »heiligt«. Weder die Diplomatie noch die Geheimdienste noch die Polizei stehen über der Moral.
- Nicht tauglich für eine neue Weltordnung ist auch die bloße Gesinnungsethik der »Idealpolitiker«, für die eine rein moralische Motivation und der gute Zweck (»nationale Einheit«, »Friede«, »Menschenrechte«) ausreicht, die sich aber um reale Machtverhältnisse, konkrete Durchsetzbarkeit wie um mögliche negative Folgen allzu wenige Gedanken machen. Gute Motive garantieren noch keine gute Politik. Wer gute Intentionen hat, kann sich zwar selber gut vorkommen und anderen gut erscheinen, doch gute Resultate erbringt seine Politik deshalb noch keineswegs. Zur Kunst der Politik gehört die Abschätzung nicht nur der beabsichtigten Folgen (etwa von innenpolitischen Reformmaßnahmen oder außenpolitischen Demarchen), sondern auch der keineswegs beabsichtigten, aber oft höchst schwer wiegenden Nebenfolgen. Deshalb:
- Tauglich für eine neue Weltordnung ist nur eine Ethik der Verantwortung. Sie setzt eine Gesinnung voraus, fragt aber realistisch nach den voraussehbaren, besonders auch negativen Folgen einer bestimmten Politik und übernimmt dafür auch die Verantwortung. Die Kunst der Politik im nach-modernen Paradigma besteht darin, das politische Kalkül (der modernen Realpolitik) und das ethische Urteil (der Idealpolitik) überzeugend zu verbinden.

Die wirtschaftliche Dimension des Weltethos

Wir können nicht übersehen, wie sehr die Gerechtigkeit ignoriert und mit Füßen getreten wird. Ein totalitärer Staatssozialismus in der früheren Sowjetunion und in China, aber auch ein ungezügelter, unsozialer Kapitalismus oder Neokapitalismus in Europa, Amerika und in Japan haben viele ethische oder spirituelle Werte ausgehöhlt und zerstört. Profitgier ohne Grenzen, Raffgier ohne Hemmungen konnten sich unterdessen in West und Ost ausbreiten: Ein materialistisches Anspruchsdenken, welches von anderen und vor allem vom Staat ständig mehr fordert, ohne sich selber zu mehr zu verpflichten. Kurzum: Viele Rechte, aber wenig Pflichten. Viele Rechthaber, aber wenig Verantwortliche.

Zu einem Weltproblem in unserer Weltwirtschaft ist die Korruption geworden. Kompetente Beobachter beklagen aber auch schon die Erziehungsdefizite in Familie und Schule, ja das schwindende Rechtsbewusstsein, das ja nicht nur in der organisierten Kriminalität, sondern auch in der Kleinkriminalität zum Ausdruck kommt, die spätestens in dem Moment ihre Harmlosigkeit verliert, wo einem selbst Fahrrad oder Handtasche gestohlen werden. Ein betrübliches Faktum ist die Wirtschaftskriminalität: Mitarbeiter greifen in die Ladenkasse, überweisen Firmengelder aufs eigene Konto, verschieben stapelweise Fernseher oder Alkohol – jedes Jahr ein

Milliardenverlust für unsere Wirtschaft. Aber auch immer mehr Kinder stehlen in deutschen Geschäften.

Was gegen all dies tun? Einfach härtere Strafen, mehr Polizei, mehr Gerichte, mehr Gefängnisse? Das allein kann wohl kaum genügen. Und übrigens hatte der deutsche Bundespräsident Roman Herzog schon Recht, als er bemerkte: Kein Staat könnte seine Rechtsordnung bezahlen, wenn sich nicht 97 bis 98 Prozent seiner Bürgerinnen und Bürger grundsätzlich an sie halten wollten. In der Tat: Keine Rechtsordnung ohne den ethischen Willen, sich daran zu halten!

Deshalb mein entschiedenes Eintreten für den in allen religiösen und ethischen Traditionen sich findenden dritten elementaren Imperativ der Menschlichkeit: du sollst nicht stehlen! Oder positiv: Handle gerecht und fair! Sie bildet die ethische Grundlage für eine Kultur der Solidarität und eine gerechte Wirtschaftsordnung. Dies heißt konkret für unsere Zeit: Kein Mensch hat das Recht, einen anderen Menschen – in welcher Form auch immer – zu bestehlen oder sich an dessen Eigentum oder am Gemeinschaftseigentum zu vergreifen. Umgekehrt aber hat auch kein Mensch das Recht, sein Eigentum ohne Rücksicht auf die Bedürfnisse der Gesellschaft und der Erde zu gebrauchen.

Es gibt in der Welt von heute unendlich viel Hunger, Armut und Not. Schuld daran trägt nicht bloß der Einzelne. Schuld daran sind oft auch ungerechte gesellschaftliche Strukturen: Millionen von Menschen sind ohne Arbeit, Millionen werden durch schlecht bezahlte Arbeit ausgebeutet, an den Rand der Gesellschaft gedrängt und um ihre Lebenschancen gebracht.

In einer Zeit, da die Wirtschaft den epochalen Paradigmenwechsel zur nicht mehr eurozentrischen, sondern polyzentrischen Weltwirtschaft faktisch vollzogen hat und sich nun an die globalen Bedingungen in vernünftiger Weise anpassen muss, bedarf es eines neuen Paradigmas der Wirtschaftsethik, das ökonomische Rationalität und ethische Grundorientierung verbindet. Das heißt:

- Nicht tauglich für eine neue Weltwirtschaftsordnung ist die bloße Gesinnungsethik der Ideal-Ökonomen, für die eine rein moralische Motivation und der gute Zweck (Gerechtigkeit, Liebe, Wahrheit) ausreicht, die sich aber über gegebene ökonomische Gesetzlichkeiten und die konkrete Durchsetzbarkeit in einem hochkomplexen Wirtschaftssystem nur wenig Gedanken machen. Doch für die Allgemeinheit moralische Forderungen bar aller ökonomischen Rationalität zu erheben, ohne also die Gesetzlichkeiten der Wirtschaft zu beachten, ist keine Moral, sondern Moralismus. Ein Verfolgen der eigenen Interessen und ein Gewinnstreben, wenn es höhere Güter nicht verletzt, ist legitim.
- Nicht tauglich für eine neue Weltwirtschaftsordnung ist aber auch die bloße Erfolgsethik der Real-Ökonomen, für die der Gewinn alle Mittel »heiligt«, im »Notfall« auch unmoralische wie Vertrauensbruch. Dogmatisch ökonomische Auffassungen bar aller ethischen Normen zu vertreten, ist nicht Ökonomie, sondern ökonomischer Reduktionismus, Ökonomismus. Dem Erfolg kann keinesfalls der Primat, der dem Ethos zukommt, zugestanden werden. Wahrnehmen der eigenen Interessen und jedes unternehmerische Handeln muss sich ethisch verantworten, auch wenn dies im konkreten Fall des Konkurrenzdrucks eine Zumutung bedeuten mag.
- Tauglich für eine neue Weltwirtschaftsordnung ist nur ein Ethos der Verantwortung realistischer Ökonomen mit idealistischem Horizont. Solches Ethos

setzt auch in der Wirtschaft eine Gesinnung, Ideale und Werte voraus, fragt aber realistisch nach den voraussehbaren, besonders auch negativen Folgen wirtschaftlicher Entscheidungen und übernimmt dafür auch die Verantwortung. Ein verantwortetes Wirtschaften in nach-moderner Zeit besteht darin, die wirtschaftlichen Strategien und das ethische Urteil überzeugend zu verbinden. Dieses neue Paradigma von Wirtschaftsethos wird darin konkret, dass es – bei aller Legitimität des Gewinns – wirtschaftliches Handeln daraufhin überprüft, ob es höhere Güter oder Werte verletzt, ob es sozial-, umwelt- und zukunftsverträglich ist.

Die partnerschaftliche Dimension des Weltethos

Vielfältig sind die Beziehungen von Mann und Frau, und nur eine einzige Dimension davon ist die Sexualität: Freilich eine schon mit der Entstehung jedes Menschenwesens gegebene, höchst intime und gerade deshalb ethisch höchst sensible Dimension. Zu Recht lehnen heute auch die meisten religiösen Menschen die lange geltende Überbewertung und Überpräsenz der Sexualmoral ab. Für sie ist Sexualität grundsätzlich keine negativ-zerstörende oder ausbeuterische, sondern eine schöpferisch-gestaltende Kraft. Nicht zu übersehen: Die »sexuelle Revolution« am Ende der sechziger Jahre hat eine durchaus positive Aufklärung und Enttabuisierung zur Folge gehabt.

Doch fragen sich jetzt, eine Generation später, viele, ob wir uns mit dieser »sexuellen Revolution« nicht vielfach statt einer schöpferischen Libertas einen zerstörerischen Libertinismus eingehandelt haben. Bei uns in Europa steigern sich die empörten Klagen über Kindesmissbrauch (erzwungene Prostitution, Kinderpornografie im Internet, auch Kindermord). Klagen ebenfalls über eine perverse Reizkultur für Männer und den Zerfall unserer Beziehungskultur. Klagen schließlich über eine »schamlose Gesellschaft«, die in ihren Talkshows auch noch die Intimität veröffentlichen und vermarkten lässt auf Kosten von Tätern, die zugleich zu Opfern werden. Eine »sexuelle Revolution«, die ihre eigenen Kinder zu fressen scheint, lässt fragen: »Sind Liebe und Erotik noch zu retten?« Auch Sexualforscher, einst Anwälte einer Befreiung der Triebe, reden heute desillusioniert von »Trümmern der sexuellen Revolution« (V. Sigusch).

Um nicht missverstanden zu werden: Es geht mir nicht darum, Eros und Sexus zu verteufeln und alte oder neue Leibfeindschaft zu predigen. Vielmehr möchte ich, dass auch die Menschen von heute nach der sexuellen Revolution Wege zum wahrhaft freien, humanen Menschsein finden. Ja, der Mensch soll nicht nur »Spaß« haben, der ja zuallermeist von nur kurzer Dauer ist. Er soll, soweit das menschenmöglich ist, wirklich glücklich werden.

Also nicht weil irgendjemand (etwa gar ein unbarmherziger Gott) den Menschen das Glück neidet, sondern weil sie vor Unglück bewahrt werden sollen, gehört zu den grundlegenden Imperativen der Menschlichkeit, was sich in allen großen ethischen Traditionen der Menschheit findet: Jene alte Weisung: Du sollst nicht Unzucht treiben! Oder positiv: Achtet und liebet einander! Sie bildet die ethische Grundlage für eine Kultur der Gleichberechtigung und für die Partnerschaft von Mann und Frau. Konkret heißt dies für unsere Zeit: Kein Mensch hat das Recht, einen anderen zum bloßen Objekt seiner Sexualität zu erniedrigen, ihn in sexuelle Abhängigkeit zu bringen. Wir können feststellen: Ungezählte Menschen bemühen sich in allen Regionen und Religionen um ein Leben im Geiste der Partnerschaft von Mann und Frau, um ein verantwortliches Handeln im Bereich von Liebe, Sexualität und Familie.

Dennoch gibt es überall auf der Welt verdammenswerte Formen des Patriarchalismus, der Vorherrschaft des einen Geschlechtes über das andere, der Ausbeutung von Frauen, des sexuellen Missbrauchs von Kindern sowie der erzwungenen Prostitution. Die sozialen Unterschiede auf dieser Erde führen nicht selten dazu, dass insbesondere Frauen und sogar Kinder aus den weniger entwickelten Ländern sich gezwungen sehen, Prostitution als Mittel des Überlebenskampfes einzusetzen.

Die gesellschaftliche Institution Ehe ist bei allen kulturellen und religiösen Verschiedenheiten durch Liebe, Treue und Dauerhaftigkeit gekennzeichnet. Sie will und soll Männern, Frauen und Kindern Geborgenheit und gegenseitige Unterstützung garantieren sowie ihre Rechte sichern. In allen Ländern und Kulturen soll deshalb auf ökonomische und gesellschaftliche Verhältnisse hingearbeitet werden, die eine menschenwürdige Existenz von Ehe und Familie und vor allem auch der alten Menschen ermöglichen. Kinder haben ein Recht auf Bildung. Weder sollen die Eltern die Kinder noch die Kinder die Eltern ausnützen; ihr Verhältnis soll vielmehr von gegenseitiger Achtung, Anerkennung und Fürsorge getragen sein.

Wahrhaft Mensch sein heißt im Geiste unserer großen religiösen und ethischen Traditionen das Folgende:

- statt patriarchaler Beherrschung oder Entwürdigung, die Ausdruck von Gewalt sind und oft Gegengewalt erzeugen: gegenseitige Achtung, Verständnis, Partnerschaftlichkeit;
- statt jeglicher Form von sexueller Besitzgier oder sexuellem Missbrauch: gegenseitige Rücksicht, Toleranz, Versöhnungsbereitschaft, Liebe.
- Auf der Ebene der Nationen und Religionen kann nur praktiziert werden, was auf der Ebene der persönlichen und familiären Beziehungen bereits gelebt wird.

Schlussfolgerungen

Um diese Weisungen global verwirklicht zu sehen, bedarf es eines allgemeinen Wandels des Bewusstseins. Die geschichtlichen Erfahrungen der Menschheit zeigen: Diese Welt kann nicht verändert werden, ohne dass ein Wandel des Bewusstseins beim Einzelnen und der Öffentlichkeit erreicht wird. Dies hat sich in Fragen wie Krieg und Frieden, Ökonomie oder Ökologie, Partnerschaft von Mann und Frau bereits gezeigt, wo in den letzten Jahrzehnten grundlegende Veränderungen erreicht wurden. Diese sollen und können auch im Hinblick auf das Ethos insgesamt erreicht werden! Denn jeder Einzelne hat nicht nur eine unverletzliche Würde und unveräußerliche Rechte; er hat auch eine unabweisbare Verantwortung für das, was er tut und nicht tut, er hat Pflichten. Alle unsere Entscheidungen und Taten, auch unser Versagen und Scheitern haben Konsequenzen.

Diese Verantwortung wachzuhalten, zu vertiefen und an künftige Generationen weiterzugeben, ist die Aufgabe von uns allen. Niemand wird leugnen, dass es innerhalb von zwei bis drei Jahrzehnten möglich wurde, weltweit einen allgemeinen Bewusstseinswandel in Bezug auf Ökonomie und Ökologie, in Bezug auf Weltfrieden und Abrüstung sowie in Bezug auf die Partnerschaft zwischen Mann und Frau einzuleiten. Die Weltethos-Erklärung wurde geschrieben und verabschiedet in der Hoffnung, dass sich ein ähnlicher Bewusstseinswandel abzeichnen möge in Bezug auf ein der ganzen Menschheit gemeinsames Grundethos, ein Weltethos. Es ist an den Religionen dieser Erde, es ist an den Menschen überall ganz konkret vor Ort, dass diese Erklärung mehr bleibt als Papier, dass sie mit Leben erfüllt wird, dass sie die Menschen inspiriert zu einem Leben in gegenseitiger Achtung, Verständigung und Zusammenarbeit.

Literatur

Zur Grundlegung:

Küng, Hans (1990): Projekt Weltethos, München.
Küng, Hans/Kuschel, Karl-Josef (Hrsg.) (1993): Erklärung zum Weltethos. Die Deklaration des Parlaments der Weltreligionen, München.
Küng, Hans (1997): Weltethos für Weltpolitik und Weltwirtschaft, München.
Schmidt, Helmut (Hrsg.) (1997): Allgemeine Erklärung der Menschenpflichten, München.

Zur religiösen Situation der Zeit:

Küng, Hans (1991): Das Judentum, München.
Küng, Hans (1994): Das Christentum. Wesen und Geschichte, München.
Küng, Hans in Vorb.: Der Islam.

Zur weiteren Diskussion:

Küng, Hans (Hrsg.) (1995): Ja zum Weltethos, München.
Küng, Hans/Kuschel, Karl-Josef (Hrsg.) (1993): Weltfrieden durch Religionsfrieden. Antworten aus den Weltreligionen, München.
Küng, Hans/Kuschel, Karl-Josef (Hrsg.) (1998): Wissenschaft und Weltethos, München.
Kuschel, Karl-Josef (1994): Streit um Abraham. Was Juden, Christen und Muslime trennt – und was sie eint, München.
Lähnemann, Johannes (Hrsg.) (1995): »Das Projekt Weltethos« in der Erziehung. Referate und Ergebnisse des Nürnberger Forums 1994, Hamburg.
Rehm, Johannes (Hrsg.) (1994): Verantwortlich leben in der Weltgemeinschaft. Zur Auseinandersetzung um das »Projekt Weltethos«, Gütersloh.

Reimut Jochimsen*

Anforderungen an eine Weltfinanzordnung. Grenzen nationaler Alleingänge und Effizienz internationaler Instrumente

Weltwährungs- und Finanzordnung: Anhaltende Stress-Symptome

Nach dem gelungenen Start in die Endstufe der Europäischen Wirtschafts- und Währungsunion (EWWU) zum 1. Januar 1999 präsentiert sich das Eurosystem als Zentralbank des Euro in elf Mitgliedstaaten der EU derzeit im Lichte der monetären Bedingungen als Zone der Geldwertstabilität (vgl. Jochimsen 1999b). Die »Großwetterlage« an den internationalen Finanzmärkten bleibt demgegenüber äußerst betrüblich, ja latent bedrohlich. Seit die südostasiatische Finanz- und Währungskrise Mitte 1997 in Thailand akut ausbrach, wurden die Weltfinanzmärkte in immer kürzeren Abständen von immer neuen Krisenwellen erschüttert, zuletzt der »brasilianischen«, deren Auswirkungen sich – angesichts der Kumulation der regionalen Risiken und der zahlreichen, sich teils gegenseitig verstärkenden Einzeleffekte – jetzt auch die vermeintlich sicheren Bastionen der Stabilität und eines bis dato soliden Wachstums in Europa und Nordamerika immer weniger entziehen können (vgl. Jochimsen 1999a). Japan, seit einem Jahrzehnt selbst Auslöser und fester kritischer Bestandteil weltwirtschaftlicher Krisenerscheinungen, vermochte bisher weder seine Finanzkrise zu bewältigen noch seine die asiatische Krise verschärfende Rezession und Deflation zu mildern.

Was 1997 mit der Flucht des internationalen Kapitals aus Asien und anderen so genannten Emerging Markets begann, geriet im Zuge der sich Mitte August 1998 in Russland dramatisch zuspitzenden Wirtschafts-, Finanz- und Staatskrise zu einer »Flucht in die Qualität« mit stark steigenden Kursen, d. h. drastisch sinkenden Renditen an den Rentenmärkten der Safe-haven-Währungen, vor allem des Euroraums und Nordamerikas, und einem Absturz in Etappen an den Aktienmärkten rund um den Globus. Zugleich wurden die finanziellen Engagements in »kritischen« Ländern einer risikopolitischen Neubewertung im Sinne der Risikoaversion, statt beherzter Risikoübernahme in neuen Märkten, unterzogen. Rasch schwappte die Krise damit auf andere, als überproportional risikobehaftet angesehene Währungen, vor allem in Süd- und Mittelamerika, über (»Ansteckung«). Die von Rohstoff- und Energieausfuhren geprägten Währungen, von drastischem Preisverfall bedroht, wurden in den Strudel aus erheblichen Wechselkurseinbußen, fliehendem Anlagekapital und einbrechenden Wertpapiermärkten gezogen. Realwirtschaftliche Konsequenz für die am stärksten betroffenen Regionen waren und sind dramatische Wachstumseinbrüche bis hin zu tiefer Rezession, ganz zu schweigen von gravierenden politischen, gesellschaftlichen und sozialen Folgewirkungen.

Auch kann in den meisten Problemregionen noch keine Entwarnung gegeben werden (vgl. DIW 1999, S. 1). Längst sind aber nicht mehr nur die Emerging Markets von den Folgewirkungen der scheinbar regional begrenzten Krisen betroffen. Spätestens mit dem – wegen der plötzlichen Furcht vor unkalkulierbaren Kettenreaktionen bei den kreditgebenden Banken für das gesamte globale Finanzsystem – verhinderten Zusammenbruch des US-Hedge-Fonds *Long-Term Capital Management* (LTCM) im September 1998 (durch erzwungene Kapitalzufuhr der größten Gläubigerbanken vermittels *moral suation* der Bankenaufsicht) ist klar geworden[1], dass eine räumliche Begrenzung der Kriseneffekte keineswegs bereits ausgemachte Sache ist. Dass sich an den internationalen Rentenmärkten die Flucht in die »sicheren Häfen« in historischen Tiefstständen der nominalen Zinsen niederschlägt, ist also kaum verwunderlich.

Auch die Volatilität, d. h. auch die Fragilität an den Finanzmärkten dürfte uns weiter begleiten – mit negativen Konsequenzen für Wachstum, Investitionen und Beschäftigung selbst in den vermeintlich »sicheren Häfen« Europas. Kumuliert sind inzwischen knapp vier Zehntel der Weltwirtschaft betroffen, mit noch schwer abschätzbaren Konsequenzen für das internationale Währungs- und Finanzsystem, aber auch für das globale Wachstum und den Welthandel[2]. Die Auswirkungen der regionalen Finanzkrisen beschränken sich ja nicht »nur« auf die Aktien-, Bond- und Devisenmärkte, sondern rufen inzwischen auch in Europa beträchtliche konjunkturelle Bremsspuren hervor[3].

All dies zusammengenommen steht das internationale Währungs- und Finanzsystem offensichtlich unter erheblichem Stress, wobei ohne Frage die Schwankungen und Krisen seit dem Zusammenbruch des Festkurssystems von Bretton Woods 1973 zugenommen haben. Es erweist sich, dass die vom Brandt-Bericht (S. 253) festgestellte »erste Aufgabe eines internationalen Währungssystems, ein geordnetes und allseits anerkanntes Verfahren zur Festlegung und zur Änderung von Wechselkursen vorzusehen«, unerfüllt geblieben ist. Auch regeln die Statuten des IWF weder die Fragen des Kapitalverkehrs, insbesondere die dafür konstitutive Konvertibilitätsfrage, noch die des anzustrebenden Wechselkursregimes seiner Mitglieder. Dabei besteht weitestgehender Konsens über die Ziele,

- dem Aufbau von Krisenkonstellationen frühzeitig entgegenzuwirken,
- die Staaten gegenüber den Gefahren, die aus der Dynamik der internationalen Finanzströme erwachsen, resistenter zu machen und
- Vorkehrungen zu treffen, die im Falle des Versagens präventiver Maßnahmen die Folgen aus Finanzkrisen minimieren.

Das Bild von den notwendigen »Leitplanken um die Märkte, die Panikreaktionen verhindern und Vertrauen in die Verlässlichkeit von Märkten schaffen«, fokussiert prägnant das sich allenthalben breit machende Gefühl dringenden Handlungsbedarfs[4]. In der Frage, wie es nun konkret weiterzugehen hat, laufen die Meinungen allerdings auseinander, zumal dabei immer wieder selbst zentrale, unverrückbar scheinende ordnungspolitische Grundsätze in Zweifel gezogen werden.

Bei aller berechtigten Kritik am gegenwärtig unbefriedigenden Zustand extrem schwankungsanfälliger Finanzmärkte: Kritisch hinterfragt sind die meisten Vorschläge zur Reform des internationalen Finanzsystems entweder ordnungspolitisch fragwürdig, nicht wirklich weiterführend oder hinreichend konkret und praktikabel – der erträumte »*Grand design*« mit dem ersehnten »*Quick fix*« aller Probleme bleibt eine Fata Morgana[5]. Vielfach dienen sie dazu, von den schwierigen Reformaufgaben zu Hause abzulenken, diese durch Internationalisierung überflüssig zu machen.

Re-Regulierung oder gar Re-Nationalisierung der Finanzmärkte?

Eine »Re-Regulierung« der internationalen Finanzmärkte im Sinne einer Re-Nationalisierung kann als realistische Option nicht in Frage kommen. Die damit verbundene Beeinträchtigung in den Kapitalmarktbeziehungen – bis hin zu deren Abbruch – würde vor allem dem solche Maßnahmen ergreifenden Land selbst – oder dem betreffenden Währungsraum – erhebliche Wohlstandseinbußen eintragen, weil sie den Wettbewerb, die Produktivität und Effizienz steigernden marktwirtschaftlichen Allokationsprozesse behindern und den Freihandel aufheben würden. Die Bedeutung eines uneingeschränkten Kapitalverkehrs wird bereits im Bericht der Nord-Süd-Kommission unterstrichen. So wird im Zusammenhang eines internationalen Regimes für Investitionen von den Heimatländern gefordert, direkte Investitionen oder Technologietransfer nicht einzuschränken bzw. auch auf andere wettbewerbsbeschränkende Maßnahmen zu verzichten. Von den Gastländern wird im Gegenzug erwartet, dass der Transfer von Profiten, Lizenzgebühren, Dividenden und auch die Rückführung des Kapitals nicht eingeschränkt werden darf (Brandt-Bericht, S. 241). Es ist durchaus bemerkenswert, dass der Brandt-Bericht zum Thema Spekulation Ausführungen nicht enthält.

Anschauungsunterricht par excellence liefern die unterschiedlichen Strategien der Krisenbewältigung in den südostasiatischen Krisenländern. Im Gegensatz zu Thailand, Südkorea und mit Einschränkungen auch Indonesien, die – als Reaktion auf die Finanz- und Wirtschaftskrise ab Mitte 1997 durchgreifende politische und wirtschaftspolitische Reformen (insbesondere zur Schaffung einer funktionsfähigen Eigentumsordnung, von Konkursrecht und Bankenaufsicht) einleiteten – auf haushaltspolitische Konsolidierung, flexible Wechselkurse und größere Transparenz ihrer Finanzsysteme setzten, baute Malaysia auf Abschottung und Kapitalverkehrskontrollen. So führte die malaysische Regierung Anfang September 1998 strenge Beschränkungen für Kapitalabflüsse ein, kombiniert mit einer strikten Bindung des Ringgit an den US-Dollar[6]. Es hat sich jedoch gezeigt, dass die Märkte die Reformanstrengungen – wie z. B. in Thailand und Südkorea – sichtlich honoriert haben: Gegenüber den Tiefstkursen Anfang 1998 haben der thailändische Baht wie auch der südkoreanische Won um knapp die Hälfte zugelegt (Stand Anfang April 1999).

Auf der anderen Seite hat sich die Hoffnung auf eine generelle Abkopplung und Abschirmung gegenüber den internationalen Märkten selbst für Krisenländer als zweischneidiges Schwert erwiesen. Dies gilt erst recht für internationale Währungen. Eine Abschottung auf europäischer Ebene, gegebenenfalls in Kombination mit handelspolitischen Maßnahmen, wie dies vermittels der Europäischen Union oder des Euro-Währungsgebietes von manchen als eine »Protection au niveau européen« erträumt wird, liefe letztlich auf die wettbewerbseinschränkende, auch politisch gefährliche Isolationsstrategie einer »Festung Europa« hinaus, mit Sicherheit der falsche Weg, um die Herausforderungen globalisierter Finanz-, Güter- und Dienstleistungsmärkte, die wachsende Konkurrenz der Standorte und des wissenschaftlich-technischen und gesellschaftspolitischen Innovationswettlaufs anzunehmen und darauf eigene Antworten zu gestalten.

Tobin-Tax: Sand ins Getriebe der internationalen Finanzmärkte streuen?

Als vermeintlich »markt- und systemkonformere« Maßnahme im Vergleich zu »harten«, quantitativen Kapitalverkehrskontrollen wird ferner die Einführung einer Transaktionssteuer auf Devisenumsätze, die so genannte »Tobin-Steuer« zur Besteuerung so genannter »spekulativer« Devisenmarktgeschäfte, diskutiert. Statt als Patentrezept erweist sich auch dieses Instrument bei genauerer Betrachtung als sehr problematisch, letztlich kaum praktikabel oder global umsetzbar, jedenfalls schädlich[7]. Die Befürworter einer solchen Spekulationssteuer argumentieren, die Wechselkursausschläge an den Devisenmärkten seien primär Konsequenzen »ungebremster Spekulation«. Da den enormen Volumina an Kapitaltransaktionen und den sie begleitenden Kursschwankungen zunächst keine Veränderungen der ökonomischen Fundamentaldaten zugrunde lägen, sondern nur Aspekte der Finanzsphäre betroffen würden, drohten angesichts der daraus resultierenden Wettbewerbsverzerrungen im internationalen Güterhandel letztlich doch Wachstum und Beschäftigung beeinträchtigt zu werden. Kurzfristige spekulative Kapitalzuflüsse könnten somit ein erhebliches Krisenpotenzial aufbauen, das im Falle schlagartiger Portfolioumschichtungen der ausländischen Anleger virulent werde. Mit der Erhebung einer proportionalen Steuer auf Transaktionen am Devisenkassamarkt – wobei u. U. schon ein sehr geringer Steuersatz ausreiche – solle den Spekulanten das Handwerk gelegt werden: Je kurzfristiger und je häufiger diese agierten, desto stärker treffe sie die Steuer.

Dem sind drei Einwände entgegenzuhalten. So lässt sich erstens die Behauptung allgemein mangelnden Zusammenhangs von Wechselkursausschlägen mit den ökonomischen Fundamentaldaten kaum beweisen. Tatsächlich springt die Spekulation meist auf einen bereits »fahrenden Zug« auf, dient als Verstärker, nicht als primärer Auslöser. Ausschlaggebend sind in aller Regel »schlechte«, sich in wachsenden makroökonomischen Ungleichgewichten oder mikroökonomischen und strukturpolitischen Schwächen niederschlagende nationale Wirtschaftspolitiken, die von den Märkten über kurz oder lang als Kapitalabzüge aus den betreffenden Ländern quittiert werden. Dessen ungeachtet nun aber gleichwohl »die Spekulanten« (bzw. allgemein die internationalen Anleger wie Pensionsfonds, Hedge Fonds, Versicherungsgesellschaften etc.) für die Turbulenzen verantwortlich zu machen, käme einer Verkehrung von Ursache und Wirkung gleich bzw. der überkommenen Unsitte, den Überbringer schlechter Botschaften für deren unangenehmen Inhalt zu bestrafen[8].

Darüber hinaus erscheint es zweitens praktisch unmöglich, ausschließlich diejenigen Devisenmarkttransaktionen zu treffen, die rein spekulativen Zwecken dienen. In jedem Falle müssten auch alle Transaktionen einbezogen werden, die auf Waren- und

Dienstleistungsgeschäften mit dem Ausland bzw. Investitionsvorhaben beruhen. Dass dies die internationale Arbeitsteilung und Kapitalallokation generell beeinträchtigt, liegt auf der Hand. Nicht nur die unerwünschte Spekulation, sondern auch der sehr erwünschte internationale Handel, ja die Ressourcenallokation generell, würden betroffen. Davon abgesehen käme drittens eine Besteuerung von Devisentransaktionen ohnehin nur dann in Betracht, wenn diese weltweit uneingeschränkte Gefolgschaft fände. Andernfalls würde das Devisengeschäft in steuerfreie Länder abgedrängt[9]. Es kann jedoch ebenso keinem Zweifel unterliegen, dass es sehr wünschenswert ist, eine Dämpfung von Kursschwankungen gegen erratische Ausschläge zu erreichen.

Internationale Stabilisierung der Wechselkurse?

Im Brandt-Bericht wurde die Unordnung im internationalen Währungssystem als eines der Schlüsselprobleme der Weltwirtschaft identifiziert. Insbesondere vom IWF wurden Maßnahmen zur Stabilisierung des Weltwährungssystems verlangt (Brandt-Bericht, S. 340). Problematisch erscheint jedoch eine isoliert angegangene stärkere institutionelle Sicherung und Stabilisierung der Wechselkurse auf der internationalen Ebene. Stabile (oder zumindest stabilere) Kurse im Marktgeschehen sind jedenfalls nicht durch politisches Dekret zu erreichen, sondern müssen erst über einen tatsächlichen, weitgehenden Gleichlauf der konjunkturellen und strukturellen Makrodaten sowie konvergente Stabilitätspolitiken »verdient« werden[10]. So dürfte ein Entwurf einer so genannten tripolaren Währungsordnung mit festen, aber anpassungsfähigen Wechselkursen, mit »Zielzonen«[11] oder mit Bändern »flexibler Stabilität« zwischen Dollar, Yen und Euro erst dann einen effektiven Beitrag zur Lösung des Problems exzessiver Wechselkursschwankungen leisten können, wenn Konjunktur, Wachstum und Wirtschaftspolitik in den großen Währungs- und Wirtschaftsräumen weithin übereinstimmen – Bedingungen, die gegenwärtig noch nicht, zumindest nicht hinreichend und nachhaltig erfüllt sind (vgl. Jochimsen 1998b, S. 11 f.). Auch ist dafür vorauszusetzen, dass der einmal erreichte Gleichklang auf Dauer erhalten bleibt und zudem keinen asymmetrischen exogenen Schocks ausgesetzt wird, die in den Wirtschafts- und Währungsräumen zu differenzierten Reaktionsmustern führen können, Probleme und Herausforderungen, die sich schon für nationale Volkswirtschaften mit eigener Währung, wie viel mehr für Währungsgebiete stellen, deren Strukturen konjunktureller Konvergenz und politischer Solidarität erst im Entstehen sind (vgl. Jochimsen 1998a und 1998c, S. 167 ff.).

Selbst wenn die fundamentalen Voraussetzungen für die Vereinbarung von Wechselkurs-Zielzonen erfüllt wären, so dürfte die praktische Umsetzung noch enorme Probleme aufwerfen. Schon die Berechnung des bei der Formulierung von Zielzonen festzusetzenden realen Gleichgewichtskurses gäbe Anlass zu erheblichen Kontroversen, zumal dieser kaum anders als normativ – und schon deshalb oft nur kontrovers –, z. B. aus Zielen für die Leistungsbilanz-(bzw. Kapitalbilanz-)salden oder aus groben Kaufkraftparitäten der beteiligten Volkswirtschaften, abzuleiten wäre[12].

Vor allem setzte das Zielzonen-Konzept ein hohes Maß an praktischer, laufender Koordinationsfähigkeit und an dauerhaftem, solidarischem Kooperationswillen voraus, und dies weltweit[13]. Derart weit reichende Gemeinsamkeiten bei den wirtschafts-, struktur- und sozialpolitischen Zielen und Konzeptionen existieren aber weder aktuell, noch sind sie, realistisch betrachtet, in absehbarer Zeit zu erwarten.

Etwaige Inkongruenzen wechselkursbezogen mehr oder weniger fest verbundener Wirtschaftspolitiken oder ökonomischer Entwicklungen würden von den offenen, technisch revolutionierten und professionalisierten Weltfinanzmärkten mit ihrem rapide wachsenden Anlagevolumen, das schonungslos nach der jeweils bevorzugten optimalen Kombination von Rendite und Risiko sucht, rasch und schonungslos aufgedeckt, ja womöglich mit drastischen Spekulationsattacken auf ihre Belastbarkeit getestet. Ihnen könnten, selbst wenn diese es wollten, schon wegen der potenziell betroffenen Volumina, weder die Notenbanken noch ein auch finanziell stark aufgerüsteter IWF standhalten.

Andererseits besteht ein starkes Interesse der Volkswirtschaften, auch der Weltwirtschaft insgesamt, fort, zu stabilen Wechselkursen, auf welche Weltwährung auch immer ausgerichtet, zurückzukehren[14]. Hier ist die prinzipielle Haltung der internationalen Finanzinstitutionen immer noch ambivalent, ja schwankend. Nach dem Abgehen vom stabilen, aber anpassungsfähigen Wechselkurs als Generalrezept herrscht Unschlüssigkeit darüber, in welchen Fällen etwa ein *Currency Board* (heimische Geldmenge nur im Gleichschritt mit harter Währungsdeckung zu fixierten Relationen; keine eigenständige Geld- und Kreditpolitik) oder eine andere Form systematischer Anlehnung an eine Leitwährung anzuraten ist, in welchen hingegen bloß ein *pegging* – oder gar ein »*crawling peg*« (vorangekündigter Abwertungsrhythmus wegen fortbestehender Inflationsdifferenzen) angezeigt ist – oder ein Floating (frei schwankende Wechselkurse ggf. mit Devisenmarktinterventionen) erstrebenswert oder hinzunehmen ist.

Dabei wissen wir aus Erfahrung, dass feste Wechselkurse für Handel, Investitionen und Beschäftigung segensreiche Wirkungen entfalten, je länger desto stärker. Das allerdings setzt wiederum voraus, dass die nationale Wirtschaftspolitik in der Lage ist, die notwendigen binnenwirtschaftlichen Voraussetzungen für die Stabilisierung der Währung dauerhaft zu schaffen, damit die feste Anbindung von Volkswirtschaften an eine dominierende Ankerwährung gelingt (vgl. Tietmeyer 1998a, S. 301). McKinnon (1999) stellte fest: »Well-defined regional exchange rate objectives, collectively imposed to prevent cross-country contagion from unwarranted exchange rate fluctuations, would clarify what the putative lender of last resort was trying to achieve.« Zu diesem Zweck hat das Europäische System der Zentralbanken einen reformierten Wechselkursmechanismus entwickelt, bei dem der Euro als »Nabe«, die zugeordneten Währungen als »Speichen«, zu einem gemeinsamen »Währungsrad« gehören, das auf nachhaltige interne und externe Währungsstabilität im größeren Wirtschaftsraum hin ausgelegt ist.

Künstlich stabilisierte Wechselkurse bergen weitere, kaum kontrollierbare Risiken. So hieße eine Absprache von (nominalen oder realen) Wechselkurszielen für die beteiligten Notenbanken, gleichzeitig auch gemeinsame, glaubwürdige Ziele für die Zinspolitik bzw. das Zinsdifferenzial festzulegen. Damit gerät die Geldpolitik aber zwangsläufig ins Schlepptau der jeweils anderen Regierung und Notenbank. Sind die Vorstellungen darüber, was stabilitätsorientierte Politik verlangt, nicht voll kongruent, so wäre der Preis für mehr Wechselkursstabilität über kurz oder lang mehr Instabilität des Geldwertes. Vor einer solchen isoliert international festgelegten Zinspolitik ist, zumal vor dem Hintergrund der Erfahrungen, die Japan damit über das letzte Jahrzehnt hinweg bis heute gesammelt hat, nur zu warnen.

Ebenso wenig wie international koordinierte Zinssenkungen dürften auch zusätzliches Geld oder die Schaffung immer neuer Kreditfazilitäten des IWF, für sich genommen, die Ursachen der Finanzkrise beheben[15]. Im Gegenteil, hier muss die asymmetrische Wirkung solcher Finanzhilfen auf Gläubiger und Schuldner geradezu als Einladung an beide verstanden werden, gemeinsam Risiken eingehen zu dürfen, ohne für etwaige Verluste gerade stehen zu müssen, ein Zusammenhang, der zu alledem die Systemrisiken zu verstärken geeignet ist. Vorrangig ist es deshalb, eine international koordinierte, präventiv wirksame Marktverfassung für die globalen Finanzmärkte zu schaffen und in den einzelnen Mitgliedstaaten der Weltgemeinschaft durchzusetzen, wobei eine generelle internationale öffentliche Bürgschaft (»bail out«) auszuschließen ist, also Schuldner wie Gläubiger – auf geordnetem Wege – an den etwaig eintretenden Verlusten zu beteiligen sind. »But an enhanced IMF with greater and more flexible lending capacity would be fraught with moral hazard if borrowing access was too easy« (McKinnon 1999).

Unverzichtbar: Pragmatische Verbesserung der Finanzmarktaufsicht

Für eine wirksame internationale Marktverfassung ist ferner der Aufbau und Ausbau einer effizienten, an gemeinsamen Maßstäben orientierten, international vereinbarten und durchgesetzten Aufsicht über die Kredit- und Finanzinstitute einschließlich des Versicherungswesens, der Börsen sowie die dazu unerlässliche Abstimmung der beteiligten Behörden dringlich.

Eigentliche Ursache und Kern des Problems sind die fundamentale Schwäche des Finanzsektors in den von der Krise betroffenen Ländern, ferner mangelnde Transparenz und staatliche Aufsicht, die Kapitalverschwendung bzw. -fehllenkung in großem Stil zulassen und sich z. B. in einem Immobilienboom gigantischen Ausmaßes niederschlagen (Japan bis 1989/90, Südostasien bis 1997). Der Aufbau adäquater Institutionen hat weder in mikro- noch in makroprudenzieller Hinsicht mit der raschen Liberalisierung und den zügig wachsenden Dimensionen des Kapitalverkehrs Schritt gehalten[16]. Nicht die Liberalisierung der Finanzmärkte an sich, sondern deren missglücktes, überhastetes »*Timing*«, die Reihenfolge der Deregulierungsschritte und die gleichzeitige Stärkung der Aufsicht, also das »*Sequencing*« im Kontext des allgemeinen Entwicklungsprozesses und des Infrastrukturaufbaus der betroffenen Länder, waren und sind das zentrale Problem, wie der IWF inzwischen einräumt[17]. Alle Lösungen sind in der Tat nur mit großer Behutsamkeit anzugehen.

Dabei führt kein Weg an der Erkenntnis vorbei, dass der so genannte »Washingtoner Konsens« (vgl. Williamson 1999), den der IWF bis heute sämtlichen seiner Kreditabkommen zugrunde legt und der lange Zeit auch zwischen Notenbankern, Politik, Praxis und Wissenschaft unbestritten war, nicht hinreicht. Diese vorrangig auf makroökonomische Stabilität fixierte Zielkonzeption, die als wesentliche Bestandteile freien Handel, volle Kapitalkonvertibilität (Freiheit auch des kurzfristigen Kapitalverkehrs) bei anpassungsfähigen Wechselkursen, Haushaltskonsolidierung, stabilitätsorientierte Geldpolitik sowie niedrige Unternehmensbesteuerung, Garantie von Eigentumsrechten, Privatisierung und Entregulierung umfasst, lässt wichtige Elemente aus. Vielmehr ist ein ergänzender, umfassenderer

Politikansatz erforderlich, der auch die infrastrukturellen und mikroökonomischen Anforderungen ausdrücklich einbezieht. Voraussetzungen, die sowohl im so genannten »asiatischen Entwicklungsmodell« der »Tigerstaaten« als auch bei den sogenannten Transformations- und Reformstaaten im ehemaligen Sowjetblock sich als besonders brüchig und defizitär erweisen[18]. Dementsprechend ist bei der Festlegung der so genannten »Konditionalisierung« der IWF-Unterstützung vorsichtig – und nicht schneidig, wie so oft – zu verfahren.

Es gilt, die mikroökonomischen Strukturen des Finanzwesens einschließlich der Aufsicht in den einzelnen Ländern jeweils auf den nötigen weltweit anzuwendenden hohen Standard zu bringen. Angesichts der zentralen Stellung der Finanzinstitutionen im Wirtschaftsleben, ihrer Rolle im Zahlungsverkehr und als Mittler im Finanzierungsprozess ist eine wirksame Finanzaufsicht generell von überragender Bedeutung für eine jede Volkswirtschaft: Negative Meldungen über einzelne Banken können zu einem Vertrauensverlust in die Solidität des gesamten Bankensystems führen. Ähnliche Gefahren können auch von anderen Akteuren auf den Finanzmärkten, wie Versicherungen und Wertpapierfirmen, oder von eher technischen Abläufen wie Zahlungsverkehrs- und Abrechnungssystemen ausgehen. Ausfälle dort drohen den Zahlungsausgleich zwischen den Beteiligten zu erschweren oder sogar unmöglich zu machen. Zur Begrenzung der Risiken und Verhinderung von Missständen, d. h. vor allem der Fehllenkung von Mitteln im großen Stil, etwa mit der Konsequenz einer Anhäufung »fauler Kredite«, ist daher neben permanenten internen Kontrollen der Finanzinstitute selbst eine umfassende, mit ausreichenden Kompetenzen ausgestattete staatliche Aufsicht über das Finanzwesen, besonders den Geschäftsbankenbereich und die Finanzdienstleister, erforderlich[19].

Ein entscheidender Schritt dorthin besteht in der Übernahme der Basler Aufsichtsstandards durch die Entwicklungsländer. Bei diesen vom Basler Ausschuss für Bankenaufsicht im September 1997 veröffentlichten 25 Grundsätzen (»*Core Principles*«) handelt es sich um Mindestanforderungen für eine wirksame Bankenaufsicht (vgl. Deutsche Bundesbank 1998, S. 150 f.). Ähnliche Mindestanforderungen hat die BIZ (1990) für den geregelten Zahlungsverkehr, einschließlich der Verrechnung und Abwicklung entwickelt (Lamfalussy-Kriterien für die Brutto-Echtzeit-Zahlungssysteme mit sofortiger Abwicklung), wie dies auch für die Vorschriften über das Rechnungswesen gilt. Ihre Einhaltung ist zwar in fortgeschrittenen Bankensystemen weithin selbstverständlich geworden, in vielen Emerging Countries erfordert ihre Einführung noch erhebliche Anstrengungen. Auch ist in Rechnung zu stellen, dass der Basler Ausschuss selbst über keinerlei originäre Aufsichtskompetenzen auf internationaler Ebene verfügt, also lediglich Empfehlungen zur Stabilisierung des Finanzsystems geben kann.

Die Umsetzung der Basler Grundsätze wird überdies nicht leicht fallen, wie die BIZ zu Recht anmerkt: Bei den Banken ebenso wie bei den Aufsichtsbehörden vieler Länder fehlen qualifizierte Mitarbeiter. Notwendig sind deshalb umfassende Aus- und Fortbildungsbemühungen, die Jahre dauern werden und entsprechende technische Hilfe erfordern. Zuvorderst aber gilt es, jeweils den politischen Reformwiderstand derjenigen zu überwinden, die sich vom Bestehenden begünstigt sehen (vgl. BIZ 1998, S. 189).

Entscheidend ist, dass die Basler Mindeststandards zur Bankenaufsicht und zu den Zahlungssystemen in den IWF-Regeln verankert werden, der IWF also ihre Umsetzung als unverzichtbares Element der Konditionalität seiner Programme vorgibt[20].

Harmonisierte Finanzmarktaufsicht: Vorbild Europäische Union?

Einen speziellen Weg zur Staaten übergreifenden Einführung zwischen den Mitgliedstaaten koordinierter und harmonisierter Aufsichtsbestimmungen hat die Europäische Union beschritten. Mit der Umsetzung der EU-Richtlinien zur Verwirklichung des einheitlichen Binnenmarktes einschließlich desjenigen der Finanzdienstleistungen gelten heute in allen Mitgliedstaaten im Wesentlichen einheitliche Aufsichtsanforderungen. Eine generelle Übertragung dieses europäischen Weges auf die internationale Staatengemeinschaft erscheint jedoch ausgeschlossen. Zum einen fehlt es an einer der Europäischen Gemeinschaft vergleichbaren Rechtsinstitution – mit Organen zur gemeinsamen Entwicklung und wirksamen Durchsetzung im ganzen Wirtschaftsraum gültiger Aufsichtsbestimmungen –, zum anderen dürfte die bloße Anzahl und die unterschiedliche Interessenlage der beteiligten Länder eine entsprechende Entscheidungsfindung sehr erschweren. Ebenso wie im Währungs- und Handelsbereich sollte man auch hier auf »Globalisierung via Regionalisierung« setzen. Insofern könnte sich das Vorgehen der EU-Partnerländer also durchaus als Vorbild für andere regionale Integrationsräume empfehlen (vgl. UNCTAD 1998, S. 106 f. sowie Jochimsen 1996/1999a).

Freilich müssen auch in Europa, wie generell in allen anderen fortgeschrittenen Finanzsystemen westlicher Industriestaaten, die Aufsichtsbestimmungen angesichts einer offenen, »lernenden«, zukunftsgerichteten Evolution der weltweiten Arbeitsteilung laufend weiterentwickelt werden. Denn Globalisation und Internationalität besonders der Finanzmärkte haben ebenso wie der rasante technische Fortschritt in der Informations-, Kommunikations- und Datenverarbeitungstechnik just in den letzten Jahren entscheidend zur rasanten Entwicklung im Bank- und Finanzwesen beigetragen. Volumen und Geschwindigkeit der Transaktionen haben erneut deutlich zugenommen. Ständig komplizierter werdende Konstruktionen von Finanzmarktkontrakten und der in großem Stil erfolgende spekulative Einsatz von innovativen, derivativen Finanzinstrumenten zu einem möglichst sparsamen Einsatz der Eigenmittel bzw. zu einer möglichst effizienten Hebelwirkung des gebundenen Eigenkapitals (»leverage«) gefährden die Übersicht über die internationalen Finanzvorgänge und insbesondere das Bankgeschäft.

Damit liegt auf der Hand, dass Aufsichtsprobleme nicht mehr allein national zu bewältigen sind, sondern nach international abgestimmten, koordinierten Lösungen verlangen. Zugleich erscheint wegen der zunehmenden Vermischung der Geschäfte von Kreditinstituten, Versicherungen, Wertpapierfirmen und anderen »near-« oder »non-banks« neben der grenzüberschreitenden Aufsicht auch eine Sektor übergreifende, integrierte Aufsicht dringend erforderlich. Im Rahmen von Allfinanzkonzepten sind überdies zum Teil Finanzkonglomerate entstanden, zu deren wirksamer Beaufsichtigung eine Abstimmung zwischen den Bank-, Versicherungs- und Wertpapieraufsehern unumgänglich geworden ist. Insbesondere bei zentral gesteuerten Unternehmensverbindungen erscheint es wenig sinnvoll, die einzelnen Gruppenmitglieder durch separate Behörden zu beaufsichtigen[21].

Im Lichte längst die Staatsgrenzen überspringender Transaktionen erscheint es vielen zunehmend anachronistisch, dass die Finanzmärkte und Finanzakteure immer noch von nationalen Behörden – seien es Zentralbanken oder eigenständige Aufsichtsbehörden – überwacht werden, ganz zu schweigen davon, dass die Vielgestaltigkeit der bestehenden unterschiedlichen Finanz- und Aufsichtssysteme nicht nur die Aufsichtsbehörden selbst hemmt, sondern auch Kapazitäten der Kreditinstitute für die Analyse und Erfüllung unterschiedlicher Marktbedingungen und Aufsichtsanforderungen in den Partnerländern bindet. Umso leichter drängt sich die Forderung auf, neue Staaten übergreifende Gremien für die Aufsicht zu schaffen. Gerade in Bezug auf das Eurowährungsgebiet wird der Ruf nach einer Zentralinstanz für die Finanzmarktaufsicht laut, zu einer durchgehenden Korrespondenz zwischen monetärem und finanziellem Stabilitätsrahmen zu kommen, und beides bei der EZB bzw. dem Eurosystem anzusiedeln, eine gerade auch währungspolitisch nicht unproblematische Ballung, die inhärenten Konfliktmustern das Tor öffnen kann[22].

Ob eine solche Zentralisierung notwendig und sinnvoll ist, erscheint überdies eher fraglich. Ohnehin steht dem Eurosystem zu, allgemeinen Liquiditätsengpässen entgegenzuwirken (*Makro-lender-of-last-resort*-Funktion); eine makroökonomische Solvenzaufsicht sowie eine auf einzelne Institute bezogene *Mikro-lender-of-last-resort*-Funktion dagegen nicht (vgl. Kapitel VII). Wie bereits dargelegt, haben die geltenden einschlägigen EU-Richtlinien ja längst zu einer weit gehenden Harmonisierung der Bankenaufsicht – insbesondere der Solvenzaufsicht – in Europa geführt, wobei auf eine noch striktere Vereinheitlichung entsprechend dem Subsidiaritätsprinzip verzichtet wurde, u. a. um regionalen und länderspezifischen Besonderheiten gebührend Rechnung tragen zu können[23]. Die Ortsnähe nationaler Behörden und die genaue Kenntnis der heimischen Märkte haben sich in der Vergangenheit, gerade auch in Deutschland bei der harten, unspektakulären, unauffälligen Arbeit der Aufseher, als nicht zu unterschätzender Erfolgsfaktor einer wirksamen, kostengünstigen Aufsicht erwiesen, dies umso mehr, als der ganz überwiegende Teil der Institute – Sparkassen und Kreditgenossenschaften – weiterhin auf regional beschränktem Terrain im Inland tätig ist (Regionalprinzip), was auch im Interesse einer ausgewogenen, breit abgesicherten Regionalentwicklung wünschenswert bleibt.

Auch in weltweiter Perspektive spricht vieles eher dafür, auf die multilaterale Zusammenarbeit der bestehenden Gremien zu setzen, also der Bank für Internationalen Zahlungsausgleich (BIZ), dem Internationalen Verbund der Wertpapieraufsichtsbehörden (IOSCO) sowie dem Internationalen Verband der Versicherungsaufsichtsbehörden (IAIS) unter Einbeziehung der nationalen Aufsichtsbehörden der G-7-Länder[24]. Der IWF und die Weltbank hätten ebenfalls Aufgaben zur Schließung von Lücken im Aufsichtsnetz zu übernehmen[25].

Finanzmarktaufsicht, Notenbank und »Lender of last resort«-Funktion

Effiziente Finanzmarktverfassung und -aufsicht hat den Rahmen für die Geschäftstätigkeit der Banken, Versicherungen etc. zu schaffen. Ihr kommen weder die geschäftspolitischen Entscheidungen zu noch hat sie für etwaige Verluste aufzukommen. Vielmehr obliegt die originäre Verantwortung dafür dem Privatsektor, konkret den Geschäftsleitungen der beteiligten Finanzinstitute. In einem marktwirtschaftlichen System sind Insolvenzen grundsätzlich jederzeit möglich, somit auch im Bankenbereich, der geordnete Marktaustritt erfolgloser Institute ist sogar essenziell für den Erhalt eines gesunden Bankensystems (vgl. Meister 1999, S. 7).

Ein frühzeitiges Eingreifen seitens der Bankenaufsicht ermöglicht eine geräuschlose Abwicklung angeschlagener Banken, ohne dass es zur »Ansteckung« anderer Institute kommt.

Bei der Wahl des richtigen Zeitpunkts zum Eingreifen bei Schieflagen einzelner Institute steht die Aufsicht freilich vor einem Dilemma: Bei einer zu späten Schließung einer Bank setzt sich die Bankenaufsicht Vorwürfen der Einleger aus, dass eventuelle Schäden bei einem schnelleren Tätigwerden der Behörden hätten vermieden werden können. Ein zu frühes Eingreifen zieht umgekehrt in aller Regel Beschwerden der Eigner des Instituts nach sich. Jedenfalls sollte zu den Bedingungen gehören, dass nur solvente Kreditinstitute gestützt werden, dass eine Bereitstellung von Liquidität auch im Notfall nur gegen Sicherheiten erfolgt, im Übrigen insolvente Finanzinstitute in den Konkurs oder die Fusion miteinander gehen.

Besonders kompliziert wird die Lage jedoch, wenn das betreffende Institut als »too big to fail« gilt, bei seiner Schließung also ein Dominoeffekt angenommen wird, der das gesamte Bankensystem in eine systemische Krise hineinziehen ließe. Selbst für diesen Fall sollte aber die Bereitstellung von Notenbankkredit im Sinne eines »*Lender of last resort*« für einzelne Institutionen grundsätzlich vermieden werden, schon gar nicht darf ein etwaiges Einstehen der Zentralbanken oder der öffentlichen Hand im Voraus angekündigt werden. Kreditgeber würden ansonsten darauf vertrauen, die Risiken ihrer Engagements auf staatliche Stellen abwälzen zu können, und damit möglicherweise weniger strenge Anforderungen an ihre Kreditvergaben stellen, was einen »*moral hazard*« hervorriefe und das Finanzsystem inhärent destabilisieren könnte. Insofern sollte bei der Diskussion um eine »*Lender of last resort*«-Funktion der einzelnen Finanzinstitutionen – sei es der IWF oder das Eurosystem – äußerst sorgfältig argumentiert werden[26]. Der Sachverständigenrat (1998, Zif. 292) merkt zu Recht an, dass die Europäische Zentralbank als *Lender of last resort* allenfalls dann einspringen darf, »wenn Insolvenzen die Funktionstüchtigkeit des Kredit- und Finanzsystems im Euro-Währungsraum ernsthaft gefährden würden, und dann auch nur zu Konditionen, die sie selbst nach eigenem Ermessen festlegt«.

Dreh- und Angelpunkt bleibt also auch aus dieser Perspektive die Krisenvorbeugung und -vermeidung. Auch mit dem Blick auf die Emerging Countries sollte dies möglichst unter breiter Einbindung der privaten Anleger, Banken und Fonds und auch des öffentlichen Sektors geschehen, ohne die Regierungen aus der Verantwortung zu entlassen. Zu einer sachgerechten Einschätzung der Risiken gehört, dass die Informationen hinsichtlich der einzelnen Finanzsysteme quantitativ und qualitativ verbessert werden und dass eine breite Transparenz zwischen allen beteiligten Aufsichtsbehörden hergestellt wird. So haben beispielsweise die über Schwellenländer bisher vorliegenden makroökonomischen Daten teilweise nicht ausgereicht, um Fehlentwicklungen in diesen Staaten rechtzeitig zu erkennen. Dafür müssen einerseits die Schuldnerländer in Zukunft Daten über Umfang und Art ihrer Verschuldung der gesamten Volkswirtschaft wie auch einzelner Kreditnehmer liefern (vor allem zur Laufzeitenstruktur und Denominierung von Auslandsverbindlichkeiten), andererseits haben die Geberländer bzw. die ausleihenden Finanzinstitute ihre Ausleihungen an die Schwellenländer zu melden (vgl. Tietmeyer 1998b, S. 3).

Derartige Daten sollten Anlegern und Kreditgebern regelmäßig, umfassend und zeitnah zur Verfügung stehen[27]. Weiterführend, wenngleich schwierig umzusetzen, erscheint in diesem Zusammenhang der Vorschlag eines internationalen »Liquiditätssicherungsfonds« unter Beteiligung der weltweit größten »*Global Players*«, durch den reine Liquiditätskrisen von Instituten mit guter Bonität behoben werden könnten, ohne dass die Notenbanken als »*Lender of last resort*« überhaupt ins Spiel kommen müssten[28].

Nüchterne Verstärkung statt Neubau der internationalen Finanzarchitektur

Der Abschlussbericht der Nord-Süd-Kommission von 1980 behandelt aus dem Bereich der Finanzmärkte lediglich die Fragenkomplexe Weltwährung und Auslandsinvestitionen. Vor gut 20 Jahren erreichte die Volatilität auf den Finanzmärkten nicht heutige Ausmaße, die sich durch die Fortschritte auf den Gebieten der Informations- und Kommunikationstechnologie enorm beschleunigt (»sekundenschnell und weltumspannend«) haben. Obwohl Tobin bereits in der ersten Hälfte der siebziger Jahre seine Überlegungen zu einer Spekulationssteuer veröffentlichte, war die Spekulation – wie erwähnt – kein Thema des Kommissionsberichtes.

Heute sind vorhandene Lücken in der Beaufsichtigung der Finanzmärkte durchaus erkannt und werden von den politisch Verantwortlichen und den Aufsichtsgremien intensiv erörtert. Andererseits ist und bleibt die Einigung auf international anerkannte, gemeinsame Aufsichtsregeln und ihre Umsetzung, auch aufgrund der Vielzahl der beteiligten Länder, der verschiedenen wirtschaftlichen Strukturen und der heterogenen Interessenlagen, ein sehr aufwendiger und langwieriger Prozess, zu dem es allerdings keine Alternative gibt. Vieles von dem, was modisch und belastbar unter dem Stichwort »neue globale Finanzarchitektur« rangiert, geht dabei im Kern nicht wesentlich über das hinaus, was bereits mit der »Erklärung des Vorsitzenden der G-7« auf der Grundlage des »Berichts der G-7-Finanzminister an die Staats- und Regierungschefs« auf dem Gipfel von Birmingham vom Mai 1998 bestätigt worden ist (G-7 1998a, 1998b), in den Berichten der so genannten »*Willard-Gruppe*« bzw. »G 22« im Oktober 1998 detaillierter niedergelegt und anschließend von den G 7 Ende Oktober 1998 festgestellt worden ist[29].

Bemerkenswerten Fortschritt in der Frage, wie den allseits erkannten Kooperations- und Koordinierungsdefiziten bei der Finanzmarktaufsicht in der Praxis entgegenwirkt werden kann, bringt der zum G-7-Treffen vom 20. Februar 1999 in Bonn vorgelegte Bericht Hans Tietmeyers (1999). Er analysiert die Problemlage ausgesprochen nüchtern und ausgewogen und münzt sie dem Auftrag entsprechend in sehr dezidierte Vorschläge um (vgl. G-7 1999). Im Mittelpunkt steht die Initiative zur Schaffung eines politisch hoch angesiedelten »Forums für Finanzmarktstabilität« (»*Financial Stability Forum*«) der G-7 sowie der internationalen Finanzinstitutionen und der nationalen Aufsichtsbehörden, das von einem kleinen Sekretariat vorbereitet etwa halbjährlich auch in ergänzter Zusammensetzung zusammentritt[30].

Diese Vorschläge gehen einerseits deutlich über die bisherige Praxis hinaus, andererseits bleiben sie hinter dem Plan etwa eines voll institutionalisierten, supranationalen »*Standing Committee for Global Financial Regulation*« mit direkten

Kompetenzen zurück. Privatsektor und Emerging Countries werden nicht grundsätzlich, wohl aber zunächst noch ausgeklammert.

Mithin stehen pragmatische Verbesserung und Verstärkung der bestehenden Finanzarchitektur im Vordergrund – nicht zunächst Abriss und dann dauerexperimenteller Neubau. Last but not least ist vor dem Irrglauben zu warnen, gebündelte, koordinierte Anstrengungen zur Verbesserung und Stärkung der internationalen Finanzarchitektur könnten bewirken, dass dadurch die Defizite interner Politik in gefährdeten Volkswirtschaften behoben werden bzw. jene könnten diese ersetzen. Im Gegenteil, diese zu beheben, wird bei Transparenz und frühzeitiger Bewertung internationaler Krisenphänomene nur noch dringlicher. In diesem Sinne beginnt Stabilität der globalen Finanzordnung immer und überall in jedem einzelnen Land, wie dies auch der Brandt-Bericht ausweist, wenn er in Bezug auf eine neue Weltwährungsordnung – eine Frage, die in der Entstehungszeit des Berichts die Menschen so bewegte wie heute die Frage nach »Leitplanken« für die Finanzmärkte – fordert: »Wechselkursstabilität verlangt beides, Disziplin im Inland und internationale Zusammenarbeit, um diese zu erhalten« (Brandt-Bericht, S. 261). Diese Aussage gilt unverändert. Sie lässt sich auf die Weltfinanzordnung im Ganzen übertragen.

Anmerkungen

* Prof. Dr. Dr. h. c. Reimut Jochimsen ist am 25. November 1999 verstorben. Dieser im Mai 1999 abgeschlossene Beitrag erscheint posthum.

1 Hedge Fonds sind Unternehmen, die zum Teil eine hochspekulative Anlagepolitik ohne genügende Eigenkapitalbasis mit größtenteils fremden Geldern (Leverage Effekt) betreiben. Bei einem Zusammenbruch solcher Fonds kann es daher zu Kettenreaktionen an den Finanzmärkten kommen, insbesondere dann, wenn publik wird, dass einzelne kreditgebende Banken hohe Ausfälle zu verkraften haben. Zur Rolle der Federal Reserve Bank of New York bei der Rettungsaktion für LTCM vgl. McDonough (1998), S. 1 ff.

2 Verglichen mit dem Vorjahr hat sich das Expansionstempo des Welthandels 1998 mehr als halbiert; vgl. OECD (1998), Tab. 1.2.

3 Der IWF hat seine Wachstumsprognose für die Weltwirtschaft in 1999 zwischen Mai 1998 und Dezember 1998 in drei Schritten deutlich von ursprünglich 3,7 % auf nur noch 2,2 % zurückgenommen, bei der jüngsten Prognose im April 1999 dagegen wieder leicht nach oben revidiert (+ 2,3 %). Die Erwartungen für die EU-15-Länder nahm er in vier Schritten von 2,8 % im Mai 1998 auf nunmehr lediglich noch 1,8 % zurück.

4 So Bundespräsident Roman Herzog (1999) in seiner Eröffnungsrede anlässlich des Weltwirtschaftsforums in Davos 1999.

5 »Widely discussed reforms that sound attractive on their surface (. . .) on full examination often raise serious questions to which there are currently no good answers«, so US-Finanzminister Rubin, zit. nach Friedman/Gage (1999), und: »as important as accomplishing what needs to be done is avoiding what should not be done«.

6 Ausgenommen von den Kapitalverkehrsbeschränkungen sind Erträge und Dividenden aus der Tätigkeit von im Auslandsbesitz befindlichen Unternehmen in Malaysia; vgl. OECD (1998), S. 144.

7 Die Idee, der kurzfristigen Spekulation »Sand ins Getriebe zu streuen«, hat James Tobin bereits 1974 bzw. 1978 vorgetragen; vgl. Tobin (1974, 1978). Die Einführung einer Steuer auf Devisenumsätze war am 7. Mai 1998 auf Antrag der PDS sowie des Bündnis 90/Die Grünen Thema im Deutschen Bundestag. Die beiden Anträge wurden seinerzeit allerdings sowohl mit den Stimmen der damaligen Regierungskoalition als auch der SPD abgelehnt. Siehe auch die verdienstvolle Bewertung von Haq/Kaul/Grunberg (1996).

8 Zum gesamtwirtschaftlichen Nutzen der Spekulation vgl. Mayer (1998).

9 Selbst wenn eine Einigung weltweit gelänge (was schon wegen der entgegengesetzten Interessen bei den Offshore-Zentren wenig wahrscheinlich ist), sollte der Einfallsreichtum der Marktakteure bei der Suche nach Möglichkeiten zur Umgehung bestehender Regulierungen nicht unterschätzt werden. Vermutlich würde nur eine weitere Welle von Finanzinnovationen sowie ein Wettlauf zwischen immer weitergehenden Regulierungen und immer neuen Geschäftskonstruktionen losgetreten.

10 Dies wurde auch schon von den Mitgliedern der Bretton Woods Commission (1994), S. 4 und des Reinventing Bretton-Woods Committee hervorgehoben; vgl. u. a. Jochimsen (1996), S. 71.

11 Das Wechselkurs-Zielzonen-Konzept geht zurück auf Williamson (1983).

12 Jede wesentliche Änderung der Verhaltensweisen der Akteure in Wirtschaft und Staat müsste zu einer Neuberechnung dieser Rate führen. Auch eine theoretisch weniger anspruchsvolle automatische Anpassung der Wechselkurszielzonen, etwa an die Inflationsdifferenzen, stellt nur auf dem Papier eine Lösung dar, das Glaubwürdigkeitsproblem der jeweils zu verfolgenden Geldpolitik den Märkten gegenüber vermag sie nicht zu lösen.

13 Vgl. Neumann 1998, S. 40: »A system of fixed exchange rates that includes two big players of about equal strength, the U.S. and the EMU, cannot be stable. The reason for this is that stability requires asymmetry, hence requires that one of the big players accepts the monetary leadership of the other. This to happen is unthinkable.«

14 Siehe dazu den Vorschlag Toru Kusukawas für eine Stabilisierung der asiatischen Länder auf eine handelsgewichtete Korbwährung, die Dollar, Yen und Euro umfasst. Kusukawa (1999).

15 Vgl. Dornbusch (1998), S. 70: »Simply making more rescue money available is a bit like providing the police with better arms – it only raises the quality of the shoot-outs.«

16 Zu den eigentlichen Ursachen der Asienkrise und zentralen Ansatzpunkten zu ihrer Überwindung vgl. die treffliche Analyse von Joseph E. Stiglitz (1998). Den wichtigen Zusammenhang zwischen effizienten Märkten und dem Aufbau adäquater Institutionen, technologischer Entwicklung und Bildung von human capital hat vor allem Douglass C. North (1997) herausgearbeitet.

17 Inzwischen weist der IWF selbst auf die Notwendigkeit einer »maßgeschneiderten« Liberalisierung des Kapitalverkehrs hin, vgl. Camdessus (1999), S. 11.

18 Vgl. Stiglitz (1998) sowie das Vorwort von Stiglitz (1999) zum Weltbankbericht »Global Economic Prospects and the Developing Countries, Beyond Financial Crisis«, insbes. S. XI f.

19 Auf eine solche strikte Forderung, auch zum Schutz der Hedgefonds vor der Überspannung ihrer eigenen Spielräume, ist auch George Soros inzwischen eingeschwenkt. Vgl. Soros (1998).

20 Die Staats- und Regierungschefs der G-7 haben dies den beiden Finanzinstitutionen inzwischen aufgegeben; vgl. die Fußnoten 25 und 28.

21 Großbritannien hat daraus inzwischen die Konsequenz gezogen, die verschiedenen Finanzmarktregulatoren, die bisher für einzelne Marktsegmente oder Institutsgruppen zuständig waren, zur Financial Services Authority (FSA) zusammenzulegen. Die Verbesserung der staatlichen Aufsicht von Banken, Versicherungen und Finanzkonglomeraten ist inzwischen auch Gegenstand der neu eingerichteten EU-Arbeitsgruppe Finanzdienstleistungen. Bis Ende 1999 will die EU-Kommission einen Richtlinienentwurf zur Stärkung der Beaufsichtigung des Versicherungswesens vorlegen, wobei insbesondere die Solvabilitätsanforderungen strenger gefasst werden sollen; außerdem soll die Beaufsichtigung von Finanzkonglomeraten durch eine bessere Zusammenarbeit der nationalen Aufsichtsbehörden intensiviert werden. Vgl. Börsenzeitung (1999).

22 Vgl. z. B. De Grauwe/Giavazzi/Uhlig/Wyplosz (1998), S. 39. Auch der Sachverständigenrat (1998), Zif. 292, empfiehlt, die materielle Bankenaufsicht zentral bei der EZB anzusiedeln. Dies erscheint allerdings schon deshalb nicht unproblematisch, weil Konflikte mit dem geldpolitischen Auftrag nicht auszuschließen sind. Siehe auch Padoa-Schioppa (1999, S. 27), der vor allem eine enge Kooperation der Bankenaufseher im Währungsraum und mit dem Eurosystem fordert: »What I preceive as absolutely necessary, however is that cooperation among banking supervisors. . . will allow a sort of euro collective supervision to emerge that can act as effectively as if there were a single supervisor.«

23 Durch den Start der Gemeinschaftswährung Euro in 11 Mitgliedstaaten und der Schaffung des Eurosystems als einer Zentralbank ist freilich keine Deckungsgleichheit von Finanzbinnenmarkt und Euro-Währungsgebiet gegeben; vgl. Padoa-Schioppa (1999).

24 Seit Anfang 1996 wird die internationale Zusammenarbeit der nationalen Aufsichtsbehörden im Joint Forum on Financial Conglomerates koordiniert, das aus dem Baseler Ausschuss für Bankenaufsicht, der International Organisation of Securities Commission (IOSCO) und der International Association of Insurance Supervisors (IAIS) gebildet wird.

25 In diese Richtung zielen die Vorschläge des am 20. Februar 1999 anlässlich des Treffens der G-7-Finanzminister und Notenbankgouverneure in Bonn gebilligten Berichts »Internationale Zusammenarbeit und Koordination auf dem Gebiet der Aufsicht und Überwachung des Finanzmarkts« von Hans Tietmeyer (1999).

26 Stanley Fischer (1999) fordert, dem IWF solle eine Lender-of-last-resort-Funktion zuerkannt werden.

27 In der Europäischen Union gibt es in den meisten Mitgliedstaaten bereits nationale Systeme zur Meldung der Verschuldung von Kreditnehmern. In Deutschland haben die Meldepflichtigen beispielsweise Kredite ab einem Betrag von 3 Mio. DM (sog. »Millionenkredite«) vierteljährlich an die Deutsche Bundesbank zu melden. Ein international koordiniertes einheitliches Kreditmeldesystem gibt es demgegenüber bisher nicht. Die Errichtung einer solchen internationalen Evidenzzentrale bei der BIZ in Basel ist zuletzt Ende 1998 von dem für die Bankenaufsicht zuständigen Mitglied des Direktoriums der Deutschen Bundesbank, Edgar Meister, angemahnt worden.

28 Vgl. Meister (1999), S. 7 f. In die gleiche Richtung geht der Vorschlag von US-Finanzminister Rubin, einen mit 150 Mrd. Dollar dotierten Fonds einzurichten, der zur unkonditionierten Unterstützung (präventiv) von potenziell krisenbetroffenen, aber durch eine »gesunde Wirtschaftspolitik« gekennzeichneten Ländern dienen soll. Es wäre auch sinnvoll, dabei die vielfältigen nützlichen Wirkungen einzubeziehen, die der Marshallplan in Europa nach dem Zweiten Weltkrieg entfaltete, insbesondere vermittels der Europäischen Zahlungsunion 1950–58 sowie der multilateralen Liberalisierung des Handels; vgl. Jochimsen (1998c), S. 23–27.

29 Vgl. G 7 (1998c) sowie G 22 Working Groups (1998). Die Berichte der drei G-22-Ausschüsse beziehen sich auf »Transparency and Accountability«, »Strengthening the Financial System« sowie »International Financial Crisis«. Eine wichtige Rolle wird der Etablierung internationaler Verhaltensregeln (»codes of conduct«) zugemessen – Prinzipien zur Bankenaufsicht (erarbeitet vom Baseler Ausschuss), Grundsätze der Wertpapierregulierung (IOSCO), Datenveröffentlichungsstandards (IWF) sowie ein Wohlverhaltenscodex für fiskalpolitische Transparenz (IWF).

30 Vgl. Tietmeyer (1999), S. 10: »Umfangreiche institutionelle Umwälzungen sind (...) nicht notwendig«, Ziel ist es vielmehr, »die bestehenden Regelungen zur Aufsicht und zur Überwachung des internationalen Finanzsystems« zu verstärken.

Literatur

Bank für Internationalen Zahlungsausgleich (1990): Report of the Committee on Interbank Netting Schemes of the Central Banks of the Group of Ten Countries, Basel.

Bank für Internationalen Zahlungsausgleich (1998): 68. Jahresbericht, Basel.

Börsenzeitung vom 2. 2. 1999: Monti will bessere Finanzaufsicht.

Brandt, Willy (1980): Das Überleben sichern. Gemeinsame Interessen der Industrie- und Entwicklungsländer. Bericht der Nord-Süd-Kommission, Köln.

Bretton Woods Commission (1994): Bretton Woods: Looking to the Future. Commission Report, Staff Review, Background Papers, Washington, D. C. (»Volcker-Report«).

Camdessus, Michel (1999): Economic and Financial Situation in Asia: Latest Developments. Background Paper prepared for presentation by Michel Camdessus, Asia-Europe Finance Ministers Meeting, Frankfurt, 16. 1. 1999, Internet-Version.

De Grauwe, Paul/Giavazzi, Francesco/Uhlig, Harald/Wyplosz, Charles (1998): The ECB: Save at any Speed? Monitoring the European Central Bank 1. Centre for Economic Policy Research, London, Oktober 1998.
Deutsche Bundesbank (1998): Geschäftsbericht 1997, Frankfurt a. M.
DIW (1999): Grundlinien der Wirtschaftsentwicklung 1999. Weltwirtschaft im Schatten der Finanz- und Währungskrisen, Wochenbericht 1/99, 7. 1. 1999.
Dornbusch, Rüdiger (1998): Meltdown Post-Mortem, Rude Surprises, Valuable Lessons and Dumb Ideas in the Aftermath of the Asian Crisis, in: The International Economy, November/December 1998, S. 20–23, 70.
Fischer, Stanley (1999): On the Need for an International Lender of Last Resort, Paper prepared for delivery at the joint luncheon of the American Economic Association and the American Finance Association, New York, 3. 1. 1999, Internet-Version.
Frankfurter Allgemeine Zeitung vom 9. 5. 1998: Koalition lehnt Tobin-Steuer ab.
Friedman, Alan/Gage, Jonathan (1999): A Proposal to Monitor World Finance System, in: International Herald Tribune vom 1. 2. 1999.
G 7 (1998a): Erklärung des Vorsitzenden der G 7, Wirtschaftsgipfel in Birmingham, Treffen der Staats- und Regierungschefs, in: Bulletin des Presse- und Informationsamtes der Bundesregierung, Nr. 38, 4. 6. 1998, S. 479–481.
G 7 (1998b): Bericht der G 7-Finanzminister an die Staats- und Regierungschefs, Wirtschaftsgipfel in Birmingham, in: Bulletin des Presse- und Informationsamtes der Bundesregierung, Nr. 38, 4. 6. 1998, S. 481–485.
G 7 (1998c): Statement of G 7-Finance Ministers and Central Bank Governors, in: Deutsche Bundesbank, Auszüge aus Presseartikeln, Nr. 60 vom 8. 10. 1998, S. 5–7.
G 7 (1999): Communiqué of G 7-Finance Ministers and Central Bank Governors, 20. 2. 1999, Petersberg/Bonn, Internet-Version.
G 22 Working Groups (1998): Reports on the International Financial Architecture. The Working Group on Transparency and Accountability, The Working Group on Strengthening Financial System, The Working Group on International Financial Crisis, 5. 10. 1998, Internet-Version.
Haq, Mahbub ul/Kaul, Inge/Grunberg, Isabelle (1996): The Tobin Tax. Coping with Financial Volatility, New York.
Herzog, Roman (1999): Für eine globale Verantwortungsgemeinschaft. Eröffnungsrede des Bundespräsidenten vor dem Weltwirtschaftsforum in Davos, in: Frankfurter Allgemeine Zeitung vom 29. 1. 1999.
Jochimsen, Reimut (1996): Globalism via Regionalism, in: Marc Uzan (Hrsg.): The Financial System under Stress. An Architecture for the New World Economy, Volume I, London/New York, S. 64–80.
Jochimsen, Reimut (1998a): Kein neues Bretton Woods, in: Sparkassenzeitung vom 23. 10. 1998.
Jochimsen, Reimut (1998b): Die Europäische Wirtschafts- und Währungsunion im globalen Kontext. Vortrag beim IBM-Forschungslaboratorium Zürich, Rüschlikon, am 12. 11. 1998, in: Deutsche Bundesbank, Auszüge aus Presseartikeln, Nr. 68 vom 19. 11. 1998, S. 7–12.
Jochimsen, Reimut (1998c): Perspektiven der europäischen Wirtschafts- und Währungsunion, 2. Auflage, Baden-Baden.
Jochimsen, Reimut (1999a): Globalismus via Regionalismus im Währungsbereich? Der Beitrag eines wertstabilen Euros, in: Festschrift zum 70. Geburtstag von Wilhelm Hankel, Stuttgart.
Jochimsen, Reimut (1999b): Herausforderungen der Europäischen Wirtschafts- und Währungsunion an die Geldpolitik, in: Ökonomie und Ökologie. Festschrift zum 65. Geburtstag von Joachim Klaus, S. 161–190.
Maier-Mannhart, Helmut (1999): Auf der Suche nach Leitplanken für das weltweit agierende Kapital, in: Süddeutsche Zeitung vom 1. 2. 1999.

Mayer, Thomas (1998): Vom Nutzen der Spekulanten, in: Rheinischer Merkur vom 4. 12. 1998.
McDonough, William J. (1998): Testimony by the President of the Federal Reserve Bank of New York before the Committee on Banking and Financial Services of the US House of Representatives on 1. 10. 1998, in: Bank for International Settlements, BIS Review, No. 78, Basel, S. 1–10.
McKinnon, Ronald I. (1999): Policy of Last Resort, in: Financial Times vom 9. 2. 1999.
Meister, Edgar (1999): Allow Banks to fail. Statement vor dem Symposium der Universität Frankfurt am 1. 2. 1999, in: Deutsche Bundesbank, Auszüge aus Presseartikeln, Nr. 7 vom 1. 2. 1999, S. 7–8.
Mundell, Robert (1998): The Euro and International Monetary Reform, in: Entgrenzung als Erkenntnis- und Gestaltungsaufgabe, Festschrift für Reimut Jochimsen zum 65. Geburtstag, Berlin, S. 331–341.
Neumann, Manfred J. M. (1998): What Exchange Rate Policy in EMU, in: ZEI Policy Paper B 98–04, hrsg. vom Zentrum für Europäische Integrationsforschung (ZEI), Bonn, S. 34–46.
North, Douglass C. (1997): The Contribution of the New Institutional Economics to an Understanding of the Transition Problem. WIDER Annual Lectures 1, hrsg. von UNU/ World Institute for Development Economics Research (UNU/WIDER), Helsinki, March 1997.
OECD (1998): OECD Wirtschaftsausblick, Paris, Dezember 1998.
Padoa-Schioppa, Tommaso (1999): EMU and Banking Supervision, Lecture, London.
Sachverständigenrat zur Begutachtung der gesamtwirtschaftlichen Entwicklung (1998): Jahresgutachten 1998/99.
Soros, George (1998): The Crisis of Global Capitalism, New York.
Stiglitz, Joseph E. (1998): More Instruments and Broader Goals: Moving toward the Post-Washington Consensus. WIDER Annual Lectures 2, hrsg. von UNU/World Institute for Development Economics Research (UNU/WIDER), Helsinki, Januar 1998.
Stiglitz, Joseph E. (1999): Vorwort zu: The International Bank for Reconstruction and Development/The World Bank, Global Economic Prospects and the Developing Countries, Beyond Financial Crisis, Washington, D.C.
Tietmeyer, Hans (1998a): Weltwährungssystem und Europäische Währungsunion, in: Entgrenzung als Erkenntnis- und Gestaltungsaufgabe, Festschrift für Reimut Jochimsen zum 65. Geburtstag, Berlin, S. 299–312.
Tietmeyer, Hans (1998b): The Role of the IMF in the Global Economy, in: Deutsche Bundesbank, Auszüge aus Presseartikeln, Nr. 41 vom 8. 7. 1998, S. 1–4.
Tietmeyer, Hans (1999): International Cooperation and Coordination in the Area of Financial Market Supervision and Surveillance, 11. 2. 1999, Internet-Version.
Tobin, James (1974): The New Economics One Decade Older, in: The Eliot Janeway Lectures on Historical Economics in Honour of Joseph Schumpeter, Princeton.
Tobin, James (1978): A Proposal for International Monetary Reform, in: The Eastern Economic Journal, Vol. 4, S. 153–159.
UNCTAD (1998): Trade and Development Report 1998, New York/Genf.
Williamson, John (1983): The Exchange Rate System, Washington, D. C.
Williamson, John (1990): What Washington means by Policy Reform, in: Latin American Adjustment: How Much Has Happened? Institute for International Economics, Washington, D. C.

MARGARETA E. KULESSA

Leitplanken für eine umwelt(v)erträgliche Welthandelsordnung

Expandierender Welthandel als Merkmal der Globalisierung

Der internationale Handel wächst seit dem 18. Jahrhundert schneller als die Weltproduktion. Die Phase zunehmender Handelsverflechtung wurde zwar für den relativ wachstumsschwachen Zeitraum während und zwischen den beiden Weltkriegen unterbrochen, aber Ende der 1940er setzte der handelspolitische Integrationsprozess umso heftiger wieder ein. Während sich die Produktion seitdem schätzungsweise versiebzehnfachte (1948–97), wuchs der internationale Warenhandel auf ein 30faches. Das Verhältnis von Export zu Produktion stieg weltweit auf knapp 25 Prozent.

Am höchsten war das Integrationstempo in der Zeit bis zum ersten Ölpreisschock (1973): Das Wachstum des Handels (ca. 9,5 Prozent pro Jahr.) überstieg das bereits überdurchschnittlich hohe Produktionswachstum (ca. 5,2 Prozent pro Jahr) erheblich. Insbesondere die 60er-Jahre werden rückblickend oftmals als – zumindest in wirtschaftlicher Hinsicht – »goldenes Zeitalter« bezeichnet. Hieran versucht die OECD in ihrem »Bericht über die allgemeinen Orientierungen« anzuknüpfen, wenn sie ein »Neues Globales Zeitalter« der Prosperität und der politischen Stabilität im Jahr 2020 für den Fall voraussagt, dass alle Länder »den Weg einer vollständigen Liberalisierung von Handel und Kapitalverkehr einschlagen« (OECD 1997: 22). Die Berichte der Welthandelsorganisation klingen ähnlich euphorisch (WTO 1998: 32 ff.).

Die Botschaft klingt heute indes für viele weniger überzeugend, als es in den goldenen sechziger Jahren wohl noch der Fall gewesen wäre. Die damals vorherrschende Wachstumseuphorie und der weit verbreitete Entwicklungsoptimismus wollen sich nicht mehr so recht einstellen. Die Skepsis dürfte u. a. auf verschiedene Fehlentwicklungen während des letzten Vierteljahrhunderts zurückzuführen sein. Hierzu zählen neben wirtschaftlichen und sozialen Problemen auch gravierende ökologische Fehlentwicklungen[1].

Zur Berücksichtigung umweltpolitischer Erfordernisse in der Welthandelspolitik

Die zunehmende Knappheit von Umweltressourcen und die einhergehende umweltpolitische Sensibilisierung der Bevölkerung lassen eine einseitige, quantitativ ausgerichtete Wachstumspolitik nicht mehr zu. Vielmehr steigt die Notwendigkeit einer integrativen Ökologisierung von Wirtschaft, Gesellschaft und Politik (Bartmann 1996).

Dies betrifft auch die internationale Ebene und speziell die Welthandelsordnung, da sie im Zuge wachsender internationaler Wirtschaftsverflechtungen von immer größerer politischer und ökonomischer Bedeutung für die einzelnen Länder ist. Schließlich geht es auch um die Kohärenz internationaler Ordnungen, konkret der Weltwirtschaftsordnung und des relativ jungen Politikbereichs der Weltumweltpolitik, der infolge der zunehmenden Internationalisierung von Umweltproblemen entstanden ist und dessen Dynamik sich an der rapide steigenden Zahl internationaler Umweltverträge und -regime ablesen lässt (vgl. Brühl/Simonis 1999).

Trotz dieser Entwicklungen spielten ökologische Aspekte bis in die jüngste Zeit gar keine Rolle in der globalen Handelspolitik. Umweltschutzmaßnahmen wurden allenfalls hinsichtlich ihrer handelshemmenden Wirkungen erörtert; die Wirkungen des Handels auf die Umwelt waren für die Handelspolitiker hingegen kein Thema. Erst zu Beginn der neunziger Jahre fanden derlei Fragen auf äußeren Druck (Nichtregierungsorganisationen, Umweltressorts einzelner Regierungen) Eingang in multilaterale Handelsverhandlungen. Das Ergebnis erschöpft sich jedoch bislang in wenig mehr als in der Etablierung einer Arbeitsgruppe »Handel und Umwelt« des Allgemeinen Zoll- und Handelsabkommens (GATT), die mit Beginn des Jahres 1995 in einen ständigen Ausschuss der neugegründeten Welthandelsorganisation (WTO) gewandelt wurde.

An der traditionellen Ausrichtung des GATT auf steigende Produktion und expandierende Handelsströme hat sich indes nicht viel geändert, auch wenn zusätzlich das Ziel nachhaltiger Entwicklung in die Präambel aufgenommen wurde. Das Hauptanliegen ist nach wie vor die Liberalisierung des Welthandels, und zwar für Waren (GATT) und Dienstleistungen (*General Agreement on Trade in Services*: GATS). Die dritte Säule der WTO, das Abkommen über handelsbezogene Aspekte des geistigen Eigentums (*Trade Related Intellectual Property Rights*: TRIPs), stellt zwar kein Liberalisierungsabkommen im eigentlichen Sinne dar, wird aber ebenfalls primär wachstumspolitisch begründet.

In einer Welt, in der nationale Volkswirtschaften Außenhandelsquoten von durchschnittlich 24 Prozent (Industrieländer) bzw. 38 Prozent (Entwicklungsländer) aufweisen (WTO 1998: 33), können Nachhaltigkeitspolitiken nicht losgelöst von den internationalen Handelsbeziehungen konzipiert werden. Dies gilt grundsätzlich für alle Dimensionen (»Säulen«) nachhaltiger Entwicklung und somit auch für den Schutz der Ökosphäre. Hierüber herrscht in Politik und Wissenschaft weitgehend Einigkeit. Allerdings ist umstritten, inwieweit die bestehende Welthandelsordnung GATT/WTO, die am Freihandelspostulat ausgerichtet ist, ökologischen Erfordernissen genügt. Zwischen den zwei extremen Standpunkten, dass Freihandel mit ökologischer Nachhaltigkeit unvereinbar sei (z. B. GPA 1998) bzw. Freihandel und Umweltschutz vollständig harmonieren würden (z. B. GATT 1991; Gerken/Renner 1996), liegt eine breite Palette von Positionen, die Handelsliberalisierung nicht grundsätzlich ablehnen, aber es für notwendig erachten, dass der Welthandel umweltpolitisch reguliert wird (z. B. WWF 1998; Helm 1995).

Vertreter dieses »gemäßigten« Standpunktes teilen die Auffassung, dass von der Handelsliberalisierung unterschiedliche ökologische Wirkungen ausgehen. Einerseits kann ein liberalisierter Handel zur Bewältigung von Umweltproblemen beitragen, andererseits ist er (mit)ursächlich für die global zunehmende Umweltzerstörung. Ziel der Weltordnungspolitik sollte es entsprechend sein, den internationalen Handel in Bahnen zu lenken, bei denen die negativen Umweltwirkungen minimiert und die positiven Umweltwirkungen des Handels gefördert werden.

Deutsche Nichtregierungsorganisationen (NRO) des Forums Umwelt und Entwicklung haben kürzlich im Zusammenhang mit der WTO und den Plänen für eine weiter gehende Liberalisierung der Handelsströme (so genannte »*Millenium round*« der WTO) das Zitat eines britischen Farmers bemüht (AG Handel 1999): »Angesichts des Handelsverkehrs ist es sinnvoll, einen Verkehrspolizisten zu haben. Zurzeit sieht der Verkehrspolizist es aber als seine Aufgabe an, das Verkehrsaufkommen zu erhöhen und überlässt es den Fahrern der teuren Autos, die Verkehrsregeln zu machen.« Die NRO jedoch fordern, dass der Polizist vielmehr aufpassen soll, dass niemand unter die Räder kommt, und dabei besonders auf die schwächeren Verkehrsteilnehmer achten soll. Auch die Verkehrsregeln müssen sich – so die NRO – an diesem Ziel orientieren. Das Bild des Straßenverkehrs lässt sich auch für die hier interessierende Fragestellung, nämlich die Umwelt(v)erträglichkeit von GATT/WTO, heranziehen: Kritiker eines uneingeschränkten Freihandelssystems plädieren dafür, dass ökologische Sicherheits- und Leitplanken die Verkehrsteilnehmer vor einem Absturz bewahren sollen.

Die Vorschläge für die Gestaltung der »Sicherheitsplanken« reichen von speziellen Ausnahmebestimmungen in GATT/WTO über handelspolitische Ökostandards bis hin zu obligatorischen Umweltverträglichkeitsprüfungen, die jeder internationalen handelspolitischen Vereinbarung vorzuschalten sind (vgl. Kulessa/Schwaab 1999). Für welche Form der »Ökologisierung« von GATT/WTO im Einzelnen schließlich plädiert wird, ist in hohem Maße davon abhängig, wie die Wirkungen der Handelsliberalisierung eingeschätzt werden.

Handelsliberalisierung und Umwelt(schutz)

Die Auswirkungen liberalisierender Handelsabkommen auf die natürliche Umwelt lassen sich in Anlehnung an die Kategorisierung der OECD analytisch in institutionelle Effekte (»regulatory effects«) sowie Produkt-, Skalen- und Struktureffekte untergliedern (OECD 1994).

Institutionelle Effekte

Mit institutionellen Effekten sind im Folgenden die institutionellen Restriktionen gemeint, die aus den WTO-Bestimmungen für die Umweltpolitik der 134 WTO-Mitglieder (April 1999) erwachsen können. Hierzu zählt, dass das GATT den Handlungsspielraum der Umweltpolitik insoweit formal einschränkt, als umweltpolitische Maßnahmen den zwei zentralen Freihandelsprinzipien der Meistbegünstigung und Gleichbehandlung genügen müssen. Einschränkend muss erwähnt werden, dass diese grundsätzlichen Kriterien bislang primär nur für den Warenhandel (GATT) und weniger für den Handel mit Dienstleistungen (GATS) gelten, sprich: Sie greifen immer dann, wenn Warenimportströme von der umweltpolitischen Maßnahme betroffen sind[2].

Andere Bestimmungen des GATT können zwar auch den Spielraum einengen (z. B. das Verbot quantitativer Importbeschränkungen), aber in solchen Fällen können die Länder grundsätzlich auf die Ausnahmeregelung des Artikel XX des GATT zurückgreifen, der von Beginn an, d. h. seit 1947, Bestandteil des GATT ist. Gemäß Art. XX (b, g) darf gegen GATT-Bestimmungen zum Schutz des Lebens und der Gesundheit von Mensch, Pflanze, Tier bzw. zum Erhalt erschöpfbarer Ressourcen verstoßen werden. Artikel XX (b, g) lässt handelsbeschränkende Maßnahmen explizit zu, wenn sie angemessen und nicht willkürlich und diskriminierend angewendet werden. Die hier relevante Frage lautet: Reicht Artikel XX als gesundheits- und umweltpolitische »Sicherheitsplanke« aus, oder sind die institutionellen Effekte von GATT/WTO umweltun(v)erträglich?

Die »Sicherheitsplanke« reicht aus, um ein Land vor Umweltschädigungen zu schützen, die durch den Verbrauch eines Produkts im Inland entstehen (vgl. Helm 1995; Kulessa 1995). Hält ein Land es z. B. für notwendig, den CO_2-Ausstoß zu mindern, darf es den Import von PKWs ohne Katalysator untersagen; vorausgesetzt, dass die Auflage auch auf PKWs aus allen anderen Ländern und auf PKWs aus inländischer Produktion angewendet wird.

Dies gilt seit 1995 allerdings für sanitäre und phytosanitäre Maßnahmen nur noch in eingeschränktem Maße. Der Streit zwischen der EU und den USA/Kanada über hormonbehandeltes Rindfleisch macht dies ebenso deutlich wie die Konflikte bezüglich des EU-Marktzugangs für genetisch modifizierte Lebensmittel. Das SPS-Übereinkommen der WTO *(Agreement on Sanitary and Phytosanitary Measures)*, welches das neue GATT (so genanntes GATT ’94) ergänzt, verschärft die Kriterien, denen nationale Standards genügen müssen. Gemäß dem SPS-Abkommen sollen nationale Standards auf internationalen Normen basieren, soweit solche existieren. Importbehindernde nationale Normen, die strenger sind als bestehende internationale Normen (z. B. Codex Alimentarius von FAO/WHO), müssen wissenschaftlich gerechtfertigt sein oder den Umständen des Landes angemessen sein, was durch eine solide Risikobewertung belegt werden muss. Andernfalls kann das Land verpflichtet werden, die Standards für Importwaren aufzuheben bzw. die »geschädigten« Handelspartner zu kompensieren. Genau dies ist im Handelsstreit über das »Hormonfleisch« der Fall: Die Rechtsexperten der WTO entschieden in den Jahren 1997/98, dass das EU-Verbot für die Verwendung von Wachstumshormonen bei der Rindermast weder wissenschaftlich nachweisbar notwendig sei, um die Gesundheit der Fleischkonsumenten zu schützen, noch läge eine Risikobewertung vor, die das Hormonverbot als den Umständen in der EU angemessen erscheinen lasse[3].

Die Interpretation der SPS-Bestimmungen birgt vielfältige Schwierigkeiten; z. B. ist der Terminus »den Umständen angemessen« relativ ungenau. Entsprechend ist es nahezu unmöglich, die allgemeinen Implikationen für die Umwelt- und Verbraucherschutzpolitik einigermaßen präzise abzuschätzen. Dessen ungeachtet weist das SPS-Abkommen jedoch auf eine Tendenz in den multilateralen Bestrebungen zur Liberalisierung des Welthandels hin, die aus ökologischer bzw. Verbraucherschutzsicht problematisch erscheint: Vor der Gründung der WTO beschränkte sich die Welthandelsordnung weitgehend auf handelsrechtliche Fragen. Im Rahmen des so genannten GATT ’47 konnten zwar einzelne Maßnahmen – insbesondere ihre konkrete Ausgestaltung – in Frage gestellt werden, nicht aber die angestrebten umwelt- bzw. gesundheitspolitischen Ziele.

Das SPS-Abkommen eröffnet nun die Möglichkeit, die Ziele an sich in Frage zu stellen und überträgt handelsrechtlichen Gremien die Kompetenz, darüber zu entscheiden, ob die wissenschaftlichen Grundlagen, die das handelsbeschränkende Land vorlegen muss, das Ziel rechtfertigen. Dadurch wird dem Vorsorgeprinzip entgegengewirkt. Es entstehen Unsicherheiten für die Regierungen bei der Formulierung von Verbraucher- und Umweltschutzzielen, da die Wahrscheinlichkeit eines Handelsstreits und seiner Folgekosten nunmehr in die umwelt- bzw. verbraucherschutzpolitische Kosten-Nutzen-Analyse einfließen muss. Vor allem kleinere Handelspartner dürften durch die potenziellen Konflikte, die überdurchschnittlich strenge Schutzstandards hervorrufen können, soweit eingeschüchtert sein, dass sie im Zweifelsfalle die Konfliktvermeidung dem Verbraucherschutz und dem Vorsichtsprinzip vorziehen.

Es ist nicht auszuschließen, dass infolge des SPS-Ansatzes internationale Umwelt- und Gesundheitsstandards durch die handelspolitische Hintertür zu *Top ceilings* werden. Zumindest aber wird ein *Race to the top* durch die WTO-Bestimmungen wesentlich unwahrscheinlicher. Damit aber würde ein ökologisch grundsätzlich positiver Effekt der Handelsliberalisierung, nämlich die weltweite Verbreitung Umwelt schonender Produkte (siehe unten: Produkteffekte) durch die Welthandelsordnung selbst wieder geschmälert.

Eine andere Frage ist, ob die »Sicherheitsplanke« Artikel XX ausreicht, um Maßnahmen zur Abwehr grenzüberschreitender bzw. globaler Umweltzerstörungen zu ermöglichen. Konkret geht es darum, ob ein Land sich ordnungsrechtlich gegen den Import von Produkten wehren kann, deren Herstellung im Ausland die inländische Umwelt bzw. globale Umweltgüter schädigt. Dagegen spricht zunächst das Gebot, gleichartige Waren des Auslands und Inlands gleich zu behandeln (Inländerprinzip). Bis vor wenigen Jahren wurde mehrheitlich die Auffassung vertreten, dass sich der Begriff der Gleichartigkeit auf die Produktbeschaffenheit beziehe und somit das GATT die Ungleichbehandlung von Waren aufgrund unterschiedlich umwelt(v)erträglicher Produktionsverfahren nicht zulasse.

Ein prominentes Beispiel hierfür ist das US-Importverbot für Thunfisch, der »delphinfeindlich« gefangen wurde. Es wurde im Jahr 1991 von einer Schiedsinstanz des GATT '47 u. a. mit der Begründung abgelehnt, dass Thunfisch gleich Thunfisch sei. Außerdem könne Artikel XX nur für Umweltschutzmaßnahmen herangezogen werden, die sich auf das nationale Hoheitsgebiet beziehen[4]. Exterritorialer Umweltschutz werde durch Artikel XX weder abgedeckt noch sei er mit dem völkerrechtlichen Souveränitätsprinzip vereinbar. Mittlerweile jedoch hat das Berufungsorgan der WTO in einem anderen Fall dieser Auffassung widersprochen[5]. Dieses Mal entschied die WTO über ein Importverbot der USA für Garnelen aus mehreren asiatischen Ländern, die zulassen, dass wild lebende Garnelen ohne spezielle Fluchtvorrichtungen für Meeresschildkröten *(»turtle excluder devices«)* gefangen wurden. Die Berufungsinstanz sieht die Ungleichbehandlung unterschiedlich hergestellter Güter durch Artikel XX grundsätzlich abgesichert, wenn sie zur Erreichung des umweltpolitischen Ziels – hier: dem Schutz von Meeresschildkröten – notwendig sind. Da es sich bei Meeresschildkröten nicht nur um eine bedrohte Art handelt, sondern um Tiere, die zwischen verschiedenen Hoheitsgebieten einschließlich US-amerikanischer Gewässer wanderten, bestünde ferner ein unmittelbarer Zusammenhang zwischen US-amerikanischem Territorium und der Umweltschutzmaßnahme[6].

Diese Aussagen können jedoch nur mit Einschränkungen als grünes Licht für Handelsbeschränkungen zur Abwehr grenzüberschreitender Umweltbelastungen interpretiert werden, da das WTO-Streitschlichtungsverfahren kein Fallrecht (»case law«) schafft. Somit könnte in einem ähnlichen Fall wieder völlig anders entschieden werden. Verschiedene Schieds- und Berufungspanels von GATT/WTO haben die relevanten GATT-Bestimmungen in der Vergangenheit bereits mehrfach geradezu diametral entgegengesetzt interpretiert, so dass allein aus diesem Grund eine Reform der WTO-Abkommen dringend geboten ist.

Es herrscht nicht nur Unklarheit über die ordnungsrechtliche Ungleichbehandlung unterschiedlich hergestellter Waren, sondern auch in Bezug auf die abgabenrechtliche Behandlung ansonsten gleichartiger Waren. Grundsätzlich besteht mittels des Mechanismus des Grenzausgleichs die Möglichkeit, unterschiedliche Steuerbelastungen in- und ausländischer Waren gemäß dem Bestimmungslandprinzip an der Grenze zu neutralisieren. Die Gründe für die erhobenen internen Abgaben spielen für die GATT-Konformität keine Rolle. Daher können Importwaren mit im Inland herrschenden Öko-Verbrauchsteuern belastet werden, auch wenn nicht der Verbrauch, sondern die Produktion umweltbelastend ist. Es ist jedoch strittig, ob der Grenzausgleich auch für die indirekte Belastung des Produkts mit Inputabgaben (*»Taxes occultes«*) in Anspruch genommen werden darf. Obwohl sich eine Arbeitsgruppe des GATT mit dieser Frage bereits Anfang der siebziger Jahre befasste, existiert bis heute keine eindeutige Regelung (vgl. Jenzen 1998). Diese wird aber insbesondere vor dem Hintergrund der zunehmenden Verbreitung von Energie- und Emissionssteuern zunehmend wichtiger.

Alles in allem ist die Vereinbarkeit von Handelsbeschränkungen zur Abwehr grenzüberschreitender Umweltbelastungen mit dem Regelwerk der WTO nicht eindeutig geklärt. Im Falle globaler Umweltgüter, bei denen der territoriale Bezug nicht oder äußerst indirekt gegeben ist, lässt sich über die WTO-Konformität handelsbeschränkender Maßnahmen allenfalls spekulieren. Es ist noch nicht einmal geklärt, ob die Prinzipien multilateraler Abkommen zum Schutz der Umwelt Vorrang vor den Regeln der Welthandelsordnung haben. Knapp 20 internationale Arten- und Umweltschutzabkommen sehen unmittelbar Export- und/oder Importbeschränkungen vor, um beispielsweise die Effektivität der Umweltschutzmaßnahmen zu erhöhen oder Negativanreize für Trittbrettfahrer zu setzen[7].

Wenngleich bislang kein internationales Umweltabkommen auf der Basis der WTO-Abkommen angefochten wurde, ist eine Anfechtung – z. B. seitens einer Trittbrettfahrernation – grundsätzlich möglich. Eine umweltverträgliche Welthandelsordnung muss jedoch der unterschiedlichen Wertigkeit von Umweltschutz und (Frei-)Handel Rechnung tragen. Da der internationale Umweltschutz ein erklärtes Ziel der globalen Wohlfahrtspolitik ist, und der Handel allenfalls ein wohlfahrtspolitisches Instrument oder Prinzip darstellt, sollte dem Umweltvölkerrecht explizit Priorität gegenüber dem Regelwerk der WTO eingeräumt werden.

Schließlich gehen von den Subventionsregelungen des GATT '94 institutionelle Wirkungen auf die Umweltschutzpolitik aus, da das Subventionsabkommen grundsätzlich auch für umweltschutzpolitisch ausgerichtete Subventionen gilt. Subventionen zur Vermeidung umweltschädlichen Verhaltens bzw. die selektive Befreiung von Umweltabgaben entsprechen zwar nicht dem Verursacherprinzip und gelten auch nicht als das effizienteste Instrument der Umweltpolitik, aber sie können notwendig sein, um Umweltschutzmaßnahmen durchzusetzen und die internationale Wettbewerbsfähigkeit einzelner Branchen zu erhalten. Ausfuhrsubventionen sind durch das GATT explizit untersagt. Explizit genehmigt sind hingegen einmalige Beihilfen, die an Unternehmen zur Anpassung an neue Umweltgesetze geleistet werden und die 20 Prozent der entstehenden Umrüstungskosten nicht überschreiten.

Alle anderen Umweltsubventionen sind seitens der Handelspartner anfechtbar, wenn sie deren Wirtschaft spürbaren Schaden zufügen. Ist dies der Fall, ist der Handelspartner ermächtigt, Ausgleichszölle auf die subventionierten Waren in Höhe der Subventionsspanne zu erheben bzw. die Streichung der Subvention einzufordern. Es lässt sich zwar nicht ausschließen, dass von dieser Regelung ökologisch sinnvolle Subventionen betroffen sein können. Allerdings sollte in die Beurteilung des Subventionsabkommens auch einfließen, dass die Subventionspraxis in sehr vielen Ländern eine negative Ökobilanz aufweist. So neigen etliche Staaten zur Subventionierung ressourcenintensiver Aktivitäten, sei es durch die direkte Subventionierung einzelner Branchen, durch verbilligte Transport- und Energiepreissubventionen u. Ä. Der Subventionsabbau, der von den WTO-Mitgliedern angestrebt wird, hat mit anderen Worten ökologisch durchaus positive Seiten.

Umweltrelevante Produkteffekte der Handelsliberalisierung

Die Liberalisierung und Expansion des internationalen Güteraustauschs erleichtert und steigert die weltweite Verbreitung sowohl umweltschädlicher als auch relativ Umwelt schonender Waren und Maschinen. Unter der Voraussetzung, dass die Welthandelsordnung kein Land daran hindert, vergleichsweise umweltschädliche Produkte an der Einfuhr zu hindern (siehe oben), bietet eine liberale Handelsordnung somit den Ländern die Chance, ihre umweltökonomische Situation zu verbessern. So ist es für Länder mit besonders knappen Umweltressourcen oder einer sehr sensiblen Flora und Fauna ökologisch vorteilhaft, relativ umweltintensiv produzierte Güter nicht selbst zu produzieren, sondern aus dem Ausland zu beziehen. Positive Produkteffekte sind auch zu erwarten, wenn wirtschaftlich bedeutsame Handelsnationen überdurchschnittlich strenge Produktstandards implementieren. Zum einen exportiert das Land Produkte, zum anderen regt es durch seine Importmacht die Umstellung ausländischer Anbieter auf umweltfreundlichere Produkte an. Die Wirkungen sind umso stärker, je verflochtener die Weltwirtschaft ist. Dieser umweltpolitisch positive Effekt würde allerdings durch die institutionellen Effekte der Handelsliberalisierung wieder konterkariert, wenn diese so weit gehen, dass überdurchschnittliche Standards als unzulässiges Handelshemmnis erachtet werden und daher nicht umgesetzt würden (siehe oben).

Der grundsätzlich positiven Einschätzung der Produkt- und Verfahrensdiffusion wird oftmals entgegengesetzt, dass der internationale Handel erst dazu geführt habe, dass umweltunverträgliche Produkte und Konsummuster in etlichen Ländern Fuß fassen konnten. Dies gelte vor allem für viele Entwicklungsländer, in denen verschiedene westliche, umweltschädliche Waren und Maschinen vor der Handelsliberalisierung wenig bekannt, nicht verfügbar und nicht herstellbar waren. Dies trifft zwar in einzelnen Fällen zweifellos zu, aber es wäre verfehlt, die Handelsliberalisierung und nicht die unzureichende Umweltpolitik der jeweiligen Regierungen hierfür als ursächlich anzusehen.

Eine umweltverträgliche Welthandelsordnung muss sicherstellen, dass Staaten die Verbreitung umweltschädlicher Produkte beschränken können. Die Vorstellung jedoch, dass die multilaterale Handelspolitik dafür sorgen soll, dass solche Produkte erst gar nicht oder nur zu erhöhten Preisen auf dem Weltmarkt angeboten werden sollten, erscheint weder umsetzbar noch anstrebenswert. Dieser Argumentation haftet – besonders wenn sie aus dem »Norden« kommt – ein gewisser Paternalismus an, der die gesellschaftlichen Präferenzen des »Südens« besser als dieser zu kennen meint. Widerspricht die Verbreitung vergleichsweise umweltschädlicher Produkte den gesellschaftlichen Präferenzen der Bevölkerung und wird deren Verbrauch dennoch von der Regierung nicht beschränkt, können Partizipationsdefizite oder ineffektive Durchsetzungs- und Kontrollmechanismen hierfür ursächlich sein. Ersteres ist ein schwer wiegendes politisches Problem, zu dessen Überwindung die Welthandelsordnung jedoch nur wenig beitragen kann.

Durchsetzungs- und Kontrolldefizite können hingegen durchaus u. a. handelspolitisch angegangen werden. Beispiele hierfür sind die Basler Giftmüllkonvention (1989) und die Rotterdamer *Convention on the Prior Informed Consent Procedure for Certain Hazardous Chemicals and Pesticides in International Trade* (PIC-Konvention), die im Jahre 1998 unterzeichnet wurde. Diese handelsregulierenden Umweltabkommen verpflichten u. a. die Exportländer giftiger Stoffe dazu, dem Zielland die geplante Ausfuhr anzuzeigen, damit das Importland bessere Möglichkeiten zur Begrenzung oder Untersagung dieser umweltschädlichen Einfuhren hat.

Handelt es sich jedoch um internationale und globale Umweltgüter, die durch negative Produkteffekte des Handels belastet werden, so lässt sich die zuvor vertretene Auffassung, dass die inländische Bevölkerung letztlich souverän über das Ausmaß der Belastung entscheiden sollte, nicht ohne weiteres aufrechterhalten. Anders als bei lokal begrenzten Umweltressourcen verschlechtert sich durch die weltweite Verbreitung von Produkten, die zur Schädigung der *Global Commons* beitragen, auch die Umwelt- und Lebensqualität in den Ländern, die beispielsweise den Verbrauch dieser Produkte untersagen.

Der effektivste Weg zur Vermeidung dieser ökologisch negativen Handelswirkungen stellen globale Umweltschutzabkommen dar, die z. B. sicherstellen, dass ein extrem schädliches Produkt weltweit nicht verfügbar ist und ergo auch nicht durch den internationalen Handel Verbreitung finden kann. Dieses »Nirwana der internationalen Umweltpolitik« ist jedoch in weiter Ferne. Die Praxis ist vielmehr durch zwischenstaatliche Interessenkonflikte, Trittbrettfahrerverhalten (*»Free rider«*) und Verteilungsprobleme geprägt.

Aus ökologischer Sicht sind daher zweit- und drittbeste Lösungen zur Bewältigung des auftretenden Konflikts zwischen Handelsliberalisierung und umweltschutzpolitischen Zielen unumgänglich. Dazu zählen auch unmittelbare Beschränkungen des Handels, um die Diffusion der fraglichen Produkte zu reduzieren. In dieser Hinsicht erweist sich die Welthandelsordnung GATT/WTO als weitestgehend »umwelt(v)erträglich«, wenn von den beschriebenen Tendenzen zur Aushöhlung des Vorsorgeprinzips abgesehen wird[8]. Konflikte sind jedoch denkbar, wenn Handelsbeschränkungen oder -vergünstigungen ergriffen werden, um eine *Free-rider*-Nation zum Beitritt zu einem Umweltabkommen oder zu dessen Einhaltung zu bewegen. Gleiches gilt bei Handelsbeschränkungen für Produkte, die umweltschädlich hergestellt wurden (siehe oben).

Skaleneffekte: Anstieg des Gütertransports und der Produktion

Internationale Transportströme

Die Liberalisierung, genauer genommen die Expansion des Welthandels bedeutet, dass die internationalen Transportströme ansteigen[9]. Ceteris paribus nehmen die durch den internationalen Verkehr verursachten Umweltbelastungen (z. B. Meeresverschmutzung, CO_2-Ausstoß) zu. Das eigentliche Umweltproblem stellt aber weniger der handelsinduzierte Transport im Speziellen dar, sondern die allgemein ansteigende Belastung der Ökosphäre durch die rapide wachsenden Verkehrsströme und das sich ausdehnende Wegenetz. Dies gilt unabhängig davon, ob es sich um internationalen oder intranationalen Verkehr handelt, der im Übrigen um ein Zigfaches höher ist als der internationale Transportverkehr. Ob Waren innerhalb eines Landes oder über Landesgrenzen hinweg transportiert werden, ist hierbei nebensächlich. Im Einzelfall kann Außenhandelsliberalisierung die transportbedingten Umweltbelastungen sogar verringern, und zwar einzig aus dem Grund, dass der ausländische Produktionsort näher am Ort des inländischen Verbrauchs liegt oder weil das internationale Transportmittel (z. B. Schiff) eine bessere Umweltbilanz als das nationale Transportmittel (z. B. LKW) aufweist.

Zusammenfassend ist daher keine spezielle Welthandelsordnung geboten, sondern eine umwelt(v)erträgliche Verkehrspolitik auf nationaler und, wie z. B. die Diskussion über die Kerosinbesteuerung zeigt, möglichst auch auf internationaler Ebene. Die Internalisierung der externen Kosten des Transports stellt m. a. W. den geeigneten Weg dar, die internationalen (und intranationalen) Handelsströme in umweltverträglichere Bahnen zu lenken.

Wirtschaftswachstum

Die Liberalisierung des Welthandels führt zu einem Anstieg des Weltproduktionsniveaus. So rechnet die OECD für die kommenden 25 Jahre mit einem Anstieg der Weltproduktion auf das 2,2fache, wenn die derzeitige Liberalisierung der Weltwirtschaft fortgeschrieben wird, und mit einem Anstieg auf das 3,3fache, wenn die Handels- und Kapitalströme vollständig liberalisiert werden (OECD 1997: 23). Quantitatives Wirtschaftswachstum bringt aber *ceteris paribus* eine Zunahme des Ressourcenverbrauchs und der Umweltbelastungen mit sich. Andererseits mindert Einkommenswachstum armutsbedingte Umweltbelastungen in den Entwicklungsländern. Außerdem erhöht es sowohl im Süden als auch Norden die Chance, dass Umweltschutzmaßnahmen ergriffen bzw. verstärkt werden, da mehr Mittel zur Verfügung stehen und die Anpassungslast in wachsenden Volkswirtschaften weniger spürbar ist als bei Stagnation. Global betrachtet dürfte globales Wachstum jedoch alles in allem zu einer Zunahme der weltweiten Umweltbelastungen führen, da eine vollständige Abkopplung des Wachstums vom Ressourcenverbrauch noch nicht einmal in den vergleichsweise wohlhabenden Industrieländern mit jahrzehntelanger Umweltpolitikerfahrung in greifbarer Nähe scheint.

Es würde diesen Beitrag sprengen, wenn auf die hieraus erwachsenden Implikationen für die Wirtschafts- und Umweltpolitik näher eingegangen würde. Es sei aber wenigstens angemerkt, dass der gänzliche Abschied von ökonomischen Wachstumszielen unter globalem Blickwinkel keinen gangbaren Weg darstellt, da (nachhaltige) Entwicklung in den allermeisten Ländern des Südens, in denen zzt. über eine Milliarde Menschen unter der absoluten Armutsgrenze lebt, ohne eine Zunahme des wirtschaftlichen Wohlstands aus den verschiedensten Gründen schlichtweg nicht realisierbar ist. Umso wichtiger ist es, dass die Rahmenbedingungen im und für den Süden so gestaltet werden, dass ihre Entwicklungschancen möglichst offen und groß sind, aber die begleitende Umweltbelastung so gering wie nur möglich gehalten wird.

Das schwerwiegende ökologische Problem, dass Wachstum im Süden geradezu unweigerlich auch mit einer Zunahme der Belastung globaler Umweltgüter einhergehen würde, lässt sich auf nachhaltige Weise nur lösen, wenn die Industrieländer als momentane Hauptverursacher globaler Umweltschäden ihre Inanspruchnahme globaler Umweltmedien drastisch reduzierten. Inwieweit es unter den hierfür erforderlichen umweltpolitischen Rahmenbedingungen noch zu quantitativem Wirtschaftswachstum im Norden kommt, hängt von der Effizienz der nationalen und internationalen Umweltpolitik ab.

Diese Zusammenhänge sprechen für eine Welthandelsordnung, welche die Entwicklungsinteressen des Südens und hier vor allem der ärmsten Länder in den Mittelpunkt rückt. Dieses Erfordernis wird durch die Umsetzung und Erweiterung der Liberalisierungsbeschlüsse der Uruguay-Runde des GATT (1986–93) allerdings höchst unzureichend erfüllt. Schätzungen gehen davon aus, dass zwar etliche Entwicklungsländer von der multilateralen Handelsliberalisierung per saldo profitieren, aber der Großteil der erwarteten Einkommensgewinne auf die Industrieländer entfällt. Hinzu kommt, dass viele der ärmsten Länder durch einzelne Liberalisierungsabkommen sogar kurz- bis mittelfristig Einkommenseinbußen hinnehmen müssen. Ein Beispiel hierfür ist das WTO-Agrarabkommen, durch das die Weltmarktpreise für landwirtschaftliche Produkte ansteigen, wovon mehr als 80 Niedrigeinkommensländer negativ betroffen sind, da sie Nettoimporteure von Nahrungsmitteln sind. Ein weiteres Beispiel stellt das TRIPS-Abkommen dar, dessen Einkommens- und Verteilungswirkungen für die Entwicklungsländer zumindest auf kürzere Sicht negativ sein dürften.

Die wohlhabenden Länder haben zwar wiederholt die Notwendigkeit bekräftigt, dass den LLDC (*Least Developed Countries*) zur Kompensation finanzielle und technische Unterstützung sowie besondere Marktzugangserleichterungen eingeräumt werden müssen. Bislang haben aber nur wenige Industrie- und Schwellenländer tatsächlich Transfers geleistet und konkrete Zugeständnisse gemacht. Das Ausmaß der Kompensation ist insgesamt eher bescheiden.

Im Kontext der Diskussion über eine umweltverträgliche Welthandelsordnung wird vor allem seitens der »westlichen« Befürworter einer »Ökologisierung« des GATT jedoch nur selten dafür plädiert, die Märkte für Produkte aus Entwicklungsländern vollständig zu öffnen. Weitaus häufiger ist hingegen die Forderung nach Ökoklauseln im GATT, um den Handel mit umweltschädlichen bzw. umweltschädlich hergestellten Produkten zu verhindern. Zur Begründung wird außer dem unmittelbaren Umweltschutz angeführt, dass einheimische, vergleichsweise umweltschonend produzierende Unternehmen vor unfairer Konkurrenz – so genanntes Ökodumping – geschützt werden müssen.

Das Argument des Ökodumpings mag angesichts der Standortdebatten plausibel erscheinen, wenngleich sich die Schädigung der – wie auch immer definierten – internationalen Wettbewerbsfähigkeit durch überdurchschnittlich hohen Umweltschutz empirisch nicht belegen lässt. Die Integration einer Klausel gegen Ökodumping in die bestehenden welthandelspolitischen Strukturen würde aber dem Protektionismus gegenüber den Entwicklungsländern Tür und Tor öffnen. Dadurch würden die Chancen auf eine (nachhaltige) Entwicklung im Süden eher geschmälert als erhöht.

Ökoklauseln und -standards in GATT/WTO mögen auf den ersten Blick ein geeignetes Instrument sein, um den Süden zu umweltverträglicherem Wirtschaften zu zwingen. Auf den zweiten Blick ist ihre ökologische Effektivität jedoch zweifelhaft, da u. a. nur ein kleiner Teil der Umweltbelastungen auf die Herstellung von Gütern zurückzuführen ist, die in den Norden exportiert werden. Direkte, umweltpolitisch konditionierte Ressourcen- und Technologietransfers sind ebenso wie die gezielte Förderung des Imports umwelt- und sozialverträglich hergestellter Güter (so genannte *Fair-trade*-Produkte) ein effektiverer Weg, um den Welthandel in die gewünschten Bahnen zu lenken. Allerdings »kostet« er die wirtschaftlich wohlhabenderen Länder mehr als Ökoklauseln und Ökozölle.

Parallel ist die globale Umweltpolitik gefordert, internationale Umweltstandards zu entwickeln, die ggf. je nach der spezifischen Situation in den Ländern differenziert werden können. Somit würden alle wirtschaftlichen Aktivitäten – also nicht ausschließlich, sondern einschließlich außenwirtschaftlicher Transaktionen – internationalen Umweltschutzerfordernissen unterworfen. Dieser Weg ist zwar deutlich mühsamer als die Etablierung von Ökoklauseln im GATT, aber er verspricht nachhaltiger zu sein, da er gemeinsame Lösungen zwischen den verschiedenen Ländergruppen erfordert und nicht allein auf der handelspolitischen Macht weniger Länder beruht, gegen den Willen wirtschaftlich schwacher Staaten Ökostandards in der WTO durchzusetzen.

Struktureffekte

Handelsliberalisierung befördert die internationale Arbeitsteilung. Je nach dem Spezialisierungsmuster und der konkreten Ausgangssituation dürften davon in den einzelnen Ländern sowohl entlastende als auch belastende Effekte ausgehen. Sind die expandierenden Wirtschaftszweige relativ umweltschonend gegenüber den schrumpfenden Zweigen, sind die ökologischen Struktureffekte per saldo positiv (Skaleneffekte können positiven Nettostruktureffekt allerdings übersteigen, so dass die ökologische Gesamtbilanz trotz positiver Struktureffekte negativ sein kann.).

Eine Einschätzung der globalen Struktureffekte der internationalen Spezialisierung ist jedoch höchst problematisch, da die Umweltentlastung in einem Land der Umweltbelastung in einem anderen Land nicht rechnerisch gegenüber gestellt werden kann. Diese Problematik des interpersonellen bzw. internationalen Nutzenvergleichs entsteht im Grunde bei allen nichtglobalen Umweltgütern. Außerdem wird eine Abschätzung der Struktureffekte der Handelsliberalisierung dadurch erschwert, dass die umweltpolitischen Rahmenbedingungen und die Produktionsmethoden in den einzelnen Ländern sehr unterschiedlich sind: In einem Land kann die Expansion eines Sektors per saldo umweltentlastend wirken, während die Expansion des gleichen Sektors in einem anderen Land negative Struktureffekte auslöst.

Trotz dieser Einschränkungen können jedoch einige Vermutungen über die internationalen Struktureffekte der Handelsliberalisierung auf die Umwelt angestellt werden. Ausgehend von der Annahme, dass die Liberalisierung zu einer Verstärkung des beobachtbaren internationalen Strukturwandels beiträgt, führt sie zu einer Beschleunigung der volkswirtschaftlichen Tertiarisierung des Nordens und der Industrialisierung in vielen Schwellen- und Entwicklungsländern. Diese Entwicklung der internationalen Arbeitsteilung erhöht einerseits in vielen Industriestaaten die Chancen auf umweltverträgliche Produktionsstrukturen, andererseits beschleunigt sie den Ressourcenverzehr im Süden.

Die sich anbahnende Wiederholung des Industrialisierungsprozesses im Süden, der von den westlichen und osteuropäischen Ländern bereits vollzogen wurde, würde allerdings höchstwahrscheinlich in den ökologischen Kollaps führen, zumal die Ökosphäre in vielen Gegenden des Südens empfindlicher als in den gemäßigten nördlichen Breiten ist. Daher muss der Umweltschutz in diesen Ländern deutlich früher einsetzen, als es in den »alten« Industrieländern der Fall war. Die Notwendigkeit hierzu besteht grundsätzlich unabhängig von einer (weiteren) Liberalisierung des Welthandels, aber die Liberalisierung erhöht durch ihre beschleunigende Wirkung den Zeitdruck. Vor diesem Hintergrund spricht einiges für den Vorschlag, vor dem Abschluss neuer handelspolitischer Vereinbarungen die Wirkung auf die jeweils betroffenen Sektoren und etwaige ökologische Folgen der induzierten Expansion oder Schrumpfung der Wirtschaftszweige abzuschätzen (WWF 1999).

Fazit und Ausblick

Die internationale Handelspolitik ist nicht unmittelbar ursächlich für die Zunahme lokaler, regionaler und globaler Umweltprobleme. Ursächlich sind vielmehr schwerwiegende Defizite der nationalen und internationalen Umweltpolitik, die eine Fehlallokation der Ressourcen hervorrufen. Die Folgen nicht nachhaltiger Politik können durch die Liberalisierung des internationalen Güterverkehrs allerdings verstärkt werden. Dies reicht aber zur Begründung einer generellen Beschränkung des Handels nicht aus. Dadurch gingen nicht nur die positiven Umwelteffekte des internationalen Handels verloren, sondern den ärmeren Ländern würde eine Entwicklungschance versperrt. Je stärker die Entwicklungschancen des »Südens« beschränkt werden, umso weniger dürften sie zur Implementierung einer effektiven Umweltschutzpolitik in der Lage bzw. bereit sein.

Statt Freihandel grundsätzlich abzulehnen, gilt es Wege zu beschreiten, um die negativen Umwelteffekte einer liberalen Welthandelsordnung zu mindern und ihre positiven Umweltwirkungen zu fördern. Die internationale Handelspolitik kann die Defizite der Umweltpolitik zwar nicht kompensieren, aber sie kann wohl dazu beitragen, die Voraussetzungen für eine erfolgreiche Umweltpolitik zu verbessern. Zuvorderst ist sicherzustellen, dass die WTO-Abkommen ihrerseits weder einer vorsorgenden lokalen Umweltschutzpolitik im Wege stehen noch zum Hindernis für die internationale Umweltpolitik werden. Außerdem müssen verstärkt Maßnahmen ergriffen werden, die eine stärkere Teilhabe der wirtschaftlich ärmeren Länder an den Einkommenszuwächsen fördern, die durch den Handel generiert werden. Hierzu sind zum einen die materiellen Partizipationsrechte dieser Länder in der WTO und bei den Handelsverhandlungen deutlich zu verbessern. Zum anderen geht es aber um mehr, nämlich die Bereitschaft der wohlhabenden Staaten, auf einen Teil des Handelsgewinns zugunsten der ärmsten Länder und einer global nachhaltigen Entwicklung zu verzichten.

Schließlich sei erwähnt, dass die Fokussierung der Diskussion auf die multilaterale GATT/WTO oftmals den Blick auf die jeweils nationale bzw. Europäische Außenhandelspolitik und deren mangelnde Kohärenz mit umwelt- und entwicklungspolitischen Erfordernissen verstellt. Die Schritte hin zu einer umwelt(v)erträglichen Welthandelsordnung sind jedoch keineswegs auf die multilaterale Ebene beschränkt, sondern mindestens ebenso wichtig ist eine kohärente unilaterale Außenhandelspolitik.

Anmerkungen

1 Beispiele für wirtschaftliche und soziale Probleme sind Massenarbeitslosigkeit, Verschuldungskrise, Zunahme der internationalen und vielerorts auch der intranationalen Ungleichverteilung.

2 Da das Liberalisierungsniveau des Handels mit Dienstleistungen (GATS) bislang weit hinter der Warenhandelsordnung (GATT) zurückbleibt, sind die institutionellen Effekte von GATS (noch) weitgehend vernachlässigbar. So hat bisher nur ein Teil der WTO-Mitglieder der Anwendung des Meistbegünstigungsprinzips – allerdings mit etlichen Einschränkungen – zugesagt. Die Umsetzung des Gleichbehandlungsgebots von inländischen und ausländischen Dienstleistungen ist nur von einigen Ländern und nur für ausgewälte Produktkategorien in Aussicht gestellt worden.

3 WTO Dokument WT/DS26/R/USA v. 18. August 1997; WTO Dokument WT/DS26/AB/R u. WT/DS48/AB/R v. 16. Januar 1998.

4 30 I.L.M. (International Legal Materials) 1594 (1991).

5 WTO Dokument WT/DS58/AB/R v. 12. Oktober 1998.

6 Das US-Importverbot gegenüber mehreren asiatischen Ländern wurde dennoch für unzulässig erklärt. Ein Grund hierfür ist vor allem die extrem diskriminierende Ausgestaltung des Importverbots, die m. E. völlig zu Recht kritisiert wird. Insbesondere die Bestimmung, dass Fischer aus diesen Ländern auch dann vom US-Markt ausgeschlossen werden, wenn sie freiwillig *»Turtle excluder devices«* verwenden, ist nicht nur diskriminierend, sondern artenschutzpolitisch möglicherweise sogar kontraproduktiv.

7 Hierzu zählen z. B. das Washingtoner Artenschutzabkommen, die Basler Giftmüllkonvention und das Montrealer Protokoll zum Schutz der Ozonschicht.

8 In diesem Zusammenhang ist erwähnenswert, dass noch vor 20 Jahren »renommierte« Wissenschaftler abstritten, dass FCKW die Ozonschicht zerstöre. Es wäre interessant zu wissen, wie ein Importverbot für FCKW unter dem damaligen Wissensstand von der WTO bewertet worden wäre, wenn für solche Maßnahmen analoge Zulässigkeitskriterien gegolten hätten wie heutzutage für sanitäre und phytosanitäre Maßnahmen.

9 Die Menge international verschiffter Waren hat sich laut Schätzungen seit 1949 verzehnfacht und beträgt etwa 4 500 Mio. Tonnen (1997); die Zahl der Luftfrachtkilometer wuchs zwischen den Jahren 1948 und 1997 durchschnittlich um schätzungsweise 23 Prozent (!) pro Jahr (WTO 1998:33).

Literatur

AG Handel (1999): (Forum Umwelt & Entwicklung deutscher Nichtregierungsorganisationen) Für eine grundlegende WTO-Reform statt einer »Millenium-Runde«, Bonn.

Bartmann, Hermann (1996): Umweltökonomie – ökologische Ökonomie, Stuttgart.

Brühl, Tanja/Simonis, Udo Ernst (1999): Strukturelemente der Weltökologie, in: Stiftung für Entwicklung und Frieden (Hrsg.), Globale Trends 2000, Frankfurt, S. 273–293.

Brühl, Tanja/Kulessa, Margareta E. (1998): Patent Protection, Biotechnology, and Globalisation, INEF Report 31, Duisburg.

GATT (1992): Trade and Environment, in: GATT International Trade 90–91, Genf.

Gerken, Lüdger/Renner, Andreas (1996): Nachhaltigkeit durch Wettbewerb, Tübingen.

Helm, Carsten (1995): Sind Freihandel und Umweltschutz vereinbar? Ökologischer Reformbedarf des GATT/WTO-Regimes, Berlin.

Jenzen, Holger (1998): Energiesteuern im nationalen und internationalen Recht, Frankfurt/M.

Kulessa, Margareta E. (1995): Umweltpolitik in einer offenen Volkswirtschaft, Baden-Baden.

Kulessa, Margareta E./Schwaab, J. A. (1999): Implikationen der Globalisierung für die Umweltpolitik, erscheint demnächst.

OECD (1997): Aufbruch in ein neues globales Zeitalter, Bericht über die allgemeinen Orientierungen, Paris.

PGA (1998): (Peoples' Global Action gegen »Freihandel« und die WTO), Manifest, PGA Bulletin, Nr. 1 (http://www.agp.org/agp/de/index.html).

WTO (1998): Annual Report 1998, Genf.

WWF (1998): Developing a Methodology for the Environmental Assessment of Trade Liberalisation Agreements, Discussion Paper, Gland.

– (1999): Initiating an Environmental Assessment of Trade Liberalisation in the WTO, Discussion Paper, Gland.

Hermann Sautter

Die internationale Sozialordnung. Notwendigkeit, Funktionsbedingungen und Ansätze einer Realisierung

Die Ergebnisse des Globalisierungsprozesses hängen von den Institutionen ab, die ihn steuern. Als »Institutionen« gelten dabei Regelsysteme, die das Verhalten der an einem Interaktionsprozess Beteiligten auf bestimmte Ziele hin lenken und die mit bestimmten Sanktionsmechanismen ausgestattet sind[1]. Sozialpolitisch erwünschte Ergebnisse des Globalisierungsprozesses werden also nur dann zu erwarten sein, wenn es weltweit gültige Regeln gibt, die eine entsprechende Verhaltenssteuerung von Personen, Nicht-Regierungsorganisationen (NGO) der verschiedensten Art und Staaten bewirken – kurz: wenn zu den internationalen Ordnungsregeln auch eine »Sozialordnung« gehört.

Diese Sichtweise unterscheidet sich von einem »laissez-faire«-Verständnis des Globalisierungsprozesses. Dass dieser Prozess nicht sich selbst überlassen bleiben kann, sondern einer Ordnung bedarf, erscheint kaum erwähnenswert, sofern man den internationalen Güter- und Faktorverkehr als die wichtigsten ökonomischen Dimensionen der Globalisierung im Blick hat. Der internationale *Handel* bedarf einer Wettbewerbsordnung, damit eine effiziente Ressourcenallokation möglich ist. Diese Ordnung kann – wie die Erfahrung zeigt – nicht nur aus einem Satz bestehen, dem Satz nämlich, der Staat »dürfe nicht in den Außenhandel eingreifen«[2].

Unumstritten ist auch, dass die internationalen *Arbeitskräftewanderungen* geordnet sein müssen, wenn vermieden werden soll, dass sie für die einzelnen Staaten zu politisch untragbaren Konsequenzen führen. Nach der ostasiatischen Finanzkrise ist auch die Einsicht gewachsen, dass der internationale *Kapitalverkehr* bestimmter Regeln bedarf, die ein Mindestmaß an Stabilität gewährleisten. Dass die internationalen Wirtschaftsbeziehungen im Interesse von *Effizienz* und *Stabilität* zu ordnen sind, wird also kaum in Frage gestellt.

Umstritten ist dagegen die Forderung nach Ordnungsregeln, die den Globalisierungsprozess auch auf *sozialpolitische Ziele* hin steuern. In dieser Hinsicht erscheint ein »laissez-faire« als durchaus angemessen. Von einem wettbewerblich organisierten Güter- und Faktorverkehr, der ein Mindestmaß an Stabilität aufweist, wird erwartet, dass er auch zu sozialpolitisch erwünschten Ergebnissen führt. Politische Forderungen, die unter diesen Bedingungen nicht erfüllt werden, gelten – zumindest in einem großen Teil der wirtschaftswissenschaftlichen Literatur – als weitgehend irrelevant; sie werden jedenfalls nicht als Herausforderung zur Schaffung von Ordnungsregeln verstanden[3].

Es bedarf also einer Begründung, weshalb hier von einer »internationalen Sozialordnung« als einem notwendigen Element globaler Ordnungsregeln gesprochen wird. Dies soll im ersten Abschnitt geschehen. Im zweiten Abschnitt geht es um die Funktionsbedingungen einer solchen Ordnung, und im Abschnitt drei werden einige ihrer bisher realisierten Elemente dargestellt[4]. Der vierte Abschnitt enthält ein Fazit dieser Überlegungen.

Zur Notwendigkeit einer internationalen Sozialordnung

Weshalb eine solche Ordnung notwendig ist, soll hier in zwei Schritten erläutert werden. In einem ersten Schritt sei die Funktion einer *innerstaatlichen* Sozialordnung beschrieben. Um internationale Vereinbarungen, die die Schaffung solcher innerstaatlicher Ordnungen zum Ziel haben, geht es in einem zweiten Schritt. Wenn im Folgenden von einer *»internationalen* Sozialordnung« gesprochen wird, dann sind internationale Absprachen dieser Art gemeint. Ihre Funktion ist es, in den beteiligten Ländern zur Schaffung von Institutionen anzuregen, die das Verhalten der wirtschaftlichen Akteure auf sozialpolitische Ziele hin lenken.

Inwiefern ist eine innerstaatliche Sozialordnung notwendig?

Die gestellte Frage sei in Auseinandersetzung mit Friedrich August von Hayek (1981) beantwortet. Er gehört zu den schärfsten Kritikern des »Wohlfahrtsstaates«, und sein Denken hat die Politik von Industrieländern, die sich einem neoliberalen Programm verschrieben haben, nachhaltig beeinflusst. Eine Begründung sozialpolitischer Institutionen sollte deshalb seinen Einwänden standhalten. Aus der Sichtweise von Hayeks stellt eine »Sozialordnung« ein System von Anspruchsrechten dar, die einzelnen Personen oder Personengruppen zugeschrieben werden, und die sich an den Staat richten. Diese Rechte zielen auf die Sicherung bestimmter Anteile am Ergebnis des Marktprozesses. Zum Zweck der vereinfachenden Kennzeichnung sei dies die »wohlfahrtsstaatliche« Form einer Sozialordnung genannt.

Der Einwand ist nicht von der Hand zu weisen, dass eine so verstandene Ordnung für eine liberale Gesellschaft ein fremdes Element wäre. Folgt man der Gesellschaftstheorie von Hayeks, dann ist dieser Einwand wie folgt zu begründen: In einer liberalen Gesellschaft vollzieht sich die Interaktion ihrer Mitglieder in Form spontaner Prozesse. Dies gilt für die wirtschaftliche Interaktion auf dem Markt ebenso wie für andere Interaktionsformen. Man kann Verhaltensregeln für die Teilnahme an diesen Prozessen festlegen, aber man kann nicht das Ergebnis dieser Prozesse vorschreiben. Dies widerspräche dem Prinzip der Spontaneität und damit den Grundlagen einer freien Gesellschaft.

In der Tat wäre es absurd, wollte man von der »Notwendigkeit« einer Sozialordnung in einem marktwirtschaftlichen System sprechen, sofern man diese Ordnung in dem oben genannten wohlfahrtsstaatlichen Sinne versteht. Man kann sie aber auch ganz anders interpretieren, nämlich in einem *handlungsrechtlichen* Sinne.

So gesehen besteht ihre zentrale Aufgabe darin, die Rechtsposition des Einzelnen zu klären und zu festigen und ihn damit in die Lage zu versetzen, durch die Teilnahme an spontan ablaufenden wirtschaftlichen Prozessen seine eigene wirtschaftliche und soziale Lage zu verbessern. Im Mittelpunkt steht also das »empowerment« des Einzelnen zur Eigeninitiative und Eigenverantwortung, nicht seine Versorgung durch eine Wohlfahrtsbürokratie. Handlungsrechte sollen zugeschrieben werden, nicht Anspruchsrechte, und dem entspricht die Verpflichtung des Staates, diese Rechte zu respektieren und zu schützen.

Eine so verstandene Sozialordnung widerspricht keineswegs den Prinzipien einer liberalen Gesellschaft. Sie bildet vielmehr einen ihrer Bestandteile. Nun versteht sich die Respektierung individueller Handlungsrechte durch den Staat und der Schutz dieser Rechte vor Übergriffen Dritter keineswegs von selbst. Dafür müssen bestimmte Institutionen geschaffen werden. Sie sind ein »notwendiges« Element einer liberalen Wirtschafts- und Gesellschaftsordnung. Insofern stellt die Etablierung einer Sozialordnung mit handlungsrechtlicher Funktion eine »Notwendigkeit« dar.

Die *»Deklaration von Philadelphia«*, die im Jahre 1944 von der *Internationalen Arbeitsorganisation* verabschiedet worden ist, bringt diesen individualistischen und handlungsrechtlichen Ansatz mit folgenden Worten zum Ausdruck: *»All human beings*, irrespective of race, creed, or sex *have the right to pursue* both their material well-being and their spiritual development in conditions of freedom and dignity, of economic security and equal opportunity« (zitiert nach Leary 1992, S. 590 f., hervorgehoben vom Verfasser). Hier wird also von dem *allgemeinen Menschenrecht* gesprochen, unter freiheitlichen Bedingungen das eigene materielle Wohl und die eigene wirtschaftliche Sicherheit zu verfolgen. Dieses Verständnis widerspricht keineswegs den Postulaten einer freien Gesellschaft, die sich in spontanen Prozessen selbst organisiert. Vielmehr gehört das »Recht zur Verfolgung des eigenen materiellen Wohls« (das nach der *»Philadelphia-Erklärung«* übrigens denselben Rang einnimmt wie das Recht auf »spiritual development«) untrennbar zu den politischen und bürgerlichen Freiheitsrechten einer liberalen Gesellschaft.

Nun reicht die Eigeninitiative des Einzelnen möglicherweise nicht aus, um ihm ein bestimmtes Mindestniveau der materiellen Versorgung zu sichern. In diesem Fall müssten die Handlungsrechte durch ein Mindest-Anspruchsrecht ergänzt werden, wenn ein Absinken in Armut verhindert werden soll. Interessanterweise wird dies auch von Friedrich von Hayek anerkannt. Die Sicherung gegen materielle Verelendung ist nach seinem Verständnis durchaus zu vereinbaren mit den Prinzipien einer freien Gesellschaft: »Es gibt keinen Grund, warum in einer liberalen Gesellschaft die Regierung nicht allen Personen in der Form eines garantierten Mindesteinkommens oder eines Minimums, unter das niemand zu sinken braucht, Schutz gegen empfindlichen Mangel gewähren sollte. Eine derartige Versicherung gegen externes Unglück mag sehr wohl im Interesse aller liegen; oder es mag als eine klare moralische Pflicht aller empfunden werden, denjenigen innerhalb der organisierten Gesellschaft, die sich nicht selbst helfen können, beizustehen« (von Hayek 1981, S. 122).

Bemerkenswert sind die Begründungen von Hayeks für einen »Schutz gegen empfindlichen Mangel«. Dieser Schutz kann als eine »klare moralische Pflicht« empfunden werden, er kann auch im »Interesse aller liegen« (wobei das Interessenargument und das moralische Argument nur dann auf völlig unterschiedlichen Ebenen liegen, wenn man – im Sinne Kants – die Befolgung moralischer Pflichten für inkompatibel hält mit der Verfolgung eigener Interessen – eine umstrittene Gleichsetzung (vgl. Homann/Blome-Drees 1992). Das Interessenargument beruht auf der Versicherungsfunktion des Schutzes gegen empfindlichen Mangel. Wenn jedes Mitglied einer Gesellschaft mit diesem »Versicherungsschutz« rechnen kann, ist es zur Übernahme höherer Risiken bei der Investition in das Human- und Sachkapital bereit. Weil von der höheren Bereitschaft zur Kapitalbildung *alle* profitieren, liegt ein Versicherungsschutz »gegen empfindlichen Mangel« im Interesse aller (Homann/Pies 1996). Hat man diese Versicherungsfunktion im Blick, dann kann auch eine Sozialordnung, deren handlungsrechtlicher Kern um minimale Anspruchsrechte ergänzt ist, als *notwendiger* Bestandteil der Verfassung einer freien Gesellschaft gelten.

Die Institutionen, die dem Einzelnen die Wahrnehmung des Handlungsrechtes zur »Verfolgung materiellen Wohlstandes« und die Erfüllung des Anspruchsrechtes auf »Schutz vor empfindlichem Mangel« gewährleisten, können von Land zu Land unterschiedlich sein. Wie das jeweilige institutionelle Arrangement aussieht, hängt von vielen Faktoren ab, von denen einige beispielhaft genannt seien: Das Ausmaß von Marktversagen auf Versicherungsmärkten und das Maß an Staatsversagen beim Versuch, Märkte zu ersetzen oder deren Funktionsfähigkeit zu verbessern; die Leistungsfähigkeit privater »sozialer Netze« (etwa der Familie oder nichtstaatlicher Wohlfahrtsorganisationen); die gesellschaftliche Toleranz für soziale Ungleichheiten (bei geringer Toleranz werden politische Mehrheiten für eine Umverteilung möglich sein, die den weniger Leistungsfähigen im Wettbewerb höhere Anspruchsrechte zubilligt als nur einen »Schutz vor empfindlichem Mangel«).

Daraus ergibt sich eine grundlegende Forderung für eine internationale Sozialordnung: Sie muss so flexibel sein, dass sie – bei Einhaltung bestimmter Mindeststandards – den beteiligten Ländern unterschiedliche Gestaltungsformen ihrer jeweils nationalen Sozialordnung erlaubt. Es bleibt die Frage, weshalb überhaupt internationale Vereinbarungen notwendig sind, die die Etablierung geeigneter innerstaatlicher Institutionen zum Ziel haben.

Inwiefern ist eine internationale Sozialordnung notwendig?

Eine erste Antwort auf diese Frage ergibt sich durch den Hinweis auf die *Allgemeine Erklärung der Menschenrechte* (AEM). Sie bringt einen weltweiten Konsens zum Ausdruck, und sie schreibt der einzelnen Person, unabhängig von ihrer Staatenzugehörigkeit, bestimmte Rechte zu. Dass hier von einem grundsätzlichen Konsens gesprochen werden kann, wird nicht dadurch in Frage gestellt, dass es immer wieder Differenzen bei der Interpretation einzelner Rechte gibt. Notorisch ist beispielsweise der Widerstand einiger autoritär regierter Länder Asiens gegen ein, wie sie meinen, durch den Westen geprägtes »individualistisches Verständnis« der Menschenrechte. Vieles spricht für die Annahme, dass dieser Widerstand sehr viel mehr dem Willen der jeweils Regierenden als dem der Regierten entspricht. Davon abgesehen ist der Wortlaut der Erklärung hinreichend klar: Es geht um grundlegende Persönlichkeitsrechte. Sie wurden von allen Staaten, nicht nur den »westlichen«, zumindest formal anerkannt[5].

Zum Katalog der allgemeinen Menschenrechte gehören bürgerlich-politische Rechte ebenso wie wirtschaftlich-soziale. So hat beispielsweise nach Artikel 22 der AEM »jeder Mensch als Mitglied der Gesellschaft Recht auf soziale Sicherheit«; er hat das Recht »zum Schutz seiner Interessen Berufsvereinigungen zu bilden und solchen beizutreten« (Artikel 23/4) und er hat das Recht auf eine »Lebenshaltung, die seine und seiner Familie Gesundheit und Wohlbefinden einschließlich Nahrung, Kleidung, Wohnung, ärztliche Betreuung und der notwendigen Leistungen der Sozialfürsorge gewährleistet« (Artikel 25/1; zum Text der AEM vgl. Zacher 1976).

Es wurde lange darüber diskutiert, ob die wirtschaftlichen und sozialen Rechte denselben Rang besitzen wie die bürgerlich-politischen (Simma/Bennigsen 1990). Inzwischen ist diese Gleichrangigkeit weitgehend anerkannt[6]. Die wirtschaftlichen und sozialen Grundrechte stellen damit genauso wie die politischen Freiheitsrechte eine Vorgabe für die Gestaltung nationaler Rechtssysteme dar. Institutionenökonomisch sind sie »absolute« Verfügungsrechte im Unterschied zu »relativen Verfügungsrechten«, die durch Verträge entstehen (Richter/Furubotn 1999, S. 91). Die in der AEM enthaltenen menschlichen Grundrechte stellen also einen institutionellen Rahmen dar, der den zulässigen Bereich privater Verträge absteckt.

Die AEM enthält an die Staaten den impliziten Auftrag zur Ausformulierung des in ihr erreichten Konsenses. Es bedarf der Präzisierung, was beispielsweise mit dem »Recht auf soziale Sicherheit«, dem »Recht auf Nahrung« und dem »Recht auf Bildung von Berufsvereinigungen« gemeint ist. Notwendig sind also internationale Vereinbarungen, die den Gehalt dieser Rechte präzisieren und die damit deren Umsetzung in den einzelnen Staaten erleichtern. Genau dies ist die Aufgabe einer »internationalen Sozialordnung«. Sie hat den in der AEM gefundenen Konsens der Staatengesellschaft im Blick auf den Inhalt bestimmter Handlungs- und Anspruchsrechte zu präzisieren. »Notwendig« ist eine »internationale Sozialordnung« also insofern, als ohne sie ein impliziter Auftrag, der in der AEM enthalten ist, unerfüllt bliebe.

Eine zweite Antwort auf die Frage nach der Notwendigkeit einer internationalen Sozialordnung wurde bei der Gründung des Völkerbundes gegeben. In der Sektion »Arbeit« des Gründungsvertrages heißt es hier: «... the failure of any nation to adopt humane conditions of labour is an obstacle in the way of other nations which desire to improve the conditions in their own countries« (zitiert nach Sengenberger 1994, S. 4). Dieser Passus lässt sich wie folgt interpretieren: Die Missachtung grundlegender sozialer Menschenrechte kann einem Land kurzfristig Wettbewerbsvorteile verschaffen (kaum langfristige, insofern dadurch die Bildung von Humankapital erschwert wird, das für die langfristige Wettbewerbsposition entscheidend ist). Andere Länder, die sich um eine konsequente Respektierung dieser Rechte bemühen, sehen sich also möglicherweise im Wettbewerb benachteiligt. Dies kann durch eine internationale Einigung auf den Schutz sozialer Mindestrechte vermieden werden. Eine »Gefangenendilemma«-Situation, die die allseitige Missachtung dieser Rechte zur »dominanten Strategie« machen würde, kann dadurch vermieden werden[7].

Diese Überlegungen lassen sich wie folgt zusammenfassen. Auf nationaler Ebene ist eine Sozialordnung notwendig, die dem Einzelnen einen rechtlich gesicherten Handlungsbereich bei der Verfolgung des eigenen materiellen Wohls sichert und ihm ein Anspruchsrecht auf »Schutz vor empfindlichem Mangel« garantiert. Auf internationaler Ebene sind Institutionen notwendig, die es den Einzelstaaten erleichtern, auf ihrem Territorium entsprechende nationale Sozialordnungen zu etablieren. Mit der Vereinbarung solcher internationaler Institutionen entspricht die Staatenwelt einem Auftrag, den sie sich mit der *Allgemeinen Erklärung der Menschenrechte* gegeben hat.

Funktionsbedingungen einer internationalen Sozialordnung

Zunächst sei eine Bedingung erwähnt, die nicht erfüllt ist und mit deren Erfüllung auch nicht gerechnet werden sollte: die Etablierung eines »Weltstaates«. Es gibt zwar eine wachsende Kooperation zwischen einzelnen Staaten und eine zunehmende Intensität des Austausches zwischen den privaten Akteuren einzelner Staaten – nichts Anderes meint der Terminus »Globalisierung«. Doch dies bedeutet keineswegs, dass die Nationalstaaten ihre Funktion verloren hätten[8]. Insofern macht es wenig Sinn, von einer »Weltsozialordnung« oder gar einer »Weltsozialpolitik« zu sprechen (Sautter 1994, S. 166 ff.). Es gibt keinen Akteur, der das Subjekt einer solchen Ordnungs- oder Prozesspolitik sein könnte. Angemessener ist der Begriff »*Internationale* Sozialordnung«. Der Terminus bringt zum Ausdruck, dass es die *Nationalstaaten* sind, die in einem Geflecht von Vereinbarungen eine internationale Ordnung konstituieren, die ergänzt und stabilisiert – möglicherweise auch destabilisiert – wird durch formale und informelle Vereinbarungen privater Akteure.

Im Folgenden werden vier Bedingungen für das Zustandekommen und die Funktionsfähigkeit einer solchen Ordnung erläutert: Es besteht ein hinreichendes Maß an Flexibilität für die Gestaltung nationaler Ordnungen; die internationale Sozialordnung steht nicht im Widerspruch zu anderen internationalen Ordnungssystemen (insbesondere nicht zur Ordnung wirtschaftlicher Beziehungen); es gibt einen Anreiz- und Sanktionsmechanismus, der für ein Mindestmaß an Verbindlichkeit sorgt; durch die Einbeziehung von Nicht-Regierungsorganisationen ist die Sozialordnung in der Zivilgesellschaft verankert.

Flexibilität bei der Gestaltung nationaler Sozialordnungen

Es wurde bereits darauf hingewiesen, dass eine internationale Sozialordnung den beteiligten Staaten einen großen Spielraum für die Gestaltung ihrer eigenen Ordnungen bieten muss. Andernfalls wird keine internationale Einigung zustande kommen. Weder der gesellschaftliche Handlungsbedarf noch die jeweiligen Handlungsmöglichkeiten sind überall dieselben: Die Leistungsfähigkeit privater sozialer Sicherungssysteme ist von Land zu Land unterschiedlich, die gesellschaftlichen Toleranzgrenzen für Ungleichheiten in der Einkommensverteilung können differieren, es gibt Unterschiede im wirtschaftlichen Entwicklungsstand und damit in der Möglichkeit zur privaten Vorsorge wie zur Finanzierung staatlicher Leistungen, die öffentliche Verwaltung ist nicht überall gleich leistungsfähig, es bestehen Unterschiede in den Rechtssystemen und in der Rechtskultur usw. Es wird deshalb keine Standardlösung für die Gestaltung nationaler Sozialordnungen geben können[9].

Was für alle Länder verbindlich sein kann, ist nur der Schutz grundlegender Persönlichkeitsrechte und eine landesspezifische Mindestversorgung des Einzelnen durch staatliche Organe, wenn private Selbsthilfe und die Hilfe durch nicht-staatliche Organe nicht ausreichen. Sollte auch der Nationalstaat mit der Erbringung einer solchen Mindestversorgung überfordert sein, dann hätte im Rahmen einer internationalen Sozialordnung die Staatengemeinschaft eine Leistungsverpflichtung zu übernehmen[10].

Daraus folgt, dass eine internationale Sozialordnung auf einem schmalen Grat angesiedelt ist: Sie muss einerseits den beteiligten Staaten genügend Flexibilität bieten für die Ausgestaltung ihrer nationalen Ordnungssysteme, und sie darf andererseits nicht auf Einhaltung bestimmter Mindeststandards verzichten. Das wird nur gelingen, wenn diese Mindeststandards hinreichend scharf definiert werden können, wenn es Anreize zu ihrer Einhaltung bzw. Sanktionen für den Fall ihrer Verletzung gibt, und wenn ein handlungsfähiges internationales Überwachungsorgan für die Umsetzung dieser Standards existiert.

Konsistenz mit den Regeln der internationalen Wirtschaftsordnung

Es gibt zahlreiche institutionelle Arrangements in den internationalen Beziehungen. Sie erstrecken sich jeweils auf Teilbereiche der Länder übergreifenden Interaktion: die Konfliktvermeidung und Friedenssicherung, den Kulturaustausch, den Warenhandel, die Währungsbeziehungen, den globalen Umweltschutz usw. Führen diese Institutionen zu unterschiedlichen Verhaltenssteuerungen, so wird sich die jeweils »stärkere« von ihnen durchsetzen. Das wird diejenige sein, an deren Funktionsfähigkeit die beteiligten Akteure das jeweils größere Interesse haben. Es kann nicht bezweifelt werden, dass dies die Institutionen sind, die die wirtschaftlichen Interaktionen regeln, d. h. den Güterhandel und die Währungsbeziehungen. Stehen die hierfür geschaffenen Institutionen im Konflikt zu den für andere Bereiche geltenden Regelungen, so werden sich vermutlich die Ersteren durchsetzen.

Dies bedeutet für die Funktionsfähigkeit einer internationalen Sozialordnung Folgendes: Ihre Institutionen sollten soweit wie möglich in Übereinstimmung mit den Regelungen stehen, die für den internationalen Wirtschaftsverkehr gelten. Es wäre nichts damit gewonnen, die Regeln einer Sozialordnung im Widerspruch zu denen des Güter- und Währungsverkehrs durchsetzen zu wollen[11].

Dies ist der wesentliche Grund dafür, weshalb wenig Aussicht besteht, die Welthandelsordnung um »Sozialklauseln« zu ergänzen, mit denen protektionistisch wirkende Eingriffe in den Warenverkehr eine legale Grundlage erhielten. Mit hoher Wahrscheinlichkeit wäre der Schutz von Arbeits- und Sozialstandards wie von wirtschaftlichen und sozialen Grundrechten in diesem Fall mit Effizienzverlusten verbunden[12]. Realisierbar erscheinen dagegen Regelungen, mit denen das Ergebnis der wirtschaftlichen Interaktion verbessert werden kann. Mit anderen Worten: Es sind »win-win«-Strategien zu entwickeln, die sowohl zu Effizienzgewinnen als auch zu einem besseren Schutz von Arbeits- und Sozialstandards sowie von grundlegenden Persönlichkeitsrechten führen. Ein Beispiel dafür ist die Entfaltung von Eigeninitiative und die Bildung von Humankapital, die durch gesicherte Handlungsrechte und durch eine Versicherung gegen »empfindlichen Mangel« möglich werden. Wenn das Potenzial für solche »win-win«-Strategien voll ausgeschöpft wird, besteht vermutlich kein Anlass für eine Konfrontationsstrategie, die versucht, eine internationale Sozialordnung gegen die im GATT enthaltenen Regeln für den internationalen Güterverkehr durchzusetzen.

Verbindlichkeit durch internationale Anreiz- und Sanktionsmechanismen

Da es keinen Weltstaat gibt, der internationale Regeln durchsetzen könnte, beruht die Verbindlichkeit einer internationalen Sozialordnung darin, dass die Nationalstaaten Selbstverpflichtungen eingehen und ein System von Anreizen und Sanktionen vereinbaren, das der Umsetzung der Ordnungsregeln dient. Für die beteiligten Staaten muss es vorteilhafter sein, internationale Verpflichtungen zu respektieren als sie zu brechen.

Es gibt mehrere Möglichkeiten solcher Anreize bzw. Sanktionen. Positive *Anreize* können beispielsweise dadurch entstehen, dass eine finanzielle Hilfe in Aussicht gestellt oder eine außenpolitische Unterstützung zugesagt wird, wenn sich ein Land an bestimmte Regeln hält. (Ganz davon abgesehen sollten natürlich die vereinbarten Institutionen so beschaffen sein, dass ihre Umsetzung auch ohne zusätzliche Anreize im langfristigen Interesse eines Landes liegt.) *Sanktionen* können in der Form ausgeübt werden, dass die Verletzung vertraglicher Abmachungen vor der internationalen Öffentlichkeit formell festgestellt wird und dadurch für das betreffende Land ein gewisser Reputationsverlust entsteht. Eine andere Sanktionsmöglichkeit besteht darin, dass finanzielle oder handelspolitische Vorteile entzogen werden (negative Konditionalität der Entwicklungshilfe, Handelsboykott – der allerdings im Widerspruch zur zweiten Funktionsbedingung für eine internationale Sozialordnung stehen würde und deshalb problematisch ist). Davon abgesehen sollten die vereinbarten Regeln so beschaffen sein, dass ihre Missachtung auch ohne zusätzliche Sanktionen für ein Land selbstschädigend ist[13].

Für die Verwaltung eines Mechanismus, der Anreize wie Sanktionen enthält, ist eine handlungsfähige internationale Organisation notwendig, die gegenüber den beteiligten Staaten ein gewisses Eigengewicht besitzt. Eine schwache Organisation wird kaum in der Lage sein, wirksame Sanktionen auszusprechen oder attraktive Anreize zu bieten.

Zivilgesellschaftliche Verankerung durch Einbeziehung von Nicht-Regierungsorganisationen

Auf innerstaatlicher Ebene gilt, dass eine Sozialordnung auf das Engagement zivilgesellschaftlicher Gruppen angewiesen ist. Dasselbe trifft auf die internationale Ebene zu. Die Durchsetzung international vereinbarter Handlungs-, Schutz- und Anspruchsrechte des Einzelnen ist ohne Mitwirkung von Unternehmen, Unternehmensverbänden, Gewerkschaften sowie menschenrechtlich und sozialpolitisch engagierten Nicht-Regierungsorganisationen kaum vorstellbar. Ihre Länder übergreifende Kooperation verstärkt die von Regierungen vereinbarten Anreiz- und Sanktionsmechanismen. So kann beispielsweise die von einer Gewerkschaft oder einem internationalen Gewerkschaftsverband vor der *Internationalen Arbeitsorganisation* (ILO) vorgebrachte Klage gegen die Missachtung bestimmter Arbeitsrechte zum Reputationsverlust des betreffenden Landes führen. Oder eine solche Klage kann die ILO dazu veranlassen, ihre organisatorische Hilfe bei der Verwirklichung dieser Rechte anzubieten. Das internationale Beziehungsgeflecht nicht-staatlicher Akteure lässt sich als eine Weiterentwicklung von »Regimen« deuten, die bei der Durchsetzung internationaler Verträge eine entscheidende Rolle spielen.

Nach dieser Skizzierung einiger Funktionsbedingungen für eine internationale Sozialordnung sollen im Folgenden die wichtigsten ihrer bisher realisierten Elemente diskutiert werden. Dazu gehören die Übereinkommen und Empfehlungen der *Internationalen Arbeitsorganisation* (ILO) sowie der Sozialpakt der Vereinten Nationen (*International Covenant on Economic, Social and Cultural Rights*, ICESCR). Daneben sind in diesem Zusammenhang die Beschlüsse internationaler Konferenzen zu nennen, die sich mit sozial- und entwicklungspolitischen Fragen befasst haben[14]. Bei der Diskussion dieser Institutionen ist jeweils zu fragen, inwieweit sie die zuvor genannten Funktionsbedingungen einer Sozialordnung erfüllen.

Elemente der internationalen Sozialordnung

Die Internationale Arbeitsorganisation und ihre Konventionen

Zur Normsetzungsfunktion der ILO

Seit ihrer Gründung im Jahre 1919 hat die ILO mit etwa 360 Konventionen und Empfehlungen zur internationalen Normensetzung in zahlreichen arbeitsmarkt- und sozialpolitischen Fragen beigetragen[15]. Das hierfür maßgebliche Organ der ILO ist die jährlich tagende »International Labour Conference«. Die hier verabschiedeten »conventions« erhalten für diejenigen Länder, die sie ratifiziert haben, eine bindende Wirkung[16]. Allerdings besitzen einige ILO-Normen eine Ausstrahlung auch für diejenigen Mitgliedsländer, die die betreffenden Konventionen nicht ratifiziert haben. Ein Beispiel dafür sind Konvention Nr. 1 aus dem Jahre 1919 zur Arbeitszeitregelung und die Konvention Nr. 102 zur sozialen Sicherung. Sie dienen inzwischen selbst Ländern, die nicht Mitglied der ILO sind, als Richtlinie beim Aufbau und bei der Weiterentwicklung sozialer Sicherungssysteme.

Nicht alle von den Arbeitskonferenzen beschlossenen Regelungen haben dieselbe Bedeutung. Als *»basic human right conventions«* (Leary 1992, S. 583) konnten Anfang der neunziger Jahre folgende Regelungen gelten: die Konventionen 11, 87 und 98 zur Vereinigungsfreiheit (»freedom of association«) und zum Recht auf kollektive Tarifvertragsverhandlungen (»right to organise and bargain collectively«), die Konvention 29 zur Abschaffung von Zwangsarbeit (»freedom from forced labour«), die Konvention 111 zum Verbot der Diskriminierung (»freedom from discrimination in employment«) und die Konvention 100 zur »equal remuneration for men and women for work of equal value«[17]. Hier handelt es sich um individuelle Freiheits- und Handlungsrechte, deren Implementierung die ILO von jedem Mitgliedsstaat unabhängig von seinem Entwicklungsstand erwartet. Bei den so genannten *»promotional conventions«* ist dies anders. Sie enthalten Ziele und Aktionsprogramme, die auch nach Vorstellung der ILO nur schrittweise im Verlaufe des Entwicklungsprozesses verwirklicht werden können.

Damit versucht die Organisation mit einigem Erfolg, einen Ausgleich zwischen »Flexibilität« und »Verbindlichkeit« herbeizuführen – der ersten der zuvor genannten Funktionsbedingungen einer internationalen Sozialordnung. Auch die zweite Bedingung kann als erfüllt gelten: die der Konsistenz mit der Welthandelsordnung. Auf die Etablierung von »Sozialklauseln« hat die ILO bewusst verzichtet[18]. Schließlich ist auch in nahezu exemplarischer Weise die vierte Bedingung erfüllt: die Einbeziehung nicht-staatlicher Organisationen in den Prozess der Normensetzung. Zu den 4-köpfigen Delegationen der Arbeitskonferenzen gehört je ein Vertreter der Gewerkschaften und der Arbeitgeberverbände eines Landes. In einigen anderen Gremien der ILO gilt eine Drittelparität für die Vertreter von Regierungen, Gewerkschaften und Unternehmerverbänden. Wie steht es um die dritte Funktionsbedingung, die Etablierung eines Systems von Anreizen und Sanktionen?

Die Instrumente der Durchsetzungskontrolle

Der Umsetzung von ILO-Normen dient ein mehrgliedriges Anreiz- und Kontrollsystem. Es enthält folgende Elemente: Die Pflicht der Mitgliedsstaaten zur Berichterstattung über die Implementierung einer ratifizierten Konvention; das spezielle »supervisory procedure« für die Konventionen zur Vereinigungsfreiheit; die »constitutional complaint procedure« im Falle der Nicht-Implementierung ratifizierter Konventionen; die Möglichkeit zu Sonderuntersuchungen und das Angebot der Beratung bei der Umsetzung internationaler Normen in nationales Recht.

Im Einzelnen ist zu den genannten Elementen Folgendes zu sagen (vgl. dazu vor allem Leary 1992): Die *Staatenberichte* bilden die Grundlage der Implementierungskontrolle. Sie werden einer doppelten Prüfung unterzogen. In einem *ersten* Schritt untersucht ein kleines Expertengremium die Berichte unter rechtlichen und organisatorischen Gesichtspunkten. Ernsthafte Diskrepanzen zwischen dem Inhalt einer Konvention und dem nationalen Recht eines Mitgliedsstaates werden in einem *zweiten* Schritt vom *»conference committee of standards«* geprüft. Dieses im Unterschied zum Expertenausschuss öffentlich tagende Gremium ist drittelparitätisch zusammengesetzt, und hier werden nun auch die politischen Aspekte von Implementierungsdefiziten untersucht. Als Vorteil hat sich dabei erwiesen, dass Nicht-Regierungsmitglieder die Mehrheit in diesem Ausschuss bilden. Strittige politische Themen können dadurch mit größerer Objektivität behandelt werden als es vermutlich der Fall wäre, wenn Regierungsvertreter die Mehrheit bildeten.

Besonders schwerwiegende Implementierungsdefizite kann der Konferenzausschuss in seinem Bericht besonders hervorheben. Die Erfahrung hat gezeigt, dass die betreffenden Staaten darauf sehr empfindlich reagieren. In einer »schwarzen Liste« oder in »schwarzen Paragraphen« des Ausschussberichtes genannt zu werden, bedeutet für ein Land einen internationalen *Reputationsverlust*[19]. Diese »mobilisation of shame« ist bis heute »the most substantial international sanction for human rights violation« (Leary 1992, S. 600). Ihre Wirkung besteht häufig darin, dass dem für die Weiterentwicklung des Arbeits- und Sozialrechts zuständigen Ministerium eines Landes in der innenpolitischen Auseinandersetzung der Rücken gestärkt wird.

Es entspricht der besonderen Bedeutung der *Vereinigungsfreiheit,* dass zu deren Überwachung ein besonderer Ausschuss gegründet wurde, das *»freedom of association (FAS) committee of the governing body«*, dem Exekutivorgan der ILO. Das von ihm praktizierte Überwachungsverfahren hat in den vergangenen Jahrzehnten eine besondere *politische Bedeutung* gewonnen. Dies ist nicht zuletzt damit zu erklären, dass die Vereinigungsfreiheit untrennbar mit anderen bürgerlichen Freiheitsrechten verbunden ist, was beispielsweise darin zum Ausdruck kommt, dass dieses Recht sowohl im Zivilpakt (Artikel 22) als auch im Sozialpakt der Vereinten Nationen (Artikel 8) enthalten ist. Chile, Polen und Süd-Korea sind Länder, deren gesamte Menschenrechtsproblematik vor dem FAS-Ausschuss behandelt worden ist. Der über viele Jahre hinweg geführte Dialog, den die ILO als kompetente und international angesehene Organisation mit diesen Ländern geführt hat, war ohne Zweifel ein wichtiger Beitrag zum verbesserten Schutz bürgerlich-politischer wie wirtschaftlich-sozialer Menschenrechte in diesen Staaten (Swepston 1998).

Die ILO-Verfassung bietet des Weiteren die Möglichkeit der *Klage* gegenüber einem Mitgliedsstaat, wenn dieser eine ratifizierte Konvention nicht implementiert. »Complaints« dieser Art können von Delegierten der International Labour Conference und von einzelnen Mitgliedsstaaten vorgebracht werden, entsprechende »representations« können Industrieverbände und Gewerkschaften eines Landes machen. Der governing body setzt in diesen Fällen eine besondere Untersuchungskommission ein (*commission of inquiry*).

Neben dieser Sanktion des Reputationsverlustes bietet die ILO auch *Anreize*. Sie bestehen in der Beratung von Regierungen bei der Anpassung der innerstaatlichen Rechtslage an ILO-Normen und in der Ausbildung von Verwaltungsbeamten in Fragen des Arbeits- und Sozialrechts. Entscheidend ist, dass dabei der Anreiz zur Hilfe wie die Sanktion des Reputationsverlustes von derselben Organisation ausgehen. Die Informationswege sind dadurch vergleichsweise kurz, die Koordinationsprobleme gering. Dies ist ein wesentlicher Vorteil, den das ILO-System gegenüber dem Anreiz- und Kontrollsystem auszeichnet, das im Rahmen des Sozialpakts der Vereinten Nationen geschaffen worden ist.

Zusammenfassend lässt sich Folgendes sagen. Die im Abschnitt 2 genannten Funktionsbedingungen für eine internationale Sozialordnung sind bei der ILO relativ gut erfüllt: Die Organisation erlaubt einen vergleichsweise hohen Flexibilitätsgrad bei der Ausgestaltung nationaler Ordnungssysteme, sie vermeidet eine Inkonsistenz ihrer Normen zu denen der Welthandelsordnung, es gibt einen vergleichsweise wirksamen Anreiz- und Kontrollmechanismus, und durch die Einbeziehung von Gewerkschaften und Unternehmerverbänden in die wesentlichen Entscheidungsprozesse ist eine zivilgesellschaftliche Verankerung gegeben. Einen nicht zu unterschätzenden Vorteil bedeutet ferner die Existenz einer handlungsfähigen und kompetenten Agentur (*International Labour Office*). Alle diese Faktoren haben dazu beigetragen, dass die ILO eine führende Rolle bei der Entwicklung einer internationalen Sozialordnung übernehmen konnte.

Gleichwohl sind die Grenzen der ILO nicht zu übersehen. Eine Reihe von Konventionen wurde bisher nur von wenigen Ländern ratifiziert, und dies mindert ihren Geltungsanspruch. Darüber hinaus bedürfen zahlreiche Normen einer Anpassung an veränderte weltwirtschaftliche Bedingungen; möglicherweise sind einige der Vereinbarungen inzwischen obsolet geworden (Myrdal 1994). Daraus folgt: Die ILO wird vermutlich nur dann eine wesentliche Funktion bei der Weiterentwicklung der internationalen Sozialordnung übernehmen können, wenn sie sich auf die Umsetzung von »basic human rights conventions« beschränkt, auf eine möglichst breite

Ratifizierung dieser Konventionen drängt und im Blick auf diese Normen alle verfügbaren Instrumente einer Umsetzungskontrolle einsetzt. Im Rahmen der ILO bestehen durchaus Möglichkeiten, dieses Instrumentarium noch auszuweiten[20].

Der Sozialpakt der Vereinten Nationen

Der normative Gehalt des Paktes

Es wurde bereits erwähnt, dass die AEM aus dem Jahre 1948 neben den bürgerlich-politischen auch soziale und wirtschaftliche Rechte enthält. Diese wurden nach langjährigen Verhandlungen im Jahre 1966 durch den ICESCR präzisiert, und damit hat die Staatenwelt einen Auftrag erfüllt, der implizit in der AEM enthalten war. Der Pakt trat im Jahre 1976 in Kraft; inzwischen haben ihn etwa 140 Staaten ratifiziert. Im Unterschied zu den Konventionen der ILO, die durch die jährlich stattfindenden Mitgliedskonferenzen dieser Organisation weiterentwickelt werden können, handelt es sich hier um einen abgeschlossenen Katalog von Menschenrechten und darauf bezogenen Staatenpflichten.

Der Pakt enthält zahlreiche Normen zur Regelung von Lohnarbeitsverhältnissen, zur sozialen Sicherheit und zur Befriedigung von Grundbedürfnissen (Text bei Zacher 1976, S. 48–57). Einige wichtige Normen decken sich mit denen der ILO. Dazu gehört zum Beispiel das Recht zur Gewerkschaftsbildung (A 8), das – wie erwähnt – eine zentrale Rolle innerhalb der ILO-Konventionen einnimmt. Weniger auf formale Beschäftigungsverhältnisse, auf die sich die Vereinigungsfreiheit bezieht, und mehr auf die Lebensverhältnisse in den Entwicklungsländern nehmen einige andere Regelungen Bezug. Beispielhaft seien genannt: Das »Recht auf Nahrung« (A. 11), verbunden mit der Verpflichtung der Vertragsstaaten, Maßnahmen zur Sicherung und Erhöhung der Nahrungsmittelproduktion zu ergreifen; das »Recht eines jeden auf das ihm erreichbare Höchstmaß an körperlicher und geistiger Gesundheit« (A. 12), mit der Verpflichtung der Vertragsstaaten, die »zur vollen Verwirklichung dieses Rechts ... erforderlichen Maßnahmen« zu ergreifen (z. B. durch eine Verbesserung der medizinischen Vorsorgeeinrichtungen); das »Recht auf Bildung« (A. 13–14), mit der Verpflichtung der Staaten, zur Verbesserung der Ausbildungsmöglichkeiten beizutragen.

Auf den ersten Blick entsteht der Eindruck, hier würden umfangreiche Anspruchsrechte formuliert, diese Normen einer internationalen Sozialordnung entsprächen also einer primär wohlfahrtsstaatlichen Funktion im oben genannten Sinne und fielen deshalb unter das Verdikt von Hayeks, es würden absurde Forderungen erhoben, die mit den Prinzipien einer liberalen Gesellschaft nicht zu vereinbaren seien. Dieser Vorwurf hat in der Tat die Verhandlungen belastet, die im Jahre 1966 zum Abschluss des Vertrages führten. Viele Kritiker sahen in ihm ein Zugeständnis an die sozialistische Staatengruppe, das nur deshalb gemacht wurde, um diesen Staaten die Zustimmung zu dem im gleichen Jahr abgeschlossenen »Zivilpakt« abzuhandeln.

Eine genauere Prüfung des Vertrags zeigt aber, dass hier keineswegs Anspruchsrechte im Vordergrund stehen, sondern Freiheits- und Handlungsrechte, und dass die Vertragsstaaten nicht in erster Linie zur Erfüllung von Leistungsansprüchen, sondern zum Schutz und zur Respektierung von Freiheitsrechten aufgefordert werden. Insofern unterscheidet sich der »Sozialpakt« nicht grundsätzlich vom »Zivilpakt« (Simma 1993). Hier wie dort geht es in erster Linie darum, dass der Staat den durch bestimmte Grundrechte definierten Freiheitsraum des Einzelnen respektiert und dass er nicht berechtigt ist, durch eine Intervention den Einzelnen an der Verwirklichung seiner Rechte zu hindern. Das gilt beispielsweise sowohl für das Recht auf freie Meinungsäußerung wie für das Recht des Einzelnen, sich durch Eigeninitiative seinen Lebensunterhalt zu sichern.

Diese Pflicht zur Respektierung individueller Rechte wird ergänzt durch die Verpflichtung der Staaten, diese Rechte zu schützen, wenn sie durch nicht-staatliche Akteure bedroht sind. Das »Recht auf Nahrung« eines Kleinbauern kann beispielsweise durch konkurrierende Bodennutzungsansprüche einer Plantagengesellschaft bedroht sein. In diesem Fall hat der Staat im Rahmen eines geordneten Rechtswesens den betroffenen Farmern die Möglichkeit zur Wahrnehmung und zum Schutz ihrer Rechte zu schaffen.

Subsidiär nachgeordnet zu diesen Pflichten des Staates, die wirtschaftlichen und sozialen Rechte des Einzelnen »to respect and to protect«, übernimmt die Regierung eines Landes auch die Verpflichtung, diese Rechte »to fulfill«. Vorrangig geht es dabei um die Verbesserung der Chancen zur Erwerbsarbeit (etwa durch den erleichterten Zugang zu Ausbildungsangeboten, zur Gesundheitsfürsorge und zur Bodennutzung). Nur wenn der Einzelne trotz einer Verbesserung seiner Erwerbschancen nicht zur Befriedigung seiner Grundbedürfnisse aus eigener Initiative in der Lage ist und wenn private Sicherungssysteme nicht ausreichend sind, ergibt sich beispielsweise aus dem »Recht auf Nahrung« der Anspruch staatlicher Versorgungsleistungen.

Im Übrigen nimmt der Sozialpakt darauf Rücksicht, dass nicht jeder Staat dieselben sozialpolitischen Möglichkeiten besitzt. Unterschiede in der wirtschaftlichen Ausgangslage werden berücksichtigt. Der Pakt verlangt lediglich, dass ein Staat die ihm gegebenen Möglichkeiten in vollem Maße ausschöpft. So besagt beispielsweise Artikel 2/1 des ICESCR, der einen »Schlüssel für die Rechtsnatur des Vertrags« darstellt (Simma/Bennigsen 1990, S. 1487), dass sich jeder Staat verpflichtet, »einzeln und durch internationale Hilfe unter Ausschöpfung aller seiner Möglichkeiten Maßnahmen zu treffen, um »progressively« mit allen geeigneten Mitteln ... die volle Verwirklichung der in diesem Pakt anerkannten Rechte zu erreichen«. Gefordert wird also die *schrittweise* Verwirklichung wirtschaftlicher und sozialer Rechte. Keinem Staat wird etwas Unerreichbares zugemutet. Es werden auch keine spezifischen Ergebnisse vorgeschrieben. Die Staaten verpflichten sich vielmehr zu einem bestimmten Verhalten, wobei die Wahl der Mittel jedem Mitglied freigestellt ist. Damit besitzt der Pakt genügend Flexibilität, um auf Länder mit unterschiedlichem wirtschaftlichem Entwicklungsstand anwendbar zu sein. Die erste der oben genannten Funktionsbedingungen einer Sozialordnung ist damit erfüllt.

Dies kann auch im Blick auf die zweite Funktionsbedingung gesagt werden. Der Pakt enthält keine Regelungen, die im Widerspruch zu den Institutionen eines wettbewerblich geregelten Welthandels stehen. Was die zivilgesellschaftliche Verankerung anbelangt – die dritte der genannten Bedingungen –, so haben Nicht-Regierungsorganisationen bei der Normfindung keine Rolle gespielt. Lediglich am Monitoring-System und damit bei der Umsetzungskontrolle sind sie beteiligt.

Die Umsetzungskontrolle des Paktes

Die Vertragsstaaten haben nur ein sehr schwaches Kontrollsystem geschaffen (Alston 1992; Simma 1998; Riedel 1998). Der Pakt verpflichtet sie, regelmäßig dem *Economic and Social Council* (ECOSOC) der Vereinten Nationen über den Stand der Verwirklichung wirtschaftlicher, sozialer und kultureller Rechte (WSK-Rechte) auf ihrem Gebiet zu berichten, und diese Berichte werden seit 1987 dem vom ECOSOC geschaffenen *Committee on Economic, Social and Cultural Rights* (CESCR) zur Prüfung und zur Stellungnahme zugeleitet. Die Berichte sollen erkennen lassen, welche Maßnahmen ein Staat getroffen hat, um die Verwirklichung der Paktrechte zu verbessern, und welche Ziele er sich für die nächste Zeit vorgenommen hat. In diesem Zusammenhang kann auch auf Schwierigkeiten bei der Umsetzung des Paktes hingewiesen werden. Es geht also nicht allein um eine Erfolgsbilanz. Erwähnenswert ist in diesem Zusammenhang, dass der CESCR bei der Prüfung der Staatenberichte auch auf die Stellungnahmen von Nicht-Regierungsorganisationen zurückgreift.

Der Vertragstext bietet weder dem ECOSOC noch dem CESCR die Möglichkeit, den Mitgliedsstaaten spezifische Anreize zu einer besseren Vertragserfüllung zu bieten. Lediglich eine sehr schwache »shame-sanction« ist vorgesehen: Durch die Feststellung gravierender Umsetzungsdefizite und die Veröffentlichung dieses Ergebnisses können einem Land Reputationsverluste entstehen. Die schwache Position des CESCR und die Tatsache, dass seine Stellungnahmen nicht einmal innerhalb des UN-Systems, geschweige denn darüber hinaus eine nennenswerte Beachtung finden, lässt diese Sanktionsmöglichkeit aber kaum wirksam werden.

Aus all dem ergibt sich, dass der Sozialpakt nur ein sehr schwaches Element der internationalen Sozialordnung darstellt. Das müsste nicht so bleiben. Die Mitgliedsstaaten hätten die Möglichkeit, dem Pakt mehr Profil zu geben:

- durch die bessere finanzielle und personelle Ausstattung des Sekretariats des CESCR, so dass es zu einer Informationsbeschaffung und -auswertung im Interesse einer ernsthaften Vorprüfung der Staatenberichte in der Lage wäre;
- durch die Einführung eines Petitionsrechtes zum Sozialpakt, das dem Prüfungsverfahren durch den CESCR mehr Gewicht verleihen würde (ECOSOC 1996);
- durch die Einbeziehung von Stellungnahmen und Empfehlungen des CESCR in den Politikdialog zwischen Entwicklungsländern einerseits und multilateralen sowie bilateralen Entwicklungsorganisationen andererseits, was die Reputationsverluste bei anhaltender Missachtung der Paktrechte erhöhen würde (BMZ 1995 1998);
- durch das Angebot an technischer, personeller und finanzieller Hilfe zur Erfüllung der Vertragspflichten eines Staates, womit das Berichtsverfahren des Sozialpaktes auch ein Anreizelement enthielte.

Es ist eine Frage des politischen Willens, ob die Staatenwelt den Sozialpakt in diesem Sinne weiterentwickeln will.

Beschlüsse internationaler Konferenzen

In den neunziger Jahren sind unter der Regie der Vereinten Nationen mehrere internationale Konferenzen durchgeführt worden, die sich mit Fragen der Armutsbekämpfung und der sozialen Sicherheit befassten. Zu erwähnen sind in diesem Zusammenhang u. a. die *Konferenz Umwelt und Entwicklung* (UNCED 1992) in Rio de Janeiro, die *Konferenz zu Bevölkerung und Entwicklung* (ICPD 1994) in Kairo und der *Weltgipfel für soziale Entwicklung* (WSSD 1995) in Kopenhagen. Im Blick auf den Versuch, die internationale Sozialordnung weiterzuentwickeln, ist vor allem die Kopenhagener Konferenz von Interesse. Ein Novum dieser Veranstaltung war, dass zu den Delegationen einer Reihe von Ländern auch die Vertreter von Nicht-Regierungsorganisationen gehörten.

Auf diesem »Weltsozialgipfel« wurde eine »Erklärung über soziale Entwicklung« und ein »Aktionsprogramm« verabschiedet. Die Erklärung enthält zehn Selbstverpflichtungen der Teilnehmerstaaten zur Armutsbekämpfung, zur Förderung der Menschenrechte, Achtung der Menschenwürde usw. In der ersten Verpflichtung heißt es beispielsweise: »Wir verpflichten uns, ein wirtschaftliches, politisches, soziales, kulturelles und rechtliches Umfeld zu schaffen, das die Menschen in die Lage versetzt, soziale Entwicklung zu erreichen« (Vereinte Nationen 1995, S. 7). Im Aktionsprogramm werden diese Verpflichtungen detailliert beschrieben. Es gibt kaum ein entwicklungspolitisches und sozialpolitisches Thema, das hier nicht angesprochen wird. Erwähnenswert ist in diesem Zusammenhang die so genannte »20 : 20-Initiative«, bei der sich die daran »interessierten« Industrie- und Entwicklungsländer verpflichten, 20 Prozent ihrer Entwicklungshilfeleistungen bzw. ihrer Haushaltsmittel dem Ziel der sozialen Entwicklung zu widmen.

Im Unterschied zum »Sozialpakt« handelt es sich bei der *»Kopenhagener Erklärung«* nicht um einen rechtsverbindlichen Vertrag. Die Selbstverpflichtung der Teilnehmerstaaten ist vergleichsweise unverbindlich. Dem entspricht es, dass im Text viel vom »Streben nach sozialer Gerechtigkeit«, von der »Achtung der Menschenwürde«, der »Bekämpfung von Armut« und ähnlichen Zielen die Rede ist, eine juristische Terminologie aber sorgfältig vermieden wird. Nirgends wird z. B. von einem »right to health« gesprochen als einem »mobilising concept, as a legal principle which would give rise to entitlements and obligations«. Diese Kritik von P. Alston (1995, S. 79) an der WHO kann unschwer auf die *»Erklärung von Kopenhagen«* übertragen werden. Im rechtlichen Sinne bleibt also die *»Kopenhagener Erklärung«* hinter den Übereinkommen der ILO und dem *»Sozialpakt«* zurück. Von der Weiterentwicklung formaler Institutionen einer internationalen Sozialordnung kann jedenfalls kaum gesprochen werden. Der Wert der Konferenz und ihres »follow-up«-Prozesses liegt eher in der Stärkung eines »Regimes«, das langfristig die Umsetzung formaler Regeln erleichtern kann, die im Rahmen der ILO und im Sozialpakt vereinbart worden sind (siehe Donner-Reichle 1995).

Fazit

Wie die bisherigen Erfahrungen zeigen, steht und fällt eine internationale Sozialordnung mit der Bereitschaft der Staaten, im Interesse ihrer Völker internationale Selbstbindungen einzugehen. Deren Ziel muss es sein, die Respektierung und den Schutz individueller Handlungs- und Freiheitsrechte zu verbessern und jeder Person ein Anspruchsrecht auf den Schutz vor »empfindlichem Mangel« zu sichern. Die gemeinsame Selbstverpflichtung der Staaten, in diesem Sinne tätig zu werden, erleichtert die entsprechenden nationalen Ordnungsbemühungen, und sie entspricht einem Auftrag, den sich die Staaten in der *Allgemeinen Erklärung der Menschenrechte* gegeben haben. Wie groß die Selbstbindungsbereitschaft der Staaten ist, lässt sich u. a. an den von ihnen geschaffenen Anreiz- und Sanktionsmechanismen ablesen, die der Erfüllung vertraglicher Abmachungen dienen.

Gemessen an der Wirksamkeit, die diesem Mechanismus im Falle des »Sozialpaktes« der Vereinten Nationen zugewiesen wurde, ist die Selbstbindungsbereitschaft der Staaten gering. Positiver fällt das Urteil im Blick auf die Möglichkeiten der ILO aus. Dass die hier gegebenen Möglichkeiten einer Umsetzungskontrolle internationaler Vereinbarungen größer sind, hängt vermutlich mit der Beteiligung etablierter Nicht-Regierungsorganisationen (Gewerkschaften, Unternehmensverbände) an allen wichtigen Entscheidungsprozessen zusammen. Im Falle der ILO zeigt sich, dass die Sanktion des »Reputationsverlustes« auf lange Sicht nicht unwirksam ist, wenn sie mit Anreizen der technischen und organisatorischen Hilfe verbunden ist.

Für die Weiterentwicklung der internationalen Sozialordnung ist die Bereitschaft der Staaten entscheidend, die Instrumente zur Umsetzung bestehender Vereinbarungen zu stärken. Dies bedeutet eine Aufwertung der mit der Umsetzungskontrolle beauftragten Organisationen und eine konsequentere Anwendung gegebener Anreiz- und Sanktionsmechanismen. Die Bereitschaft dazu wird vermutlich nur dann zunehmen, wenn im weiteren Verlauf des Globalisierungsprozesses der sozialpolitische Anpassungsdruck in vielen Ländern wächst und der Bedarf an internationalen Institutionen zunimmt, die den koordinierten Aufbau nationaler Sozialordnungen zum Ziel haben.

Anmerkungen

1 Richter/Furubotn 1999, S. 7, definieren in Anlehnung an Schmoller: Institutionen sind »ein System formgebundener (formaler) und formungebundener (informeller) Regeln einschließlich der Vorkehrungen zu deren Durchsetzung«, das den Zweck hat, »individuelles Verhalten in eine bestimmte Richtung zu steuern«. Zu ergänzen wäre: International gültige Institutionen verfolgen auch den Zweck, das Verhalten von Einzelstaaten in eine bestimmte Richtung zu lenken.

2 Bei der kritischen Würdigung der Ergebnisse der Uruguay- Runde wurde gefragt, warum es nicht ausreiche, die Absicht zur Liberalisierung des Welthandels in einem Satz zum Ausdruck zu bringen. Tatsächlich umfassen die Dokumente, die die Ergebnisse der Uruguay-Runde enthalten, mehrere hundert Seiten – nicht mitgerechnet die länderspezifischen Zollbindungslisten (vgl. GATT 1993).

3 Der vorliegende Beitrag wurde – der fachlichen Ausrichtung des Autors entsprechend – von einer wirtschaftswissenschaftlichen Perspektive aus geschrieben. Die Auseinandersetzung mit ökonomischen Einwänden gegen eine Sozialordnung nehmen deshalb einen vergleichsweise breiten Raum ein. Da diese Einwände in der politischen Diskussion eine wichtige Rolle spielen, führt kein Weg an einer solchen Auseinandersetzung vorbei.

4 Einen Überblick zu diesem Thema gibt der Verfasser in Sautter 1999.

5 Vgl. dazu Tetzlaff 1993. Die Menschenrechts-Weltkonferenz der Vereinten Nationen in Wien (1993) bringt mit ihrer »Wiener Erklärung« den verpflichtenden Charakter der Menschenrechte wie folgt zum Ausdruck: »Zwar ist die Bedeutung nationaler und regionaler Besonderheiten und unterschiedlicher historischer, kultureller und religiöser Voraussetzungen im Auge

zu behalten, aber es ist die Pflicht des Staates, ohne Rücksicht auf sein jeweiliges politisches, wirtschaftliches und kulturelles System alle Menschenrechte und Grundfreiheiten zu fördern und zu schützen«.

6 Die Wiener Menschenrechts-Konferenz hat die Einheit aller Menschenrechte bekräftigt: »Alle Menschenrechte sind allgemein gültig, unteilbar, bedingen einander und bilden einen Sinnzusammenhang.«

7 Zur Denkfigur des »Gefangenendilemmas« vgl. Homann/Blome-Drees 1992, S. 29 ff.

8 Vgl. Czempiel 1992, S. 103: »Die Staaten existieren noch, sie werden lediglich relativiert durch die Interdependenz und durch die transnationale Kooperation gesellschaftlicher Akteure.«

9 Die Notwendigkeit flexibler Lösungen diskutiert Okogwu (1994) am Beispiel der Internationalen Arbeitsorganisation.

10 Hilf (1987) diskutiert die nationalen und internationalen Verpflichtungen am Beispiel des »Rechts auf Nahrung«.

11 Zur Problematik einer »Sozialpolitik gegen den Markt« siehe: Homann/Pies, 1996. Eine andere Position vertritt Ulrich. Gesichtspunkte der »globalen Gerechtigkeit« und der »Erhaltung menschenwürdiger Wirtschafts- und Existenzbedingungen« können nach seiner Meinung nur durch eine »Beschränkung transnationaler Märkte« zur Geltung gebracht werden. In diesem Zusammenhang fordert Ulrich einen »neuen Protektionismus«, der ein »Sozialdumping« durch Einführung von »Sozialklauseln« im Welthandelssystem verhindern soll. Siehe Ulrich 1997, S. 383, 388 ff.

12 Eine treffsichere Anwendung von »Sozialklauseln«, die die Entwicklungsländer nicht benachteiligen würde, ist schwer vorstellbar. Vgl. dazu Sautter 1995; Schöppenthau 1994.

13 Zu den generellen Möglichkeiten einer Durchsetzung international vereinbarter Regeln siehe Wolfrum 1996.

14 Auf Institutionen mit regional begrenztem Geltungsbereich – wie etwa die »Sozialcharta« europäischer Staaten – soll im Weiteren nicht eingegangen werden. Zur »Gemeinschafts-Charta der sozialen Grundrechte der Arbeitnehmer« der EU-Staaten vgl.: Kommission der Europäischen Gemeinschaften 1992.

15 Zur Dokumentation wichtiger Konventionen und Empfehlungen siehe: International Labour Office 1992; Zacher 1976. Zur Funktion der ILO-Standards vgl. Feis 1994.

16 Empfehlungen bedürfen keiner Ratifizierung. Mit ihnen werden einzelne Sachverhalte, die Gegenstand von Konventionen sind, detailliert geregelt.

17 Auch die Konvention zum Verbot der Kinderarbeit (Nr. 138) wird inzwischen zu den »fundamental conventions« der ILO gerechnet (Kellerson 1998). Sie in Entwicklungsländern durchzusetzen, wird nur auf lange Sicht möglich sein, wenn sich die allgemeinen Beschäftigungs- und Einkommenschancen in diesen Ländern nachhaltig verbessern.

18 In der »ILO Declaration on fundamental principles and rights at work«, die am 18. 6. 1998 von der International Labour Conference angenommen wurde, heißt es dazu: »Labour standards should not be used for protectionist trade purposes, and . . . nothing in this Declaration and its follow-up shall be invoked or otherwise used for such purposes; in addition, the comparative advantage of any country should in no way be called into question by this Declaration or its follow-up;« zitiert nach Kellerson 1998, S. 225.

19 »Overall, the identification by international bodies of human rights violations seriously damages the reputation and international credibility of the States responsible,« Valticos 1998, S. 145.

20 Siehe dazu Schöppenthau 1994, S. 252 ff.

Literatur

Alston, Philip (1992): The Committee on Economic, Social, and Cultural Rights, in: Alston, Philip (Ed.) (1992): The United Nations and Human Rights. A Critical Appraisal, Oxford, S. 473–508.

Alston, Philip (1995): Der Sozialpakt und die Umsetzung der Ergebnisse des Weltsozialgipfels, in: Friedrich-Ebert-Stiftung (Hrsg.) (1995): Die Rolle der wirtschaftlichen

und sozialen Menschenrechte im Kontext des UN-Weltsozialgipfels, Dialogreihe Entwicklungspolitik 9, Bonn, S. 75–83.
BMZ (Bundesministerium für wirtschaftliche Zusammenarbeit und Entwicklung) (1995): Die Bedeutung sozialer Menschenrechte für die Entwicklungszusammenarbeit, BMZ aktuell 055, Bonn.
BMZ (1998): Förderung der Menschenrechte, eine Aufgabe der Entwicklungszusammenarbeit, BMZ aktuell 090, Bonn.
Czempiel, Ernst-Otto (1992): Weltpolitik im Umbruch, 2. Aufl., München.
Deutsche Gesellschaft für die Vereinten Nationen e.V. (1994): Gleiche Menschenrechte für alle. Dokumente zur Menschenrechtsweltkonferenz der Vereinten Nationen in Wien 1993, Bonn.
Donner-Reichle, Carola (1995): Der Folgeprozeß des Weltsozialgipfels: Chancen und Schwierigkeiten, in: Nord-Süd aktuell, 1995/1, S. 68–73.
ECOSOC (Economic and Social Council, United Nations) (1997): Draft Optional Protocol to the International Covenant on Economic, Social and Cultural Rights, E/CN.4/1997/105, New York.
Feis, Herbert (1994): International Labour Legislation in the Light of Economic Theory, in: Sengenberger, Werner/Campbell, Duncan (Eds.) (1994): International Labour Standards and Economic Interdependence, Geneva, International Institute for Labour Studies, S. 29–55.
GATT (1993): Final Act Embodying the Results of the Uruguay Round of Multilateral Trade Negotiations, Geneva.
Hayek, Friedrich August von (1981): Recht, Gesetzgebung und Freiheit, Band 2: Die Illusion der sozialen Gerechtigkeit, Landsberg am Lech.
Hilf, Meinhard (1987): The Right to Food in National and International Law, in: Oppermann, Thomas/Petermann, Ernst Ulrich (Eds.) (1987): Reforming the International Economic Order – German Legal Comments, Berlin, S. 125–146.
Homann, Karl/Blome-Drees, Franz (1992): Wirtschafts- und Unternehmensethik, Göttingen.
Homann, Karl/ Pies, Ingo (1996): Sozialpolitik für den Markt: Theoretische Perspektiven konstitutioneller Ökonomik, in: Pies, Ingo/Leschke, Martin (Hrsg.) (1996): James Buchanans konstitutionelle Ökonomik, Tübingen, S. 203–239.
International Labour Office (1992): International Standards and Guiding Principles on Labour Law and Labour Relations, Geneva.
Kellerson, Hilary (1998): The ILO Declaration of 1998 on Fundamental Principles and Rights: A Challenge for the Future, in: International Labour Review, Vol. 137/2, S. 223–227.
Kommission der Europäischen Gemeinschaften (1992): Soziales Europa. Erster Bericht über die Anwendung der Gemeinschafts-Charta der sozialen Grundrechte der Arbeitnehmer, Brüssel, Luxemburg.
Leary, Virginia A. (1992): Lessons from the Experience of the International Labour Organisation, in: Alston, Philip (Ed.) (1992): The United Nations and Human Rights, Oxford, S. 580–619.
Myrdal, Gunnar (1994): The ILO in the Cross-Fire: Would it Survive the Social Clause? in: Sengenberger, Werner/Campbell, Duncan (Eds.) (1994): International Labour Standards and Economic Interdependence, Geneva, International Institute for Labour Studies, S. 339–356.
Okogwu, G. Chike (1994): Labour Standards across Countries with Different Levels of Development, in: Sengenberger, Werner/Campbell, Duncan (Eds.) (1994): International Labour Standards and Economic Interdependence, Geneva, International Institute for Labour Studies, S. 145–157.
Richter, Rudolf/Furubotn, Eirik G. (1999): Neue Institutionenökonomik, 2. Aufl., Tübingen.

Riedel, Eibe (1998): The Examination of State Reports, in: Klein, Eckhart (Ed.) (1998): The Monitoring System of Human Rights Treaty Obligations, Berlin, S. 95–106.

Sautter, Hermann (1999): Handlungsmöglichkeiten im Rahmen einer Internationalen Sozialordnung, in: Korff, Wilhelm et al. (Hrsg.) (1999): Handbuch der Wirtschaftsethik, Band 3, Abschnitt 3.3.4.4, Gütersloh.

Sautter, Hermann (1994): Internationale Armutsbekämpfung – zu den Möglichkeiten der Entwicklungszusammenarbeit, in: Schäfer, Hans B. (Hrsg.) (1994): Armut in Entwicklungsländern, Berlin, S. 165–187.

Sautter, Hermann (1995): Sozialklauseln für den Welthandel – wirtschaftsethisch betrachtet, in: Kantzenbach, Erhard/Molitor, Bruno/Mayer, Otto G. (Hrsg.) (1995): Hamburger Jahrbuch für Wirtschafts- und Gesellschaftspolitik, Tübingen, S. 227–245.

Schöppenthau, Philip von (1994): Sozialklauseln: die falsche Waffe, in: Internationale Politik und Gesellschaft, 1994/3, S. 240–256.

Sengenberger, Werner (1994): International Labour Standards in a Globalised Economy: The Issues, in: Sengenberger, Werner/Campbell, Duncan (Eds.) (1994): International Labour Standards and Economic Interdependence, Geneva, International Institute for Labour Studies, S. 3–15.

Simma, Bruno (1993): Soziale Grundrechte und das Völkerrecht. Der internationale Pakt über wirtschaftliche, soziale und kulturelle Rechte in der gegenwärtigen Verfassungsdiskussion, in: Badura, Peter/Scholz, Rupert (Hrsg.) (1993): Wege und Verfahren des Verfassungslebens, Festschrift für Peter Lerche, München, S. 83–94.

Simma, Bruno/Bennigsen, Sabine (1990): Wirtschaftliche, soziale und kulturelle Rechte im Völkerrecht, der internationale Pakt von 1966 und sein Kontrollverfahren, in: Baur, Jürgen F. et al. (Hrsg.) (1990): Festschrift für Ernst Steindorff, Berlin, S. 1477–1502.

Simma, Bruno (1998): The Examination of State Reports: International Covenant on Economic, Social and Cultural Rights, in: Klein, Eckhart (Ed.) (1998): The Monitoring System of Human Rights Treaty Obligations, Berlin, S. 31–48.

Swepston, Lee (1998): Human Rights Law and Freedom of Association: Development through ILO Supervision, in: International Labour Review, Vol. 137/2, S. 169–194.

Tetzlaff, Rainer (1993): Die »Universalität« der Menschenrechte in Theorie und Praxis. Eine Einführung, in: Tetzlaff, Rainer (Hrsg.) (1993): Menschenrechte und Entwicklung: Deutsche und internationale Kommentare und Dokumente, Bonn, S. 11–52.

Ulrich, Peter (1997): Integrative Wirtschaftsethik. Grundlagen einer lebensdienlichen Ökonomie, Bern.

Valticos, Nicolas (1998): International Labour Standards and Human Rights: Approaching the Year 2000, in: International Labour Review, Vol. 137/2, S. 135–148.

Vereinte Nationen (1995): Bericht des Weltgipfels für soziale Entwicklung, Dokument A/Conf. 166–9 vom 19. 4. 1995, New York, Juni 1995.

Wolfrum, Rüdiger (1996): Obligations of Public International Law to Implement International Rules: Mechanisms to Monitor such Implementations, in: Maydell, Bernd von/Nußberger, Angelika (Eds.) (1996): Social Protection by Way of International Law, Berlin, S. 83–144.

Zacher, Hans (1976): Internationales und europäisches Sozialrecht, Percha, S. 25–32.

Udo E. Simonis

Architektur einer Weltorganisation für Umwelt und Entwicklung

»Mein reformistisches Credo lautete denn auch: Den weiten Horizont im Blick haben, doch die unmittelbaren Ziele so niedrig hängen, dass man ihnen tatsächlich näher kommt.« Willy Brandt

Die Hauptthese des Berichts der Nord-Süd-Kommission »Das Überleben sichern« (1980) spiegelte sich in dessen Untertitel wider: »Gemeinsame Interessen der Industrie- und Entwicklungsländer«. In seinen »Erinnerungen« (1992) gestand Willy Brandt, dass sich diese These nicht bestätigt habe: »Statistisch betrachtet, hat sich die ökonomische Verflechtung der Industrie- mit den Entwicklungsländern keineswegs verstärkt; im Gegenteil, beide haben sich weiter voneinander entfernt« (S. 384). Wie würde Willy Brandts Urteil heute lauten, wenn er nicht die Ökonomie, sondern die Ökologie, nicht die internationale Wirtschafts-, sondern die Umweltpolitik im Auge hätte?

Ökologisch gesehen waren Industrie- und Entwicklungsländer schon immer eng verflochten, und diese Verflechtung hat in den letzten zwei Jahrzehnten – seit Erscheinen des Brandt-Berichts – weiter zugenommen. Es gibt auch unübersehbare, starke gemeinsame Interessen zwischen Industrie- und Entwicklungsländern, die aus der ökologischen Verflechtung, aus gravierenden transnationalen und globalen Umweltproblemen resultieren. Zukunftsszenarien haben die Dringlichkeit des Handelns aufgezeigt und die Gefahren verdeutlicht, die Nicht-Handeln oder verspätetes Handeln heraufbeschwören. Ohne einen ökologischen Umbau der Wirtschaft der Industrieländer und ohne eine ressourcen- und energiesparende Gestaltung der nachholenden Entwicklung in den Entwicklungsländern driftet die Welt in eine ökologische Sackgasse. Diese globale Problematik lässt sich durch lokale und nationale Initiativen mildern, doch nur in Verbindung mit globalen Politikansätzen wirklich lösen.

Bislang reagierte die Politik hierauf mit dem Versuch einer verbesserten Koordination und Kooperation der Staaten: Eine wahre »Explosion von umweltvölkerrechtlichen Verträgen« (Richard E. Benedick) ist festzustellen. Aber wurden diese Verträge auch umgesetzt, nutzten diese Rechtstexte der Umwelt? Und halten sich die Regierungen an das, was sie auf den großen internationalen Umwelt- und Entwicklungskonferenzen, wie 1972 in Stockholm, 1992 in Rio de Janeiro und 1997 in New York beschlossen haben?

Manche Erfolge sind unbestreitbar. Im Gefolge der Umsetzung der Konvention über weit reichende grenzüberschreitende Luftverschmutzung (1979, in Kraft 1989) konnten die Schwefelemissionen in Europa drastisch reduziert werden. Das Montrealer Protokoll zum Schutz der Ozonschicht (1987, in Kraft 1989) bewirkte in den Industrieländern, dass Fluorchlorkohlenwasserstoffe (FCKW) kaum noch hergestellt bzw. verbraucht werden. Die Klimarahmenkonvention (1992, in Kraft 1994) war dagegen bislang wenig erfolgreich, weltweit werden heute mehr Treibhausgase freigesetzt als damals. Und ob die Biodiversitätskonvention (1992, in Kraft 1993) das Artensterben seither aufhalten konnte, ist mehr als fraglich.

Im Folgenden soll daher ein Vorschlag unterbreitet werden, wie die Umsetzung von internationalen Vereinbarungen verbessert werden kann, im Sinne der Markierung von Eckpunkten einer Reform des Institutionensystems der globalen Umwelt- und Entwicklungspolitik.

Neue Architektur erforderlich

Gängig ist die Sichtweise, dass die bestehenden internationalen Organisationen zu schwerfällig seien und eine schlankere Form sowie effizientere Verfahren benötigten. Diese Sicht der Dinge soll hier nicht im Detail diskutiert werden. Zweifelsohne wäre viel gewonnen, wenn das Management des *UN-Umweltprogramms* (UNEP; *vgl. Übersicht 1*) oder der *UN-Kommission zur nachhaltigen Entwicklung* (CSD, *vgl. Übersicht 2*) effizienter würde. Ein Königsweg ist die *minimalistische*

Übersicht 1: Das Umweltprogramm der Vereinten Nationen (UNEP)

Im Zuge der Stockholmer »*Konferenz über die Umwelt des Menschen*« beschloss die UN-Vollversammlung 1972 die Einrichtung eines eigenständigen UN-Umweltprogramms (*United Nations Environment Programme*, UNEP). UNEP ist keine Sonderorganisation mit eigener Mitgliedschaft und Rechtspersönlichkeit, sondern lediglich ein Nebenorgan der UN-Vollversammlung. UNEP sollte im Gesamtsystem der Vereinten Nationen vor allem als »Umweltgewissen« dienen, mit bescheidenen Finanzmitteln als »Katalysator« zu Umweltschutzprojekten anderer Organe und Sonderorganisationen anregen und die UN-Umweltpolitik koordinieren. Während die Verwaltungskosten des Sekretariats und des Verwaltungsrates vom allgemeinen UN-Haushalt gedeckt werden, finanziert ein zusätzlicher, aus freiwilligen Mitteln gespeister Umweltfonds einzelne Projekte. Dieses Programmbudget belief sich 1996/1997 auf knapp 100 Mio. US-Dollar. Als Sitz des UNEP-Sekretariats wurde Nairobi gewählt, wodurch erstmals ein UN-Organ in einem Entwicklungsland angesiedelt wurde.

Übersicht 2: Die UN-Kommission zur nachhaltigen Entwicklung (CSD)

1992 wurde, im Zuge des »Erdgipfels« von Rio de Janeiro, ein neues Gremium innerhalb der Vereinten Nationen geschaffen: die *Kommission zur nachhaltigen Entwicklung* (*Commission on Sustainable Development*, CSD). Diese neue Kommission ist dem Wirtschafts- und Sozialrat der Vereinten Nationen (ECOSOC), einem ihrer Hauptorgane, beigeordnet. Ihre 53 Mitglieder werden auf regionaler Grundlage gewählt und sollten möglichst auf Ministerebene vertreten sein. Arbeitsgrundlage ist die *Agenda 21*, das umfangreiche, völkerrechtlich unverbindliche »*Aktionsprogramm für eine nachhaltige Entwicklung*«, das 1992 in Rio de Janeiro beschlossen worden war. Von den Verwaltungskosten abgesehen, verfügt die CSD über keine eigenen Finanzmittel.

Strategie einer Effizienzsteigerung der vorhandenen Bausteine einer globalen Umweltpolitik aber sicherlich nicht.

Häufig wird auch eine bessere Koordination zwischen diesen und den anderen Akteuren der internationalen Umweltpolitik gefordert, wie insbesondere der *Globalen Umweltfazilität* (GEF) von Weltbank, UNEP und *UN-Entwicklungsprogramm* (UNDP), den Vertragsstaatenkonferenzen zur Klimarahmenkonvention, zur Biodiversitätskonvention, zur Desertifikationskonvention, zum Montrealer Protokoll, zu den Konventionen über die Feuchtgebiete, den Schutz des Weltnaturerbes, den Schutz der weit wandernden Wildtiere und weiteren Verträgen, alle mit eigenen Sekretariaten und Wissenschaftlichen Beiräten. Zwischen fast all diesen Institutionen gibt es Überschneidungen im Aufgabenbereich; eine Abstimmung findet, wenn überhaupt, nur *ad hoc* statt, indem einzelne Vertragsstaatenkonferenzen mit UN-Organisationen oder untereinander Absprachen treffen. Deshalb wäre eine bessere Vernetzung dieser Umwelt-Institutionen mit den anderen UN-Organisationen sowie mit Weltbank, Internationalem Währungsfonds (IMF) und Welthandelsorganisation (WTO) sicherlich ein wichtiges Element zur Optimierung der globalen Umwelt- und Entwicklungspolitik. Eine solche bessere Vernetzung wird allerdings ohne eine entsprechende institutionelle und finanzielle Stärkung keine ausreichenden Fortschritte bewirken – eine neue Architektur der integrierten internationalen Umwelt- und Entwicklungspolitik ist gefragt.

Im Auftrage der *Stiftung Entwicklung und Frieden* (SEF) haben Frank Biermann und Udo E. Simonis hierzu das Modell einer *Weltorganisation für Umwelt und Entwicklung* (*World Environment and Development Organization*) entworfen. Diese neue Sonderorganisation der Vereinten Nationen sollte mindestens das UNEP, die CSD sowie die relevanten umweltpolitischen Konventionssekretariate integrieren, eventuell auch das UNDP. Eine enge Zusammenarbeit mit den Bretton-Woods-Organisationen, der WTO und der themenverwandten UN-Sonderorganisationen müsste darüber hinaus sichergestellt werden (vgl. hierzu *Übersicht 3*).

Begründung

Wer in Zeiten von Haushaltskürzungen den Aufbau einer neuen Organisation empfiehlt, muss dies mit guten Argumenten begründen können. Wir halten eine solche Organisation nicht nur für realistisch, sondern, mehr noch, den gegenwärtigen Zeitpunkt für besonders geeignet, einen entsprechenden Vorschlag einzubringen. Zieht man die möglichen Synergien durch die Integration bestehender Programme in Betracht, würden die Kosten einer solchen neuen Organisation auch nicht übermäßig hoch sein, zumal die Integration einzelner Programme und Konventionssekretariate erhebliche Einsparungen bei den Verwaltungskosten mit sich brächte.

Eine *Weltorganisation für Umwelt und Entwicklung* müsste von der UN-Generalversammlung beschlossen werden, die Mandat, Budget, Finanzierungsschlüssel und Verfahrensfragen festzusetzen hätte. Danach müsste das Gründungsdokument ratifiziert werden. Nicht alle Staaten der Welt müssten mitmachen. Anders als bei einer Änderung der UN-Charta, besitzen die ständigen Mitglieder des UN-Sicherheitsrates bei dieser Frage kein Vetorecht.

Übersicht 3: Modell der Weltorganisation für Umwelt und Entwicklung

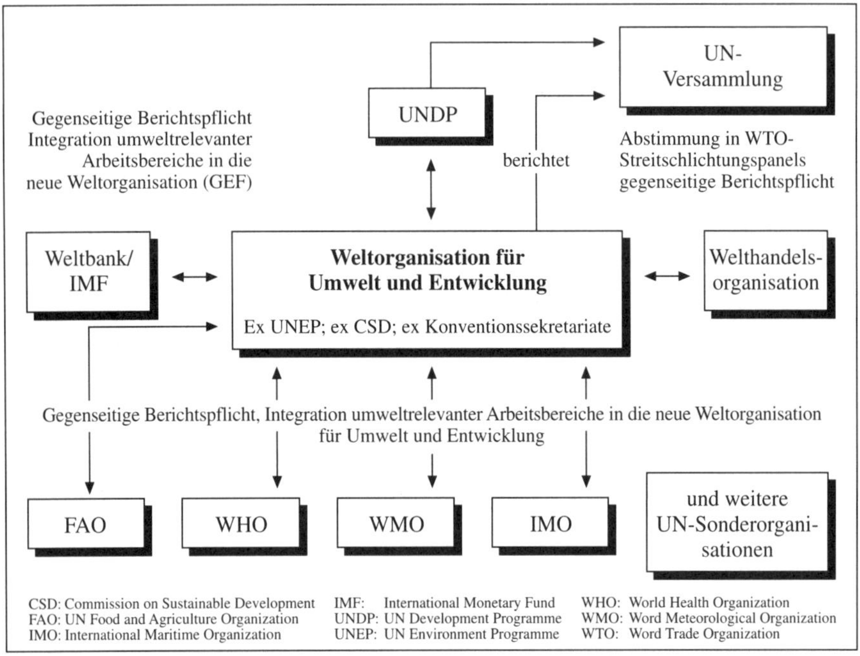

Quelle: Biermann, Frank & Udo E. Simonis, 1998

Welche Funktionen sollten einer solchen neuen Weltorganisation im internationalen Institutionensystem aufgetragen werden? Im Wesentlichen geht es wohl um drei Aufgaben:

- den höheren *Stellenwert* für die Aufgaben der globalen Umwelt- und Entwicklungspolitik bei den nationalen Regierungen, internationalen Organisationen und privaten Akteuren, auch dadurch, dass dem Thema *nachhaltige Entwicklung* Priorität eingeräumt wird;
- die rasche *Umsetzung* der bestehenden Instrumente der Umwelt- und Entwicklungspolitik sowie eine geeignete *institutionelle Umgebung*, um akute Probleme auf die Agenda setzen und detaillierte Ziele und Maßnahmen, auch neue Konventionen, verhandeln zu können; sowie
- die Stärkung der *Handlungskapazität* der ärmeren Staaten Afrikas, Asiens, Ozeaniens und Lateinamerikas.

Höherer Stellenwert der Umwelt- und Entwicklungspolitik

Die *Weltorganisation für Umwelt und Entwicklung* sollte, wie es Aufgabe aller Sonderorganisationen der Vereinten Nationen ist, das spezifische Problembewusstsein fördern und den weltweiten Informationsstand als Entscheidungsgrundlage verbessern – die Information über das Erdsystem, die akuten und absehbaren Umwelt- und Entwicklungsprobleme ebenso wie die Information über den Stand der Umsetzung der internationalen und nationalen Politiken zur Steuerung des globalen Wandels. Dabei muss das Rad nicht neu erfunden werden: Sämtliche globalen Umweltverträge verpflichten ihre Vertragsparteien schon heute zur regelmäßigen Berichterstattung über ihre Politik; Sonderorganisationen wie die *Weltorganisation für Meteorologie* (WMO), die *Internationale Seeschifffahrts-Organisation* (IMO) oder die *Weltgesundheitsorganisation* (WHO) sammeln und verbreiten wertvolles Wissen und fördern weiter gehende Forschung; die CSD leistet wichtige Beiträge zur Entwicklung von Indikatoren für eine nachhaltige Entwicklung; und nicht zuletzt ist UNEP auf all diesen Gebieten aktiv.

Was fehlt, ist jedoch die entscheidungsorientierte Aufbereitung, Weiterleitung und Umsetzung dieses Wissens. Was von den verschiedenen internationalen Akteuren erarbeitet wird, benötigt daher einen Fixpunkt im internationalen Institutionensystem. UNEP könnte dieser Fixpunkt sein, doch reichen die Ressourcen und Kompetenzen dieses der UN-Vollversammlung beigeordneten Programms bei weitem nicht aus. Viel eher wäre das möglich bei einer vertraglich abgesicherten, finanziell mit zusätzlichen Mitteln gestützten und institutionell eigenständigen Weltorganisation für Umwelt und Entwicklung.

Besseres Umfeld zur Politikumsetzung

Globale Umwelt- und Entwicklungspolitik erfolgen über internationale Regime, in denen die Staaten sich auf gemeinsame Ziele und Maßnahmen einigen. Die »Weltlegislative« sitzt dabei in den diplomatischen Konferenzen, den Versammlungen und Ausschüssen der Vereinten Nationen, ihrer Sonderorganisationen und der Bretton-Woods-Organisationen. Wie bei der Information fehlt aber auch hier die entsprechende Verknüpfung. Beispielsweise mangelt es an der Koordination der Klima- und Biodiversitätspolitik. So ist es wahrscheinlich, dass die Anrechnung von Treibhausgassenken im Kyoto-Protokoll zur Klimarahmenkonvention Anreize in der Waldpolitik setzen wird, welche den Zielen der Biodiversitätspolitik schlicht zuwiderlaufen, weil in diesem Protokoll faktisch das Abholzen von (artenreichen) Urwäldern und das anschließende Wiederaufforsten mit (artenarmen, aber schnell wachsenden) Plantagen als klimapolitische Maßnahme prämiert wird.

Ein weiteres grundsätzliches Problem besteht darin, dass die globale Umweltkrise im Kern kein technisches Problem ist, das sich durch sektorale Politik allein lösen ließe: Nötig ist eine politische Strategie, die dem Ziel der nachhaltigen Entwicklung in der internationalen Handelspolitik, in der Entwicklungszusammenarbeit und der internationalen Finanzpolitik wirkungsvoll Gehör verschafft. Dies kann das UNEP nicht leisten; auch die CSD war hier wenig erfolgreich. Gerade deshalb könnte die Gründung einer starken *Weltorganisation für Umwelt und Entwicklung* ein neues Forum für die Vereinbarung und Durchsetzung einer globalen Strategie der nachhaltigen Entwicklung bieten.

Handlungskapazität der Entwicklungsländer

Die Rio-Konferenz von 1992 hat explizit den Grundsatz der »gemeinsamen, aber unterschiedlichen Verantwortlichkeiten und Fähigkeiten« der Staaten in der globalen Umwelt- und Entwicklungspolitik anerkannt. Hieraus ergab sich in mehreren der nachfolgenden Verträge eine Differenzierung der Pflichten: Entwicklungsländer müssen weniger für den Erhalt der globalen Ökologie leisten als Industrieländer; daraus folgt die Pflicht der Industrieländer, die Mehrkosten der Entwicklungsländer beim Schutz der globalen Umweltgüter zu finanzieren. Was die globale Ökologie betrifft, erklärte der Norden sich also bereit, den Süden in seinen Anstrengungen finanziell und technisch zu kompensieren.

Auch hier ist jedoch das internationale Institutionensystem von einem *Ad-hoc*-Ansatz gekennzeichnet, der den Erfordernissen der Transparenz, Effektivität und Beteiligung der Betroffenen bestenfalls zum Teil gerecht wird. Die GEF wird von vielen Entwicklungsländern weiterhin nicht als Finanzierungsmechanismus akzeptiert, weil ihre Vergabekriterien zu wenig den unmittelbaren Interessen der Entwickungsländer entsprechen (*vgl. Übersicht 4*).

Neben der GEF gibt es ein Mosaik an separaten, nicht koordinierten Fonds: der Ozonfonds, die Fonds zum Schutz von Feuchtgebieten, zum Schutz des Welterbes, zum Schutz des Mittelmeeres, der neue »*Clean Development Mechanism*« der Klimapolitik und so fort.

Übersicht 4: Die Globale Umweltfazilität (GEF)

Um die Forderung der Entwicklungsländer nach einem unabhängigen Klimafonds oder Weltumweltfonds abzuwehren, war auf deutsch-französische Initiative hin 1990 die Gründung einer »*Globalen Umweltfazilität*« (*Global Environment Facility*, GEF) in der Weltbank beschlossen worden. Die Gelder der GEF sollen dem Schutz »globaler Umweltgüter« dienen: Dem Schutz des Klimas, der Ozonschicht, der internationalen Gewässer, der Biodiversität sowie des Bodens, soweit ein Zusammenhang mit den ersten vier Problemfeldern besteht. Dadurch werden Projekte mit lediglich lokaler Bedeutung für die Entwicklungsländer nicht gefördert, etwa die Sondermüllbeseitigung, der Trinkwasserschutz oder der Umgang mit gefährlichen Chemikalien. Das Finanzvolumen der GEF betrug bislang rund 700 Mio. US-Dollar pro Jahr. Die Weltbank verwaltet diese neue *Globale Umweltfazilität* gemeinsam mit UNDP und UNEP. 1994 wurde der GEF grundlegend umstrukturiert. Diese »GEF-II« ist nun eine eigenständige Körperschaft mit Vollversammlung, Rat und Sekretariat. Von den 32 Sitzen im Rat werden 16 von Entwicklungsländern, zwei von Transformationsländern und 14 von OECD-Ländern eingenommen. Ist ein Konsens nicht erreichbar, wird mit qualifizierter Mehrheit entschieden, welche zugleich 60 Prozent der Gesamtzahl der GEF-Teilnehmer und 60 Prozent der gesamten Beitragszahlungen einschließen muss.

Die Gründung einer *Weltorganisation für Umwelt und Entwicklung* bietet daher eine neue Möglichkeit, die verschiedenen Finanzierungsmechanismen zur Realisierung synergetischer Effekte zusammenzuführen bzw. die Mittel der sektoralen Fonds zu übernehmen und treuhänderisch zu verwalten. Hierin könnten auch die Funktionen der GEF eingegliedert (und diese damit aufgelöst) werden.

Für die finanziell betroffenen Industrieländer könnte dieser Vorschlag dadurch akzeptabel werden, dass die *Weltorganisation für Umwelt und Entwicklung* ein der GEF entsprechendes Entscheidungsverfahren erhielte (was weiter unten beschrieben wird).

Andere Bausteine bilden?

Die hier vorgeschlagene *Weltorganisation für Umwelt und Entwicklung* soll im Wesentlichen auf die genannten drei Kernfunktionen beschränkt bleiben. Es gibt hingegen eine Reihe von *maximalistischen* Vorschlägen, die deutlich weiter gehen und fundamentale Änderungen im internationalen Institutionensystem voraussetzen oder zur Folge haben.

Einige Vorschläge betonen die Notwendigkeit der Aufgabe an nationaler Souveränität, zum Beispiel durch Einsetzung eines *»Weltumweltrates«* oder eines *»Umweltsicherheitsrates«,* der Zwangsgewalt zur Durchsetzung von Mehrheitsentscheidungen in der Weltumweltpolitik erhalten müsste. Solche Vorschläge sind aber für die nahe und mittlere Zukunft eher unrealistisch, weil sie unter anderem eine Änderung der UN-Charta voraussetzen, und das kann nur mit Einwilligung von zwei Dritteln aller Staaten erfolgen, einschließlich der Stimmen der ständigen Mitglieder des UN-Sicherheitsrates (China, Frankreich, Großbritannien, Russland und USA). Derzeit stemmen sich gerade die Entwicklungsländer (vor allem China) gegen jegliche Andeutung einer Souveränitätseinschränkung, aber auch die Industrieländer (vor allem die USA) wollen hier nicht sehr weit gehen.

Ähnlich stellt sich das Problem dar bei dem Vorschlag, den bestehenden *UN-Treuhandrat*, der nun, nach der politischen Unabhängigkeit der letzten Treuhandgebiete, obsolet geworden ist, in einen *»Weltumwelt-Treuhandrat«* umzuwandeln. Dieser Gedanke wurde von UN-Generalsekretär Kofi Annan in seinem Reformprogramm *»Erneuerung der Vereinten Nationen«* (1997) aufgegriffen, doch blieb der Generalsekretär eher vage hinsichtlich der Funktionen eines solchen Rates. Praktikabel erscheint eine treuhänderische Verwaltung seitens der Vereinten Nationen nur für staatsfreie Gebiete, wobei aber selbst eine stärkere UN-Kontrolle über die Antarktis gegen den Widerstand der Parteien zum Antarktisvertrag kaum durchzusetzen sein dürfte. Zu erwägen wäre indes eine Treuhandfunktion der Vereinten Nationen für die Meere, vor allem jenseits der 200-Meilen-Zone, sowie für den Weltraum.

Seit einiger Zeit ist auch ein *»Internationaler Umweltgerichtshof«* in der Diskussion, vor allem bei Juristen, für die höchstrichterliche Entscheidungen die typische Lösung von gesellschaftlichen Konflikten darstellen. Aber auf die Weltumweltpolitik ist dieses Modell nicht ohne weiteres übertragbar. So darf der bestehende *Internationale Gerichtshof* (IGH) in Den Haag zwar über alle Fragen des Völkerrechts urteilen, also auch über die Auslegung und Umsetzung von internationalen Umweltverträgen; das Gericht darf aber nur richten, wenn Kläger und Beklagter mit seiner Anrufung einverstanden sind, und dies ist natürlich nur höchst selten der Fall. Zur Auslegung von Umweltverträgen wurde der IGH denn auch noch nie eingeschaltet.

Grundsätzlich könnte die Einhaltung von bestimmten Umweltstandards auch durch *handelsbeschränkende Maßnahmen* erzwungen werden. Beim Montrealer Protokoll sind gegenüber Nichtvertragsstaaten Einschränkungen des Handels mit FCKW wie auch des Handels mit FCKW-haltigen Produkten vorgesehen. Da das Protokoll anfangs nur von Industrieländern verhandelt worden war, sahen viele Entwicklungsländer in diesen Handelsrestriktionen einen Fall von »Öko-Kolonialismus«, weil auf diese Weise die strengen (und teuren) Umweltstandards des Nordens dem Süden über dessen Integration in den Welthandel aufgezwungen werden könnten.

Eine andere Art, das ökonomische Nord-Süd-Gefälle zur Förderung der Umweltpolitik in Entwicklungsländern zu nutzen, sind die Kampagnen von Umweltverbänden aus Industrieländern für die *Einführung von Umweltstandards in der Exportfinanzierung*, also etwa bei den so genannten Hermes-Bürgschaften. Hiermit soll verhindert werden, dass Industrieunternehmen des Nordens in Entwicklungsländern wesentlich niedrigere Standards anwenden als in Industrieländern, wenn sie eine Exportbürgschaft erhalten wollen. Auch dies führt aber in der Tendenz dazu, dass Entwicklungsländer sich externem ökonomischen Druck beugen bzw. sich den umweltpolitischen Zielen der Industrieländer zumindest teilweise anpassen müssten.

Handelsbeschränkende Maßnahmen sind also ein zweischneidiges Schwert. Einerseits ist es zwar richtig, dass ein »race to the bottom« bei den Umweltstandards vermieden werden muss, dass also die Konkurrenz der Standorte in Nord und Süd nicht zu einem Verzicht auf effektiven Umweltschutz führen darf. Andererseits darf bei den Umweltproblemen, die nur eine lokale oder regionale Bedeutung haben, nicht in die freie Entscheidung der Entwicklungsländer über die für sie optimale Umwelt- und Entwicklungspolitik eingegriffen werden. Was dagegen die globalen Umweltprobleme angeht, so sollen ja gerade international einvernehmlich verhandelte Konventionen – und die hier vorgeschlagene Weltorganisation für Umwelt und Entwicklung – zu ökonomisch effizienten, sozial akzeptablen und ökologisch effektiven Lösungen beitragen. Die internationalen Verträge zu Klima, Biodiversität und Ozon bieten – dementsprechend – einen Kompromiss an, indem Entwicklungsländern für ihren Beitritt sowohl das Recht auf niedrigere Umweltstandards als auch die Erstattung derjenigen Mehrkosten zugesichert wurde, die ihnen durch ihren Beitritt zu den Verträgen entstehen.

Funktionsweise der Weltorganisation für Umwelt und Entwicklung

A und O des Erfolges einer jeden politischen Institution sind die Verfahren, nach denen entschieden wird. Auch wenn sich im UN-Alltag das Konsensverfahren immer mehr durchgesetzt hat, wäre es falsch, die Relevanz der Stimmrechte in den Gremien zu übersehen. Die jeweils besonderen Aufgaben und Probleme haben in den verschiedenen internationalen Organisationen zu recht unterschiedlichen Verfahren geführt. Gewisse Elemente dieser unterschiedlichen Entscheidungsverfahren ließen sich für eine *Weltorganisation für Umwelt und Entwicklung* kombinieren, um so ihre administrative Effektivität wie ihre politische Akzeptanz sicherzustellen.

Sinnvoll dürften vor allem solche Entscheidungsverfahren sein, die Nord und Süd eine *gleichberechtigte Stellung* einräumen. Dies würde gewährleisten, dass Entscheidungen der neuen Weltorganisation zu Strategie und Programm weder den Interessen der Entwicklungsländer noch jenen der Industrieländer zuwiderlaufen würden. Denn ohne Zustimmung der Mehrheit der Regierungen des Südens ist eine globale Umwelt- und Entwicklungspolitik nicht möglich. Aber auch ohne die Zustimmung der Mehrheit der Industrieländer kann eine globale Politik nicht gelingen. Nord-Süd-paritätische Entscheidungsverfahren sind also im Ergebnis ein »dritter Weg« zwischen dem süd-orientierten Entscheidungsverfahren der UN-Vollversammlung (*ein Land, eine Stimme*) und der nord-orientierten Prozedur der Bretton-Woods-Organisationen (*ein Dollar, eine Stimme*).

Im Ozonregime (und für den *Multilateralen Ozonfonds*) wurde 1990 festgelegt, dass jegliche Entscheidung die Zustimmung von zwei Dritteln aller Vertragsparteien erfordert, wobei diese zwei Drittel zugleich die einfache Mehrheit der Entwicklungsländer und die einfache Mehrheit der Industrieländer einschließen müssen. In der GEF erfordern die Entscheidungen des Verwaltungsrates seit 1994 ebenfalls eine Zweidrittelmehrheit, die hier 60 Prozent der an der Fazilität beteiligten Staaten und zugleich 60 Prozent der finanziellen Beiträge zur Fazilität repräsentieren muss. Auch dies ist im Ergebnis ein Nord-Süd-paritätisches Verfahren, das den Entwicklungsländern und den Industrieländern jeweils ein effektives Vetorecht einräumt. Beide genannten Ausgestaltungen des paritätischen Verfahrens kämen für die Weltorganisation für Umwelt und Entwicklung in Betracht.

Problematisch bei strikt paritätischen Verfahren bleibt allerdings die Einigung auf die Gruppenzugehörigkeit. Singapur hat beispielsweise ein höheres Pro-Kopf-Einkommen als viele Industrieländer, gilt jedoch – als Mitglied der »Gruppe 77« – weiterhin als Entwicklungsland. Im Ozonregime wird problemspezifisch graduiert: Wenn ein Entwicklungsland mehr als 300 Gramm FCKW pro Kopf und Jahr verbraucht, wird es automatisch als Industrieland eingestuft; es muss dann die schärferen Reduktionspflichten der Industrieländer erfüllen und wird bei der paritätischen Abstimmung zur Gruppe der Industrieländer gezählt.

Bei einer *Weltorganisation für Umwelt und Entwicklung* scheidet eine solche problemspezifische Graduierung jedoch aus. Übrig bliebe daher als zweitbeste Lösung die Selbstdefinition der Staaten, wie das in der UNCTAD oder in der UN-Vollversammlung der Fall ist. Zumindest sollte zu erwarten sein, dass Entwicklungsländer, die der OECD beitreten (wie vor einiger Zeit Mexiko und Südkorea), automatisch die umweltpolitischen Pflichten der Industrieländer erfüllen müssen.

Beteiligung der Nichtregierungsorganisationen

In den internationalen Verhandlungen zur Umwelt- und Entwicklungspolitik hat die Bedeutung der über Staatsgrenzen hinweg agierenden Umwelt- und Entwicklungsorganisationen (NROs) deutlich zugenommen. Solche transnationalen Vereinigungen liefern vielfältige Dienstleistungen im internationalen Institutionensystem: Sie leisten kostengünstige Forschung und Politikberatung durch qualifizierte Mitarbeiter, kontrollieren die gegenseitigen Verpflichtungen der Staaten, informieren

Regierungen und Öffentlichkeit sowohl über die Handlungen der »eigenen« Diplomaten als auch über die der anderen Verhandlungspartner – und erlauben so eine Rückkopplung der Regierungsvertreter auf diplomatischen Konferenzen mit der innenpolitischen Situation vor Ort.

Vor diesem Hintergrund mehren sich die Stimmen, die den nichtstaatlichen Umwelt- und Entwicklungsorganisationen einen internationalen Rechtsstatus einräumen wollen. Ein möglicher Präzedenzfall hierbei ist das *Entscheidungsverfahren der Internationalen Arbeitsorganisation* (ILO), bei dem jeder Mitgliedstaat mit vier Stimmen vertreten ist, von denen *zwei* auf die Regierung und *je eine* auf die Arbeitgeberverbände und die Gewerkschaften entfallen.

Beim Übertragen eines solchen Entscheidungsverfahrens auf die globale Umwelt- und Entwicklungspolitik träten derzeit aber noch gewisse Probleme auf: Es gibt kaum Zusammenschlüsse von Umwelt- und Entwicklungsorganisationen, die ihre gesamte nationale Klientel überzeugend repräsentieren. Doch können sich solche Koalitionen in Zukunft sehr wohl herausbilden – ja, dieser Prozess könnte dadurch befördert werden, dass im Statut der Weltorganisation für Umwelt und Entwicklung die Repräsentation von stimmberechtigten NROs aus beiden Interessenlagern förmlich festgelegt wird.

Finanzierung

Es gibt verschiedene Möglichkeiten, die Aufgaben einer *Weltorganisation für Umwelt und Entwicklung* zu finanzieren. Zum einen erkennen die Industrieländer schon seit den sechziger Jahren und noch immer das politische Ziel an, 0,7 Prozent ihres Bruttosozialprodukts für Entwicklungshilfe aufzubringen. Bislang haben allerdings nur die skandinavischen Staaten und die Niederlande dieses Ziel eingehalten; manche von ihnen überschritten zeitweise sogar die 1-Prozent-Grenze. Die Erinnerung an diese Zahlungszusage der Industrieländer und deren Einhaltung wäre also eine Möglichkeit, die Aufgaben der *Weltorganisation für Umwelt und Entwicklung* zu finanzieren.

Daneben hat die Schuldenkrise der Entwicklungsländer zu verschiedenen Vorschlägen geführt, die Lösung dieser Krise mit der Lösung umwelt- bzw. entwicklungspolitischer Probleme zu verknüpfen. Mitte der achtziger Jahre begannen US-amerikanische Umweltverbände, Schuldentitel von Entwicklungsländern auf dem Weltmarkt aufzukaufen und diese bei den jeweiligen Regierungen gegen bestimmte umweltpolitische Programme »einzutauschen« (*debt for nature swaps*), wobei in der Regel Regenwaldgebiete unter Schutz bzw. pflegliche Nutzung gestellt wurden. Eine auf Umweltschutz zielende Schuldenstreichung oder -streckung stellt ohne Zweifel ein erhebliches Finanzierungspotenzial dar, wenn die Industrieländer öffentliche Schuldentitel von Entwicklungsländern an die *Weltorganisation für Umwelt und Entwicklung* abträten oder ihr die Rückflüsse aus diesen Krediten als »Anschubfinanzierung« zur Verfügung stellten.

Ein Grundproblem aller multilateralen Finanzierungsmechanismen bleibt aber weiterhin, dass es keine verbindlichen, durchsetzbaren Verpflichtungen gibt. Selbst wo vertraglich festgelegte Mitgliedsbeiträge existieren – etwa für den Haushalt der Vereinten Nationen –, zeigt sich immer wieder, dass Zahlungen politisch instrumentalisiert oder von der Wirtschaftskonjunktur abhängig gemacht werden. Sinnvoll und realistisch erscheint daher die Einführung automatischer Finanzierungsquellen, das heißt einer Art indirekter Steuern zur Finanzierung globaler Gemeinschaftsaufgaben, die nicht vom Tagesgeschäft nationaler Finanzminister abhängen.

In der Wissenschaft, jüngst aber auch in der CSD, sind zwei Arten solcher Finanzierungsquellen intensiv diskutiert worden, die beide mit internationalen Transaktionen zu tun haben: eine *internationale Luftverkehrssteuer* und eine *Devisen- bzw. Börsenumsatzsteuer*. Eine Steuer von fünf US-Dollar für jeden geflogenen »Passagiersektor« würde jährlich globale Einkünfte von etwa 1,5 Mrd. US-Dollar erbringen. Da eine Steuer auf den Luftverkehr vergleichsweise leicht und mit geringen Kosten eingetrieben werden kann, zum Beispiel zusammen mit der Erhebung der (üblichen) Flughafengebühr, ist ihre Praktikabilität als sehr hoch einzuschätzen.

Eine zweite gute Möglichkeit, die *Weltorganisation für Umwelt und Entwicklung* zu finanzieren, besteht in der Einführung einer internationalen Devisenumsatzsteuer (*Tobin-Steuer*). Dieser Vorschlag gewinnt in jüngster Zeit an Zustimmung, und zwar nicht nur wegen der dadurch möglichen »Abbremsung« der ungesteuerten internationalen Devisentransaktionen, sondern auch und gerade wegen der Eleganz und Leichtigkeit der Erzielung zusätzlicher Steuereinnahmen für globale Umwelt- und Entwicklungsaufgaben. Eine Steuer von 0,5 Prozent auf die weltweiten Devisentransaktionen würde zwischen 150 und 200 Mrd. US-Dollar pro Jahr erbringen.

Ausblick: Ein Projekt für das Jahr 2000

Effizienzsteigerung und mehr Koordination sind wünschenswert, reichen allein aber nicht aus, um die Wirksamkeit des bestehenden Institutionensystems der internationalen Umwelt- und Entwicklungspolitik zu verbessern. Zusätzlich sollte daher – und möglichst noch im Jahr 2000 – eine *Weltorganisation für Umwelt und Entwicklung* als weitere Sonderorganisation der Vereinten Nationen beschlossen und zügig eingerichtet werden, die den drängenden Aufgaben der globalen Umwelt- und Entwicklungspolitik einen höheren Stellenwert bei nationalen Regierungen, internationalen Organisationen und privaten Akteuren verschaffen, das institutionelle Umfeld für die Aushandlung und Umsetzung neuer Konventionen und Aktionsprogramme verbessern und die Handlungskapazität der ärmeren Staaten in Afrika, Asien, Ozeanien und Lateinamerika stärken sollte.

Hinsichtlich der Entscheidungsverfahren wäre eine größtmögliche Akzeptanz der *Weltorganisation für Umwelt und Entwicklung* durch Einführung von Nord-Süd-paritätischen Entscheidungsverfahren nach dem Modell des Ozonregimes zu erzielen. Dabei hätte die Mehrheit der Entwicklungsländer und zugleich die Mehrheit der Industrieländer jeweils ein Gruppenvetorecht über die Entscheidungen. Zusätzlich sollten Repräsentanten der Umwelt- und Entwicklungsverbände und der Wirtschaft nach dem Modell der ILO stimmberechtigt sein.

Auch die Finanzierung der *Weltorganisation für Umwelt und Entwicklung* ist realisierbar. Einmal würden durch die Integration der bestehenden Organisationen, Programme und Konventionssekretariate erhebliche Kosten eingespart. Darüber hinaus wäre eine Finanzierung zu sichern durch Erfüllung des 0,7-Prozent-Ziels der Industrieländer, durch Umwidmung von Schuldentiteln der Entwicklungsländer für die Aufgaben der Weltorganisation und durch Einführung automatischer Finanzierungsmechanismen, vor allem einer internationalen Luftverkehrssteuer oder einer Devisenumsatzsteuer.

In seinen »Erinnerungen« (1992) schrieb Willy Brandt in Bezug auf die Arbeit der Nord-Süd-Kommission: «Niemand darf von unabhängigen Kommissionen ... erwarten, dass sie das Verhalten von Regierungen unmittelbar korrigieren. Eher können sie die Meinungsbildung beeinflussen und Kräfte ermutigen, die in einer nächsten oder übernächsten Runde auf Regierungshandeln einzuwirken vermögen« (S. 379). Wenn man Ersteres auch von dem hier vorgestellten Konzept nicht erwarten darf, so möge Letzteres zu hoffen doch nicht ganz vermessen sein.

Literatur

Agenda 21. Programme of Action for Sustainable Development, New York: United Nations 1992.

Benedick, Richard E. (1998): Ozone Diplomacy. New Directions in Safeguarding the Planet, enlarged edition, Cambridge, Mass.

Bericht der Nord-Süd-Kommission (1980): Das Überleben sichern – Gemeinsame Interessen der Industrie- und Entwicklungsländer (= Brandt-Bericht), Köln.

Biermann, Frank (1998): Weltumweltpolitik zwischen Nord und Süd. Die neue Verhandlungsmacht der Entwicklungsländer, Baden-Baden.

Biermann, Frank & Udo E. Simonis (1998): Eine Weltorganisation für Umwelt und Entwicklung. Funktionen, Chancen, Probleme, SEF-Policy Paper Nr. 9, Bonn.

Brandt, Willy (1992): Erinnerungen, Frankfurt a. M./Berlin (4. Auflage, 1993).

Brown-Weiss, Edith (1989): In Fairness to Future Generations. International Law, Common Patrimony, and Intergenerational Equity, Tokyo.

Commission on Global-Governance (1995): Nachbarn in einer Welt, Bonn.

Committee for Development Planning of the United Nations (1989): Elements of an International Development Strategy for the 1990s, New York.

Czempiel, Ernst-Otto (1994): Die Reform der UNO, München.

Douglas, Williams (1987): The Specialized Agencies and the United Nations. The System in Crisis, London.

Esty, Daniel C. (1994): Greening the GATT. Trade, Environment and the Future, Harlow.

Gettkant, Andreas, Udo E. Simonis & Jessica Suplie (1997): Biopolitik für die Zukunft. Kooperation oder Konflikt zwischen Nord und Süd, SEF-Policy Paper Nr. 4, Bonn.

Görrisen, Thorsten (1993): Grenzüberschreitende Umweltprobleme in der internationalen Politik. Durchsetzung nationaler Interessen unter den Bedingungen komplexer Interdependenz, Baden-Baden.

Haas, Peter M./Robert O. Keohane/Marc A. Levy (Eds.) (1993): Institutions for the Earth. Sources of Effective International Environmental Protection, Cambridge, Mass.

Hankel, Wilhelm (1983): Die Finanzkrise zwischen Nord und Süd. Gründe, Lehren, Schlußfolgerungen, in: Udo E. Simonis (Hrsg.): Entwicklungsländer in der Finanzkrise. Probleme und Perspektiven, Berlin, S. 9–62.

Hayes, Peter/Kirk Smith (Eds.) (1993): The Global Greenhouse Regime. Who Pays?, Tokyo.

Intergovernmental Panel on Climate Change (IPCC) (1996): Climate Change 1995. Economic and Social Dimensions of Climate Change, Cambridge.

Kaul, Inge/Isabelle Grunberg/Marc A. Stern (Eds.) (1999): Global Public Goods. International Cooperation in the 21st Century, New York/Oxford.
Kennedy, Paul W. (1993): In Vorbereitung auf das 21. Jahrhundert, Frankfurt a.M.
Krasner, Stephan D. (Ed.) (1983): International Regimes, Ithaca, N.Y.
Messner, Dirk/Franz Nuscheler (1996): Global-Governance. Herausforderungen an die deutsche Politik an der Schwelle zum 21. Jahrhundert, SEF-Policy Paper Nr. 2, Bonn.
Miller, Marian A. L. (1995): The Third World in Global Environmental Politics, Boulder, Col.
Pirages, Dennis C. (1977): Global Ecopolitics. The New Context for International Relations, North Scituate, Mass.
Rosenau, James M./Ernst-Otto Czempiel (1992): Governance without Government. Order and Change in World Politics, Cambridge.
Simonis, Udo E. et al. (1998): Weltumweltpolitik. Grundriß und Bausteine eines neuen Politikfeldes, 2. Auflage, Berlin.
South Commission (Süd-Kommission) (1991): Die Herausforderung des Südens (= Nyerere-Bericht), Bonn (SEF).
Streeten Paul P. (1989): Global Institutions for an Interdependent World, in: World Development, Vol. 14 (9) 1989, S. 1349–1359.
The Independent Working Group on the Future of the United Nations (1995): The United Nations in its Second Half-Century (= Qureshi/von Weizsäcker-Bericht), New York.
Tinbergen, Jan (Ed.) (1976): RIO – Reshaping the International Order, New York.
United Nations (1995): Agenda for Development, New York.
Weltkommission für Umwelt und Entwicklung (1987): Unsere Gemeinsame Zukunft (= Brundtland-Bericht), Greven.
Wissenschaftlicher Beirat Globale Umweltveränderungen (1996): Welt im Wandel. Wege zur Lösung globaler Umweltprobleme, Jahresgutachten 1995, Berlin/Heidelberg.

Tobias Debiel

Vereinte Nationen und Weltfriedensordnung. Bilanz und Perspektiven zur Jahrtausendwende

Die beginnenden neunziger Jahre des 20. Jahrhunderts können als eine Hochzeit des Multilateralismus gewertet werden. Der Wegfall der Bipolarität und die sich anbahnende Kooperation zwischen Ost und West veränderten die weltpolitischen Koordinaten grundlegend. Zugleich wurde mit der Zunahme regionalisierter Bürgerkriege offenkundig, dass neue globale und regionale Sicherheitsstrukturen nach dieser Zeitenwende notwendig würden.

Willy Brandt ergriff Anfang 1990 eine richtungsweisende Initiative. In Königswinter versammelte er die Mitglieder der von ihm geführten internationalen *Nord-Süd-Kommission*, die 1980 Vorschläge zu verbesserten Beziehungen zwischen Industrie- und Entwicklungsländern vorgelegt hatte. Außerdem lud er Mitglieder anderer Weltkommissionen ein, die unter Leitung von Olof Palme, Gro Harlem Brundtland und Julius Nyerere Konzepte zu »Gemeinsamer Sicherheit«, »Nachhaltiger Entwicklung« und den Möglichkeiten verstärkter Süd-Süd-Kooperation unterbreitet hatten.

Die Zusammenkunft setzte einen Prozess in Gang. Das erste Ergebnis wurde 1991 unter dem Titel »*Gemeinsame Verantwortung in den neunziger Jahren: Die Stockholmer Initiative zu globaler Sicherheit und Weltordnung*« vorgelegt. Im Gefolge dieser *Stockholmer Initiative* nahm die *Commission on Global Governance* ihre Arbeit auf. Den Vorsitz hatten der ehemalige schwedische Premierminister Ingvar Carlsson und der frühere Commonwealth-Generalsekretär Sir Shridath Ramphal inne. Die Kommission präsentierte 1995 mit ihrer Studie »*Our Global Neighbourhood*« ein detailliertes Konzept, das nachbarschaftliche Werte in einer veränderten Welt einforderte und fünf Handlungsfelder ausmachte: die Förderung der Sicherheit, das Management der wirtschaftlichen Interdependenz, die Reform der Vereinten Nationen und die Stärkung der weltweiten Rechtsstaatlichkeit.

Zehn Jahre nach Willy Brandts Initiative und fünf Jahre nach Veröffentlichung von »*Our Global Neighbourhood*« gibt es eine weit verbreitete Ernüchterung hinsichtlich der Umsetzungs- und Erfolgschancen größerer Reformentwürfe. Den Vereinten Nationen droht zur Jahrtausendwende eine friedenspolitische Marginalisierung. Multilaterale Veränderungsimpulse haben an Kraft verloren. Betroffen hiervon waren auch die Reformvorschläge, die der damalige UN-Generalsekretär Boutros Boutros-Ghali in seiner »*Agenda für den Frieden*« vom Juni 1992 formuliert hatte. Sie wurden in vielen Bereichen »ausgebremst«. Dies schlug sich zweieinhalb Jahre später bereits in der vergleichsweise nüchtern gehaltenen Ergänzung zur »*Agenda für den Frieden*« vom 3. Januar 1995 nieder.

Die Weltorganisation trägt Mitverantwortung an dieser Entwicklung: Sie hat auf die rapide gewandelten sicherheitspolitischen Anforderungen nach dem Ende des

Ost-West-Konflikts mit einem zum Teil undurchdachten Aktionismus reagiert, ohne ihr friedenspolitisches Instrumentarium mit Bedacht an die neuen Herausforderungen anzupassen. Der Kern des Problems liegt aber in der Obstruktion durch mächtige Mitgliedstaaten und in dem oftmals nur zurückhaltenden UN-Engagement reformorientierter Kräfte. Das Ergebnis ist besorgniserregend: Durch eine politisch bewusst herbeigeführte Finanzkrise wird der Weltorganisation die Handlungsbasis regelrecht entzogen. Verschiedene Großmächte scheinen zudem immer weniger bereit, eine universale Verregelung zu akzeptieren. Sogar das völkerrechtlich garantierte Gewaltlegitimationsmonopol der Weltorganisation[1] wird – wie 1998/99 insbesondere die Irak- und Kosovo-Krise verdeutlichten – nur selektiv anerkannt.

Welche Bedeutung haben vor diesem Hintergrund noch Konzepte für eine multilaterale Weltfriedensordnung, wie sie durch die *»Stockholmer Initiative«*, die *»Agenda für den Frieden«* sowie die *Commission on Global Governance* entwickelt wurden? Der folgende Aufsatz geht in drei Schritten vor. Zunächst bilanziere ich die wechselhafte Debatte um Friedenssicherungskonzepte in den neunziger Jahren, bei der Vorstellungen von Weltinnenpolitik nach und nach durch Ansätze hegemonialen Krisenmanagements zurückgedrängt wurden. Gemein ist beiden Diskussionssträngen, dass sie einseitig auf übergeordnete völkerrechtliche oder aber machtstrategische Überlegungen konzentriert sind. Die fallspezifischen Realitäten »regionalisierter Bürgerkriege« und das delikate Wechselspiel von auswärtiger Konfliktintervention und interner Kriegsdynamik sind bislang noch nicht hinreichend in Rechnung gestellt worden. Notwendig ist von daher ein Konzept kooperativer Sicherheit, das auf die multidimensionale Bearbeitung gewaltträchtiger und kriegerischer Konflikte setzt.

In einem derartigen Konzept kommt den UN-Kapazitäten für Peacekeeping und Krisenprävention eine wichtige Rolle zu. Vor diesem Hintergrund resümiere ich im zweiten Kapitel, was Ende der neunziger Jahre Stand der Dinge ist. Außerdem benenne ich operative Schritte, die bei einer nennenswerten Effektivierung der UN-Friedenssicherung angegangen werden müssten. In diesem Kontext soll auch der Vorschlag einer »Freiwilligentruppe der UN« angesprochen werden, der unter anderem von Boutros Boutros-Ghali und der *Commission on Global Governance* vorgebracht wurde.

Im dritten Kapitel geht es dann um die Rolle der Weltorganisation bei der Stärkung globaler Rechtsstaatlichkeit. Dieser Aspekt wurde insbesondere in *»Our Global Neighbourhood«* hervorgehoben und dort auch ausführlich ausgearbeitet. Ich wende mich dabei drei Aspekten zu, die oben auf der Tagesordnung stehen sollten: dem Erhalt des UN-Gewaltlegitimationsmonopols, der Verregelung nichtmilitärischer Sanktionen und dem Ausbau der internationalen Gerichts- und vor allem Strafgerichtsbarkeit.

Kooperative Sicherheit als Leitmotiv

Die Diskussion über neue Konzepte der Sicherheits- und Weltordnungspolitik nach dem Ost-West-Konflikt trägt viele modische Züge. Zugleich hat jedoch zweifelsohne eine wichtige Änderung insofern stattgefunden, als »Menschenrechte zu einem Gegenstand von ›international concern‹ geworden sind«, nationale Souveränität in humanitären Ausnahmefällen eingeschränkt werden kann und generell die Reichweite des Interventionsverbots neu bestimmt worden ist (Pape 1997: 14). Der UN-Sicherheitsrat markierte insbesondere mit *Resolution 688* vom Frühjahr 1991, die den humanitären Schutz für die Kurden im Nordirak ermöglichte, ein zwar völkerrechtlich mehrdeutiges, politisch jedoch unmissverständliches Zeichen, dass die Staatengemeinschaft infolge massiver Menschenrechtsverletzungen innerhalb eines Staates eine Friedensbedrohung feststellen kann. Noch weiter ging letztendlich *Resolution 794*: Angesichts eines de facto zusammengebrochenen Staates in Somalia stellte der Sicherheitsrat im Dezember 1992 fest, dass der Umfang der menschlichen Tragödie als Gefahr für die Sicherheit der Region und den Weltfrieden zu qualifizieren ist.

Konzepte der Weltinnenpolitik

Das durch die genannten Sicherheitsresolutionen ausgelöste Signal kann in historischer Langzeitperspektive als wichtiger Baustein einer sich entwickelnden »Weltinnenpolitik« (Senghaas 1992) eingeordnet werden, zu deren Kern ein »Weltinnenrecht« (Delbrück 1993) zählen würde. Dieter Senghaas (1992: 650) hat in diesem Kontext eine vierfache Schutzaufgabe der Weltgemeinschaft formuliert: den Schutz der Freiheit, den Schutz vor Gewalt, den Schutz vor Not und den Schutz vor Chauvinismus. Völkerrechtlich gewendet, führt die Einführung auf globaler Ebene einzulösender Schutzbedürfnisse zu einer Aufweichung des unbedingten Souveränitätskonzepts. Die Legitimität staatlicher Souveränität wird damit letztlich rückgeführt auf die Menschenrechte sowie auf den Schutz des Individuums. Wenn ein Staat diese Aufgabe durch gröbste Menschenrechtsverletzungen pervertiert, ist dies – vermittelt über das Völkergewohnheitsrecht – für die Staatengemeinschaft ein relevanter Tatbestand. Die Weltgemeinschaft hat im Sinne der idealistischen Position das Recht, wenn nicht gar die Pflicht zur Einmischung.

Der interventionsgeneigte Idealismus birgt freilich eine Reihe von Gefahren in sich: Er stellt die Unantastbarkeit nationalstaatlicher Souveränität im Falle massiven politischen oder sozio-ökonomischen Versagens zwar mit guten Gründen infrage, doch hat er bislang kaum den Anspruch einlösen können, dass eine globale Einmischung tatsächlich die erwähnten Schutzfunktionen dauerhaft zu erfüllen bzw. wiederherzustellen vermag. Eine zweite, eng mit der ersten verbundene Gefahr verdient ebenfalls Beachtung: Die Debatte um einen global eingebundenen, moralisch legitimierten Interventionismus kann zur Vorstufe eines machtpolitischen Interventionismus werden. Denn die faktische Schwäche globaler und regionaler Organisationen kollektiver Sicherheit erhöht die Handlungsspielräume hegemonialer Vormächte.

Trotz dieser Kritikpunkte eröffnen Konzepte der Weltinnenpolitik eine vorwärtsweisende Perspektive. Worum es geht, hat Inis Claude bereits 1971 als »domestication of international relations« bezeichnet: Um einen Prozess, der über Reformen und Modernisierung Elemente innerstaatlicher Beziehungen in das internationale System einbaut (Claude 1971: 17). Der Durchsetzung rechtsstaatlicher Normen kommt dabei eine zentrale Bedeutung zu.

Hegemoniales Krisenmanagement als Alternative?

Die schrittweise Aufweichung staatlicher Souveränität zugunsten internationaler Einmischungsmöglichkeiten lässt sich jedoch nicht nur als Schritt in Richtung Weltinnenpolitik interpretieren, sondern auch vor der Folie hergebrachter Sicherheitskonzepte im Sinne der »realistischen Schule« deuten. So stellte *Resolution 688* von vornherein ein wichtiges Element einer neu gewonnenen Vormachtstellung der einzig verbliebenen Weltmacht USA dar.

Im zyklischen Wechsel zwischen multilateralistischer und unilateralistischer Orientierung der US-amerikanischen UN-Politik schlägt das Pendel seit mehreren Jahren wieder deutlich zugunsten letzterer Option aus. Ausdruck der veränderten US-Einstellung zu den Vereinten Nationen war die 1993 im Kontext der Somalia-Erfahrungen entwickelte *Presidential Review Directive (PRD) 13*. Die Clinton-Administration folgte nun der Devise »im Zweifel für den Unilateralismus« – was den von ihr proklamierten »energischen Multilateralismus« *(»assertive multilateralism«)* mehr oder weniger als Etikettenschwindel auswies. Die US-Unterstützung für UN-Missionen wurde im Mai 1994 durch die *Presidential Decision Directive 25 (PDD 25)* sehr restriktiven Kriterien unterworfen, die Unterstellung von US-Truppen unter UN-Kommando wurde ausgeschlossen.

Der zunehmend unilateralistischen US-Politik, die sich zu einem guten Teil aus innenpolitischen Stimmungen und den Mehrheitsverhältnissen im Kongress erklärt, korrespondiert auf konzeptioneller Ebene ein grundlegender Pessimismus gegenüber der Leistungsfähigkeit internationaler Organisationen (vgl. Touval 1994: 51–54). Weltordnung oder regionale Ordnung kann dementsprechend in einer multipolaren Situation besser durch ein »Konzert der Mächte« bzw. ein »Gleichgewicht der Kräfte« hergestellt werden. In einer unipolaren Situation hingegen ist ein stabiler Frieden nur durch einen »wohlwollenden Hegemonen« erreichbar. Er zeichnet sich laut Raymond Aron (1986: 183) durch seine unbestreitbare Überlegenheit aus: »Diese Überlegenheit ist so groß, dass die unzufriedenen Staaten den Status quo nicht verändern können, und dennoch versucht der hegemoniale Staat nicht, die zur Ohnmacht verurteilten Staaten aufzusaugen.«

Die Bereitschaft des Hegemonen, Konzessionen zu machen und die Herausbildung von Normen und Institutionen zu befürworten, ergibt sich aus verschiedenen Faktoren. Zum einen widerspräche eine kompromisslose Haltung seinem aufgeklärten Selbstinteresse; denn dies würde die Zustimmung schwächerer Staaten zu seiner Führungsrolle vermindern. Zweitens schaffen Normen und Institutionen einen Rahmen für stabile Kooperation, der das Handeln verschiedenster Akteure verlässlicher macht.

Die UNO als Kern kooperativer Sicherheit

Sowohl das derzeit vornehmlich völkerrechtlich basierte Konzept einer Weltinnenpolitik als auch die Renaissance hegemonialer Ordnungsvorstellungen weisen erhebliche Schwächen in einer durch regionalisierte Bürgerkriege geprägten »turbulenten Welt« (Rosenau 1992) auf. Das an Schutzfunktionen orientierte Konzept der Weltinnenpolitik überschätzt die Möglichkeit, mit Hilfe globaler Ordnungsstrukturen oder externer Intervention Stabilität in zerklüfteten Konfliktregionen zu schaffen. Dies haben insbesondere die Erfahrungen mit »Treuhandschaft-Modellen« in Bürgerkriegsländern wie Kambodscha und Somalia gezeigt.

Doch auch der Ansatz hegemonialer Friedenssicherung greift zu kurz, da er einem rein zwischenstaatlichen Politikmodell verpflichtet ist und die innerstaatlichen Bedingungen friedenspolitischer Stabilität unterschätzt. Der Erfolg der externen Hegemonialmacht USA bei der Stabilisierung der westeuropäischen Staaten nach dem Zweiten Weltkrieg war neben außenpolitischen Faktoren (Ost-West-Konflikt, Wunsch nach einem Gegengewicht zu Deutschland) eng an die Voraussetzung konsolidierter Staatlichkeit gebunden. In anderen Regionen, die durch fragile Staatlichkeit und eine hohe wechselseitige Interventionsanfälligkeit geprägt sind, ist das Ergebnis ein anderes: So konnten beispielsweise seit Ende der achtziger Jahre in Südasien, Westafrika, Ost- und Zentralafrika sowie in der GUS weder die jeweiligen Regionalmächte (Indien, Nigeria, Russland) noch externe Großmächte (USA, Frankreich) ein konstruktives Klima der politischen und ökonomischen Kooperation herstellen. Selbst im südlichen Afrika scheint die pazifizierende Rolle des »neuen Südafrika« überbewertet worden zu sein.

Ein alternatives Politikmodell, das mit dem Begriff der »kooperativen Sicherheit« verbunden ist, versucht, die Schwächen der beiden vorgenannten Ansätze zu überwinden. Es betont in stärkerem Maße die politischen, sozialen und ökonomischen Voraussetzungen dauerhaften friedlichen Zusammenlebens *(»peacebuilding«)*, insbesondere im Vorfeld kriegerischer Auseinandersetzungen (Evans 1994). Eine besondere friedenspolitische Verantwortung der Weltorganisation – bis hin zu Zwangsmaßnahmen bei massiven Menschenrechtsverletzungen – wird dadurch nicht ausgeschlossen. Aber die Prioritäten werden hin zur Prävention verschoben. In enger Verwandtschaft zum *Global Governance*-Ansatz achtet das Konzept kooperativer Sicherheit zudem darauf, dass eine Vielzahl von Akteuren (gesellschaftliche Interessengruppen, relevante Nationalstaaten, Regionalorganisationen etc.) Anreize zur Kooperation haben muss, soll Friedenssicherung tragfähig werden.

Im Rahmen kooperativer Sicherheit lässt sich dabei durchaus für die Notwendigkeit globaler Staatlichkeit argumentieren. Diese sollte jedoch nicht mit dem Entstehen einer riesigen Bürokratie gleichgesetzt werden, sondern wäre der Rahmen für die verregelte Abgabe und Teilung von Souveränitäten *(shared sovereignties)*. Die Rolle der UN in diesem sich verdichtenden Prozess wäre dabei zunächst besser mit dem Begriff einer »Weltautorität« als mit dem einer »Weltregierung« zu umschreiben sein (Brucan 1988: 14).

Was bedeuten diese Überlegungen für die operative Politik? Zumindest zweierlei: Damit die Vereinten Nationen zum Kern eines Systems kooperativer Sicherheit werden können, müssen sie in den Bereichen handlungsfähig gemacht werden, in denen sie eine besondere Kompetenz und Verantwortung haben, so insbesondere bei der Friedenserhaltung (auch im Prozess der Friedenskonsolidierung) und bei der Krisenprävention. Zum anderen muss die übergeordnete Funktion der Weltorganisation bei Normbildung, -kontrolle und -durchsetzung im Rahmen globaler Rechtsstaatlichkeit erhalten und vorangetrieben werden.

Effektivierung und Weiterentwicklung der UN-Friedenssicherung

Zunächst zur Handlungsfähigkeit bei Krisenprävention und Friedenserhaltung: Welche Erfahrungen wurden hier seit dem Ende des Ost-West-Konflikts gemacht? Wie können die bestehenden Instrumente verbessert werden?

Eine Kurzbilanz der neunziger Jahre

Die UN-Friedenssicherung befindet sich in einer zunächst unterschätzten Krise. Die Erfahrungen in Somalia, dem früheren Jugoslawien, Ruanda und Angola, aber beispielsweise auch in Kambodscha haben vor Augen geführt, wie schwierig regionalisierte und zunehmend chaotisch geführte Bürgerkriege von außen zu beeinflussen sind. Hintergrund waren zum einen regelrechte politische Handlungsblockaden durch die ständigen Sicherheitsratsmitglieder (so etwa im Fall Ruanda). Zweitens erweisen sich tief verwurzelte Bürgerkriege als stark anfällig gegenüber äußerer Destabilisierung, jedoch hartnäckig resistent gegenüber konstruktiven Regelungsbemühungen. Darüber hinaus machen Fallanalysen deutlich, dass die UN-Bürokratie in einer Reihe von Fällen erhebliche Fehleinschätzungen, unzulängliches Management und inadäquate Handlungsstrategien selbst zu verantworten hat (z. B. Adelman/Suhrke 1996; Sahnoun 1994). Es wurde deutlich, dass den Vereinten Nationen die Kapazitäten fehlen, schnell, angemessen und flexibel auf neue Konfliktkonstellationen zu reagieren.

Bilanziert man zentrale Fallbeispiele, so neigt sich die Waage deutlich zur Seite der Defizite und Fehlschläge. Zweifellos sollten aber zunächst die Erfolge benannt werden. So konnte die *UN Preventive Deployment Force* (UNPREDEP) in Mazedonien zwischen März 1995 und Februar 1999 eine Stabilisierung erreichen. Auch das kombinierte Engagement der UNO, der *Organisation Amerikanischer Staaten* (OAS) und der USA bei der Wiederherstellung der Demokratie in Haiti wird man summa summarum positiv bewerten dürfen. Anerkennung verdienen auch eine Reihe multidimensionaler UN-Friedensmissionen, die mit einer starken zivilen Komponente ausgestattet waren, so insbesondere in Namibia, Kambodscha und El Salvador (Tharoor 1996). Dennoch wird man von »Erfolg« in den meisten der oben genannten Fälle immer nur unter Vorbehalt sprechen können. Denn die Blauhelm-Missionen haben allenfalls zur Absicherung von Übergangssituationen beigetragen. Tragfähige politische Arrangements und sozio-ökonomische Entwicklungsperspektiven wurden aber nur selten erreicht.

Die öffentliche Aufmerksamkeit richtete sich vor allem auf definitive Fehlschläge der neunziger Jahre. Obenan stehen Somalia, das frühere Jugoslawien und Ruanda; zu erwähnen ist aber auch Angola. Auffällig war in allen Fällen das Fehlen einer klaren und konsequenten politisch-militärischen Handlungsstrategie: In Somalia wurden einzelne Warlords abwechselnd hofiert oder desavouiert; stattdessen wäre eine kluge Politik der Einhegung ihrer – äußerst fragilen – Macht durch Einbeziehung anderer Autoritäten notwendig gewesen. Im früheren Jugoslawien wurden den UN-Blauhelmen Aufgaben übertragen, die mit den gegebenen Möglichkeiten nicht zu bewältigen waren. In eklatanter Weise wurde dies bei den im Juni 1993 eingerichteten sechs Schutzzonen für die etwa 1,2 Mio. Moslems in Bosnien-

Herzegowina deutlich. In Ruanda schließlich musste sich die UN den Vorwurf eines Versagens bei Frühwarnung und Konfliktmanagement oder gar der Gleichgültigkeit gegenüber dem Völkermord stellen.

Lehren für das Peacekeeping

De facto sind bereits Lehren aus den zwiespältigen Erfahrungen mit dem Instrument der Blauhelmeinsätze gezogen worden. Insbesondere die USA setzen in zunehmendem Maße auf Ad-hoc-Koalitionen, die von ihnen selbst oder von der NATO geführt werden. Dementsprechend ist die Zahl der weltweit stationierten UN-Blauhelme deutlich zurückgegangen: Von 80 000 im Jahre 1994 auf 15 000 Ende 1998. Das entsprechende Budget sank von 3,3 Mrd. US-Dollar auf weniger als 1 Mrd. US-Dollar (Renner 1999: 24–25). Diese Abkehr von den Vereinten Nationen ignoriert jedoch die – zum Teil bewusst blockierten – Reformmöglichkeiten innerhalb des UN-Systems. Denn viel wäre zu erreichen, wenn Mandat und Ausstattung von UN-Friedensmissionen konsequenter aufeinander abgestimmt würden: Einerseits müssten Mandate klar und realistisch formuliert sein: Die Möglichkeiten externer Stabilisierung dürfen dabei nicht überschätzt werden. Zum anderen müssen die Kapazitäten ausgebaut werden, um die vorgegebenen Ziele auch erreichen zu können.

Reformorientierte Staaten können durch gezielte Eigenanstrengungen zu einer Verbesserung der Situation beitragen. Nach wie vor richtungsweisend ist die Studie *»Towards a Rapid Reaction Capability for the United Nations«*, die im September 1995 von der kanadischen Regierung vorgelegt wurde. Ähnlich vorbildlich ist die dänische Initiative, eine »*Stand-by High Readiness Brigade*« (SHIBRIG) aufzustellen. Zusammen mit Kanada, den Niederlanden, Polen, Schweden und Österreich will Dänemark etwa 4 000 Soldaten bereithalten, die innerhalb von weniger als einem Monat für UN-Missionen mobilisiert werden können.

Andere Regierungen sollten dem Beispiel folgen. Konkret sollten sie den Vereinten Nationen im Rahmen des Stand-by-Systems Truppen zur Verfügung stellen und durch ein *Peacekeeping Services Agreement* (PSA) detaillierte Vereinbarungen über Ausrüstung, Personal und Kostenerstattung treffen. Boutros-Ghali hatte die hohe Bedeutung dieses Systems der Verfügungsbereitschaftsabkommen immer wieder hervorgehoben (z. B. Boutros-Ghali 1992: Ziff. 51). Zweitens ist in Anlehnung an die Vorschläge der *Independent Advisory Group* unter Leitung von Shijuro Ogata und Paul Volcker (»*Financing an Effective United Nations*«) eine Aufstockung des *Peacekeeping Reserve Fund* für laufende Operationen auf 800 Mio. US-Dollar sinnvoll, damit die UN auch bei größeren Peacekeeping-Einsätzen handlungsfähig bleiben. Drittens wäre wünschenswert, wenn einige gleich gesinnte Staaten ein multinationales ziviles Peacekeeping-Kontingent aufstellen, das die ernsthafte Personallücke der Vereinten Nationen in den Bereichen Zivilpolizei/Menschenrechtsbeobachtung/Rechtsschutz schließt.

Auch die besten Stand-by-Arrangements unterliegen natürlich dem Problem, dass letztendlich die nationalen Regierungen über die Beteiligung an einem spezifischen Einsatz entscheiden und die Soldaten sich primär ihrem jeweiligen Herkunftsland verpflichtet fühlen. Von daher gibt es eine Vielzahl von Vorschlägen, eine »Freiwilligentruppe der UN« einzurichten. Diese könnte der UN-Generalsekretär unverzüglich dem Sicherheitsrat zur Verfügung stellen. Eine solche Freiwilligentruppe wäre nicht für umfangreiche Zwangsmaßnahmen nach Kapitel VII der UN-Charta vorgesehen. Vielmehr würde sie dazu dienen, in einer sich anbahnenden Krisensituation eine rasche Präsenz vor Ort zu zeigen.

Die *Commission on Global Governance* (1995: 120–123) ging davon aus, dass für diese Aufgabe nicht mehr als 10 000 Personen erforderlich wären. Boutros Boutros-Ghali unterbreitete in seiner »*Agenda für den Frieden*« einen ähnlich gelagerten Vorschlag, den er in seinem Positionspapier vom 3. Januar 1995 noch einmal zuspitzte. Im Unterschied zum Konzept der *Commission on Global Governance* wären die freiwilligen »Truppen zur Friedensdurchsetzung« hierbei nach wie vor den Mitgliedstaaten und nicht dem UN-System zugeordnet (Boutros-Ghali 1992: Ziff. 44; 1995: Ziff. 44). Inhaltlich spricht alles dafür, eine Freiwilligentruppe in der einen oder anderen Form vorzubereiten. Freilich lässt sich kaum übersehen, dass ein derartiger Vorschlag in dem derzeitigen weltpolitischen Klima auf hartnäckige und schwer überwindbare Vorbehalte stoßen würde. Von daher erscheint es klüger, sich zunächst auf die ohnehin notwendige Effektivierung des Stand-by-Systems zu konzentrieren.

Lehren für Frühwarnung und Krisenprävention

Stand-by-Kapazitäten müssen auch den politischen Bereich der Frühwarnung und Konfliktvermittlung umfassen. Die »*Stockholmer Initiative*« (1991: 23–24) stellte die »Schaffung eines globalen Alarmsystems« an den Beginn ihrer Forderungen zu Frieden und Sicherheit. Boutros Boutros-Ghali (1992: Ziff. 23, 34) hat im darauffolgenden Jahr in seiner »*Agenda für den Frieden*« die Bedeutung eines Frühwarnsystems betont, das sich auf Informationsbeschaffung und eine informelle oder formelle Tatsachenermittlung stützt. Zugleich blieb das UN-Sekretariat in diesen Bereichen völlig unzulänglich ausgestattet. Die *Joint Inspection Unit* (1995: viii, 20–21) stellte Mitte der neunziger Jahre fest, dass nur 0,65 Prozent des regulären UN-Budgets für diese Aufgaben verwendet wurden. Der Mitarbeiterstab für diesen Bereich umfasste 32 Spezialisten, die von weiteren 14 Angestellten mit allgemeinen Dienstleistungsfunktionen unterstützt wurden.

Insbesondere die europäischen Regierungen könnten mit vergleichsweise geringem Ressourceneinsatz einen qualitativen Sprung nach vorne bewirken. Konkret sollten sie dem UN-Sekretariat Informationen über Krisenentwicklungen, die sie mittels verschiedenster Verfahren der Aufklärung gewinnen, in weitestmöglichem Umfang zur Verfügung stellen und hierfür ein geregeltes Verfahren entwickeln. Neue europäische Kapazitäten zur Informationsgewinnung und Frühwarnung sowie das im Aufbau befindliche EU-Netzwerk zur Krisenprävention sollten nach klaren Regeln zur Unterstützung der entsprechenden UN-Einrichtungen beitragen. Denkbar ist zudem, dass dem UN-Sekretariat qualifizierte Wissenschaftler und Ministerialbeamte kurz- bis mittelfristig als so genannte »*seconded personnel*« für den Aufbau einer integrierten Frühwarneinheit zur Verfügung gestellt werden. Diese könnte den bestehenden Informationsfluss im UN-System kanalisieren und im Sinne diskreter Planung für Eventualfälle (»*contingency planning*«) auf Entscheidungssituationen hin zuspitzen.

Stärkung der globalen Rechtsstaatlichkeit

Fallspezifisches Krisenmanagement, Konfliktstabilisierung und Zwangsmaßnahmen müssen in verlässliche Rahmenbedingungen eingebettet sein. Von daher ist es bedeutsam, dass die UNO »Kristallisationspunkt weltstaatlicher Autorität« wird und so zu einer Zivilisierung der internationalen Beziehungen beiträgt (Rittberger 1993, Rittberger et al. 1997). Die Herausbildung globaler Rechtsstaatlichkeit stellt in diesem Konzept einen zentralen Baustein dar. An der Jahrtausendwende deuten sich drei Felder mit Schlüsselfunktion an: das Gewaltlegitimationsmonopol der UN, die Verregelung von Beugemaßnahmen in Form nicht-militärischer Sanktionen und der Aufbau internationaler Gerichtsbarkeit.

Das Gewaltlegitimationsmonopol der UNO

Seit Mitte der neunziger Jahre gibt es eine zunehmende Tendenz, die Weltorganisation nur selektiv als Legitimationsinstanz für Zwangsmaßnahmen zu gebrauchen. Dies beschädigt nicht nur die Reputation der Weltorganisation, sondern läuft auch der UN-Charta entgegen: Die Vereinten Nationen besitzen laut Kapitel VII das Gewaltlegitimationsmonopol. Besonders offenkundig wurde diese Zuständigkeit durch die NATO-Entscheidungen im Kosovo-Jugoslawien-Krieg herausgefordert. Die am 24. März 1999 begonnenen Luftangriffe erfolgten ohne Billigung des UN-Sicherheitsrates. Zudem machte die Allianz am 24. April 1999 mit ihrem neuen strategischen Konzept deutlich, dass es sich hierbei nicht um einen Einzelfall handeln sollte. Krisenreaktionseinsätze im »euro-atlantischen Raum« werden in diesem Dokument nicht mehr explizit an ein UN-Mandat gebunden, sondern sollen nur noch »in Übereinstimmung mit dem Völkerrecht« durchgeführt werden (NATO 1999: Ziff. 10, 31).

Im Kontext der Kosovo-Krise wurden verschiedenste Vorschläge entwickelt, die ein derartiges Verfahren völkerrechtlich begründen wollen. Mit unterschiedlichen Akzentsetzungen und Begründungen zielen diese Argumentationsketten darauf ab, bei fehlender Einigkeit im Sicherheitsrat die Entscheidungskompetenz über Krieg und Frieden zu Regionalorganisationen oder gar Militärbündnissen zu verlagern bzw. humanitäre Interventionen ohne UN-Mandat im Sinne eines kollektiven Rechts der Nothilfe unter restriktiven Bedingungen zu legitimieren (z. B. Kühne 1999; Thürer 1999; Ipsen 1999; Delbrück 1999).

Eine andere Denkrichtung argumentiert bereits offensiver, dass »the new interventionists should not be daunted by fears of destroying some lofty, imagined temple of law enshrined in the U.N. Charter's anti-interventionist proscriptions« (Glennon 1999: 7). All diesen Begründungen ist gemeinsam, dass sie – implizit oder explizit – das Prinzip der Gerechtigkeit von dem der Legalität loslösen. Die seit der *Resolution 688* erfolgte inhaltliche Weiterentwicklung des Völkerrechts, die im Falle von Massenmord und Vertreibung Zwangsmaßnahmen ermöglicht hat, wird von den in der UN-Charta klar geregelten Entscheidungsverfahren abgetrennt – gerade so, als seien Rechtsprozeduren nicht geschaffen worden, um die Anarchie von Selbsthilfemaßnahmen einzudämmen.

Die Verregelung nicht-militärischer Sanktionen

Der UN-Sicherheitsrat hat sich seit 1990 in zunehmendem Maße nicht-militärischer Sanktionen gegen internationale Rechtsbrecher bedient. Derartige Sanktionen gründen in Kapitel VII der UN-Charta (Art. 39, 41 und 42), das heißt der Sicherheitsrat muss im Einzelfall beschließen, dass eine Friedensbedrohung oder ein Bruch des Friedens vorliegt. Vor 1990 hat der Sicherheitsrat in nur zwei Fällen Sanktionen nach Art. 41 UN-Charta verhängt, nämlich gegen das weiße Minderheitsregime in Rhodesien (1968) und das Apartheid-Regime in Südafrika (1977). Zwischen 1990 und 1998 handelte der Sicherheitsrat gleich in elf Fällen, nämlich gegen den Irak, gegen die Nachfolgestaaten Jugoslawiens sowie die Bundesrepublik Jugoslawien (Serbien und Montenegro), gegen Somalia, Libyen, Liberia, Haiti, die Rebellenorganisation UNITA in Angola, gegen Ruanda, Sudan und Sierra Leone.

Es ist schwer, die Wirksamkeit nicht-militärischer Sanktionen in jedem Einzelfall zu beurteilen. In der Regel sind sie nur *ein* Element in einem größeren Paket militärischer und nicht-militärischer Maßnahmen. Ohne Zweifel können sie den politischen, diplomatischen und ökonomischen Druck auf Regierungen erhöhen und zu deren internationaler Isolierung beitragen. Zudem kommt ihnen eine nicht zu unterschätzende symbolische Bedeutung zu: Völkerrechtswidriges Verhalten wird gebrandmarkt und mit internationalen Beugemaßnahmen belegt.

Trotzdem sind UN-Wirtschaftssanktionen ein zweischneidiges Schwert, denn in der Praxis hat sich eine Reihe politischer Probleme herauskristallisiert (z. B. Kulessa/Starck 1997; Weiss et al. 1998):

- Die Ziele von UN-Sanktionen und die genauen Bedingungen ihrer Aufhebung sind oftmals nicht klar definiert und werden im Laufe der Zeit je nach politischem Kalkül abgewandelt.
- Gleiches wird ungleich entschieden, da der Sicherheitsrat bei seinen Entscheidungen politisch handelt und an keine rechtliche Überprüfung gebunden ist.
- Sanktionen sind allzu oft ein grobschlächtiges Werkzeug geblieben, das der Zivilbevölkerung in einer Reihe von Fällen unverhältnismäßigen, ethisch kaum mehr vertretbaren Schaden zugefügt, die politischen Eliten aber nur unzureichend getroffen hat.

Neben der notwendigen Sorgfalt bei ihrer Vorbereitung und Anwendung liegt die Ursache für diese Defizite in der mangelnden Verregelung von Sanktionen. Ziel muss es deshalb sein, ein humaneres, effektiveres und verlässlicheres Sanktionsregime zu schaffen. Dazu gehört auch, dass Sanktionen nur für einen bestimmten Zeitraum verhängt werden, nach dessen Ablauf eine Evaluation und erneute Entscheidungsfindung stehen müssen. Für betroffene Nachbarländer, die sich nach Artikel 50 der UN-Charta an den Sicherheitsrat wenden dürfen, könnte eine Vorzugsbehandlung durch Weltbank und andere multilateralen Finanzinstitutionen eröffnet werden – ein Vorschlag, den beispielsweise die *Commission on Global Governance* (1995: 118) unterbreitet hat. Zudem herrscht ein breiter Konsens, dass eine »Feinjustierung von Sanktionen« (Boutros-Ghali 1995) notwendig ist und das bislang unterentwickelte Instrument zielgerichteter Sanktionen (*targeted sanctions*) weiterentwickelt werden muss. Derartige »intelligente« Sanktionen (Lopez/Cortright 1997) können beispielsweise die Einschränkung von Kapitalbewegungen und das Einfrieren von Bankkonten betreffen.

Der Ausbau internationaler Gerichtsbarkeit

Als Kernelement globaler Rechtsstaatlichkeit war bei Gründung der Vereinten Nationen der *Internationale Gerichtshof* (IGH) in Den Haag vorgesehen. Freilich wurde bereits seine Etablierung nur halbherzig angegangen. Denn es blieb den Staaten überlassen, ob sie die verbindliche Rechtsprechung des Gerichtshofes anerkennen wollten oder nicht. Hierfür hat sich erst etwa ein Drittel der über 180 UN-Mitgliedsstaaten entschieden, wobei die Mehrzahl dieser Länder ihre Unterwerfung mit Bedingungen und Einschränkungen versehen hat. Nichtsdestotrotz kann der IGH einige Erfolge aufweisen (Fleischhauer 1999): Bis Januar 1999 hat er in 67 Fällen Urteile zu zwischenstaatlichen Rechtsstreitigkeiten gefällt (so 1997 im Konflikt um Wasserbauten in der Donau zwischen Ungarn und der Slowakei). Außerdem erfüllte er eine wichtige Funktion, indem er insgesamt 23 Rechtsgutachten für verschiedenste UN-Organe erstellt hat (zum Beispiel das Gutachten zur Legalität von Nuklearwaffen von 1996).

Insgesamt blieb die friedensstiftende Rolle des IGH bislang freilich begrenzt: In wichtigen Konfliktfällen wurde er nicht angerufen; zudem erstreckt sich seine Zuständigkeit nicht auf den mittlerweile vorherrschenden Typus innerstaatlicher Kriege und Konflikte. Dennoch sollten die bestehenden Möglichkeiten zur Stärkung des IGH ausgeschöpft werden. Zum einen könnte die bereits in 250 bis 300 Fällen bestehende Praxis ausgebaut werden, die Zuständigkeit des IGH für Streitigkeiten über die Auslegung bi- und multilateraler Verträge in entsprechenden Klauseln festzulegen. Zweitens sollte in bi- und multilateralen Verhandlungen darauf gedrängt werden, dass sich mehr Staaten generell der IGH-Gerichtsbarkeit unterwerfen. Drittens sollte – wie es u. a. die *Commission on Global Governance* (1995: 351–352) vorschlug – der UN-Generalsekretär ermächtigt werden, schon im Frühstadium aufkeimender Streitigkeiten den IGH um ein Gutachten zu bitten.

Ein riesiger Schritt in Richtung globaler Rechtsstaatlichkeit wurde allerdings am 23. Juli 1998 in Rom gegangen: Vertreter von 120 Staaten beschlossen bei 7 Gegenstimmen und 21 Enthaltungen das Statut eines *Internationalen Strafgerichtshofes* (*International Criminal Court*, ICC). Völkermord, Kriegsverbrechen und Verbrechen gegen die Menschlichkeit in internationalen wie internen Konflikten können nun von einer unabhängigen Instanz geahndet werden, wenn nationale Gerichte zur Verfolgung schwerster Menschenrechtsverletzungen nicht willens oder in der Lage sind. Bereits in der Konvention über die Verhütung und Bestrafung des Völkermordes aus dem Jahre 1948 war die Möglichkeit eines internationalen Strafgerichts vorgesehen.

Einen wichtigen Anstoß für den ständigen Strafgerichtshof gaben zudem die Adhoc-Tribunale für das ehemalige Jugoslawien (Den Haag) und Ruanda (Arusha), die vom Sicherheitsrat 1993/94 unter Kapitel VII UN-Charta eingerichtet wurden (Ferencz 1998). Bei der Errichtung des ICC hat eine Reformallianz von etwa 40 *»like-minded countries«* (darunter als Vorreiter die Bundesrepublik Deutschland) eine sehr konstruktive und eindrucksvolle Rolle gespielt. Diese Gruppe ist mittlerweile auf rund 65 Staaten angewachsen.

Nicht unterschlagen sollte man, dass das Statut des neuen Weltstrafgerichtshofs einige erhebliche Schwächen aufweist: So kann der UN-Sicherheitsrat jedes laufende Ermittlungsverfahren für zwei Jahre blockieren; zudem können die Vertragsparteien während eines Übergangszeitraumes von sieben Jahren die Zuständigkeit des Gerichtshofs für Kriegsverbrechen grundsätzlich ausschließen. Damit der ICC trotzdem ein »Meilenstein des Völkerrechts« wird, muss ihm der Weg geebnet und müssen Stolpersteine ausgeräumt werden.

Wichtig ist vor diesem Hintergrund vor allem, dass die *»like-minded states«* zügig das Abkommen über den ICC ratifizieren und ihr innerstaatliches Recht (insbesondere hinsichtlich einer möglichen Auslieferung) so abändern, dass Staatsangehörige an ein internationales Gericht überstellt werden können. Darüber hinaus sollten auch die eher zurückhaltenden Unterzeichner der Rom-Vereinbarung nachdrücklich ermuntert und angehalten werden, das Abkommen bald zu ratifizieren, damit ähnlich schnell wie bei der Landminenvereinbarung die erforderliche Mindestzahl von 60 Ratifikationen erreicht wird. Der mehr oder minder unverhohlenen Ankündigung der USA, den ICC aktiv zu bekämpfen und Unterzeichnerländer durch diplomatischen Druck von der Ratifizierung abzuhalten, wird man vonseiten der *»like-minded countries«* energisch entgegentreten müssen.

Schlussbemerkungen

Der vorliegende Beitrag hat sich für eine nüchterne, nicht aber resignierte Einschätzung der Weltorganisation ausgesprochen. In der Rolle des Hoffnungsträgers ist sie offenkundig überfordert. Zugleich führt aber die derzeitige Tendenz, die UNO auf die Funktion eines Legitimationsbeschaffers zu reduzieren, unausweichlich zur Unterhöhlung ihrer Autorität als universaler Rechtsinstanz und als handlungsfähiger Akteur in abgegrenzten Aufgabenfeldern. Worum es zurzeit geht, sind nicht »große Würfe« für das neue Jahrtausend. Wohl aber muss die UNO als Kern eines Systems kooperativer Sicherheit gestärkt werden. Was dies bedeuten könnte, wurde von der *»Stockholmer Initiative«*, der *Commission on Global Goverance* sowie in der *»Agenda für den Frieden«* bereits in der ersten Hälfte der neunziger Jahre umrissen[2].

Auch wenn diese Dokumente aus heutiger Sicht im Grundton zu optimistisch waren, so enthalten sie doch wohlüberlegte Vorschläge, die sich bei entsprechender politischer Unterstützung rasch operativ umsetzen ließen. Der Aufbau von Stand-by-Kapazitäten bei Frühwarnung, Konfliktvermittlung und Friedenserhaltung, die Reform des nicht-militärischen Sanktionsinstruments sowie die Ausweitung der internationalen Gerichtsbarkeit sind zentrale Stichworte.

Um einen effektiven Multilateralismus voranzutreiben, sind freilich nicht nur überzeugende Ideen, sondern auch politische Allianzen vonnöten. Die skandinavischen Länder, Kanada und Australien und in jüngster Zeit auch Südafrika haben hier verdienstvolle Arbeit geleistet. Diese Gruppe könnte um andere wichtige Spieler, nicht zuletzt aus der Reihe der EU-Staaten, erweitert werden. Ein Kandidat könnte Deutschland sein. Die rot-grüne Bundesregierung hat in der Koalitionsvereinbarung vom Oktober 1998 ein nachdrückliches UN-Engagement angekündigt und den Vereinten Nationen mittlerweile eigenständige Einheiten für friedenserhaltende Maßnahmen (*Peacekeeping*) als *»stand-by forces«* angeboten. Außerdem hat sie die Absicht bekundet, Durchsetzungsmechanismen im Bereich der Wirtschaftssanktionen zu stärken und einen Sanktionshilfefonds zu unterstützen.

Es wird notwendig sein, politische Allianzen für spezifische Fragen zu bilden. Diese Allianzen müssten aus gleichgesinnten Staaten und NGOs bestehen, die über die Fähigkeit zu Lobbying und Campaigning verfügen. Manchmal wird es zur Durchsetzung multilateraler Positionen notwendig sein, auch bei hinhaltendem Widerstand mächtiger Staaten wie den USA zu handeln. Die Landminenkampagne und die Etablierung des *Internationalen Strafgerichtshofes* sind Beispiele. Spürbarer und dauerhafter Fortschritt wird freilich nur möglich sein, wenn die US-Außenpolitik ihre unilateralistische Haltung überdenkt. Neben Druck von innen und außen könnte dabei die Erkenntnis hilfreich sein, dass auch hegemoniales Krisenmanagement nur begrenzt wirksam ist. Die Lehren aus dem Kosovo-Jugoslawien-Krieg mögen umstritten sein. Doch eines hat er deutlich gezeigt: Ohne die kooperative Einbindung anderer wichtiger Staaten und die Einbeziehung des UN-Sicherheitsrats fällt es selbst der einzig verbliebenen Weltmacht und dem mächtigsten Militärbündnis schwer, einen Krieg zu beenden. Diese Lehre sollte auf jeden Fall über die Jahrtausendwende hinaus Bestand haben.

Anmerkungen

1 Der in diesem Kontext häufig gebrauchte Begriff des »Gewaltmonopols« ist nicht präzise und sogar irreführend. Denn es geht primär um die völkerrechtliche *Legitimation* von Gewalt. Wer entsprechende Maßnahmen durchführt, ist eine weitere Frage. Und hier können auch Nationalstaaten und Allianzen ihre militärischen Potentiale einsetzen. Vgl. zu dieser Frage auch Rittberger 1993: 38.

2 In dem von Kofi Annan im Juli 1997 vorgelegten Reformprogramm findet sich demgegenüber kein wirklich neuer oder richtungsweisender Gedanke.

Literatur

Adelman, Howard/Astri Suhrke (1996): Early Warning and Conflict Management. Copenhagen: Joint Evaluation of Emergency Assistance to Rwanda (Study 2).

Annan, Kofi (1997): Erneuerung der Vereinten Nationen: Ein Reformprogramm. Bericht des Generalsekretärs, New York (A/51/950, 14. Juli 1997).

Aron, Raymond (1986): Frieden und Krieg. Eine Theorie der Staatenwelt, Frankfurt/M. (zuerst: Paris 1962).

Boutros-Ghali, Boutros (1992): Agenda für den Frieden. Bericht des Generalsekretärs vom Juni 1992, dokumentiert in: Stiftung Entwicklung und Frieden (Hrsg.), Die Agenda für den Frieden, Bonn (EINE Welt; 8), S. 19–65.

Boutros-Ghali, Boutros (1995): Ergänzung zur »Agenda für den Frieden«: Positionspapier des Generalsekretärs angesichts des fünfzigsten Jahrestages der Vereinten Nationen vom 3. Januar 1995, New York (A/50/60, S/1995/1).

Brucan, Silviu (1988): The United Nations as a World Authority, in: Jeffrey Harrod/Nico Schrijver (Eds.), The UN Under Attack, Aldershot et al., S. 8–16.

Claude, Inis (1971): Swords into Plowshares: The Problems and Progress of International Organization, New York.

Commission on Global Governance (1995): Nachbarn in Einer Welt. Der Bericht der Kommission für Weltordnungspolitik, Bonn: Stiftung Entwicklung und Frieden.

Delbrück, Jost (1993): Wirksameres Völkerrecht oder neues ›Weltinnenrecht‹? Perspektiven der Völkerrechtsentwicklung in einem sich wandelnden internationalen System, in: Winrich Kühne (Hrsg.), Blauhelme in einer turbulenten Welt, Baden-Baden, S. 101 ff.

Delbrück, Jost (1999): Effektivität des UN-Gewaltverbots, in: Die Friedens-Warte, Berlin, 74. Jg. (1999) H. 1–2, S. 139–158.
Evans, Gareth (1994): Cooperative Security and Intrastate Conflict, in: Foreign Policy, (Fall 1994) No. 96, S. 3–20.
Ferencz, Benjamin B. (1998): Von Nürnberg nach Rom. Auf dem Weg zu einem Internationalen Strafgerichtshof, Bonn: Stiftung Entwicklung und Frieden (Policy Paper 8).
Fleischhauer, Carl-August (1999): Der Internationale Gerichtshof und die Staatengemeinschaft am Ende des Jahrhunderts, in: Die Friedens-Warte, Berlin, 74. Jg. (1999) H. 1–2, S. 113–125.
Glennon, Michael J. (1999): The New Interventionism. The Search for Just International Law, in: Foreign Affairs, Vol. 78, No. 3, S. 2–7.
Ipsen, Knut (1999): Der Kosovo-Einsatz – Illegal? Gerechtfertigt? Entschuldbar?, in: Die Friedens-Warte, Berlin, 74. Jg. (1999) H. 1–2, S. 19–23.
Joint Inspection Unit (1995): Strengthening the United Nations System Capacity for Conflict Prevention, Geneva (JIU/REP/95/13).
Kühne, Winrich (1999): Humanitäre NATO-Einsätze ohne Mandat? Ein Diskussionsbeitrag zur Fortentwicklung der UNO-Charta, Ebenhausen: Stiftung Wissenschaft und Politik (März 1999).
Kulessa, Manfred/Dorothee Starck (1997): Frieden durch Sanktionen? Empfehlungen für die deutsche UN-Politik, Bonn: Stiftung Entwicklung und Frieden (Policy Paper 7).
Lopez, George A./David Cortright (1997): Financial Sanctions: The Key to a ›Smart‹ Sanctions Strategy, in: Die Friedens-Warte, 72. Jg. (1997) H. 4 (Themenheft »Intelligente« Sanktionen), S. 327–336.
NATO (North Atlantic Treaty Organization) (1999): Das strategische Konzept des Bündnisses. Verabschiedet auf der Gipfelkonferenz der Staats- und Regierungschefs der NATO in Washington am 23. und 24. April 1999, auszugsweise dokumentiert in: Blätter für deutsche und internationale Politik, Bonn, 44. Jg. 1999) H. 6, S. 740–747.
Pape, Matthias (1997): Humanitäre Intervention. Zur Bedeutung der Menschenrechte in den Vereinten Nationen, Baden-Baden.
Renner, Michael (1999): Ending Violent Conflict, Washington, D.C.
Rittberger, Volker (1993): Die Vereinten Nationen: Kristallisationspunkt weltstaatlicher Autorität oder Instrument hegemonialer Mächte?, Tübingen.
Rittberger, Volker/Martin Mogler/Bernhard Zangl (Hrsg.) (1997): Vereinte Nationen und Weltordnung. Zivilisierung der internationalen Politik?, Opladen.
Rosenau, James N. (1992): The United Nations in a Turbulent World, Boulder/London.
Sahnoun, Mohamed (1994): Somalia – The Missed Opportunities, Washington, D.C.
Senghaas, Dieter (1992): Weltinnenpolitik – Ansätze für ein Konzept, in: Europa-Archiv, 47. Jg. (1992) H. 22, S. 643–652.
Stockholmer Initiative (1991): Gemeinsame Verantwortung in den 90er Jahren. Die Stockholmer Initiative zu globaler Sicherheit und Weltordnung – Die Charta der Vereinten Nationen, Bonn: Stiftung Entwicklung und Frieden.
Tharoor, Shashi (1996): The Future of Peacekeeping, in: Jim Whitman/David Pocock (Eds.), After Rwanda. The Coordination of United Nations Humanitarian Assistance, Houndsmill et al./ New York, S. 19–34.
Thürer, Daniel (1999): Die Nato-Einsätze in Kosovo und das Völkerrecht. Spannungsfeld zwischen Gewaltverbot und Menschenrechten, in: Neue Zürcher Zeitung vom 3./4. April 1999.
Touval, Saadia (1994): Why the U.N. Fails, in: Foreign Affairs, Vol. 73, No. 5, S. 44–57.
Weiss, Thomas G./David Cortright/George Lopez/Larry Minear (1998): Political Gain and Civilian Pain: The Humanitarian Impact of Economic Sanctions, Lanham, MD.

Zusammenfassung

Franz Nuscheler

Global Governance, Entwicklung und Frieden. Zur Interdependenz globaler Ordnungsstrukturen

Die weltpolitische Zeitenwende von 1989/90 läutete das »Zeitalter des Globalismus« ein. Seitdem wird in einer rasch wachsenden Menge von Publikationen, auf unzähligen Konferenzen in aller Welt, in Zukunftsentwürfen von akademischen Denkfabriken und internationalen Organisationen und in vielen Festreden über die tief greifenden Strukturveränderungen in allen Lebensbereichen geredet und geschrieben, die auf den inflationär gebrauchten Allerweltsbegriff »Globalisierung« gebracht wurden. Welche Entwicklungen sich hinter diesem Begriff verbergen, zeigen aus unterschiedlicher Perspektive mehrere Beiträge dieses Bandes. Deshalb sollen hier nur einige Kernpunkte zusammengefasst werden, die den Hintergrund für die Diskussion über *Global Governance* bilden.

Globalisierung: Ist die Welt noch regierbar?

Bedeutung und Reichweite der Globalisierung bleiben umstritten. Buchtitel schwanken zwischen der »Globalisierungsfalle« (Martin/Schumann 1996) und der »Globalisierungslüge« (Zugehör 1998). Die einen halten die Globalisierung nur für einen Mythos oder ein interessengeleitetes Totschlagargument in der »Standortdebatte«, die anderen für einen säkularen Megatrend und den tiefgreifendsten sozio-ökonomischen und technologischen Strukturumbruch seit der Industriellen Revolution. Unumstritten ist, dass es eine Vermehrung und Verdichtung grenzüberschreitender Interaktionen gibt, die alle Staaten und Gesellschaften in ein Geflecht wechselseitiger Abhängigkeiten verstricken und sie, freilich mit unterschiedlichen Graden der Verwundbarkeit, internationalen Entwicklungstrends unterwerfen.

Hier wird Globalisierung zu einem Synonym von Interdependenz. Um ihre Vieldimensionalität und ihre Tiefenwirkungen zu pointieren, sprach Willy Brandt häufig von der »Interdependenz der Interdependenzen«. Die von der *Stiftung Entwicklung und Frieden* herausgegebenen *»Globalen Trends«* dokumentieren diese Interdependenzen. Die neue Qualität der Globalisierung besteht aber nicht nur in der Verdichtung der Interdependenzen und wechselseitigen Verwundbarkeiten zwischen den Staaten, sondern auch in einer Erosion der internen Souveränität, d. h. in der Verengung der Handlungsspielräume von Regierungen.

Der Streit darüber, ob die sich wie in einem Spinnennetz ausweitenden und verdichtenden Sphären von Interdependenzen und transnationalen Interaktionen zutreffender auf den Begriff der Internationalisierung oder Globalisierung gebracht werden sollten, ist ziemlich sophistisch. Es gibt aber weitgehende Übereinstimmung über die Trends, Dimensionen und Wirkungen der so oder so, aber hier Globalisierung genannten Entwicklungen in Weltgesellschaft, Weltwirtschaft und Weltpolitik (vgl. *Globale Trends 2000*):

1.

Die Globalisierung ist weder etwas völlig Neues, sondern die Beschleunigung der schon vor Jahrhunderten eingeleiteten »Europäisierung der Welt«, noch ein schicksalhaftes Naturereignis, sondern das Ergebnis politisch gewollter Deregulierungsstrategien. Es ist müßig, sie zu verteufeln, weil es unmöglich ist, aus den Entwicklungstrends der Weltgeschichte auszusteigen, aber es ist dringend geboten, ihre Eigendynamik politisch zu steuern und die Gestaltungskraft der Politik zu stärken. Heute rückt die Frage in den Mittelpunkt, wie die Nationalstaaten in zunehmend entgrenzten Räumen ihre Fähigkeit zur Politikgestaltung und Problemlösung erhalten können. Für Ingomar Hauchler haben sie diese Fähigkeit schon verloren.

2.

Die Globalisierung birgt Risiken und Chancen; sie hat Gewinner und Verlierer, sowohl auf der Ebene der Staatenwelt als auch innerhalb der Gesellschaften in allen Weltregionen. Sie nutzt einerseits der technologisch überlegenen »OECD-Welt« und bietet wettbewerbsfähigen Schwellenländern neue Chancen auf dem durch die WTO (*World Trade Organization*) deregulierten Weltmarkt und droht andererseits, ganze Regionen wirtschaftlich und politisch noch weiter zu marginalisieren. Der *Human Development Report* von 1999 unterfüttert diese Tendenz der ungleichen und deshalb konfliktträchtigen Verteilung von Kosten und Nutzen der Globalisierung mit Daten. Diese Polarisierungstendenzen konterkarieren das Konstrukt der *»Einen Welt«*.

3.

Der Weltmarkt fungiert als Weltgericht über die Wettbewerbsfähigkeit und damit über die Entwicklungsfähigkeit von Nationen. Unter den verschärften internationalen Konkurrenzbedingungen geraten überall, auch in den OECD-Ländern, Sozial- und Umweltstandards unter Druck. Der zunehmend deregulierte Freihandel verstärkt die Versuchung, auf dem Rücken von Mensch und Natur Wettbewerbsvorteile zu erzielen. Die *»Gruppe von Lissabon«* (1997) drohte in ihren *»Grenzen des Wettbewerbs«*: Ohne ordnungspolitische Bändigung des Konkurrenzprinzips würde sich das sozialdarwinistische Prinzip des *»Survival of the Fittest«* durchsetzen, das sozialstaatliche und ökologische Grenzen ignoriert. Menschenrechtsorganisationen beschwören die Gefahr, dass die Globalisierung bereits erreichte Menschenrechtsstandards wieder unterminieren könnte (vgl. Nuscheler 2000).

4.

Die Frage der Beherrschbarkeit von Weltproblemen, denen sich in der *»globalen Risikogesellschaft«* (Ulrich Beck) kein Staat entziehen kann, ist zum zentralen Problem der Weltpolitik geworden. Mit der Globalisierung von Ökonomie und Technologie, von Kommunikation und Transportsystemen internationalisieren sich auch Fehlentwicklungen. In einer interdependenten Welt kommt ein Inseldenken einem Realitätsverlust und einer Erkenntnisverweigerung gegenüber den Herausforderungen der vielschichtigen Interdependenzen gleich. Auch Probleme in scheinbar weit entfernten Regionen – wie Verelendung, Umweltzerstörungen, armutsbedingte Migration oder Kriege – haben globale Bumerangeffekte.

Yehezkel Dror (1994) stellte in einem Bericht an den Club of Rome die skeptische Frage: »Ist die Erde noch regierbar?« Seine Antwort lautete: Auf herkömmliche Weise nicht mehr. Weil sich die Schere zwischen der Globalisierung der Weltprobleme und der Fähigkeit der Staatenwelt, sie mit den herkömmlichen Verfahren und Instrumenten der nationalstaatlichen Macht- und Interessenpolitik zu bewältigen, immer weiter öffnet, muss die Politik, um ihrer eigenen Ohnmachtsfalle entgehen zu können, neue Wege in der Innen- und Außenpolitik beschreiten.

Wenn sich die Probleme globalisieren, muss sich auch die Politik globalisieren. Dann genügt auch nicht mehr ein punktuelles und reaktives Krisenmanagement, sondern es müssen neue Ordnungsstrukturen geschaffen werden. Wenn die Welt im 21. Jahrhundert noch regierbar sein soll, muss sie anders regiert werden als noch im ausgehenden Jahrhundert. Willy Brandt betonte schon vor zwei Jahrzehnten in der Einleitung zum Brandt-Bericht (S. 27). »Ob es uns passt oder nicht: Wir sehen uns mehr und mehr Problemen gegenüber, welche die Menschheit insgesamt angehen, so dass folglich auch die Lösungen hierfür in steigendem Maße internationalisiert werden müssen. Die Globalisierung von Gefahren und Herausforderungen – Krieg, Chaos, Selbstzerstörung – erfordert eine Art ›Weltinnenpolitik‹, die über den Horizont von Kirchtürmen, aber auch über nationale Grenzen weit hinausreicht.«

Den Versuch, Antworten auf die Herausforderungen der Globalisierung zu finden, nennen die einen Globalpolitik oder Weltinnenpolitik, andere Weltordnungspolitik oder globale Strukturpolitik, viele inzwischen *Global Governance,* nachdem die von Willy Brandt angeregte *Commission on Global Governance* diesen Begriff in die internationale Diskussion eingeführt hat. Aber auch mit diesem Begriff werden unterschiedliche Vorstellungen assoziiert. Paul Streeten kann sich ironische Bemerkungen über alle diese Begriffe nicht verkneifen.

Die aus einem Forschungsprogramm der *United Nations University* (UNU) hervorgegangene Zeitschrift *»Global Governance«* setzt den Begriff mit einem Mehr an Multilateralismus, also mit einer Verdichtung der internationalen Zusammenarbeit in internationalen Organisationen und Regimen, gleich. Auf dieses Verständnis weist schon ihr Untertitel hin: *»A Review of Multilateralism and International Organizations«* hin. Hier bildet das UN-System den Nabel der Welt und von Global Governance. Der 1995 vorgelegte Bericht der *Commission on Global Governance* rückte zwar auch die Reform des UN-Systems und der UN-Charta in den Mittelpunkt seiner strategischen Überlegungen, ging jedoch unter dem richtungsweisenden Titel *»Our Global Neighbourhood«,* den die *Stiftung Entwicklung und Frieden* mit *»Nachbarn in Einer Welt«* übersetzte, wesentliche Schritte weiter: Hier geht es nicht nur um ein Konzept von Globalpolitik durch die Aufwertung des UN-Systems, sondern schon um ein neues Politikmodell, in dem – nach der Begrifflichkeit von Ernst-Otto Czempiel (1992) – veränderte Rollen von Staaten-, Wirtschafts- und Gesellschaftswelt angelegt sind.

Bausteine der Global Governance-Architektur

In der Diskussion über die Chancen, die Globalisierung zu gestalten, den Weltfrieden zu organisieren und die Weltprobleme zu bewältigen, hält eine kleine Gruppe von »Globalisten« an der Vision des Weltstaates fest. Das zentrale Credo der »Weltföderalisten« lautet, dass »dauerhafter Friede eine Weltordnung voraussetzt, in der die staatliche Souveränität soweit eingeschränkt ist, dass durch eine den nationalen Regierungen übergeordnete Vollzugsgewalt globale Rechtsnormen unmittelbar gegen Individuen und Gruppen durchsetzbar sind« (Brauer 1995: 217). Dieses verklausulierte Plädoyer für einen Weltstaat teilen die *Global Governance-Architekten* nicht.

1.

Global Governance heißt nicht *Global Government,* also Weltregierung oder Weltstaat. Ein solcher ist weder eine realistische noch eine erstrebenswerte Option, weil eine solche bürokratische Superbehörde kaum demokratische Legitimation gewinnen könnte und weit entfernt von den zu lösenden Problemen wäre. Weltweit steht Dezentralisierung auf der politischen Reformagenda. Der Globalisierungsdruck befördert die Aufwertung regionaler Organisationen als Schutz- und Trutzbündnisse und mobilisiert auf nationaler und lokaler Ebene das Bedürfnis nach autonomen Handlungsspielräumen. Ein »Welt-King Kong« in Gestalt eines Weltstaates würde alle bekannten Übel des Zentralismus und Bürokratismus potenzieren.

Die Vision von *Global Governance* entspricht eher der bereits von Immanuel Kant anvisierten Weltföderation von freien Republiken mit einem notwendigen Minimum an Zentralstaatlichkeit. Auch seine Begründung, warum sich souveräne Staaten auf eine solche Föderation einlassen, bleibt gültig: Es ist die »Not«, politische Handlungsfähigkeit zu erhalten. Es ist jedoch sehr zweifelhaft, ob ein »weltweiter lokal gegründeter Föderalismus« von Basisbewegungen, in dem Narr/Schubert (1994) den einzigen Ausweg aus der von der Weltökonomie verursachten »Misere der Politik« erkennen, einen Rettungsanker für die »Not« der globalen Krisen bilden kann. Gültig für den Diskurs über *Global Governance* bleibt auch der von Kant formulierte Imperativ des »Republikanismus«, sprich der Rechtsstaatlichkeit und der Demokratie.

2.

Global Governance beruht auf verschiedenen Formen und Ebenen der internationalen Koordination, Kooperation und kollektiven Entscheidungsfindung. Internationale Organisationen übernehmen diese Koordinationsfunktion und tragen zur Herausbildung globaler Sichtweisen bei. Regime übersetzen den Willen zur Kooperation in verbindliche Regelwerke. In solchen Regimen verpflichten sich die Staaten durch vertragliche Vereinbarungen zur Bearbeitung von gemeinsamen Problemen. Sie wurden zutreffend als Kernelemente von *»governance without government«* bezeichnet (vgl. Rosenau/Czempiel 1992). Auch Hegemone lassen sich auf solche Regime ein, weil sie etwas regeln, was ihnen für das eigene Wohlergehen wichtig ist und was sie nicht allein regeln können.

3.

Der Zwang zur Kooperation verlangt Souveränitätsverzichte, die Globalisierungseffekte und Interdependenzstrukturen schon längst erzwungen haben. Auch die

Großmächte müssen sich, um sich als kooperationsfähig zu erweisen, mit »geteilten Souveränitäten« abfinden, die – wie das Beispiel der EU zeigt – keinen Verlust, sondern einen Zugewinn an gemeinsamer Handlungs- und Problemlösungsfähigkeit bewirken können. *Global Governance* macht das traditionelle Verständnis von Souveränität, die durch die zunehmende Entgrenzung der Staatenwelt durchlöchert wurde, endgültig zu einem anachronistischen Relikt eines durch das Spinnwebe-Modell abgelösten Billiardkugel-Modells internationaler Beziehungen (vgl. Czempiel 1992).

4.

Die Neuverteilung der weltwirtschaftlichen und weltpolitischen Gewichte, die auf den Begriff der »multipolaren Welt« gebracht wurde, war begleitet von einem Prozess der Regionalisierung, der durch den Globalisierungsdruck noch verstärkt wurde. Die Gleichzeitigkeit von Globalisierung und Regionalisierung und von Globalisierung und Lokalisierung (»Globalisierung«) gehört zu den strukturbildenden Entwicklungstrends von Weltgesellschaft und Weltpolitik (vgl. Rotte 1996). In allen Regionen formieren sich mehr oder weniger erfolgreiche Kooperations- oder Integrationszonen, wobei die EU das am weitesten entwickelte Modell von *Regional Governance* bildet.

Global Governance muss auf solchen regionalen Kooperationskernen aufbauen und sie als organisatorischen Unterbau nutzen, weil das Subsidiaritätsprinzip auch im globalen Kontext sinnvoll bleibt und dem Aufbau teurer, aber ineffizienter bürokratischer Wasserköpfe vorbeugen kann. Sicherlich setzte der Brandt-Bericht allzu großes Vertrauen in die Handlungsfähigkeit globaler Institutionen.

5.

Global Governance ist kein Projekt, an dem nur Regierungen der internationale Organisationen als Instrumente der Staatenwelt beteiligt sind. Das neue und unterscheidende Konzept der *Commission on Global Governance* liegt nicht nur in einem Mehr an staatlich organisiertem Multilateralismus, sondern im »Zusammenwirken von staatlichen und nichtstaatlichen Akteuren von der lokalen bis zur globalen Ebene«. Diese *»public-private partnership«* in horizontal und vertikal vernetzten Strukturen bezieht sich nicht nur auf die wachsende Bedeutung von global operierenden »Multis« und Medienkonzernen, die die globale Telekommunikation kontrollieren, sondern auch auf die zunehmend transnational organisierten Nichtregierungsorganisationen (NGOs). Sie gehören längst zur Dramaturgie von Weltkonferenzen und erhielten in einzelnen »weichen« Politikbereichen (Umwelt-, Menschenrechts- und Entwicklungspolitik) neben der konsultativen und korrektiven auch eine mitgestaltende Funktion.

Die Staatenwelt kann nicht mehr wie auf dem Wiener Kongress in diplomatischer Exklusivität schalten und walten. Deshalb sprach UN-Generalsekretär Kofi Annan (1999) von einer »stillen Revolution« hinter den Kulissen der Staatenwelt. Die Initiativrolle von weltweiten NGO-Kampagnen beim Zustandekommen der Konvention gegen Landminen und die wirksame Einflussnahme von NGOs auf die nationale und internationale Umwelt- und Menschenrechtspolitik warfen die Frage auf, ob bereits eine »NGOisierung der Weltpolitik« stattgefunden habe (vgl. Messner 1996). Die NGOs praktizieren in UN-Gremien und auf den Weltkonferenzen bereits ein Stück *Global Governance,* aber eine »NGOisierung der Weltpolitik« haben sie nicht bewirkt und können sie – trotz einer gelegentlichen Selbstüberschätzung – nicht herbeiführen. Sie bringen aber in den verschiedenen Politikbereichen nicht nur erhebliche Potenziale der Problembearbeitung in das internationale System ein, sondern organisieren durch transnationale Aktionsformen auch eine »kontra-hegemoniale Globalisierung«, wie Shalini Randeria (1998) am Beispiel der Frauenbewegung zeigte.

Die Nationalstaaten bleiben die Hauptakteure der internationalen Politik, die weiterhin allein autoritative Entscheidungen treffen können, und bilden die tragenden Pfeiler der *Global Governance*-Architektur. Sie ist aber ohne netzwerkartige Verstrebungen mit der Wirtschafts- und Gesellschaftswelt nicht mehr tragfähig. *»Public-private partnership«* bedeutet, dass der Staat in Kooperation mit gesellschaftlichen Gruppen gemeinsame Problemlösungen erarbeiten muss. Längst haben sich partizipatorische *»bottom-up«*-Entscheidungsverfahren als leistungsfähiger gegenüber zentralistischen *»top-down«*-Verfahren erwiesen.

Voraussetzungen für Global Governance

Die *Commission on Global Governance* betonte drei Voraussetzungen für das Funktionieren von *Global Governance*, die schon Kant in seinen drei ersten Definitivartikeln zum *Ewigen Frieden* eingefordert hatte: Erstens kann ein langfristig gesicherter Frieden nur in und zwischen rechtsstaatlich verfassten (»republikanischen«) Staaten entstehen. Zweitens braucht eine friedensfähige Weltpolitik zwar keinen Weltstaat, aber die regulierende Kraft eines innerhalb der Föderation freier Republiken verbindlichen Völkerrechts. Drittens muss die sich herausbildende Weltgesellschaft auf einer »weltbürgerlichen Verfassung« mit »Weltbürgerrechten«, also auf dem Fundament von universellen Menschenrechten, aufbauen.

1.

Global Governance oder eine Weltordnungspolitik ist nur durch eine Stärkung globaler Rechtsstaatlichkeit möglich (vgl. Delbrück 1998). Rechtsstaatlichkeit bedeutet *Good Governance* im Inneren (Rechenschaftspflichtigkeit der Regierenden, Unabhängigkeit der Justiz, Achtung der grundlegenden Menschenrechte) und Herrschaft des Völkerrechts in den internationalen Beziehungen. Hier zeichnet sich schon die Problematik ab, dass *Global Governance* überfordert ist, überall dort, wo Terror oder Anarchie herrschen, nicht nur das Gewaltmonopol wiederherzustellen, sondern auch demokratische Verhältnisse zu schaffen. Prinzipiell ist sie aber einer »Kultur legitimer Intervention« verpflichtet, die nicht tolerieren kann, wenn irgendwo auf der Welt – sei es in Ruanda, im Kosovo oder in Ost-Timor – schwerste Menschenrechtsverletzungen geschehen (vgl. Senghaas 1994: Kap. 6).

2.

Die Einrichtung des *Internationalen Strafgerichtshofes* war ein wichtiger Schritt zur Zivilisierung der internationalen Beziehungen, obwohl sich gerade einige Weltführungsmächte (USA, Russland, China) dem Gründungsbeschluss verweigerten.

Die Verhaftung von General Pinochet durch die britische Polizei auf Antrag eines spanischen Richters war ein Signal, dass sich Diktatoren, die schwerer Menschenrechtsverletzungen angeklagt werden, in Rechtsstaaten nicht mehr sicher fühlen können. Die Konstruktion des *Internationalen Gerichtshofes* (IGH) in Den Haag als »Kathedrale des Völkerrechts« hat freilich noch den schweren Konstruktionsfehler, dass Staaten seine Entscheidungen ignorieren können, ohne Sanktionen befürchten zu müssen. Auch deshalb ist der Begriff der »Weltinnenpolitik«, die eine sanktionsfähige supranationale Gewalt voraussetzen würde, problematisch.

3.

Die Herausbildung einer internationalen Kooperationskultur setzt neben allgemein akzeptierten Regelwerken und Verfahrensregeln in Verhandlungssystemen ein Fundament an gemeinsamen Werten und Handlungsprinzipien sowie ein Mindestmaß an Vertrauen, Verlässlichkeit, Kompromissfähigkeit und Respekt vor den legitimen Interessen anderer voraus. Verbindliche Regelwerke bilden die Voraussetzung für jedwede Ordnung, sei es auf nationaler oder internationaler Ebene.

Wie der Streit über die Universalität der Menschenrechte und die Forderungen nach ihrer kulturellen Relativierung in »asiatischen Werten« oder »islamischen Werten« zeigt, wird allerdings schon die Herstellung eines ethischen Minimalkonsensus, der bereits in den Menschenrechtskonventionen angelegt ist, durch Kulturkonflikte erschwert. Während der Politologe Samuel Huntington (1996) in seinem Szenario eines internationalen Kulturkampfes das Universalitätsprinzip zu einer juristischen Fiktion abwertet, setzt der Theologe Hans Küng alle Hoffnung darauf, dass durch einen interkulturellen Dialog eine »Weltethik« gefunden werden könne. Der eine will mit Dialog verhindern, was der andere notfalls mit Waffen beantworten will und dabei die eigentlichen Ursachen von Macht- und Verteilungskonflikten im Gewande von Kulturkonflikten übersieht (vgl. Müller 1998).

Für die Option von Hans Küng spricht die Annahme, dass dem interkulturellen Dialog künftig eine ähnlich wichtige vertrauensbildende und friedensbewahrende Funktion zukommt wie früher der Rüstungskontrolle. Dieser interkulturelle Dialog muss allerdings die Nord-Süd-Einbahnstraße verlassen und auf eine »gemeinsame Kultur des Lernens« abzielen. Die westlichen Gesellschaften müssen aufhören, sich als »Belehrungsgesellschaften« zu verstehen und zu verhalten, und zu Lerngesellschaften mutieren. Der frühere Bundespräsident Roman Herzog betonte: »Wir brauchen eine globale Lern- und Forschungsgemeinschaft, um der globalen Natur der großen Herausforderungen unserer Zeit gerecht werden zu können« (*Süddeutsche Zeitung* vom 29./30. 5. 1999).

Küngs Plädoyer für eine globale Verantwortungsethik ist mehr als der moralische Appell eines Theologen: Ohne eine solche Ethik, die Verantwortung für das »gemeinsame Überleben« – nach der Sprachregelung des Brandt-Berichts – übernimmt, kann *Global Governance* nicht funktionieren. Dies ist auch gemeint, wenn etwas pathetischer von der Welt als einer »Schicksals- und Verantwortungsgemeinschaft« die Rede ist. Traditionelle Begriffe der Sozialethik wie Gerechtigkeit und Solidarität erhalten einen globalen Referenzrahmen. Die prinzipielle Übereinstimmung über die normativen Strukturprinzipien von *Global Governance* ist also groß. Vom Konsens in Prinzipien zum Handeln nach diesen Prinzipien ist jedoch erfahrungsgemäß ein weiter Weg. Dann obsiegt häufig die machtgestützte Hegemonie über die Romantik einer internationalen Kooperationskultur. *Global Governance* ist eine Zielprojektion, keine Zustandsbeschreibung des internationalen Systems.

Widersprüche zwischen Einsichten und Handeln

Zwar wuchs unter den weltpolitischen Akteuren die Einsicht, dass die Globalisierung die Problemlösungsfähigkeit der Nationalstaaten überfordert und die bisher praktizierten Mechanismen des internationalen Krisenmanagements – sei es im Rahmen der G7/G8 oder des UN-Sicherheitsrates – den sich abzeichnenden Herausforderungen nicht mehr gerecht werden; der Problemdruck erzwang diese Einsicht. Aber ihr folgte nur ein zögerliches Durchwursteln zu einem reaktiven Ad-hoc-Krisenmanagement, das vor allem dann funktioniert, wenn die Interessen wichtiger Staaten bedroht sind.

Die Staaten – allen voran die Weltführungsmächte – tun immer noch so, als könnten sie die Weltprobleme von heute und morgen mit den nationalstaatlichen Politikmodellen von gestern lösen. Die »heilige Kuh« der längst anachronistisch gewordenen Souveränität und das Denken in den traditionellen Kategorien der nationalstaatlichen Macht- und Interessenpolitik bilden schwer überwindbare Hürden auf dem Weg zum globalen Denken und Handeln, das Willy Brandt schon vor zwei Jahrzehnten so nachdrücklich gefordert hatte. Die Zweifel sind groß, dass *Global Governance* die Verheißungen erfüllen kann, die ihre Architekten in das Projekt hineinprojizieren. So hielt beispielsweise Peter Opitz (1997: 51) den Hoffnungen auf *Global Governance* entgegen: »Je lauter der Ruf nach ›global governance‹ wird, umso weniger geschieht; und je eindringlicher ›globale Verantwortung‹ angemahnt wird, umso erbitterter wird der globale Kampf aller gegen alle.«

Wir sind in der Tat in den neunziger Jahren nicht, wie nach dem Ende des Kalten Krieges erhofft, einer »neuen Weltordnung« näher gekommen, sondern erlebten vielmehr Rückfälle in eine nur partiell durch internationale Regelwerke geordnete »Weltunordnung«, die manche Analytiker des Weltgeschehens wieder an die »Welt von gestern« erinnerte. Dieter Senghaas (1994) stellte die orakelhafte Frage: »Wohin driftet die Welt?« Dieses Driften kann an vielen Beispielen illustriert werden:

- Unter dem wachsenden Druck grenzüberschreitender Probleme und der daraus erwachsenen Notwendigkeit zu verstärkter internationaler Zusammenarbeit wurde das ausgehende 20. Jahrhundert zwar zum »Jahrhundert der internationalen Organisationen und Regime« (Schwarz 1995: 31), aber diese Instrumente kooperativen Handelns sind, wenn man von den internationalen Finanz- und Handelsorganisationen (IWF, Weltbank und WTO) absieht, die von OECD-Ländern mit Macht und Kapital ausgestattet wurden, noch keine handlungsmächtigen Akteure. Wir erlebten vielmehr eine Krise des Multilateralismus, weil vor allem die Supermacht USA der Maxime folgte: Soviel Unilateralismus wie möglich, nur soviel Multilateralismus wie unbedingt nötig.
- Wir haben zwar inzwischen mit der WTO *(World Trade Organization)* ein umfassendes Handelsregime, aber wir haben noch keine sozialen und ökologischen Leitplanken, die der Ausbeutung von Mensch und Natur und dem »Raubtier-Ka-

pitalismus« (Helmut Schmidt) Grenzen setzen könnten, keine internationale Wettbewerbsordnung, die die Belohnung eines solchen Verhaltens im internationalen Konkurrenzkampf verhindern könnte, und keine internationale Währungsordnung, die den spekulativen »Casino-Kapitalismus« bändigen könnte. Aber der Problemdruck – wie die Asien-Krise und das Dumping durch niedrige Sozial- und Umweltstandards – sorgte dafür, dass diese Themen auf die Agenden neuer Verhandlungsrunden gesetzt wurden.

- Wir haben zwar mit der auf der Rio-Konferenz von 1992 verabschiedeten *Agenda 21* ein umfassendes Aktionsprogramm zur Bewältigung der globalen Umweltprobleme, aber wir erlebten auf den Folgekonferenzen ein peinliches Feilschen der Staaten, sich unter dem Druck von mächtigen Interessengruppen möglichst um verbindliche Auflagen zur Verminderung der Umweltbelastungen zu drücken. Wir haben in der globalen Umweltpolitik einerseits viele gradualistische Fortschritte, aber in der Klimapolitik nur Trippelschritte.
- Der Kopenhagener *Weltsozialgipfel* von 1995 erklärte feierlich den »Krieg gegen die Armut«, und die OECD-Staaten visierten 1996 in einer entwicklungspolitischen Dekadenstrategie das Ziel an, durch gezielte Investitionen in soziale Grunddienste bis zum Jahr 2015 die Zahl der Armen in der Welt zu halbieren. Gleichzeitig kürzten sie jedoch ihre Entwicklungsetats und entfernten sich immer weiter von den in Kopenhagen unterzeichneten Selbstverpflichtungen. Beispielsweise soll der Etat des BMZ bis zum Jahr 2003 gegenüber 1999 um 13,6 Prozent schrumpfen. Mit weniger Geld können aber die großen Gegenwarts- und Zukunftsprobleme der Menschheit nicht gelöst werden.
- Auch auf den anderen Weltkonferenzen wurden richtungsweisende Aktionsprogramme zur Lösung der drängendsten Weltprobleme, wie dem Bevölkerungs- und Ernährungsproblem, verabschiedet (vgl. Messner/Nuscheler 1996). Ihre Umsetzung könnte Katastrophenszenarien entschärfen, scheitert aber an der geringen Bereitschaft, die Konsequenzen aus den vorhandenen Einsichten und wohlfeilen Absichtserklärungen zu ziehen. Auch die Ängste vor der »Bevölkerungsexplosion« oder vor den »neuen Völkerwanderungen«, die schon als neue Sicherheitsprobleme dramatisiert werden, konnten nicht verhindern, dass die Mittel für den UN-Bevölkerungsfonds (UNFPA) gekürzt wurden.
- Die entwicklungspolitische Alltagssprache meidet inzwischen den Begriff der Dritten Welt und fügt diese in die *»Eine Welt«* ein. Die Sozialethik hat die Normen der Gerechtigkeit und Solidarität längst internationalisiert. Die *Commission on Global Governance* gab ihrem Bericht den Titel *»Nachbarn in einer Welt«*. Gleichzeitig fand eine schleichende Abkoppelung der »armen Welt« aus dieser *»Einen Welt«* statt. Die weltwirtschaftliche Triade (Nordamerika-EU-Ostasien) bildet auch den weltpolitischen Nabel der Welt.
- Die Welt ist nach dem Ende des Kalten Krieges nicht friedlicher geworden. Der frühere UN-Generalsekretär Boutros Boutros Ghali legte in seiner *Agenda für den Frieden* (SEF 1992) konkrete Vorschläge zur Prävention und zum Management von Konflikten vor. Sicherheits- und friedenspolitische Denkfabriken operationalisierten diese Vorschläge. Die Staatengemeinschaft reagiert aber in aller Regel gar nicht oder zu spät, wenn sich irgendwo kriegerische Konflikte abzeichnen. Die NATO intervenierte ohne Mandat des UN-Sicherheitsrates im Kosovo und gab sich selbst Rechtfertigungen für weitere Interventionen, be-

mühte sich aber nicht um die Erarbeitung eines völkerrechtlich unbedenklichen Interventionsregimes, das notwendig wäre, wenn sich eine globale »Kultur legitimer Intervention« herausbilden soll.

Lassen diese Beobachtungen nicht doch den Schluss zu, den Peter Opitz gezogen hat: Dass auch das laute Rufen nach *Global Governance* den »globalen Kampf aller gegen alle« nicht verhindern könne? Man könnte aber auch einen ganz anderen Schluss ziehen, der die argumentative Grundlage dieses Beitrags bildet: Um diesem hobbesianischen Bedrohungsszenario vorzubeugen, ist *Global Governance* dringend notwendig. Weil die Staatenwelt mit den konventionellen Methoden und Instrumenten die Weltprobleme nicht lösen kann, die Globalisierung die Steuerungskapazitäten der Nationalstaaten überfordert und auch Weltmächte zur eigenen Zukunftssicherung auf internationale Zusammenarbeit angewiesen sind, müssen die Weichen der Weltpolitik neu gestellt werden.

Längst gibt es solche Einsichten nicht nur in akademischen Denkfabriken, in Kreisen bekennender »Globalisten« und in Planungsstäben von Außenministerien. Es gibt auch schon vielfältige Ansätze zu *Global Governance* in verschiedenen Politikbereichen. Ingvar Carlsson beantwortet die Frage, ob das Glas von *Global Governance* halb voll oder halb leer ist, mit so vielen positiven Entwicklungen, dass die Frage schon als eine rhetorische erscheint. Aber diese selektiven Formen von *Global Governance* werden den Herausforderungen der drängendsten Zukunftsprobleme nicht gerecht. Diese bestehen, wie Dirk Messner in seinem Beitrag feststellt, institutionell »in der Entwicklung eines Institutionen- und Regelsystems und neuer Mechanismen internationaler Kooperation, die die kontinuierliche Problembearbeitung globaler Herausforderungen und grenzüberschreitender Phänomene erlauben«. Und sie bestehen programmatisch in der Erarbeitung realistischer und verbindlicher Problemlösungen und Aktionsfahrpläne.

Global Governance, Entwicklung und Frieden

Es gibt inzwischen mehrere Globalmodelle, die in zentralen Punkten mit den Vorschlägen der *Commission on Global Governance* und der *»Stockholmer Initiative«*, an der Willy Brandt noch mitarbeitete, übereinstimmen. Viele dieser Vorschläge konnten auch schon im Brandt-Bericht entdeckt werden, der so entschieden auf multilaterale Problemlösungen setzte, dass er besonders in Washington und London in den ordnungspolitischen Giftschrank des Reaganismus und Thatcherismus abgestellt wurde. Hier gab es vor allem Widerstände gegen die Aufwertung von internationalen Organisationen, die Aufblähung von internationalen Bürokratien und Einrichtung von multilateralen Entwicklungsfonds.

Die »Gruppe von Lissabon«. Vertragstheoretische Begründungen von Global Governance

In jüngster Zeit fand ein Bericht der *»Gruppe von Lissabon«* (1997), in der sich unter der Initiative von Ricardo Petrella vor allem sozialdemokratische Intellektuelle sammelten, größere öffentliche Resonanz. Auch diese Gruppe begründete ihren

»globalen Ansatz« mit der Notwendigkeit, die von den Nationalstaaten nur noch recht und schlecht gestaltbare Weltpolitik den Bedingungen der Globalisierung anzupassen. Um der schleichenden Ohnmacht der Politik vorzubeugen, müssten Institutionen und Regeln der politischen Steuerung auf derselben Ebene geschaffen werden, auf der die *Global Players* der Weltwirtschaft operieren.

Die Gruppe schlug zur Bändigung der zerstörerischen Potenz des Marktmechanismus erstens ein »System kooperativer globaler Steuerung« vor, an der die internationale Zivilgesellschaft und aufgeklärte Eliten beteiligt werden sollten, zweitens vier globale Vertragswerke unter dem Dach eines *»globalen Vertrages«,* der Anleihen bei den klassischen Vertragstheorien macht:

- einen *Grundbedürfnisvertrag* zur Überwindung der Massenarmut in der Welt;
- einen *Kulturvertrag* zur Förderung des interkulturellen Dialogs zwischen Kulturen und Religionen;
- einen *Demokratievertrag* zur Beteiligung der Zivilgesellschaft an der kooperativen globalen Steuerung, Demokratisierung des UN-Systems und Einberufung einer »globalen Bürgerversammlung« (also zur Verwirklichung von Ideen, die auch Jürgen Habermas oder Johan Galtung propagieren);
- einen *Erdvertrag* nach dem Vorbild der *Agenda 21.*

Man fragt sich, welche Fortschritte diese vorgeschlagenen Vertragswerke gegenüber bereits geschlossenen Verträgen oder von UN-Weltkonferenzen beschlossenen Aktionsprogrammen bringen können, wenn man einmal von der konstruktiven Idee eines globalen Gesellschaftsvertrages absieht. Ein *Grundbedürfnisvertrag* ist bereits im völkerrechtlich verbindlichen *»Sozialpakt«,* ein *Erdvertrag* in der *Agenda 21* und in verschiedenen umweltrechtlichen Konventionen, ein *Kulturvertrag* in zahlreichen Resolutionen und Programmen der UNESCO verankert, wenn auch mit einem unterschiedlichen Grad der Verbindlichkeit.

Die geringste Realisierungschance hat der *Demokratievertrag,* vor allem der Vorschlag, zur Demokratisierung des UN-Systems eine »globale Bürgerversammlung« einzuberufen. Wer soll in ihr nach welchem Wahlmodus, nach welchem Verteilungsschlüssel der Sitze und mit welchen Rechten vertreten sein? Das 1999 von der *UN-Menschenrechtskommission* beschlossene »Recht auf Demokratie«, dessen Kernelemente bereits in den Menschenrechts-Katalogen verankert sind, wird kaum die weltweite Wirkung entfalten, die sich Ingvar Carlsson in seinem Beitrag erhofft. Andererseits erinnert die Idee eines *Demokratievertrages* an ein Kernproblem des Multilateralismus, das auch innerhalb der EU erst ansatzweise gelöst ist: Wie sollen Entscheidungen, die aus den Nationalstaaten ausgelagert und auf die multilaterale Ebene verlagert werden, demokratisch legitimiert werden?

Paul Streeten beklagt nicht nur den Mangel an politischer Steuerung der globalen Ökonomie, sondern auch das Fehlen demokratischer Institutionen auf globaler Ebene. Auch ihm bleibt nur die schwache Hoffnung auf die internationale Zivilgesellschaft. Diese kann aber aufgrund ihrer eigenen Legitimationsprobleme kein Substitut für Demokratie bilden. Die Überlegung, globalen Institutionen eine »Legitimation durch Leistung« zuzuordnen, falls sie globale Probleme besser als die Staatenwelt zu bewältigen vermögen, läuft Gefahr, auch einer »Entwicklungsdiktatur« oder »Öko-Diktatur« Argumentationshilfe zu liefern.

Des Philosophen Otfried Höffe (1999) großes Opus über »Demokratie im Zeitalter der Globalisierung« verspricht eine umfassende Antwort, wie Demokratie in einer »subsidiären und föderalen Weltrepublik« organisiert werden könnte und sollte. Aber auch seine Antwort zieht sich auf behutsame Zwischenschritte zurück, die er in ein Gleichnis kleidet (S. 427): »Die Errichtung einer demokratischen Weltordnung ist noch behutsamer vorzunehmen als der Umbau eines Schiffes auf hoher See: Wie das Schiff stets seetüchtig bleiben muß, so darf die Weltgesellschaft nie ihren in globaler Hinsicht doch relativen Friedens- und Rechtszustand gefährden; im Gegenteil soll sie die Seetüchtigkeit steigern, also das schon erreichte Maß an Rechtsstaatlichkeit und Demokratie verbessern . . . Um Erfahrungen zu machen und Rückfälle an qualifizierter Demokratie zu vermeiden, beginne man vor der föderalen mit einer konföderalen Weltrepublik.«

Mit anderen Worten: Statt nach den Sternen einer »globalen Demokratie« zu greifen, sollte die Demokratie in den nationalstaatlichen Komponenten einer »konföderalen Weltrepublik« ausgebaut werden. Es bietet sich zunächst keine bessere Lösung an als die intensivere Kontrolle des Verhaltens der Staaten in den internationalen Organisationen durch Parlamente und Öffentlichkeit, die häufig ihre Informationen von sachkundigen und zunehmend transnational vernetzten NGOs erhalten. Ihre Stärke liegt in ihrer Wachhund-Rolle. Für Ingomar Hauchler hat die Demokratie keine Zukunft, weder auf nationaler noch auf internationaler Ebene. Dann bleibt nur das fatalistische Warten auf Revolutionen und Katastrophen, die alte Ordnungen zerstören und vielleicht neue Ordnungen hervorbringen.

Es gibt zwar große Übereinstimmungen zwischen der *Global Governance*-Architektur der *Commission on Global Governance*, dem von der *»Gruppe von Lissabon«* propagierten »System kooperativer globaler Steuerung« und Otfried Höffes Plädoyer für eine »subsidiäre und föderale Weltrepublik«, aber die in diesem Band vorgetragenen Plädoyers für *Global Governance* sind konkreter und zugleich realistischer, weil sie nicht nur das Wünschbare, sondern auch das Machbare berücksichtigen, teilweise auch sehr skeptisch gegenüber den Chancen und Wirkungen internationaler Regelwerke sind.

Regelwerke für nachhaltige Entwicklung und Frieden

Es ist auch unter *Laissez-faire*-Propheten, die sich auf Adam Smith berufen, kaum umstritten, dass Märkte eines Ordnungsrahmens bedürfen, um ihre produktiven Kräfte entfalten zu können. Ohne Ordnungspolitik löst der Wettbewerb soziale und ökologische Unterbietungswettläufe aus. Diese Zusammenhänge gelten für nationale Volkswirtschaften ebenso wie für die sich globalisierende Ökonomie – mit dem Unterschied, dass es zwar nationale, aber erst ansatzweise internationale ordnungspolitische Regelwerke gibt, wenn man vom Integrationsverbund der EU absieht, der als Laboratorium von *Regional Governance* gelten kann. Fred Bergsten (1997), ein bekennender Marktwirtschaftler, begründete sein Plädoyer für ein weltwirtschaftliches Ordnungssystem kurz und bündig so: »Kurz gesagt, die Gezeiten der privaten Märkte unterliegen exzessiven Schwankungen. Wir brauchen aus diesem Grund ein multilaterales Ordnungssystem, das für Stabilität in den weltwirtschaftlichen Beziehungen sorgt . . . Je globaler und je machtvoller die Märkte werden, umso offensichtlicher ist der Bedarf für ein Ordnungssystem, das ihre Auswirkungen kanalisiert.«

Was für die Weltwirtschaft gilt, kann auch für andere Politikbereiche verallgemeinert werden. Der *Human Development Report (1999)* warnte, dass die Kräfte des Marktes die Ungleichgewichte in der Welt nicht zurechtrücken werden: »Eine stärkere politische Steuerung ist erforderlich, um den Nutzen der Globalisierung für das Wohlergehen der Menschen und nicht nur zu Profitzwecken sicherzustellen.« Gesucht ist ein globaler Ordnungsrahmen in fünf Politikbereichen, die Säulen einer neuen Weltordnung bilden und miteinander verbunden sein müssen, um trag- und belastungsfähig zu sein: Eine Weltfinanz- und Handelsordnung, eine Weltsozial- und Umweltordnung sowie eine Weltfriedensordnung, denn »ohne Frieden ist alles nichts« (Willy Brandt).

Neubau der internationalen Finanzarchitektur

Der Brandt-Bericht identifizierte die Unordnung im internationalen Währungssystem als eines der weltwirtschaftlichen Schlüsselprobleme und forderte vom IWF eine Stabilisierung der Wechselkurse. Eine solche Forderung nach institutioneller Regulation verhallte in der Blütezeit des Neoliberalismus völlig wirkungslos, zumal der IWF in den achtziger Jahren als internationaler Finanzpolizist vollauf mit dem Management der Schuldenkrise beschäftigt war. Auch die internationale Finanzpolitik handelt nicht präventiv, sondern ad hoc-reaktiv. Es waren wiederum der Problemdruck und die besondere Verwundbarkeit westlicher Kapitalgeber, die nach der Mexiko-Krise von 1994/95 und wieder nach der Asien-Krise von 1997/98 die G7 dazu zwangen, intensiver über eine Regulierung der internationalen Finanzmärkte nachzudenken. Die Ängste vor dem Menetekel einer neuen großen Weltwirtschaftskrise beflügelten dieses Nachdenken. Nun meldeten nicht nur gewichtige Finanzorganisationen wie der IWF und die BIZ *(Bank für Internationalen Zahlungsausgleich)* einen Regelungsbedarf an, sondern selbst der Großspekulant George Soros (1998) warnte vor den selbstzerstörerischen Tendenzen des spekulativen »Casino-Kapitalismus«.

Unter diesem Problemdruck verabschiedete der Kölner G-7/G-8-Gipfel vom Sommer 1999 die Absichtserklärung, eine neue internationale Finanzarchitektur aufbauen zu wollen. Es ist aber noch umstritten, wie diese aussehen wird und welche Rolle der IWF in ihr spielen soll. Reimut Jochimsen, der im November 1999 verstorbene Präsident der Landeszentralbank von NRW, setzt sich in seinem Beitrag sehr kritisch mit allen Vorschlägen auseinander, die auf eine stärkere Regulierung der internationalen Finanzmärkte abzielen. Er plädiert zwar für eine stärkere Bankenaufsicht und Transparenz der Finanzmärkte, spricht sich aber gegen einen »Neubau der internationalen Finanzarchitektur« und gegen die Einrichtung eines supranationalen *Standing Committee for Global Financial Regulation* aus. Es ist deshalb nur folgerichtig, dass bei ihm auch die von UNDP und vielen NGOs favorisierte *Tobin-Steuer* auf spekulative Devisenmarktgeschäfte als »sehr problematisch, letztlich kaum praktikabel oder global umsetzbar, jedenfalls schädlich« in Ungnade fällt. Sicherlich steht ihre Praktikabilität in Frage, aber ihre Schädlichkeit ist nicht so offensichtlich.

Die *Tobin-Steuer* oder ähnliche Versuche, den »Casino-Kapitalismus« unter Kontrolle zu bringen, bleiben auf der Agenda. Neuerdings hat sie die Weltbank als mögliche Quelle zur Finanzierung multilateraler Entwicklungs- und Umweltfonds wiederentdeckt, nachdem die Geberländer gerade die multilateralen Anteile ihrer Entwicklungsetats zu kürzen begannen. Die Geldnot zur Finanzierung des Multilateralismus könnte ordnungspolitische oder technische Einwände überwinden. Spätestens die nächste Finanzkrise größeren Ausmaßes, die auch das Wohl westlicher Kreditgeber gefährdet, wird auch in der Finanzwelt wieder den Ruf nach einer neuen Weltfinanzordnung verstärken. Die Selbstheilungskräfte des Marktes werden mit den Problemen einer völlig überschuldeten Welt und mit der Krisenanfälligkeit der Finanzmärkte nicht fertig werden. Schon mittelfristig genügt eine Renovierung der 1944 geplanten Bretton-Woods-Altbauten nicht mehr und wird ihr Umbau oder sogar Neubau notwendig. Wer »keine Angst vor der Globalisierung« haben will, muss sich auch mit den Vorschlägen von Oskar Lafontaine und Christa Müller (1998) zur Regulierung der internationalen Finanzmärkte auseinandersetzen.

Für die große Mehrheit der Entwicklungsländer heißt »neue internationale Finanzarchitektur« in erster Linie eine umfassende und nachhaltige Schuldenregelung. IWF und G7, *Pariser Club* und *Londoner Club* waren in den achtziger Jahren durchaus erfolgreich beim Management akuter Verschuldungskrisen, schoben aber eine dauerhafte Lösung vor sich her – mit der Folge, dass der Schuldenberg weiter anwuchs. Der Kölner G 8-Gipfel vom Sommer 1999 versprach zwar den ohnehin zahlungsunfähigen ärmsten Entwicklungsländern (HIPCs) eine Entlastung vom »untragbar hohen« Schuldendienst, machte aber die quantitativ weit größere Auslandsverschuldung der übrigen Entwicklungs- und Schwellenländer nicht zum Konstruktionsproblem der »neuen internationalen Finanzarchitektur«. Es bleibt also auch in diesem Kernbereich der Nord-Süd-Beziehungen beim Ad-hoc-Krisenmanagement, das man – mit Reimut Jochimsen – als nüchtern und pragmatisch, aber aus anderer Sicht als wenig zukunftsfähig bezeichnen könnte.

Die Schuldenkrise hat hausgemachte und exogene Ursachen. Es gibt einen alten Streit, ob innere Fehlentwicklungen (wie Misswirtschaft, Verschwendung, Korruption, Kapitalflucht, Rüstungsausgaben etc.) oder weltwirtschaftliche Faktoren, die die Schuldnerländer und ihre Interessenorganisationen zu betonen pflegen, hauptursächlich sind. Die Kernthese des Jahresberichtes 1999 von UNCTAD *(UN Conference on Trade and Development)*, dass die internationalen Handelsbeziehungen das Entrinnen aus der Schuldenfalle erschweren, dürfte jedoch kaum umstritten sein. Deshalb bleiben – wie vor 20 Jahren und damals sekundiert vom Brandt-Bericht – die Forderungen der *»Gruppe der 77«* und Blockfreienbewegung nach Schuldenerlassen und nach einer »gerechteren Welthandelsordnung« im Mittelpunkt aller Nord-Süd-Verhandlungen.

Welthandelsordnung: der ordnungspolitische Streit über die WTO

Für die meisten Entwicklungsländer sind die Handelsbeziehungen von existenzieller Bedeutung. Von den ersten Welthandelskonferenzen und GATT-Runden bis zur *»Milleniumrunde«* der WTO forderten sie eine »neue Weltwirtschaftsordnung«, die ihnen höhere und stabilere Rohstoffpreise, bessere Marktzugänge durch den Abbau tarifärer und nichttarifärer Handelshemmnisse und bessere Relationen zwischen Export- und Importpreisen *(terms of trade)* verschaffen sollte. Mit dem Regelwerk der WTO entstand ein umfassendes, wirkungsvolles und mit großer Durchsetzungskraft ausgestattetes Welthandelsregime, das neben dem Warenhandel auch den Handel mit Dienstleistungen und den Schatz geistigen Eigentums (in Form von Patenten etc.) einschließt.

Kritikwürdig an diesem Regelwerk zur Liberalisierung des Welthandels ist erstens, dass sich die durchsetzungsfähigen Industrieländer viele Vorteile sicherten, besonders bei Gütern, bei denen die Entwicklungsländer Wettbewerbsvorteile hätten, zweitens die unzureichende Rücksichtnahme auf Schutzinteressen der wettbewerbsschwachen Länder, drittens die Ausklammerung sozialer und ökologischer Kriterien, auf der wiederum die Entwicklungsländer beharren, um sich nicht die komparativen Vorteile niedriger Sozial- und Umweltstandards nehmen zu lassen. Eine Welthandelsordnung muss einer Politik des *»beggar the neighbour«,* der Abwertungswettläufe, des Protektionismus oder Sozial- und Umweltdumpings, die eigene Probleme zulasten der Handelspartner zu lösen versucht, vorbeugen und sich völkerrechtlichen Normen unterwerfen. Die Ausbeutung von Kinderarbeit oder von Frauen in den »Weltmarktfabriken« widerspricht nicht nur der Kinderkonvention oder den von der ILO *(International Labour Organization)* gesetzten Sozialstandards, sondern verzerrt auch den Wettbewerb (z. B. in der arbeitsintensiven Textil-und Schuhindustrie).

Nicht nur gesinnungstüchtige Umwelt- und Entwicklungsorganisationen, sondern auch das Europäische Parlament und einzelne Staaten, allen voran die nordischen Staaten, fordern eine soziale und ökologische Nachbesserung des WTO-Regelwerkes, weil sie einen Zielkonflikt zwischen den Freihandelsprinzipien der WTO und den Imperativen nachhaltiger Entwicklung vermuten (vgl. Germauwatch 1999). Sie werden durch Studien von Herman Daly (1999) und des Wuppertaler Umweltinstituts bestärkt. Margareta Kulessa widerspricht dieser Vermutung und lastet der internationalen Handelspolitik nicht die Zunahme lokaler, regionaler und globaler Umweltprobleme an. Sie zeigt außerdem die ordnungspolitischen Zielkonflikte und institutionellen Schwierigkeiten, die bei einem Einbau von Sozial- und Umweltstandards in ein Handelsregime auftauchen würden.

Die Entwicklungsländer begegnen dieser Debatte im Norden mit großem Misstrauen. Sie erwarten von einer Welthandelsordnung keine sozialen und ökologischen Auflagen, sondern die Herstellung fairer Handelsbedingungen, den Abbau des Protektionismus (vor allem des Agrarprotektionismus der EU), eine größere Teilhabe an den Handelsgewinnen, die den Nutznießern der WTO zufließen, und nicht zuletzt mehr Einfluss in der WTO, die sie – wie den IWF und die Weltbank – als ein Instrument westlicher Interessen verdächtigen. Die Architekten der WTO versprachen außer dem subsaharischen Afrika allen Ländergruppen Wohlfahrtsgewinne durch Freihandel. Den »Fußkranken der Weltwirtschaft« konnten sie also nicht die Formel *»trade not aid«* anbieten, sondern mussten sie vielmehr mit der Hoffnung auf mehr Entwicklungshilfe vertrösten, die sich dann auch als trügerisch erwies.

Weil die Handelspolitik bei der zunehmenden Ökonomisierung der internationalen Beziehungen und im Gefolge des durch die WTO-Regeln verschärften Konkurrenzdruckes für alle Länder eine wichtige, für die Entwicklungsländer aber eine existenzielle Rolle spielt, muss eine Welthandelsordnung einen fairen Interessenausgleich herbeiführen, der nicht allein den wettbewerbsstärksten Handelsnationen Wohlstandsgewinne verschafft. *Fair Trade* darf nicht nur den in Dritte Welt-Läden »fair gehandelten« Kaffee, Tee oder Honig umfassen, sondern müsste zum Leitprinzip einer Welthandelsordnung werden, der es nicht nur um die Handelsliberalisierung, sondern auch um die Ökologisierung und Humanisierung der Weltwirtschaft geht. Deshalb muss das Handelsregime der WTO nachgebessert werden. Deutschland könnte mit gutem Beispiel vorangehen, indem es bei der Bewilligung von Hermes-Bürgschaften eine soziale, ökologische und menschenrechtliche Konditionalität praktiziert.

Von der Weltsozialordnung zur »neuen Entwicklungsarchitektur«

Die Forderung nach einer *Weltsozialordnung* könnte an die Forderung der *»Gruppe von Lissabon«* nach einem *Grundbedürfnisvertrag* erinnern. Aber sie bedeutet nicht nur die weltweite Befriedigung der Grundbedürfnisse, sondern die Verwirklichung der im »Sozialpakt« kodifizierten sozialen Menschenrechte, der ebenfalls völkerrechtlich verbindlichen ILO-Standards und der in der Kinder-Konvention normierten Schutzrechte für Kinder. Hermann Sautter leitet die Notwendigkeit einer innerstaatlichen und internationalen Sozialordnung aus diesen Menschenrechtskatalogen und ILO-Normen ab. Er erkennt aber große Vollzugsdefizite. Bemerkenswert ist seine Hoffnung, dass der sozialpolitische Anpassungsdruck im weiteren Verlauf des Globalisierungsprozesses den Bedarf an internationalen Institutionen, die den koordinierten Aufbau nationaler Sozialordnungen zum Ziel haben, wachsen lassen könnte.

Das Ziel einer Weltsozialordnung stellt zunächst Anforderungen an jeden einzelnen Staat, seinen Angehörigen durch den Aufbau einer innerstaatlichen Sozialordnung eine menschenwürdige Existenz zu ermöglichen. Es fordert aber auch der Staaten- und Gesellschaftswelt Solidarleistungen und der Wirtschaftswelt der global operierenden Unternehmen die Unterwerfung unter international vereinbarte Sozial- und Umweltstandards ab, die den »Raubtier-Kapitalismus« bändigen sollen. UN-Generalsekretär Kofi Annan schlug einen Menschenrechts- und Umweltpakt zwischen UN und Privatwirtschaft vor, um den Weltmarkt zu humanisieren: »Viele Unternehmen sind große Investoren, wichtige Arbeitgeber und fahrende Produzenten in Dutzenden von Ländern auf der ganzen Welt. Diese Macht bringt große Chancen, aber auch große Verantwortung mit sich. Menschenrechte und angemessene Arbeits- und Umweltstandards können von der Leitung der einzelnen Betriebe direkt gefördert werden ... Warum sollte die Wirtschaft nicht mit gutem Beispiel vorangehen und dafür sorgen, dass die Menschenrechte in ihrer eigenen Unternehmenspraxis unterstützt und geachtet werden und dass Menschenrechtsverletzungen kein Vorschub geleistet wird?« (*Süddeutsche Zeitung* vom 4. 2. 1995)

Eine globale Verantwortungsethik oder die »globale Nachbarschaft« erzeugt eine Pflicht zur globalen Solidarität und zum Lastenausgleich zwischen Gewinnern und Verlierern der Globalisierung. Eine als globale Strukturpolitik verstandene Entwicklungspolitik muss versuchen, zur Verbesserung der politischen, rechtlichen, sozialen und ökologischen Rahmenbedingungen auf nationaler und internationaler Ebene beizutragen, das globale Wohlstandsgefälle als Quelle verschiedenartiger Konflikte abzubauen und den Aufbau von sozialen und politischen Strukturen zu fördern, die die Verwirklichung der sozialen Menschenrechte ermöglichen. Diese Rechte müssen zwar von den Gesellschaften selbst erkämpft werden. Von außen kann aber das »Empowerment« zivilgesellschaftlicher Kräfte unterstützt werden. Hier ist sowohl die staatliche Entwicklungspolitik, die sich programmatisch zur Demokratieförderung durchgerungen hat, als auch die zivilgesellschaftliche »Internationale« gefordert.

Das vom Kopenhagener »Weltsozialgipfel« konsensual verabschiedete Aktionsprogramm enthält einen Fahrplan zur Herstellung einer Weltsozialordnung, der Industrie- und Entwicklungsländer, Staaten-, Wirtschafts- und Gesellschaftswelt in die Pflicht nimmt. Ohne die finanziellen, organisatorischen und technologischen Potenziale von multinationalen Unternehmen, ohne die Expertise der Wissenschaften und ohne die Beratungs- und Kontrollfunktionen der NGOs können die Staaten und internationalen Organisationen die Weltprobleme nicht bewältigen. Die Weltbank fordert neuerdings ganz im Sinne von *Global Governance* eine »neue Entwicklungsarchitektur« *(Comprehensive Development Framework)* und versucht, durch ein Global Development Network »Koalitionen für den Wandel« zu schmieden. Die 54. Jahresversammlung von IWF und Weltbank vom Herbst 1999 einigte sich nicht nur über die Finanzierung der auf dem Kölner G 7-Gipfel vereinbarten Entschuldungsinitiative für die hoch verschuldeten ärmsten Länder (HIPCs), sondern beauftragte außerdem den IWF, künftig seine Strukturanpassungsprogramme stärker auf die Armutsbekämpfung auszurichten und seine *»Erweiterte Strukturanpassungsfazilität«* (ESAF) durch die *»Poverty Reduction and Growth Facility«* zu ersetzen. Der Problemdruck erzeugt solche Reforminitiativen.

Es geht nicht einfach um mehr Entwicklungshilfe, die es ohnehin nicht geben wird, sondern auch in der Entwicklungsfinanzierung um neue Formen von *»public-private partnership«*, wie der Beitrag von Inge Kaul verdeutlicht. Es fehlt nicht an Wissen, was getan werden müsste, auch nicht an Ressourcen, um die Weltarmut wirksam zu bekämpfen, sondern am politischen Willen, wie schon Willy Brandt in der Einleitung zum Brandt-Bericht (S. 23) betonte: »Noch nie hat die Menschheit über so vielfältige technische und finanzielle Ressourcen verfügt, um mit Hunger und Armut fertig zu werden. Die gewaltige Aufgabe lässt sich meistern, wenn der notwendige gemeinsame Wille mobilisiert wird.«

Entwicklungspolitik, die sich als globale Strukturpolitik versteht, muss Abschied von der punktuellen »Projektitis« nehmen und stärker auf den Abbau friedensgefährdender interner und internationaler sozialer Ungleichheit sowie auf die Veränderung der ordnungspolitischen Rahmenbedingungen abzielen. Das Ziel einer Weltsozialordnung orientiert sich am Leitbild einer sozialen Demokratie und hat viel mit dem Leitbild der »nachhaltigen Entwicklung« zu tun, das nicht nur eine ökologische, sondern auch eine soziale und politische Dimension hat.

Nicht nur viele Umweltprobleme haben ihre Ursache in der Massenarmut, wie der Bericht *»Geo 2000«* wieder nachwies, sondern auch das als »B-Bombe« horrifizierte Bevölkerungswachstum ist dort am höchsten, wo die Armut am größten ist (wie im subsaharischen Afrika). Gleichzeitig hat die Bevölkerungsentwicklung in einigen Regionen die von der Kairoer *Weltbevölkerungskonferenz* (1994) aufgezeigte Rezeptur bestätigt: Wo gezielt in das Bildungs- und Gesundheitswesen investiert wurde, sanken die Geburten- und Fertilitätsraten erstaunlich rasch. Die Armutsbekämpfung – oder die Verwirklichung der grundlegenden Menschenrechte – ist also die Voraussetzung für eine Verlangsamung des Bevölkerungswachstums und damit auch für eine friedliche und nachhaltige Entwicklung, weil mehr Menschen mehr Naturverbrauch und mehr Konflikte um verknappende Ressourcen bedeuten.

Die internationale Entwicklungspolitik hat inzwischen auch erkannt, dass die Frauen nicht nur in der Familienplanung, sondern in allen existenzsichernden Lebensbereichen eine Schlüsselrolle spielen. Ohne ihre Befreiung von häuslicher und gesellschaftlicher Ausbeutung und Unterdrückung und ohne ihre politische Emanzipation bliebe eine Weltsozialordnung eine patriarchalische Fehlkonstruktion (vgl. Klingebiel/Randeria 1998). Deshalb enthält der *Human Development Report* von UNDP inzwischen neben einem GDI *(Gender-related Development Index)* auch ein GEM *(Gender Empowerment Measure)*. Schon der Brandt-Bericht hatte betont, dass keine Entwicklungspolitik ohne die Mitarbeit von Frauen erfolgreich sein könne.

Weltumweltordnung:
das Projekt einer Weltorganisation für Umwelt und Entwicklung

Das Leitbild der »nachhaltigen Entwicklung«, das der *Brundtland-Bericht* von 1987 in die internationale Diskussion eingeführt hatte und durch die von der Rio-Konferenz (1992) verabschiedete *Agenda 21* zum Leitbild für eine sozial- und umweltgerechte globale Entwicklung avancierte, war aus zwei Gründen besonders innovativ: Erstens überwand es die herkömmliche Nord-Süd-Einbahnstraße, indem es auch Fragen und Anforderungen an die strukturelle Veränderungs- und Zukunftsfähigkeit der Industrieländer stellte. Nun wurde auch die Frage gestellt: Wie soll sich der Norden entwickeln? Glaubwürdig wäre das Leitbild der Nachhaltigkeit beispielsweise nur dann, wenn Deutschland nicht nur einen entwicklungspolitischen Schwerpunkt Umweltschutz setzen, sondern auch im eigenen Land den ökologischen Umbau der Wirtschaft vorantreiben würde. Zweitens löste die *Lokale Agenda 21* einen bisher ungekannten Diskussions- und Lernprozess aus, der exemplarisch für die Zusammenarbeit von staatlichen und nichtstaatlichen Akteuren auf allen Handlungsebenen war, in dem die *Commission on Global Governance* das konstitutive Prinzip von *Global Governance* entdeckte.

Obwohl in der globalen Umweltpolitik die größten Fortschritte erzielt wurden, weil auch die politischen *Global Players* von Umweltkrisen bedroht werden, krankt das schon zum Schlagwort inflationierte Leitbild der Nachhaltigkeit an Vollzugsdefiziten auf allen Handlungsebenen. Die umweltpolitischen Regime sind ein Musterbeispiel für die selektive Bearbeitung von Weltproblemen. Wie könnte die globale Umweltpolitik wirksamer organisiert und gleichzeitig der systemische Verbund von Umwelt und Entwicklung sowie von Umwelt- und Entwicklungspolitik, der im Leitbild der »nachhaltigen Entwicklung« angelegt ist, nicht durch eine Zersplitterung von Institutionen und Kompetenzen im UN-System aufgelöst werden?

Udo Ernst Simonis entwickelt die *»Architektur einer Weltorganisation für Umwelt und Entwicklung«*, die diese beiden Bedingungen zu erfüllen und die institutionellen Voraussetzungen für eine umfassende und effiziente Weltumweltordnung zu schaffen verspricht. Der Einwand liegt auf der Hand, dass der Plan einer Superbehörde erstens den Widerstand von vielen Staaten provoziert, die einen umweltpolitischen Interventionismus befürchten, zweitens die UN-Bürokratien – und beispielhaft das zur Vereinigung anstehende UNDP und UNEP – sich nicht gerade durch besondere Handlungsfähigkeit auszeichneten.

Ebenso wichtig wie die institutionelle Ausgestaltung ist für eine funktionsfähige Weltumweltordnung erstens eine glaubwürdige Partnerschaft zwischen Industrie-, Schwellen- und Entwicklungsländern, weil wichtige globalpolitische Ziele (wie die CO_2-Reduktion, der Schutz der Regenwälder und der Biodiversität, die nachhaltige Nutzung der Fischbestände) nicht gegen widerstrebende Staatenmehrheiten durchgesetzt werden können, zweitens die stärkere Beteiligung von Umweltgruppen in Beratungsgremien auf den verschiedenen Handlungsebenen, weil sie inzwischen über hohe Sachkunde verfügen und die Interessen betroffener Bevölkerungsgruppen artikulieren. Mit gutem Beispiel ging die *Commission on Sustainable Development* voran, die einen *»multi stakeholder dialogue«* institutionalisierte, durch den zivilgesellschaftliche Akteure in die Gestaltung der globalen Umweltpolitik einbezogen werden.

Der Simonis-Vorschlag wird in absehbarer Zeit ebenso scheitern wie die Forderung der »Weltföderalisten«, alsbald eine Weltkonferenz über *Global Governance* einzuberufen. Der Multilateralismus hat derzeit keine weltpolitische Konjunktur. Dies spricht aber nicht gegen Vorschläge, die *Global Governance* und eine Weltumweltordnung voranbringen könnten. Die Wissenschaft hat die Aufgabe, vorauszudenken und über Problemlösungen nachzudenken, auch wenn sie derzeit noch als konkrete Utopien erscheinen mögen. Die Welt verändert sich nicht durch Status-quo-Denken, sondern durch innovatives und kreatives Vorausdenken. Es gibt keine Alternative zum Multilateralismus.

Weltfriedensordnung: der Zusammenhang von Entwicklung und Frieden

Letztlich müssen alle Bemühungen um den Aufbau von Weltordnungen scheitern, wenn sie nicht in eine *Weltfriedensordnung* eingebettet werden. Willy Brandt hat schon Recht: »Ohne Frieden ist alles nichts«. Frieden bedeutet zwar in Regionen voller Kriege, Chaos und Zerstörung zunächst einmal die Beendigung von bewaffneten Auseinandersetzungen und die Wiederherstellung eines legitimen Gewaltmonopols, aber er bedeutet auch die Überwindung von strukturellen Kriegsursachen. Auf den Zusammenhang zwischen Hunger und Kriegen, Entwicklung und Frieden hat Willy Brandt in der ihm eigenen Plastizität der Sprache in seiner Einleitung zum Brandt-Bericht (S. 23) hingewiesen. »Die Geschichte hat uns gelehrt, dass Kriege Hunger nach sich ziehen, aber weniger bewusst ist uns, dass Massenarmut ihrerseits zu Kriegen führen oder in Chaos enden kann. Wo Hunger herrscht, kann Friede nicht Bestand haben.«

Die *Commission on Global Governance* (1995: 87) erweiterte die Interdependenzen zwischen Entwicklung und Frieden, indem sie den militärisch verengten Begriff der Sicherheit erstens um die durch Umweltkatastrophen gefährdete »Sicherheit des Planeten« und zweitens durch das Konzept von *human security* erweiterte und damit eine »Interdependenz der Ordnungen« herstellte: »Der Schutz vor äußeren Angriffen bleibt natürlich ein wesentliches Ziel der Nationalstaaten und damit der internationalen Gemeinschaft. Doch dies ist lediglich eine der im Rahmen globaler Sicherheit zu lösenden Aufgaben. Trotz zunehmender Sicherheit der meisten Staaten der Welt fühlen sich die Menschen in vielen Gebieten unsicherer als je zuvor. Ursache dafür ist nur selten eine Bedrohung von außen. Andere ebenso wichtige Sicherheitsprobleme ergeben sich aus Gefahren für die lebenserhaltenden Systeme der Erde, aus extremer wirtschaftlicher Not, aus der Verbreitung von konventionellen Kleinwaffen, aus der Terrorisierung der Bevölkerung durch bestimmte Gruppen im Lande selbst und durch grobe Verstöße gegen die Menschenrechte. Diese Faktoren stellen eine größere Gefahr für die Sicherheit der Menschen dar als die Bedrohung durch äußere Aggression.«

Die in der *»Agenda für den Frieden«* erhobene Forderung an die bi- und multilaterale Entwicklungspolitik, durch den Kampf gegen Massenarmut und Umweltzerstörung, Menschenrechtsverletzungen, soziale Diskriminierung und politische Repression an den Konfliktursachen anzusetzen, konkretisierte dann der von UN-Generalsekretär Kofi Annan im April 1998 vorgelegte *Report on the Causes of Conflict and the Promotion of Durable Peace and Sustainable Development in Africa.* Es bestand also große Übereinstimmung über die Ursachen von Konflikten und über Wege und Chancen, ihnen vorzubeugen.

Die Suche nach einer *Weltfriedensordnung* rückt natürlich die Vereinten Nationen, deren Gründungszweck die Friedenssicherung war, in den Mittelpunkt friedenspolitischer Strategien. Aber mit der ihren Hauptakteuren im UN-Sicherheitsrat anzulastenden Ohnmacht, diese Hauptaufgabe zu bewältigen, und mit der Krise des Multilateralismus im Gefolge der unilateralistischen Hegemonialpolitik der »einzigen Supermacht« USA schwanden die Hoffnungen der »Globalisten«, dass die Vereinten Nationen zum Kristallisationspunkt einer Weltfriedensordnung werden könnten. Die Selbstmandatierung der NATO zum Luftkrieg gegen Jugoslawien stellte nicht nur – unter Verletzung der UN-Charta – das Autorisierungsmonopol zum Gewalteinsatz in Frage, sondern verstärkte auch die Skepsis gegenüber einem »humanitären Interventionismus« zur Verhinderung schwerer Menschenrechtsverletzungen.

Tobias Debiel zieht in seinem Beitrag die folgende skeptische Zwischenbilanz: »Den Vereinten Nationen droht zur Jahrtausendwende eine friedenspolitische Marginalisierung. Multilaterale Veränderungsimpulse haben an Kraft verloren.« Damit stoßen auch Konzepte für eine multilaterale Weltfriedensordnung, wie sie die von Willy Brandt angeregte *»Stockholmer Initiative«* (1991), die *Commission on Global Governance* und die *»Agenda für den Frieden«* entwickelten, auf schwer überwindbare Hürden. Vor allem die hegemoniale Supermacht USA sträubt sich gegen ihre Einbindung in einen Multilateralismus mit geteilten Souveränitäten. Eine Gruppe von republikanischen Hardlinern (u. a. Jesse Helms, Patrick Buchanan, Jeane Kirkpatrick) verdächtigte in einer Internet-Botschaft *Global Governance* sogar als »stillen Krieg gegen die amerikanische Unabhängigkeit«.

Angesichts der Schwächen hegemonialer Ordnungsvorstellungen, die Widerstände provozieren, und der begrenzten Wirksamkeit einer »Weltinnenpolitik«, die mit Hilfe externer Interventionen Stabilität in Konfliktregionen zu schaffen versucht, setzt Debiel dennoch auf das Konzept der kooperativen Sicherheit in einer multilateralen Weltfriedensordnung – und zwar aus zwei Gründen, die auf das *Global Governance*-Konzept zurückgreifen: Erstens betone es stärker die politischen, sozialen und ökonomischen Voraussetzungen eines dauerhaften Friedens, verschiebe also die Priorität von der Intervention zur Prävention. Zweitens beziehe dieser präventive *»multi-track«*-Ansatz eine Vielzahl von nationalen und internationalen, staatlichen und nicht-staatlichen Akteuren in die Aufgaben der Friedenssicherung und Friedenskonsolidierung ein.

Das nüchterne Fazit von Debiel lautet: »Worum es zurzeit geht, sind nicht ›große Würfe‹ für das neue Jahrtausend. Wohl aber muss die UNO als Kern eines Systems kooperativer Sicherheit gestärkt werden.« Ihre friedenspolitische Marginalisierung begründet diese Ernüchterung. Dennoch hieße die Alternative entweder Rückfall in die Anarchie oder Hinnahme eines hegemonialen Weltpolizisten, der nicht willens und fähig wäre, überall einzugreifen, wo kriegerische Konflikte aufbrechen. Weil die große Mehrheit der Staaten weder Anarchie noch Hegemonie akzeptieren will, verlässt sie sich doch auf die kooperative Konfliktbearbeitung durch die UNO – freilich in der Hoffnung auf eine Reform des UN-Sicherheitsrates, die seine Zusammensetzung und Funktionen den weltpolitischen Bedingungen des beginnenden 21. Jahrhunderts anpassen muss. Ihrer friedenspolitischen Überforderung könnte der in Kapitel VIII der UN-Charta ermöglichte Rückgriff auf regionale Sicherheitsstrukturen (wie der OAS, OSZE, OAU oder ASEAN) entgegenwirken.

Die deutsche Entwicklungspolitik will angesichts der Vermehrung von gewaltförmigen Konflikten, die Entwicklung verhindern, verstärkt auf Prävention setzen, wie die »Entwicklungsministerin« Heidemarie Wieczorek-Zeul häufig und auch in diesem Band betont. Was vernünftig ist, ist jedoch wesentlich schwieriger als das Projektmanagement (vgl. Debiel u.a. 1999). Wichtiger als der Aufbau eines kleinen zivilen Friedensdienstes wäre erstens eine engere Abstimmung zwischen-Außen-, Sicherheits- und Entwicklungspolitik auf nationaler Ebene, zweitens eine stärkere internationale Koordination, besonders auf europäischer Ebene, drittens eine international konzertierte Rüstungsexportpolitik, die damit aufhören muss, die lokalen Kriege in der Welt mit Waffen zu füttern und zu zerstören, was Entwicklungshilfe aufgebaut hat. Auch hier ist Deutschland als ein Hauptexporteur von Kleinwaffen besonders gefordert.

Der DAC *(Development Assistance Committee der OECD)* gab 1997 seinen Mitgliedsstaaten die *Guidelines on Conflict, Peace and Development* an die Hand – mit der dringenden Aufforderung zu einem koordinierten Vorgehen in Konfliktsituationen. An diesen DAC-*Guidelines* orientierte sich dann auch ein im November 1998 vom EU-Ministerrat verabschiedeter Bericht zur »Rolle der Entwicklungszusammenarbeit bei friedenschaffenden Maßnahmen sowie der Verhütung und Lösung von Konflikten«. Die *Gemeinsame Außen- und Sicherheitspolitik* (GASP) und die Europäische Entwicklungspolitik können friedenspolitisch mehr erreichen als bilaterale Bemühungen.

Perspektiven des Global Governance-Projekts: Vision oder Illusion?

Das *Global Governance*-Projekt wurde mit mehrfachen Einwänden konfrontiert: Es sei ein theorieloses Konstrukt, das sich aus der kritischen Analyse der rauen Gegenwart in voluntaristische Zukunftsvisionen flüchte; es blende den Machtfaktor und Hegemonialinteressen aus und liefere deshalb angesichts der realen Machtverhältnisse in der Weltpolitik und globalen Ökonomie nicht einmal eine konkrete Utopie für die Welt von morgen; es ignoriere feministische Konzepte, vernachlässige emanzipatorische Konfliktstrategien und setze allzu sehr auf eine kooperative *»public-private partnership«* (vgl. Brand u.a. 1999). »Realisten« in Politik und Wissenschaft geben dem Projekt nur geringe Realisierungschancen. Sie erkennen im Gefolge der Globalisierung eher verschärfte Konkurrenzsituationen, Deregulierungswettläufe und Handelskonflikte, die sich auch durch *Global Governance* nicht bändigen lassen. In diesem Band steht Ingomar Hauchler für diese Sichtweise, die auch den Brandt-Bericht nicht von Kritik verschont.

Zum Beginn des 21. Jahrhunderts ist *Global Governance* in der Tat noch ein brüchiges Projekt. Die Hinwendung der Clinton-Administration zu einer unilateralistischen Hegemonialpolitik und die tendenzielle Demontage des UN-Systems, das den tragenden Stützpfeiler der *Global Governance*-Architektur bildet, unterminieren das Konzept der multilateralen »kooperativen Sicherheit«. Längst ist wieder häufiger von einer »neuen Welt-Unordnung« denn von einer »neuen Weltordnung« die Rede, in der nicht Macht, sondern internationales Recht und eine Kultur der Kooperation das Handeln der Staaten bestimmen sollten.

Es gibt aber auch Entwicklungen, die *Global Governance* noch nicht zur Illusion machen: Die Einrichtung einer Reihe von Regimen, die in verschiedenen Politikfeldern die internationale Zusammenarbeit vertiefen und verregeln; die Gründung des *Internationalen Strafgerichtshofes,* der weltweit Verbrechen gegen die Menschlichkeit ahnden soll; eine »Politik der Einmischung« zur Verbesserung der Menschenrechtslage und Entwicklung der Rechtsstaatlichkeit durch entsprechende Konditionalitäten und Förderinstrumente in der Entwicklungspolitik; die Herausbildung einer internationalen Zivilgesellschaft, die Politik nicht mehr den Staaten überlässt; den Versuch von Weltkonferenzen, kooperative Lösungen für die drängendsten Weltprobleme zu erarbeiten. Unter dem Druck dieser Probleme und der internationalen NGO-Szene bröckelte auch der neo-liberale *»Washington-Konsensus«.* Die Jahrestagung von IWF und Weltbank vom Herbst 1999 verpflichtete die beiden Bretton-Woods-Institutionen, sich mehr um die Armutsbekämpfung zu bemühen.

In den zahlreichen internationalen Organisationen und Verhandlungsprozessen werden kooperative Denk- und Verhaltensmuster geübt und finden Lernprozesse statt, die auf die nationalen Entscheidungsprozesse zurückwirken. Der Problemdruck der steigenden Transaktionskosten bei Verzicht auf Kooperation wird auch die *Global Players* zur Regulation der unkontrollierten Eigendynamik der Globalisierung und die »einsame Supermacht« zur internationalen Kooperation zwingen, weil sie nicht allein oder im Verbund der NATO das Problem der Regierbarkeit der Welt lösen kann (vgl. Huntington 1999). Hegemoniale Weltordnungsvorstellungen haben in einer polyzentrischen und turbulenten Welt keine Zukunft.

Global Governance ist kein romantisches Projekt für eine heile »globale Nachbarschaft«, sondern eine realistische Antwort auf die Herausforderungen der Globalisierung und globalen Risiken. Es ist ein evolutionäres Projekt, das sich nur schrittweise entwickelt. Trotz vieler Blockaden gibt es zu Beginn des 21. Jahrhunderts bessere Chancen für eine neue Weltordnung als zur Gründungszeit der Vereinten Nationen, in der sich schon der Kalte Krieg abzeichnete. Die Visionen von Willy Brandt erwiesen sich nicht als Illusionen. *Global Governance* gehörte zu seinen Visionen.

Literatur

Annan, Kofi (1998): The Quiet Revolution, in: Global Governance, Bd. 4(2), S. 123–138.

Bergsten, Fred (1997): Multilaterale Ordnungspolitik, in: E + Z, Heft 4, S. 100-103.

Brand, Uli/Brunnengräber, Achim/Schrader, Lutz/Stock, Christian/Wahl, Peter (1999): Global Governance. Möglichkeiten und Grenzen von Alternativen zur neoliberalen Globalisierung, Heinrich-Böll-Stiftung/WEED.

Brauer, Maja (1995): Weltföderation. Modell globaler Gesellschaftsordnung, Frankfurt/M.
Commission on Global Governance (1995): Nachbarn in Einer Welt, Bonn (Stiftung Entwicklung und Frieden).
Czempiel, Ernst-Otto (1992): Weltpolitik im Umbruch, 2. Aufl., München.
Daly, Herman (1999): Wirtschaft jenseits von Wachstum. Die Volkswirtschaftslehre nachhaltiger Entwicklung, Salzburg/München.
Debiel, Tobias/Nuscheler, Franz (Hrsg.) (1996): Der neue Interventionismus, Bonn.
Debiel, Tobias/Fischer, Martina/Matthies, Volker/Ropers, Norbert (1999): Effektive Krisenprävention. Policy Paper 12 der SEF, Bonn.
Delbrück, Jost (1998): Von der Staatenordnung über die internationale Kooperation zur »supraterritorial or global governance«, in: Bartosch, Ulrich/Jochen Wagner (Hrsg.), Weltinnenpolitik, München, S. 55–66.
Dror, Yehezkel (1995): Ist die Erde noch regierbar? Ein Bericht an den Club of Rome, München.
Germanwatch (1999): Sustainable Germany. Deutsche Verantwortung und die Lage der Welt 1999, Bonn.
Gruppe von Lissabon (1997): Grenzen des Wettbewerbs. Die Globalisierung der Wirtschaft und die Zukunft der Menschheit, München.
Huntington, Samuel P. (1999): The Lonely Superpower, in: Foreign Affairs, Bd. 78(2), S. 35–49.
Koch, Claus (1995): Die Gier des Marktes. Die Ohnmacht des Staates im Kampf der Weltwirtschaft, München/Wien.
Kohler-Koch, Beate (Hrsg.) (1998): Regieren in entgrenzten Räumen. Sonderheft 29 der Politischen Vierteljahresschrift, Opladen/Wiesbaden.
Lafontaine, Oskar/Müller, Christa (1998): Keine Angst vor der Globalisierung. Wohlstand und Arbeit für alle, Bonn.
Liebmann, Andreas/Amon, Wemer (Hrsg.) (1997): Dimensionen 2000. Umwelt, Friede und Entwicklung, Wien.
Martin, Hans-Peter/Schumann, Harald (1996): Die Globalisierungsfalle, 5. Aufl., Reinbek.
Messner, Dirk (1996): Politik im Wandel. NGOs in der Irrelevanzfalle oder NGOisierung der (Welt-)Politik?, in: Friedrich Ebert-Stiftung (Hrsg.), Globale Trends und internationale Zivilgesellschaft, Bonn.
Messner, Dirk/Nuscheler, Franz (Hrsg.) (1996): Weltkonferenzen und Weltberichte, Bonn.
– (1997): Global Governance. Herausforderungen an der Schwelle zum 21. Jahrhundert, in: Dieter Senghaas (Hrsg.), Frieden machen, Frankfurt/M., S. 337–361.
Müller, Harald (1998): Das Zusammenleben der Kulturen. Ein Gegenentwurf zu Huntington, Frankfurt/M.
Mürle, Holger (1998): Global Governance. Literaturbericht und Forschungsfragen. INEF-Report, Nr. 32, Duisburg.
Narr, Wolf-Dieter/Schubert, Alexander (1994): Weltökonomie, Frankfurt/M.
Nuscheler, Franz (2000): Globalisierung, Global Governance und Menschenrechte, in: Jahrbuch Menschenrechte 2000, Frankfurt/M. (i. E.).
Opitz, Peter J. (Hrsg.) (1997): Der globale Marsch, München.
Randeria, Shalini (1998): Globalisierung und Geschlechterfrage, in: Ruth Klingebiel/Shalini Randeria (Hrsg.), Globalisierung aus Frauensicht, Bonn, S. 16–33.
Rosenau, James N./Czempiel, Ernst-Otto (Hrsg.) (1992): Governance without Government, New York.
Rotte, Ralph (1996): Das internationale System zwischen Globalisierung und Regionalisierung, Baden-Baden.
Scharpf, Fritz W. (1993): Legitimationsprobleme der Globalisierung. Regieren in Verhandlungssystemen, in: Carl Böhret/Göttrik Wewer (Hrsg.): Regieren im 21. Jahrhundert, Opladen, S. 165–185.

Senghaas, Dieter (1994): Wohin driftet die Welt?, Frankfurt/M.
– (Hrsg.) (1997): Den Frieden machen, Frankfurt/M.
Schwarz, Hans-Peter (1995): Die neue Weltpolitik am Ende des 20. Jahrhunderts – Rückkehr zu den Anfängen vor 1914?, in: Karl Kaiser/Hans-Peter Schwarz (Hrsg.), Die neue Weltpolitik, Bonn, S. 15–33.
Soros, George (1998): The Crisis of Global Capitalism, New York.
Stiftung Entwicklung und Frieden (1992): Die Agenda für den Frieden Bonn.
Wahl, Peter (1998): Königsweg oder Sackgasse? Entwicklungspolitik als internationale Struktur- und Ordnungspolitik, in: Peripherie, Nr. 72, S. 82–93.
Zugehör, Rainer (1998): Die Globalisierungslüge, Bad Honnef.
Zürn, Michael (1998): Regieren jenseits des Nationalstaates, Frankfurt/M.

Die Autorinnen und Autoren

CARLSSON, INGVAR, Ministerpräsident a. D., Schweden, Vorsitzender der Commission on Global Governance

DEBIEL, TOBIAS, MA, Wissenschaftlicher Referent der Stiftung Entwicklung und Frieden (SEF), Bonn

HAUCHLER, INGOMAR, Prof. Dr., Professor für Wirtschaftswissenschaft, Mitglied des Deutschen Bundestages 1976–1998

JOCHIMSEN, REIMUT, Prof. Dr. Dr. h. c., Präsident der Landeszentralbank von Nordrhein-Westfalen und Mitglied des Zentralbankrats der Deutschen Bundesbank; am 25. November 1999 verstorben

KAUL, INGE, Dr., Direktorin des Office of Development Studies des United Nations Development Programme (UNDP), New York

KULESSA, MARGARETA E., Dr., Habilitandin in Wirtschaftswissenschaft an der Universität Mainz

KÜNG, HANS, Prof. emeritus, Dr., Präsident der Stiftung Weltethos, Tübingen

MESSNER, DIRK, Dr., Wissenschaftlicher Geschäftsführer des Instituts für Entwicklung und Frieden (INEF), Duisburg

NUSCHELER, FRANZ, Prof. Dr., Professor für Internationale Politik an der Gerhard Mercator Universität Duisburg, Direktor des Instituts für Entwicklung und Frieden (INEF) und Stv. Vorsitzender der Stiftung Entwicklung und Frieden

RAU, JOHANNES, Dr. h. c., Bundespräsident, früherer Ministerpräsident von Nordrhein-Westfalen und ehemaliger Vorsitzender von Vorstand und Kuratorium der Stiftung Entwicklung und Frieden

SAUTTER, HERMANN, Prof. Dr., Professor für Volkswirtschaft an der Universität Göttingen

SIMONIS, UDO E., Prof. Dr., Wissenschaftszentrum Berlin

STREETEN, PAUL, Prof. emeritus der Boston University; früher Fellow des Balliol College/Oxford, Gründungsdirektor des Institute of Development Studies/University of Sussex, Stv. Generaldirektor des Ministry of Overseas Development, Sonderberater von Weltbank und des United Nations Development Programme (UNDP)

WIECZOREK-ZEUL, HEIDEMARIE, Bundesministerin für wirtschaftliche Zusammenarbeit und Entwicklung (BMZ)

WULF, HERBERT, Dr., Direktor des Bonn International Center for Conversion (BICC)